ENSEÑANZA DE GRAMÁTICA AVANZADA DE ELE: CRITERIOS Y RECURSOS

Alejandro Castañeda Castro (coord.)
Zeina Alhmoud
Irene Alonso Aparicio
Jordi Casellas Guitart
Mª Dolores Chamorro Guerrero
Lourdes Miquel López
Jenaro Ortega Olivares

Primera edición, 2014

Produce: SGEL – Educación
Avda. Valdelaparra, 29
28108 Alcobendas (MADRID)

Coordinación editorial: Jaime Corpas
Ilustraciones: Zeina Alhmoud
Diseño de cubierta: Alexandre Lourdel
Corrección: Ana García Novoa
Maquetación: Jordi Sadurní

ISBN: 978-84-9778-535-8
Depósito legal: M-34377-2013
Printed in Spain – Impreso en España

Impresión: Service Point S.A.

ÍNDICE

PRÓLOGO

En este volumen, resultado de los trabajos vinculados al proyecto I + D *Gramática avanzada de Español/LE* (Ministerio de Ciencia e Innovación. Ref.: FFI2009-13107), se revisan algunos de los fundamentos en que puede basarse la enseñanza de la gramática avanzada de ELE desde los puntos de vista lingüístico, psicolingüístico y metodológico, y se ofrecen tanto criterios generales como recursos didácticos particulares para abordar problemas gramaticales propios de los niveles avanzados: pronombres personales, sistema verbal, determinación y adjetivación, etc.

Partiendo de las bases teóricas y empíricas ofrecidas por la lingüística cognitiva, la teoría del control adaptativo del pensamiento o los estudios sobre atención a la forma y procesamiento del *input* y el *output*, se abordan problemas descriptivos de aspectos concretos de la gramática del español desde el punto de vista de su enseñanza, se revisan distintos modelos de actividades de práctica gramatical sistemática y se proponen imágenes explicativas, presentaciones didácticas, actividades y secuencias de actividades que integran la modalidad comprensiva y la productiva.

Irene Alonso, en el capítulo I, resume los argumentos teóricos y empíricos a favor de la práctica sistemática de la gramática sobre la base de la teoría del control adaptativo del pensamiento y más allá de la atención incidental a los problemas gramaticales defendida por las aplicaciones más estrictas de la llamada atención a la forma.

En el capítulo II, de Zeina Alhmoud y de quien suscribe este prólogo, se revisa la aplicabilidad de la gramática cognitiva al desarrollo de descripciones pedagógicas de la gramática de ELE. Los mismos autores, inspirándose también en gran medida en este enfoque, ofrecen en el capítulo VI argumentos a favor de una descripción del sistema verbal del español que resulte apta para su aplicación a la clase de ELE y plantean ilustraciones y presentaciones animadas con las que se vea facilitada la explicación de dichos contenidos.

Lourdes Miquel y Jenaro Ortega repasan en el capítulo III, en relación con problemas muy diversos, las distintas clases de actividades y procedimientos en que puede materializarse la atención a la gramática y su práctica sistemática tanto comprensiva como productiva. Ofrecen ejemplos originales de actividades de reflexión y práctica gramatical concebidos para la clase de nivel avanzado de ELE.

En los capítulos IV y V, cuya autoría comparto con Mª Dolores Chamorro, se exploran claves y criterios para la presentación pedagógica y sistemática de problemas gramaticales relacionados con la determinación nominal. El capítulo IV se dedica a cuestiones relativas al uso de artículos y cuantificadores indefinidos. El capítulo V trata de la cuestión de la posición del adjetivo. En uno y otro las reflexiones sobre la naturaleza de estos recursos gramaticales se acompañan de ejercicios con los que se ilustra la aplicación en clase de las posturas defendidas.

Finalmente, en el capítulo VII, Jordi Casellas propone, sobre la base de la atención a la comprensión auditiva y al tratamiento del error, la presentación y práctica, mediante diferentes secuencias de actividades, de diversos aspectos relacionados con la concordancia de género, la preposición *a* como marca de los complementos directo e indirecto, el uso de pronombres personales y las oposiciones temporales y modales.

El CD que acompaña este volumen ofrece, para su uso en clase y en formato de audio, pdf o *PowerPoint*, los materiales didácticos propuestos y comentados en los diferentes capítulos.

Espero que los estudiantes de ELE y los profesores que día a día se afanan en ayudarles a comprender la gramática del español encuentren alguna utilidad en estas reflexiones y propuestas didácticas.

Aprovecho estas líneas introductorias para expresar mi sincero agradecimiento a Jordi Sadurní por la profesionalidad y esmero con que ha cuidado cada pequeño detalle de la edición; a la editorial SGEL, especialmente en la persona de Jaime Corpas, por su paciencia y su confianza, y a los autores por haber volcado en estas páginas su inteligencia, tesón, experiencia en las clases de ELE, pasión por este oficio y generosidad.

Las ya bastantes horas empleadas en sacar adelante estos capítulos, sustraídas a otros “capítulos” de la vida, son deuda (una más) contraída con Lucía. Le dedico a ella el cumplimiento de este proyecto.

Alejandro Castañeda Castro

Septiembre de 2013

CAPÍTULO I

FUNDAMENTOS COGNITIVOS DE LA PRÁCTICA SISTEMÁTICA EN LA ENSEÑANZA GRAMATICAL

IRENE ALONSO APARICIO
Universidad de Columbia

Resumen

El objetivo de este capítulo es argumentar que la enseñanza de la gramática debe invitar al estudiante a tomar conciencia sobre el funcionamiento de las propiedades formales de la lengua meta, pero además debe invitarle a practicar sistemáticamente ese conocimiento consciente recién adquirido. Asimismo, se hace hincapié en la necesidad de que esta práctica se lleve a cabo no solo en las destrezas de producción lingüística, como a menudo suele ser el caso, sino también en las destrezas de comprensión lingüística. Estos argumentos se justifican mediante la Teoría del Control Adaptativo del Pensamiento (Anderson, 1976 y sigs.), una sólida teoría científica sobre la cognición humana que cuenta con un importante respaldo empírico en el campo de la psicología cognitiva.

Introducción

Si hay un asunto controvertido y debatido hasta la saciedad en el ámbito de la adquisición y enseñanza de segundas lenguas (L2) dirigida a aprendices adultos, posiblemente ese sea la pertinencia de la enseñanza gramatical, es decir, el si se debe o no enseñar gramática. No obstante, después de una profusión investigadora sin precedentes en este ámbito de estudio durante las últimas décadas, hoy se acepta como válida la premisa de que proporcionar algún tipo de información gramatical al aprendiz de L2 sí puede contribuir a la adquisición (Long, 1983, 1988; Norris y Ortega, 2000). Otra cuestión, sin embargo, más compleja y aún no resuelta es qué alternativa de enseñanza formal aplicar o cómo se debe llevar a cabo la enseñanza de la gramática. En este sentido, aunque cada vez se proponen más directrices para el diseño de pautas metodológicas psicolingüísticamente coherentes, todavía quedan interrogantes pendientes de respuesta.

El objetivo de este capítulo es precisamente abordar uno de esos interrogantes. En concreto, se pretende reflexionar aquí sobre en qué debe consistir la manipulación de datos lingüísticos y otras variables, que se lleva a cabo cuando se enseña gramática al aprendiz de L2. Así, en las líneas que siguen se razonará que la enseñanza formal debe proporcionar al estudiante información sobre el funcionamiento de la lengua meta, pero, además, debe invitarle a practicar dicha información sistemáticamente para que pueda usarla de manera fiable y espontánea en una comunicación libre. Por su parte, esta argumentación se llevará a cabo a partir de la reflexión teórica y los datos empíricos procedentes del campo de la psicología cognitiva sobre la adquisición de destrezas. En definitiva, entonces, el objetivo de este capítulo es romper una lanza a favor de las actividades de práctica sistemática o "actividades específicas en la segunda lengua, en las que se participa sistemáticamente, deliberadamente, con el objetivo de desarrollar conocimiento y destrezas en la segunda lengua" (DeKeyser, 2007: 1)[1]. No obstante, antes de justificar la presencia de las actividades de práctica sistemática en el tratamiento didáctico de la gramática, se revisará brevemente por qué sí tiene sentido la enseñanza de la gramática y cómo se nos propone hoy llevarla a cabo.

1. ¿Por qué sí se debe enseñar gramática?

Como se exponía previamente en la introducción, la cuestión de si se debe o no enseñar gramática es sin duda uno de los asuntos que más polémica ha generado en el ámbito de la adquisición y enseñanza de L2 a adultos durante los últimos años. Por lo tanto, aunque sin entrar en las causas que en su momento originaron esta controversia o en los argumentos que detractores y defensores de la enseñanza gramatical han alegado para sostener sus posturas[2], cabe detenerse, si bien sintéticamente, en la investigación empírica que ha estudiado la contribución de la enseñanza gramatical al desarrollo de la L2. De esta manera, se entenderá por qué hoy, y después de muchos avatares, se le concede a la enseñanza gramatical un lugar en la didáctica de L2 y, en nuestro caso, en la didáctica de español/L2 (E/L2).

Así pues, respecto a la investigación que ha estudiado si tiene o no sentido enseñar gramática, se encuentran en la literatura principalmente dos corrientes o líneas de estudio: una primera corriente, que ha documentado el aprendizaje de una L2 en ausencia de instrucción formal, y otra segunda corriente, que ha estudiado directamente los *efectos* de enseñar gramática. En el primer caso, en el de la investigación que ha estudiado qué pasa cuando no se enseña gramática, los datos han revelado que incluso tras años de exposición a la lengua

[1] "[...] specific activities in the second language, engaged in systematically, deliberately, with the goal of developing knowledge of and skills in the second language." (DeKeyser, 2007: 1). Trad. de la autora [TA].

[2] Para un análisis pormenorizado, véanse Castañeda Castro y Ortega Olivares (2001) y Ortega Olivares (2001).

meta y participación en una comunicación significativa, el aprendizaje en el contexto de aula sin enseñanza gramatical o en el contexto natural (fuera del aula) puede resultar en la fosilización temprana y/o la no adquisición de estructuras que se dominan sin embargo con relativa facilidad en el contexto de aula con enseñanza gramatical (p. ej., Schmidt, 1983; Swain, 1985; Sato, 1990). En cuanto a la segunda corriente, en el caso de la investigación centrada en los *efectos* de la instrucción formal, esta se ha dedicado a comparar los resultados del aprendizaje con instrucción formal frente al aprendizaje sin instrucción formal pero con exposición a la estructura meta y frente al aprendizaje sin exposición a la estructura meta. Así, siguiendo un diseño de investigación en el que se ha medido el conocimiento de los aprendices antes y después del aprendizaje de una estructura concreta (diseño pretest/manipulación/posttest), los resultados de esta investigación han revelado la superioridad del aprendizaje con instrucción formal frente al aprendizaje en las otras dos circunstancias (p. ej., Norris y Ortega, 2000). A la luz, entonces, de estos resultados, se ha concluido que, frente al aprendiz al que no se le enseña gramática, el aprendiz al que sí se le enseña gramática progresa más rápidamente en su aprendizaje de la L2 y alcanza un nivel superior de competencia lingüística, es decir, un nivel con un repertorio de estructuras más rico y con un grado menor de fosilización de las mismas (Long, 1988); o, lo que es lo mismo, "sin instrucción, la AL2 [adquisición de una L2] adulta es más difícil, lenta, y menos exitosa" (Doughty, 2003: 259)[3].

Ahora bien, en cuanto a estas conclusiones, cabe puntualizar que, si bien la investigación ha demostrado la capacidad de la enseñanza gramatical para alterar positivamente el aprendizaje lingüístico, también ha matizado cuándo es detectable dicho impacto. Es decir, casi a la par que la investigación revelaba las posibilidades de la instrucción gramatical, también ponía de manifiesto dos hechos más. En primer lugar, el estudio sobre el desarrollo de la L2 demostraba que en los distintos estadios de aprendizaje de una misma lengua (p. ej., principiante, intermedio, avanzado), aprendices de distinta edad, lengua materna, y contexto de aprendizaje (con enseñanza gramatical o sin ella), producían las estructuras de la L2 en un orden más o menos previsible y atravesaban también un orden de etapas relativamente establecido en el dominio de cada estructura. Esta observación llevaba a concluir que el aprendizaje de la L2 avanza por una *ruta natural o universal de adquisición* (Burt y Dulay, 1980) guiada por un *programa interno de aprendizaje* que no refleja el sílabo curricular que impone el docente (Corder, 1967). En segundo lugar, la investigación también ponía de manifiesto que, si bien la instrucción gramatical no permitía alterar el orden establecido por el programa interno de aprendizaje que se reflejaba en la ruta universal de adquisición, siempre que estuviera dirigida a estructuras más o menos

[3] "[...] without instruction, adult SLA is more difficult, slower, and less successful." (Doughty, 2003: 259). [TA].

inmediatamente posteriores a aquella en la que se encontraba el aprendiz, resultaría beneficiosa (Pienemann, 1984, 1988, 1989; Spada y Lightbown, 1999)[4].

En resumen, los datos empíricos arrojados por la investigación de los últimos años en el ámbito de la adquisición y enseñanza de L2 llevan a la conclusión de que la enseñanza gramatical acelera el aprendizaje lingüístico y enriquece el repertorio gramatical del aprendiz siempre y cuando se adapte al estadio de desarrollo psicolingüístico en el que este se encuentra.

2. Propuesta actual de enseñanza gramatical: atención a la forma

2.1 Descripción

Cómo llevar a cabo de manera efectiva la enseñanza de la gramática es una cuestión bastante más compleja que la referida a si se debe o no enseñar gramática. No obstante, hoy, y después de muchos intentos en la búsqueda de la panacea didáctica, la *atención a la forma* (AF) (Long, 1988, 1991, 2007; Long y Robinson, 1998) se ha consolidado como propuesta que goza de gran popularidad y aceptación en los foros académicos por dos razones: (a) se trata de un modelo psicolingüísticamente sostenible, es decir, coherente con las conclusiones alcanzadas en el campo de la lingüística aplicada sobre el desarrollo natural de la L2; y (b) cuenta con un importante respaldo empírico, es decir, con un número considerable de investigaciones que avalan su eficacia (p. ej., Norris y Ortega, 2000). Veamos en qué consiste.

En primer lugar, inspirada en las metodologías basadas en tareas comunicativas de la vida cotidiana (p. ej., Nunan, 1989; Skehan, 1996; Robinson, 2001), la AF propone dirigir la atención del estudiante hacia la gramática como respuesta a una necesidad o problema comunicativo surgido durante la realización de una de esas tareas. Es decir, la AF sugiere trabajar una estructura concreta como reacción a una dificultad comunicativa concreta y en un contexto comunicativo concreto. Por su parte, esta propuesta de abordar la enseñanza de la gramática de manera reactiva y no proactiva (planeada *a priori*) está avalada psicolingüísticamente, pues, dada la existencia de un *orden natural o universal de adquisición* (Burt y Dulay, 1980) inalterable por la instrucción formal (Pienemann, 1984, 1989), resulta lógico no imponer aleatoriamente la enseñanza de cualquier estructura, sino abordar una estructura concreta cuando el aprendiz dé muestras de estar psicolingüísticamente preparado para aprenderla. En segundo lugar, considerando la capacidad de la interacción comunicativa para desencadenar el aprendizaje lingüístico (Long, 1983, 1996, 2007), la AF propo-

[4] De ahí que, por ejemplo, no se enseñe el uso del modo subjuntivo en los niveles iniciales del aprendizaje de E/L2, pues este modo se relaciona con la subordinación, y, antes de que el aprendiz desarrolle la capacidad de comprender y producir los usos del subjuntivo, resulta imprescindible que desarrolle, entre otros, la capacidad de comprender y producir enunciados complejos.

ne tratar la enseñanza de la gramática en el seno de actividades de interacción comunicativa, pudiendo darse dicha interacción entre profesor y estudiante, estudiante y estudiante o estudiante y tarea. En tercer lugar, a la luz de la hipótesis de la *captación* (Schmidt, 1990, 2001), es decir, dada la hipótesis de que para aprender una estructura el estudiante tiene antes que registrarla conscientemente o "darse cuenta" de su presencia en la lengua (lo que no implica "entender" su uso), la AF sugiere inducir esta captación como objetivo de la enseñanza gramatical, y más aún cuando se trata de estructuras poco perceptibles, poco frecuentes en el *input*, comunicativamente redundantes o imposibles de adquirir mediante la exposición a la lengua meta, pues, de no tratarlas, pudieran pasar inadvertidas y no ser aprendidas. Finalmente, para llevar a cabo la enseñanza de la gramática, la AF propone técnicas didácticas poco explícitas como la retroalimentación correctiva (reformulaciones correctivas o solicitudes de clarificación), el *input* realzado tipográfica y/o auditivamente (resaltar en la lengua escrita u oral lo que se pretende enseñar) y el *input* anegado o enriquecido (proporcionar múltiples muestras de la estructura meta).

Ahora bien, considerada esta breve presentación de la AF, cabe mencionar que, desde que se propusiera inicialmente a lo largo de los años 90 del pasado siglo, "la atención a la forma [...] ha pasado a denominar distintas cosas para aquellos que han adoptado el término" (Williams, 2005: 671)[5]. En este sentido, las diversas acepciones que se han ido sucediendo hasta hoy comparten con la definición genuina la necesidad de trabajar la gramática en el seno de tareas comunicativas y porque así lo exijan las necesidades comunicativas del alumnado, y con el fin siempre de inducir la *captación*, e incluso el *entendimiento*, de la forma meta. No obstante, las nuevas acepciones divergen de la propuesta inicial especialmente en lo que a la naturaleza reactiva y poco explícita de las técnicas genuinas se refiere (p. ej., Spada, 1997; Dougthy y Williams, 1998; Lightbown, 1998; Long, 2007; Loewen, 2011). Es decir, si la propuesta genuina sugiere abordar la forma meta después de que se desencadene un problema comunicativo, las nuevas interpretaciones abogan igualmente por que la enseñanza de la gramática se planifique *a priori* y se presente antes de que se desencadene la dificultad comunicativa (eso sí, respetando el desarrollo natural de la L2). Asimismo, para abordar la estructura meta, desde las nuevas acepciones se han propuesto técnicas con un grado de explicitud formal mayor al inicialmente sugerido. En este sentido, Doughty y Williams (1998) citan como otras alternativas pedagógicas (*a*) la dictoglosia (negociación explícita de la forma); (*b*) las tareas de concienciación lingüística (inducción de una regla gramatical); (*c*) el procesamiento del *input* (explicación de qué se debe *captar* y cómo se debe procesar la lengua), y (*d*) las oraciones de vía muerta (provocación deliberada del error para ser tratado explícitamente después).

[5] "Focus on Form [...] has come to mean different things to those who have adopted the term." (Williams, 2005: 671). [TA]

2.2 Un caso práctico

Con el fin de esclarecer cómo se propone desde el paradigma de la AF el tratamiento didáctico de la gramática, a continuación se presenta un caso práctico.

Imagínese un grupo de estudiantes de E/L2 de nivel avanzado al que le gustaría trabajar en cooperación internacional y que de hecho estudia español con el fin de establecerse en países de Iberoamérica. Para atender las necesidades comunicativas y de aprendizaje del alumnado, se diseña una tarea comunicativa que pretende que el estudiante se familiarice con el proceso de solicitud de un puesto de trabajo y de entrevista laboral en el ámbito de la cooperación internacional, y, más concretamente, cuando desea trabajar para la Agencia Española de Cooperación Internacional para el Desarrollo (AECID) en países de Iberoamérica. La tarea en cuestión podría titularse "Trabajar para la AECID: cómo afrontar el proceso de solicitud y selección" y tener como finalidad la simulación de una entrevista laboral tras estudiar y preparar la candidatura para una oferta de trabajo real extraída de la página web de la AECID. Asimismo, una posible secuencia de actividades que podría integrar esta tarea podría ser la que se presenta en la figura 1:

TRABAJAR PARA LA AECID: CÓMO AFRONTAR EL PROCESO DE SOLICITUD Y SELECCIÓN	
Actividad 1	La experiencia de trabajar con otros
Actividad 2	Las convocatorias de trabajo
Actividad 3	Los perfiles de los candidatos
Actividad 4	Las responsabilidades del puesto
Actividad 5	Preparándose para la entrevista
Actividad 6	Llega la entrevista
Actividad n	¡Te toca a ti!

Figura 1. Secuencia de actividades para la tarea comunicativa "Trabajar para la AECID: Cómo afrontar el proceso de solicitud y selección"

Supóngase ahora que, durante el desarrollo de algunas de las subactividades que integran las actividades de la tarea, el profesor advierte ciertas dificultades en su alumnado para gestionar la distinción modal. Concretamente, mientras se trabaja sobre el perfil que debe presentar el candidato para optar a la vacante de trabajo "Responsable de proyecto en el área de Agua y Saneamiento en Perú", el alumnado presenta dificultades para producir o comprender el uso del modo subjuntivo en oraciones de relativo. Así, cuando en la convocatoria de trabajo se recoge que "se precisan candidatos que dispongan de titulación universitaria superior en ingeniería, con especialidad preferentemente en hidráulica, y/o que posean experiencia práctica demostrable de al menos tres años en proyectos de cooperación en el ámbito de gestión de agua y recursos hídricos", el alumnado tiene problemas para decidir si la AECID reconoce la dificultad de encontrar candidatos con experiencia previa y, por lo tanto, se puede argüir que supone un valor añadido o si la AECID reconoce la experiencia previa y la titulación universitaria como características del candidato igualmente asequibles. De la misma manera, durante el desarrollo de actividades orales en pequeños grupos o debates de toda la clase, el alumnado presenta dificultades para seleccionar correctamente el modo de las proposiciones subordinadas de relativo según sea el antecedente una entidad identificada o no. Así, cuando se discute en clase quién podría y quién no presentarse a la vacante, el alumnado produce enunciados como *Yo podría solicitar este puesto porque cumplo todos los requisitos que *pidan en la convocatoria.*

Ante estas dificultades de comprensión y producción del modo subjuntivo en las oraciones de relativo, el profesor decide abordar el tratamiento de la distinción modal en este contexto. Pues bien, lo que se propone desde el paradigma de la AF es emplear distintas técnicas para que el estudiante se dé cuenta de que se puede dar la alternancia de modos en las oraciones de relativo y, con suerte, comprenda cuándo se emplea cada modo. Así, tras la locución *Yo podría solicitar este puesto porque cumplo todos los requisitos que pidan en la convocatoria*, el profesor podría, por ejemplo, recurrir a la reformulación correctiva (reproducción exacta de la locución del estudiante pero corrigiendo el aspecto formal equivocado) con entonación realzada, con el fin de que su estudiante capte que en ese contexto se debe usar el modo indicativo. Así, emitiría una locución como *Yo podría solicitar este puesto porque cumplo todos los requisitos que **piden** en la convocatoria*, en la que la desinencia verbal en negrita denota una entonación más aguda y un tono más alto. El tratamiento del docente supondría entonces la combinación de dos técnicas de AF: la reformulación correctiva y el *input* realzado. Más aún, el profesor podría incluso optar por la combinación de tres técnicas de AF: la reformulación correctiva, el *input* realzado y el *input* anegado, y emitir una locución como *Yo podría solicitar este puesto porque cumplo todos los requisitos que **piden**, que **exigen**, que **solicitan** en la convocatoria.* Del mismo modo, para abordar este aspecto gramatical tras la dificultad del estudiante en la comprensión o producción de la distinción modal en las oraciones de relativo, el profesor podría recurrir a técnicas más explícitas, como hacer una breve pausa en el desarrollo de la clase y presentar o recordar al alumnado, mediante una explicación explícita, cuándo se usa qué modo en las oraciones de relativo. Es decir, la intervención del docente tendría siempre y en definitiva el objetivo de concienciar al estudiante sobre el funcionamiento de la lengua meta.

2.3 Breve evaluación de la atención a la forma

A la luz de lo expuesto con respecto a la AF en las líneas anteriores, se puede concluir que estamos ante una propuesta pedagógica psicolingüísticamente coherente y que atiende las necesidades y problemas comunicativos del aprendiz.

Más aún, y como se ha expuesto previamente, se trata de una propuesta que cuenta con un importante respaldo empírico (p. ej., Norris y Ortega, 2000). No obstante, un aspecto que sorprende cuando se analiza cómo trabajar la gramática en el aula desde este paradigma es que la práctica no constituye un componente de la instrucción formal. Es decir, como se ha visto, el objetivo de la AF es inducir en el estudiante la *captación*, y, en el mejor de los casos, la *captación* y el *entendimiento* de la estructura meta. Sin embargo, una vez que el estudiante se ha percatado de la presencia de la estructura meta y ha entendido por qué se usa, practicarla no forma parte del tratamiento de la gramática según lo estipulado por la AF.

Esta propuesta tácita de la AF de no contemplar la práctica como componente de la enseñanza gramatical cuando menos sorprende, pues contrasta con la intuición y la experiencia de que practicar es la "clave" para llegar a hablar una L2 o llegar a desempeñar cualquier otra tarea como, por ejemplo, conducir un coche, tocar el piano o resolver problemas matemáticos. No obstante, este enmudecimiento de la AF con respecto a la práctica es incluso más llamativo cuando se considera que la contribución de la práctica al aprendizaje de destrezas no se queda meramente en intuiciones y experiencias, sino que ha sido descrita y, más importante aún, ha sido explicada en el seno de la psicología cognitiva por una consolidada teoría científica sobre la cognición humana, la Teoría del Control Adaptativo del Pensamiento (Anderson, 1976 y sigs.). Veamos ahora cuál es la contribución de la práctica al aprendizaje según lo estipulado por esta teoría.

3. La práctica sistemática en la enseñanza de la gramática

3.1 Efectos observables de la práctica sistemática

Antes de estudiar la posible contribución de la práctica sistemática al aprendizaje de una L2 desde la perspectiva de cualquier formulación teórica, reflexionemos por un momento sobre sus efectos en el aprendizaje de una L2 o en el aprendizaje de cualquier otra destreza como tocar el violín, editar un texto en un procesador de textos o conducir un coche. En este sentido, es muy posible que todos compartamos la intuición y la experiencia de que con la práctica mejoramos la ejecución de la destreza que aprendemos. Por su parte, esta mejora se manifiesta, por ejemplo, en nuestra capacidad para ejecutar tareas con mayor rapidez. Así, con la práctica conseguimos interpretar una pieza de violín *molto vivace*, tal y como pretende su compositor, y no *molto lento*, como la interpretábamos al inicio de nuestro aprendizaje; o conseguimos mantener una conversación en una L2 de manera fluida y espontánea. Asimismo, el porcentaje de errores disminuye progresivamente con la práctica hasta no cometerse o cometerse muy pocos. Por ejemplo, con la práctica conseguimos editar un texto sin confundir grafías o logramos expresar correctamente opiniones personales en una L2. De igual modo, con una ejercitación más o menos prolongada, llegamos a un dominio de la tarea tal que nos permite llevar a cabo otra tarea de forma simultánea o casi simultánea. Así, podemos llegar a conducir un coche a la vez que prestamos atención a lo que dice la radio en una L2. Más aún, con la práctica podemos incluso adquirir rutinas difíciles de cambiar. Por ejemplo, es posible que la persona que siempre ha editado textos en una máquina de escribir rehúse emplear un procesador de textos informático incluso a sabiendas de que el resultado pueda ser superior y la inversión de tiempo y esfuerzo, menor. Finalmente, una ejercitación prolongada nos puede llevar a un dominio de la destreza tal que seguir ejercitándola nos produzca la sensación de no avanzar o de avanzar muy poco con cada nueva sesión de práctica.

Todos estos fenómenos han sido estudiados y constatados por la psicología cognitiva en la adquisición de destrezas tan dispares entre sí como las que se acaban de comentar. De hecho, existe un abundante número de investigaciones que demuestra que, con la práctica, se produce un descenso en la tasa de errores y tiempos de ejecución de una tarea (Newell y Rosenbloom, 1981). Por otro lado, aunque no existe consenso teórico acerca de si somos capaces de desempeñar dos tareas simultáneamente o si, por el contrario, alternamos tareas en milésimas de segundo (Pashler y Johnston, 1998), existen numerosos estudios que ponen de manifiesto que, con la práctica, somos capaces, por lo menos superficialmente, de desempeñar dos tareas a la vez (Schumacher et ál., 2001). De igual modo, la tendencia a resolver un problema mediante determinado procedimiento cuando este ha sido ejercitado y la evitación de un procedimiento alternativo no ejercitado también han sido demostradas –fenómeno *Einstellung*[6]– (Bilalic et ál., 2008). Finalmente, la investigación en adquisición de destrezas ha puesto de manifiesto que la relación que se establece entre la práctica y sus beneficios sigue una función matemática concreta conocida como la *ley del ejercicio –power law of learning–* (Newell y Rosenbloom, 1981). Esta función viene a mostrar que a más sesiones de práctica, mayor dominio de la destreza; pero también muestra que a más sesiones de práctica, menor es el beneficio obtenido en cada sesión de práctica[7].

[6] El término alemán *Einstellung* se traduce en castellano por "actitud adquirida".

[7] La ley del ejercicio se representa matemáticamente mediante una ecuación potencial (*power law*), es decir, una ecuación en la que la variable independiente se encuentra en la base de una potencia cuyo exponente es un parámetro fijo (a diferencia de la llamada "función exponencial", en la cual la variable independiente se encuentra en el exponente de una potencia de base fija). Concretamente, *la ley del ejercicio* se representa mediante la ecuación $B = a + bN^{-c}$, donde B es la variable dependiente y representa el beneficio obtenido mediante la práctica (ya sea en tiempo de ejecución de una tarea o en tasa de errores) y N es la variable independiente, que representa las veces que el sujeto practica la tarea. Por su parte, a representa el valor asintótico al que tiende B, es decir, "la mejor ejecución posible" o el beneficio obtenido después de una práctica (un número de ejecuciones N) infinita o muy extensa (nótese que, para N tendiendo a infinito, la potencia N^{-c} tiende a cero, resultando $B = a$); b representa la diferencia entre el beneficio obtenido en la primera ejecución y el valor asintótico (considérese que para la primera ejecución, siendo $N = 1$ y $N^{-c} = 1$,

Considerando entonces que todos tenemos la intuición y la experiencia de que la práctica es parte del éxito en el aprendizaje de una destreza, y una vez constatada empíricamente la realidad de los efectos que por intuición le atribuimos, nos preguntamos por la existencia de alguna teoría sobre la cognición humana compatible con ellos, es decir, por la existencia de alguna formulación teórica en la que la naturaleza del conocimiento que subyace al comportamiento experto dependa de la práctica sistemática. De esta manera, la propuesta de contemplar la práctica como parte integrante de la enseñanza gramatical no solo estará avalada por la observación, la intuición y la experiencia, sino también por la formulación científica.

3.2 La práctica sistemática y la Teoría de Control Adaptativo del Pensamiento

Desde la perspectiva de la psicolingüística, una formulación teórica que da buena cuenta de la contribución de la práctica sistemática al desarrollo de destrezas es la Teoría del Control Adaptativo del Pensamiento de Anderson (1976 y sigs.) o *Adaptive Control of Thought* (ACT)[8]. Por su parte, en psicología cognitiva, dicho modelo posiblemente constituya la propuesta teórica más completa, ambiciosa y sólida sobre la cognición humana. De hecho, la ACT consiste en "una teoría sobre la naturaleza del conocimiento humano, una teoría sobre cómo se despliega este conocimiento y una teoría sobre cómo se adquiere este conocimiento" (Anderson y Lebiere, 1998: 5)[9]. Más aún, esta teoría está avalada por un extenso corpus de estudios empíricos y, además, se ha adaptado a un programa informático que permite comprobar o refutar sus predicciones[10].

La ACT parte de la premisa de que "todos los procesos cognitivos superiores, como memoria, *lenguaje*, solución de problemas, imágenes, deducción e inducción, son distintas manifestaciones de un mismo sistema subyacente" (Anderson, 1983: 1) (cursiva añadida)[11]. Es decir, este modelo sugiere que el lenguaje se almacena y recupera de la memoria como cualquier otro tipo de información, y que su adquisición procede igual que en el caso de otras destrezas cognitivas complejas. Este modelo contrasta, por lo tanto, con la visión de quienes postulan la existencia de un dispositivo específico para la adquisición, la representación y

resulta $B = a + b \cdot 1 = a + b$, de donde $b = B - a$), y c, por último, representa el índice de aprendizaje, un parámetro propio de cada tarea y de cada ejecutante (a mayor valor de c, más rápidamente se acerca el beneficio B al valor asintótico a).

[8] Se adopta aquí, en su versión inglesa, el acrónimo ACT por su difusión en la literatura en español.

[9] "[...] a theory of the nature of human knowledge, a theory of how this knowledge is deployed, and a theory of how this knowledge is acquired" (Anderson y Lebiere, 1998: 5). [TA]

[10] Para acceder gratuitamente al *software* y a muchas publicaciones clave en la evolución de la ACT, consúltese la URL http://act-r.psy.cmu.edu [última visita: 13/02/2013].

[11] "[...] all the higher cognitive processes, such as memory, language, problem solving, imagery, deduction and induction, are different manifestations of the same underlying system." (Anderson, 1983: 1). [TA]

la actuación lingüísticas (véase Chomsky, 1959, en el debate sobre el lenguaje en general; y véase asimismo White, 1989, 2003, en el debate sobre la L2).

Por otro lado, cabe mencionar, en cuanto a esta teoría, que el acrónimo ACT engloba las sucesivas versiones del modelo que, a lo largo de los últimos 35 años, Anderson y sus colaboradores vienen elaborando. Así, a mediados de los años 70 surgía la primera formulación, conocida como la ACTE (Anderson, 1976, 1982; Neves y Anderson, 1981); a comienzos de los 80 nacía la ACT*(Anderson, 1983), y a partir de los 90 se desarrollaban las distintas versiones de la actual ACT-R (R de racional): la ACT-R 2.0 (Anderson, 1993), la ACT-R 4.0 (Anderson y Lebiere, 1998) y la ACT-R 5.0 (Anderson et ál., 2002, Anderson et ál., 2004). Como cabe esperar, el impulso de estas sucesivas versiones ha sido acomodar los datos empíricos que ha ido aportando la investigación. Sin embargo, pese a esta constante reelaboración, la esencia de la ACT se ha mantenido intacta, defendiéndose siempre la existencia de dos tipos de conocimiento y de tres fases en la adquisición del conocimiento. En cualquier caso, y considerando lo que aquí nos ocupa, nuestra exposición se centra en la última versión de la teoría (ACT-R) y en la presentación de los aspectos más relevantes con vistas a las posibilidades de la práctica para contribuir al desarrollo de la L2. Así, esta sección se dedica a describir la contribución de la práctica sistemática a la adquisición y desarrollo del conocimiento que subyace al comportamiento experto. Para ello, resulta indispensable antes describir la naturaleza de este conocimiento. Veamos.

3.2.1 *Tipos de conocimiento*

La ACT asume que el conocimiento humano se estructura en dos categorías: conocimiento declarativo y conocimiento procedimental[12].

El *conocimiento declarativo* se corresponde con el conocimiento factual (los hechos), el "saber qué", el saber cómo está organizado el mundo y lo que en él sucede. Se trata de un conocimiento inerte, inactivo, que no desencadena acciones, aunque sí activa el conocimiento responsable de las acciones. Se trata además de un conocimiento del que se tiene consciencia y que generalmente se puede describir o verbalizar. De acuerdo con la ACT, este conocimiento se representa en forma de *chunks* o "paquetes de información", es decir, en configuraciones de elementos que codifican lo que se sabe. Algunos ejemplos de conocimiento declarativo incluyen: saber que "3 más 9 es 12", saber que "mañana me visitan mis padres" o saber que "en español, el marcador discursivo *como* se emplea para presentar un hecho en el que hay que pensar antes para entender otro hecho después"[13].

[12] Se emplean como sinónimos los términos *conocimiento* y *memoria*.

[13] Nótese la notación informal de los ejemplos de *chunks* (conocimiento declarativo) y de reglas de producción (conocimiento procedimental) que se presentan a lo largo de este apartado. Como cabe esperar, su notación científica es bastante más compleja, técnica y llena de formalismos.

Por su parte, el *conocimiento procedimental* se corresponde con el "saber cómo" (las acciones), el saber cómo hacer algo, cómo ejecutar el conocimiento declarativo para resolver un problema según las circunstancias. Se trata, por lo tanto, del conocimiento responsable de la ejecución de tareas, o, lo que es lo mismo, constituye el conocimiento que subyace al comportamiento experto. Se trata de un conocimiento que generalmente no suele ser descriptible, sino que se infiere del comportamiento del individuo, y un conocimiento que, en realidad, solo se puede verbalizar cuando se mantiene o recupera su representación declarativa, como suele ocurrir en el caso del docente de E/L2 que usa la lengua meta de manera fluida pero que mantiene sus reglas gramaticales en forma declarativa porque las enseña de manera explícita con frecuencia.

De acuerdo con la ACT, el conocimiento procedimental se representa en forma de *reglas de producción* o *producciones* que consisten en proposiciones del tipo: *condición-acción* o SI *la circunstancia es* X, ENTONCES *ejecuta* Y. Es decir, en las producciones, la cláusula *condición* o SI especifica la circunstancia en la que se aplica la regla de producción, mientras que la cláusula *acción* o ENTONCES especifica qué hacer en la circunstancia determinada en la condición, o, lo que es lo mismo, cuando se cumple la condición de la cláusula condición, la producción puede "dispararse" y la acción de la cláusula acción, "ejecutarse". La ACT postula además que cada cláusula condición y cada cláusula acción suelen contener más de una condición y más de una acción. Considérese, en este sentido, el ejemplo mostrado en la figura 2:

SI	el objetivo es seleccionar el modo de la proposición subordinada contenida en "Se precisan candidatos que *exhibir* el perfil solicitado".
Y	la entidad a la que hace referencia la proposición subordinada no está identificada (candidatos)
Y	el tiempo del verbo subordinado es presente
Y	el verbo subordinado pertenece a la tercera conjugación (exhibir)
Y	el verbo subordinado es regular (exhibir)
Y	el sujeto del verbo subordinado es una tercera persona plural (candidatos)
ENTONCES	recupera la conjugación del presente de subjuntivo de los verbos regulares de la tercera conjugación (-a, -as, -a, -amos, -áis, -an)
Y	añade a la raíz del verbo subordinado la desinencia correspondiente a la tercera persona plural (-an)

Figura 2. Ejemplo de regla de producción

Por otro lado, la ACT postula también que tanto las condiciones como las acciones se definen como estructuras declarativas. Así, considerando el ejemplo presentado en la figura 2, pueden configurarse como *chunks* saber que "en español el verbo *exhibir* pertenece a la tercera conjugación" o que "en español la conjugación del presente de subjuntivo de los verbos regulares de la tercera conjugación se forma añadiendo a la raíz del verbo las desinencias *-a, -as, -a, -amos, -áis, -an*".

Finalmente, la ACT sostiene asimismo que normalmente la primera condición de cada producción es un *chunk* que especifica el objetivo de la producción, mientras que el resto de las condiciones suponen la recuperación de uno (o unos pocos) *chunk(s)* de la memoria declarativa. Luego, volviendo al ejemplo mostrado en la figura 2, el objetivo de la producción es la primera condición (SI el objetivo es seleccionar el modo de la proposición subordinada contenida en "Se precisan candidatos que *exhibir* el perfil solicitado"), mientras que el resto de las condiciones suponen la recuperación de informaciones como, "en español el verbo *exhibir* pertenece a la tercera conjugación", etc. Como se observa, la ACT asume que la cognición humana es el producto de la interacción de las memorias declarativa y procedimental.

3.2.2 *Fases en la adquisición del conocimiento*

Habiéndose presentado los tipos de conocimiento que identifica la ACT y, con cierto detalle, la naturaleza del conocimiento que subyace al comportamiento experto, lo que procede plantearse a continuación es cómo llega el sistema de cognición a adquirir las reglas de producción responsables de la resolución de un problema y cómo contribuye la práctica sistemática a su adquisición y desarrollo. Pues bien, en la adquisición y el desarrollo de este conocimiento, la ACT postula tres fases: (1) declarativa, (2) de compilación de producciones,y (3) de automatización o refinamiento.

La *fase declarativa*, la primera de las fases mencionadas, implica la adquisición de conocimiento declarativo[14]. La ACT postula que la adquisición de este conocimiento tiene lugar a través de la codificación de un hecho del mundo exterior, ya sea mediante la observación de una demostración (p. ej., el aprendiz de E/L2 observa cómo se organizan los constituyentes de la oración), la transmisión verbal del que sabe (el experto) al que no sabe (el novato) (p. ej., el docente de E/L2 explica al aprendiz la organización de los constituyentes de la oración) o la combinación de ambos procedimientos (p. ej., el docente de E/L2 explica al aprendiz la organización de los constituyentes de la oración a la vez que este último observa varias muestras de lo que se le está explicando). Asi-

[14] Aunque en 1993 Anderson postula que "todo aprendizaje comienza en forma declarativa" (1993: 69) [TA: "all knowledge starts out in declarative form"], DeKeyser recoge una cita menos radical: "Es demasiado argüir que el conocimiento procedimental nunca se pueda adquirir sin una representación declarativa [...]. No obstante, la investigación indica que esta es una vía esencial para la adquisición del conocimiento procedimental" (Anderson y Fincham, 1994: 1323; citados en DeKeyser, 1998: 48) [TA: "It is too strong to argue that procedimental knowledge can never be acquired without a declarative representation [...]. Nonetheless, the research does indicate that this is a major avenue for the acquisition of procedimental knowledge."].

mismo, la ACT postula, como vía alternativa para la adquisición de un *chunk*, el resultado de llevar a cabo una producción. Así, si la producción "SI el objetivo es formar el plural de un sustantivo que termina en vocal átona, ENTONCES añádele al sustantivo la desinencia *-s*" me permite generar *casas* como forma plural de *casa*, entonces "el plural de *casa* es *casas*" se almacena como *chunk*.

Una vez adquirido el conocimiento declarativo, a partir de este se crea, en la *fase de compilación*[15] y ante la necesidad de resolver un problema o conseguir un objetivo, conocimiento procedimental o producciones. Para ello, el conocimiento declarativo se interpreta mediante reglas de producción generales y, en caso de resolverse el problema o conseguirse el objetivo mediante las reglas de producción generales, automáticamente se crea una regla de producción (a partir del conocimiento declarativo inicial). Esta fase se logra con la experimentación del comportamiento meta en uno o unos pocos ensayos o tanteos iniciales mientras se depende del conocimiento declarativo. Por lo tanto, esta fase no supone un proceso especialmente difícil o que requiera gran inversión de tiempo.

Finalmente, el conocimiento procedimental se transforma en conocimiento procedimental automático en la *fase de automatización, ajuste, refinamiento y fortalecimiento del conocimiento procedimental*. Es decir, la producción recién compilada se transforma en producción que se puede ejecutar con fiabilidad. Para ello, es necesario experimentar el comportamiento meta en una práctica reiterada, por lo que esta fase supone un proceso largo. Una vez alcanzada esta fase, la representación declarativa inicial del conocimiento puede "perderse" (p. ej., el aprendiz de E/L2 puede acabar olvidando las reglas de formación del plural del sustantivo que un día aprendió) o no "perderse" (p. ej., el caso del docente de L2 con un dominio fluido de la lengua meta y un conocimiento declarativo de sus reglas gramaticales).

Como puede observarse entonces, una práctica inicial es la clave fundamental para que el conocimiento declarativo se compile, y, una vez que la regla de producción se ha compilado, una práctica prolongada es de nuevo el elemento decisivo para que esa producción recién compilada se automatice y pueda ser utilizada con fiabilidad.

3.2.3 *La práctica sistemática en la ACT*

Considerando lo expuesto en la sección anterior, se adivinan las posibilidades de la práctica sistemática para contribuir a la adquisición y el desarrollo del conocimiento que subyace al comportamiento experto, es decir, de las reglas de producción o conocimiento procedimental. No obstante, otra alternativa a la hora de considerar las posibilidades de la práctica sistemática para contribuir

[15] El término *compilación* es un préstamo de la ciencia informática que viene a significar "traducción". El diccionario de la Real Academia Española define el término *compilar* como: "Preparar un programa en el lenguaje máquina a partir de otro programa de ordenador escrito en otro lenguaje".

a la adquisición y el desarrollo del conocimiento procedimental es analizar la naturaleza de este conocimiento en la resolución de un problema. Veamos.

En primer lugar, y como ya se ha mencionado, el conocimiento procedimental es el responsable de la resolución de un problema o la consecución de un objetivo como, por ejemplo, el cálculo de la suma de 643 más 579. De acuerdo con la ACT, la resolución de un problema supone la resolución de muchos pequeños problemas y, por lo tanto, la consecución de muchos pequeños objetivos (p. ej., el cálculo de la suma de 643 más 579, implica calcular primero la suma de 9 más 3, llevarme una a la columna de las decenas, etcétera). La resolución de un problema implica entonces el despliegue *en serie* (frente a *en paralelo*) de una secuencia de reglas de producción, dado que cada regla de producción cubrirá uno de esos pequeños objetivos (p. ej., para calcular la suma de 643 más 579, primero recuperamos la suma de 9 más 3, después anotamos el 2 de 12 en la columna de la unidades, a continuación nos llevamos una a la columna de las decenas, etcétera). Así, cada regla de producción representa en la ACT un "escalón" en la resolución de un problema y, además, cada regla de producción supone, de acuerdo con la ACT, la unidad mínima de cognición o los "átomos de la cognición" (Anderson y Lebiere, 1998).

Ahora bien, la ACT postula que las producciones que se ejecutan son aquellas que satisfacen los pequeños objetivos que se tienen que cumplir. El problema es que, ante la necesidad de cumplir un pequeño objetivo, la ACT-R (el sistema de cognición) generalmente dispone de varias producciones capaces de satisfacerlo; sin embargo, de acuerdo con la ACT, solo una producción puede ejecutarse en un momento dado. El proceso por el cual se discriminan todas las producciones potenciales menos una se llama "resolución de conflicto". Pero ¿cómo se decide la producción "ganadora" en esta resolución de conflicto? De acuerdo con la ACT, la probabilidad de que una producción sea la seleccionada en la resolución de conflicto depende de su *utilidad*[16], un valor que depende a su vez de su probabilidad de lograr el objetivo y del coste que supone su ejecución. La utilidad de una producción se define mediante la ecuación:

$$U_p = PO - C$$

Es decir, la utilidad U de una producción p es el producto de su probabilidad P de logro del objetivo O si se ejecuta p por el valor del objetivo O (tiempo que debería dedicarse para satisfacer el objetivo, luego definido en unidades de tiempo) menos el coste C de ejecución de la producción p (definido en unidades de tiempo). Por su parte, tanto la probabilidad P de que una producción logre el objetivo como el coste C que suponga su ejecución son valores que se desa-

[16] Nótese que el término "utilidad" *–utility–* se introduce en la última versión de la ACT-R (ACT-R 5.0; Anderson et ál., 2002, Anderson et ál., 2004). En las versiones anteriores, ACT-R 2.0 y ACT-R 4.0, para denotar el mismo concepto se emplea el término *ganancia esperada –expected gain–*.

rrollan con la experiencia o ejercitación. Ambos valores se calculan mediante las siguientes ecuaciones:

$$P = \frac{\textit{éxitos}}{\textit{éxitos} + \textit{fracasos}} \qquad C = \frac{\textit{esfuerzos}}{\textit{éxitos} + \textit{esfuerzos}}$$

La probabilidad *P* de que una producción logre el objetivo es el cociente entre las veces que ha logrado con éxito el objetivo y el total de las veces que lo ha intentado (con o sin éxito). Por su parte, el coste *C* de ejecución es el cociente entre el tiempo total de las ejecuciones y el número de veces que se ha ejecutado (con o sin éxito). Es decir, tanto la probabilidad *P* como el coste *C* son valores que dependen de la ejercitación.

En definitiva, y como se ha discutido tanto en la presentación de la adquisición del conocimiento como en la descripción de este cuando se emplea en la resolución de un problema, la naturaleza del conocimiento que subyace al comportamiento experto depende de la experiencia o práctica sistemática.

3.2.4 *Un último apunte sobre las reglas de producción: consecuencias de su naturaleza no reversible y específica*

Habiéndose constatado empíricamente los beneficios que intuitivamente atribuimos a la práctica cuando aprendemos destrezas tan dispares entre sí como hablar una L2 o tocar el violín, y una vez que se ha presentado la explicación que una importante teoría sobre la cognición humana ofrece para dar cuenta de esta contribución de la práctica al desarrollo de destrezas, lo que procede plantearse a continuación es cómo puede repercutir todo lo expuesto en el campo de la adquisición y enseñanza de una L2. No obstante, antes de abordar esta cuestión, creemos conveniente llamar la atención sobre las consecuencias de la naturaleza no reversible y específica de las reglas de producción, pues, como se verá más adelante en el apartado 3.3.2, de estas características de las reglas de producción se derivan importantes implicaciones en cuanto a la didáctica de la gramática de la L2 y, en especial, en cuanto a la práctica de estructuras gramaticales de la L2. Pero, antes de detenernos en dichas consecuencias y sus posibles implicaciones didácticas, cabe matizar primero a qué nos referimos cuando hablamos de la naturaleza no reversible y específica de las reglas de producción.

En cuanto a la primera característica, la *no reversibilidad*, tiene que ver con la dirección en la que se ejecutan las producciones. En este sentido, y como se recordará, las reglas de producción se representan mediante proposiciones del tipo *condición-acción*, donde, si se satisface la condición, se ejecuta la acción. Es decir, la ejecución de una producción tiene lugar de condición a acción, y no de acción a condición; o, dicho en términos coloquiales, las producciones no son reversibles. Por lo tanto, una regla de producción como "SI el objetivo es formar el plural de un sustantivo que termina en vocal átona, ENTONCES añádele al sustantivo la desinencia *-s*", no puede convertirse en "SI el objetivo es interpretar la categoría gramatical de una palabra Y observo que esta palabra termina en *-s*, ENTONCES interpreto que estoy ante la forma plural de un sustantivo cuya forma singular termina en vocal átona". Luego, ejercitar prolongadamente la primera producción nos permitirá generar espontánea y hábilmente el plural de los sustantivos acabados en vocal átona, pero no fortalecerá nuestro conocimiento de que una *-s* final indica la forma plural de un sustantivo acabado en vocal átona en su forma singular.

En cuanto a la segunda característica, *la especificidad*, tiene que ver con el rango de aplicación de una producción. En este sentido, y como también se recordará, la creación de una producción a partir de un *chunk* tiene lugar cuando surge la necesidad de satisfacer un objetivo concreto, y, a partir de ahí, su utilidad para satisfacer dicho objetivo depende de las veces que lo satisface (de la ejercitación); es decir, esa producción acaba siendo muy específica. Así, retomando el ejemplo anterior, la acción de añadir una *-s* final a un sustantivo tiene lugar solo bajo una circunstancia muy específica: cuando nos encontramos ante la necesidad de formar el plural de un sustantivo acabado en vocal átona.

En resumen, se puede decir que las reglas de producción no son reversibles, pues solo se ejecutan de condición a acción, y son muy específicas, pues se crean para satisfacer objetivos concretos y "maduran" cada vez que se ejecutan para satisfacer esos objetivos determinados.

Ahora bien, ¿qué consecuencias tiene esta no reversibilidad y especificidad de las reglas de producción? Una consecuencia importante de estas características de las reglas de producción tiene que ver con la posibilidad de emplear determinada regla de producción para resolver un problema no abordado anteriormente; o, dicho de otro modo, la no reversibilidad y la especificidad de las reglas de producción dan cuenta del grado de transferencia de conocimiento que puede darse ante la realización de tareas noveles. Es decir, imaginemos las siguientes dos tareas: (*a*) discriminar el género gramatical de una serie de adjetivos y (*b*) producir correctamente el género gramatical de una serie de adjetivos. Imaginemos además que nunca hemos ejercitado la primera tarea, pero sí la segunda en varias actividades de clase. La cuestión que se plantea es ¿hasta qué punto practicar el género de los adjetivos en la producción lingüística permite realizar una actividad de comprensión lingüística sobre este ítem gramatical? Según lo estipulado por la ACT, "la transferencia que realmente tiene lugar suele ser muy pobre comparada con las ingenuas expectativas que se tienen acerca del grado de transferencia que debería darse" (Anderson, 1993: 183)[17]. Es decir, el grado de transferencia del conocimiento ejercitado en la tarea de producción a la tarea de comprensión lingüística es más limitado de lo que *a priori* pudiera pensarse, algo que tiene lógica dada la no reversibilidad y

[17] "the transfer that actually occurs often compares poorly to naive expectations about how much should occur" (Anderson, 1993: 183). [TA]

la especificidad de las reglas de producción, pues, dadas estas características, no sorprende que el rango de aplicación de las producciones se vea limitado a las circunstancias específicas que definen las condiciones de las producciones. Si, por el contrario, las producciones fueran reversibles y generales, entonces sí podrían ejecutarse en un abanico mayor de actividades y no bajo circunstancias específicas.

No obstante, llegados a este punto, cabe subrayar aquí que el hecho de que la transferencia del conocimiento pueda ser limitada no significa que sea inexistente, pues, para ser más exactos, lo que la ACT postula con respecto a la transferencia de conocimiento entre dos tareas más o menos similares es que dicha transferencia depende del conocimiento que ambas tareas comparten. Así, la posibilidad de que las producciones adquiridas en una tarea ejercitada sirvan (se transfieran) para resolver una tarea novel dependerá de las producciones que la tarea novel requiera para su resolución. Luego, si la tarea novel necesita para su resolución las mismas producciones que las ya adquiridas, estas se transferirán con facilidad; si, por el contrario, requiere unas producciones diferentes para su resolución (incluso aunque aparentemente las tareas sean muy similares), la aplicación de las producciones adquiridas no resolverá el problema. Resumiendo, la ACT postula que el conocimiento que subyace a la resolución de un problema se transfiere en la resolución de otro problema solo cuando la resolución de ambos problemas comparte el mismo sistema de producciones.

Por último, para concluir este apartado, nos gustaría contestar a una observación que posiblemente el lector, especialmente aquel con cierto bagaje en la enseñanza y/o aprendizaje de una L2, se esté planteando. Es muy probable que el profesor de idiomas encuentre que lo que se acaba de exponer contradice su experiencia personal porque esta le dice, por ejemplo, que la práctica de producción lingüística de una regla gramatical X permite al aprendiz aplicar dicha regla X en una tarea de comprensión lingüística. Con respecto a esta observación, cabe realizar dos matizaciones. En primer lugar, efectivamente existe cierto grado de transferencia (recuérdese que en ningún caso se ha dicho que la transferencia no exista), pues el conocimiento declarativo a partir del cual se crea la regla de producción que permite producir lingüísticamente la regla X es el mismo a partir del cual se crea la regla de producción que permite comprender lingüísticamente dicha regla X. De hecho, la práctica de una regla de producción que permite producir lingüísticamente una regla X refuerza ese conocimiento declarativo original. No obstante, el grado de transferencia que se produce es limitado, pues las reglas de producción necesarias para producir y para comprender solo comparten el conocimiento declarativo original a partir del cual se han creado. En segundo lugar, pese a las impresiones que como docentes de lenguas podamos tener con respecto al grado de transferencia del conocimiento, lo que se ha expuesto en esta sección es una hipótesis plausible, que ofrece en este caso la ACT, para explicar un fenómeno extensamente investigado y documentado en la psicología cognitiva. De hecho, el lector interesado puede consultar parte de esta investigación en Singley y Anderson (1989). Es decir, la explicación que ofrece la ACT de por qué la transferencia del conocimiento es "tan" limitada puede parecer más o menos acertada, pero lo que sí es un hecho empíricamente demostrado es que la transferencia del conocimiento puede ser "muy" limitada cuando se pretende resolver un problema novel a partir de lo que en su momento se aprendiera. En cualquier caso, a continuación, en el apartado 3.3.1, se describe un estudio que apoya esta tesis en el contexto de la adquisición de la gramática de una L2 (DeKeyser, 1997). Seguidamente, en el apartado 3.3.2, se discuten posibles implicaciones didácticas.

3.3 De la ACT a la Adquisición de Segundas Lenguas

Una vez que se han estudiado en los apartados previos las posibilidades de la práctica sistemática para contribuir al desarrollo de destrezas, el objetivo de este apartado es discutir cómo afectan las conclusiones derivadas de la teoría de Anderson al campo de estudio de la adquisición y enseñanza de una L2. Para ello, se aborda en primer lugar la investigación que ha estudiado sus predicciones en el caso del aprendizaje de una L2, y, a continuación, se plantean posibles implicaciones didácticas.

3.3.1 *Datos empíricos*

La ACT ha tenido y tiene una influencia considerable en la descripción teórica de la adquisición y el desarrollo de una L2; de hecho, son muchos los lingüistas que han suscrito sus conclusiones (p. ej., McLaughlin, 1978, 1987, 1990; Sharwood Smith, 1981; McLaughlin et ál., 1983; Chaudron, 1985; Faerch y Kasper, 1987; O'Malley et ál., 1987; Ur, 1988, 1996; Hulstijn, 1990; DeKeyser, 1994, 1998, 2001, 2007, 2010; Johnson, 1996; McLaughlin y Heredia, 1996; Segalowitz, 2003; DeKeyser y Juffs, 2005; Muranoi, 2007). Sin embargo, pese a tal influencia, sorprende la escasez de investigaciones empíricas que estudien sus predicciones, pues, que tengamos constancia, el único estudio que existe hasta la fecha es el que nos disponemos a presentar: DeKeyser (1997)[18].

En dicho estudio, DeKeyser investigó dos predicciones ya apuntadas: (1) la automatización del conocimiento procedimental mediante la práctica sis-

[18] Cuando decimos que DeKeyser (1997) representa el único estudio, que tengamos constancia, que investiga las predicciones de la ACT, nos referimos al único estudio que, centrado en el desarrollo de la competencia gramatical, investiga la automatización del conocimiento y la transferencia del conocimiento (para un estudio que investiga solo esta última predicción y verifica la falta de transferencia del conocimiento entre destrezas no practicadas, véase DeKeyser y Sokalski, 1996). Por otro lado, cabe mencionar que existen estudios que investigan las predicciones de la ACT en el desarrollo de la competencia lectora, y estudios que investigan el desarrollo de la competencia gramatical inspirados en otras teorías desarrolladas en el seno de la psicología cognitiva. Para una reseña de esta literatura, véase DeKeyser (2001).

temática y (2) la transferencia de conocimiento automático en la realización de tareas no practicadas. Para estudiar su primera hipótesis, DeKeyser estableció, como criterios de definición del proceso de automatización, el descenso gradual de: (*a*) los tiempos de reacción (*b*) la tasa de errores y (*c*) los indicadores (*a*) y (*b*) en la interferencia con la realización de otra tarea. Para estudiar su segunda predicción, DeKeyser observó si el conocimiento procedimental automático adquirido en una tarea de producción lingüística se transfería en la realización de una tarea de comprensión lingüística y viceversa.

Con este fin, el investigador documentó longitudinalmente en 61 estudiantes universitarios, y mediante un programa informático, la automatización de 4 reglas morfosintácticas del *Autopractan*/L2 (R1, R2, R3, R4)[19]. Más específicamente, la fase experimental abarcó 22 sesiones de clase organizadas como sigue (2 sesiones/semana y hora/sesión):

FASE 1 (SESIONES 1-6)
Los 61 sujetos recibieron explicaciones explícitas sobre las cuatro reglas y léxico de *Autopractan* y practicaron brevemente el conocimiento recién adquirido. En la sesión 6, se les examinó y se concluyó que habían adquirido las producciones recién compiladas sobre las reglas y léxico del *Autopractan*.
FASE 2 (SESIONES 7-21)
Al inicio de la fase, se distribuyó a los participantes en 3 grupos experimentales: (*a*) Grupo A: practicó las R1 y R3 en tareas de comprensión y las R2 y R4 en tareas de producción; (b) Grupo B: practicó las R1 y R3 en tareas de producción y las R2 y R4 en tareas de comprensión, y (*c*) Grupo C: practicó las cuatro reglas en tareas de comprensión y producción. En cada sesión, los sujetos realizaron la siguiente secuencia de tareas sobre las reglas y en las destrezas correspondientes según el grupo asignado: (i) tarea simple de práctica de comprensión; (ii) tarea compleja de práctica de comprensión; (iii) tarea simple de práctica de producción; (iv) tarea compleja de práctica de producción; (v) tarea simple de evaluación de comprensión; (vi) tarea compleja de evaluación de comprensión; (vii) tarea simple de evaluación de producción, y (viii) tarea compleja de evaluación de producción. Nótese que la tarea simple consistió en la práctica de las reglas asignadas en las destrezas asignadas, y la tarea compleja consistió en la realización simultánea de dos tareas, la propia de comprensión o producción y una tarea de aritmética. El objetivo de esta fase fue documentar longitudinalmente la automatización del conocimiento procedimental, considerándose para ello, en cada sesión, la tasa de errores y los tiempos de reacción en la realización de las 4 tareas de evaluación.

[19] El *Autopractan* consistió en una gramática semiartificial creada *ad hoc*.

Fase 3 (sesión 22)
La sesión 22 consistió en una sesión de evaluación constituida a su vez por dos pruebas de evaluación: (1) una prueba idéntica a las sesiones previas (7-21), es decir, que examinó a los sujetos del conocimiento de las reglas en las destrezas practicadas, "condición practicada", y (2) una prueba idéntica en diseño a las pruebas previas, pero que examinó a los sujetos del conocimiento de las reglas en las destrezas no practicadas, "condición opuesta". En ambas condiciones, se consideró, al igual que en las evaluaciones de las sesiones 7-21, la tasa de errores y los tiempos de reacción como indicadores del aprendizaje.

Finalizado el experimento, DeKeyser observó, con respecto a su primera hipótesis –automatización del conocimiento–, que los tiempos de reacción y la tasa de errores disminuyeron gradualmente durante las sesiones 7-21, aunque el descenso fue notablemente mayor a lo largo de las sesiones 7-10 y bastante más lento durante las sesiones 11-21. Sin embargo, apenas se observó diferencia en ambos indicadores del aprendizaje entre las tareas simples y complejas, sugiriendo esto que la tarea de aritmética no interfirió lo suficiente con la tarea "real". A partir de estos resultados, DeKeyser concluyó que el desarrollo de la gramática de una L2 se automatiza siguiendo la misma curva de aprendizaje documentada en el desarrollo de otras destrezas cognitivas. Es decir, en sintonía con la ley del ejercicio, a una fase inicial de aprendizaje rápido sigue una fase lenta y casi estable de perfeccionamiento.

En cuanto a su segunda hipótesis –transferencia del conocimiento en la realización de tareas no practicadas–, DeKeyser realizó las siguientes comparaciones a partir de los resultados obtenidos en la sesión 22. En primer lugar, comparó los resultados obtenidos en los tiempos de reacción y la tasa de errores por los grupos A y B entre las condiciones "practicada" y "opuesta", y observó que estos fueron siempre menores en la primera condición, y además significativamente diferentes en todas las tareas, excepto en la tasa de errores de la tarea compleja de compresión, en la que no se obtuvo diferencia significativa. En segundo lugar, comparó los resultados obtenidos en los dos indicadores del aprendizaje en la "condición practicada" entre los grupos A y B y el grupo C (practicó las 4 reglas en las dos destrezas), y observó que estos fueron siempre similares, y, por lo tanto, no se obtuvieron diferencias significativas, excepto en la tasa de errores de la tarea compleja de compresión. En tercer lugar, comparó los resultados obtenidos en los dos indicadores del aprendizaje en la "condición opuesta" entre los grupos A y B y el grupo C, y observó que estos fueron siempre menores para el grupo C, y además significativamente diferentes en todas las tareas, excepto en la tasa de errores de la tarea compleja de compresión. Considerando estos resultados, DeKeyser concluyó que el conocimiento adquirido en una destreza es muy específico y no se transfiere con facilidad en la ejecución de destrezas no practicadas, pues los sujetos tuvieron una actuación (matemáticamente) peor en la "condición opuesta" que en la "condición practicada". Asimismo, dado que la comparación de los resultados del grupo C frente a los grupos A y B en la "condición practicada" no reveló diferencias significativas teniendo el grupo C la mitad de sesiones de práctica que los grupos A y B, DeKeyser concluyó que el tiempo de ejercitación invertido por el grupo C bastó para que el conocimiento adquirido se automatizara.

Como se puede observar, el diseño experimental en el estudio de DeKeyser es tremendamente complejo, y quizá por ello las predicciones de la teoría de Anderson han sido poco investigadas en el campo de la adquisición de una L2. En cualquier caso, aunque se trate de una aportación empírica escasa en este ámbito[20], verifica las predicciones de la ACT y demuestra científicamente la realidad de los efectos intuitivamente atribuidos a la práctica. Considerando entonces que "una ausencia (relativa) de evidencia no es evidencia de ausencia" (DeKeyser, 2003: 329)[21], se plantea a continuación cómo puede influir todo lo expuesto en la didáctica de la gramática de la lengua no nativa.

3.3.2 *Implicaciones didácticas*

A la luz de las conclusiones arrojadas por la teoría de Anderson, a continuación se proponen una serie de implicaciones didácticas sobre cómo llevar a cabo la enseñanza de la gramática en el aula de L2.

En primer lugar, dado que el conocimiento que subyace al comportamiento experto se adquiere inicialmente en forma declarativa, una primera implicación didáctica consiste en promover la adquisición de conocimiento declarativo (consciente) sobre las propiedades formales de la lengua meta. Así, considerando que uno de los procedimientos para la adquisición de este conocimiento es la codificación de hechos del mundo exterior mediante la transmisión verbal del experto al novato, la observación, o la combinación de ambos, otra implicación didáctica incluye iniciar la enseñanza gramatical mediante la combinación de la explicación formal con ejemplos significativos de aplicación de dicha explicación, desarrollándose esta de manera deductiva (yendo de lo general a lo particular –de la regla a los ejemplos–) o inductiva (yendo de lo particular a lo general –de los ejemplos a la regla–). Es decir, imagínese que, para la realización formalmente correcta de una tarea determinada, como, por ejemplo, la redacción de una carta de motivación para solicitar la vacante de trabajo "Responsable de proyecto en el área de Agua y Saneamiento en Perú" en E/L2, el estudiante necesita conocer el uso de la distinción modal en las oraciones de relativo. En esta situación, el docente (o el material de clase) podría explicar la existencia del modo subjuntivo, su forma, significado y uso en el contexto

[20] No obstante, recuérdese que en psicología cognitiva existe un número ingente de investigaciones que confirman estas predicciones. Consúltese la URL http://act-r.psy.cmu.edu, desde donde se puede acceder gratuitamente a muchas de estas publicaciones. [Última visita: 13/02/2013].

[21] "(Relative) absence of evidence is not evidence of absence" (DeKeyser, 2003: 329). [TA]

pertinente, y acompañar su explicación de ejemplos significativos sobre los matices semánticos que la distinción modal adquiere en dicho contexto.

Por otro lado, considerando que a la fase de adquisición de conocimiento declarativo le sigue una fase de compilación en la que a partir del conocimiento declarativo se compila una regla de producción, otra implicación didáctica incluye conceder espacios y tiempos en el aula de L2 para que tenga lugar dicha compilación. Así, volviendo al ejemplo anterior sobre el uso de la distinción modal en las oraciones de relativo cuando se trabaja en la elaboración de una carta de motivación para solicitar una vacante de trabajo, la explicación formal acompañada de ejemplos significativos debería ir secundada por una breve sesión de práctica en la que el aprendiz pueda crear, a partir de su conocimiento sobre cómo funciona la distinción modal en las oraciones de relativo, un conocimiento que le permita producir o comprender el modo correspondiente según la naturaleza conocida o desconocida del antecedente de una oración de relativo.

De igual modo, una vez compilada la regla de producción, para que se pueda emplear con fiabilidad en la resolución de un problema, será necesario que se refine y automatice. Para ello, resultará indispensable una práctica sistemática continuada o extensiva. Así, en el ejemplo sobre la adquisición de la distinción modal en las oraciones de relativo cuando se trabaja en la redacción de una carta de motivación para solicitar una vacante de trabajo, a la explicación explícita y breve sesión de práctica sobre la forma y función de la distinción modal, debería seguir una práctica continuada que permita al aprendiz automatizar su conocimiento para que pueda resolver de forma espontánea y con una tasa mínima de errores cualquier problema de comprensión o producción lingüística que implique el uso de la distinción modal en las oraciones de relativo.

Finalmente, considerando la especificidad y no reversibilidad de las reglas de producción que subyacen al comportamiento experto, cabe extraer una última implicación didáctica. Como se ha visto, una consecuencia de dichas características es que el conocimiento que subyace a la resolución de un problema se transferirá en la resolución de otro problema no resuelto previamente, aunque aparentemente similar, solo cuando la resolución de ambos problemas comparta el mismo sistema de producciones. Esta conclusión tiene importantes implicaciones en lo que al tratamiento de la gramática en el aula se refiere, especialmente respecto a la ejercitación de una regla determinada de la L2, pues, como ha quedado patente en el estudio de DeKeyser (1997), la ejercitación de una regla en una destreza concreta no asegura la resolución de un problema en una destreza no practicada. Es decir, las oportunidades de práctica sistemática deben asegurarse tanto en las destrezas de comprensión como de producción lingüística, y tanto en su modalidad oral como escrita, y no limitarse exclusivamente a la producción lingüística como a menudo suele ser el caso en el aula de L2.

Recapitulando lo expuesto, a la hora de trabajar la gramática en el aula, las implicaciones didácticas derivadas de la ACT incluyen proporcionar al estudiante: (*a*) una explicación explícita sobre una regla de la L2 y acompañarla de ejemplos significativos, y (*b*) la oportunidad de practicar la regla: (*b.1*) brevemente para que adquiera un buen entendimiento de su razón de ser, (*b.2*) sistemáticamente para que logre automatizarla y por ende usarla con fiabilidad y de manera espontánea, y (*b.3*) en las destrezas de producción y comprensión lingüística. Así, la cuestión que necesariamente surge ahora es cómo llevar a cabo la presentación explícita y cómo promover la práctica de una estructura gramatical. En este sentido, por cuestiones de espacio no nos detendremos aquí en este aspecto. No obstante, remitimos al lector al capítulo de Castañeda y Alhmoud (capítulo 2 de este volumen) para conocer las posibilidades de puntales clave de la Gramática Cognitiva como la naturaleza simbólica del lenguaje, la distinción *perfil/base* y la idea de *subjetivización* a la hora de elaborar explicaciones pedagógicas y accesibles, con la ayuda de imágenes, incluso de aspectos de la gramática española que pudieran resultar especialmente complejos. Por otro lado, remitimos asimismo al lector al capítulo de Miquel y Ortega (capítulo 3 de este volumen) para conocer pautas concretas para el diseño de actividades de práctica sistemática tanto en las destrezas de comprensión como en las destrezas de producción lingüística, y al de Casellas (capítulo 7 de este volumen) para considerar un ejemplo de secuencia de presentación y práctica gramatical para niveles avanzados de aspectos tales como las distinciones modales del sistema verbal o el uso de los pronombres personales. Finalmente, por un lado, el capítulo 6 de Castañeda y Alhmoud ofrece una aproximación de conjunto al sistema verbal, y, por otro lado, los de Castañeda y Chamorro Guerrero (4 y 5) elaboran una propuesta concreta sobre cómo abordar en el aula la presentación y la práctica de determinantes, cuantificadores y adjetivos en la construcción del sintagma nominal.

Para terminar

Iniciábamos este capítulo argumentando que sí tiene sentido enseñar gramática para, a continuación, describir y evaluar la propuesta de enseñanza formal hoy en boga en los foros académicos, la *atención a la forma* (AF) (Long, 1988, 1991, 2007; Long y Robinson, 1998). Dicha presentación y evaluación ponían de manifiesto que la AF supone un avance importante en el campo de la didáctica gramatical porque respeta los procesos naturales de aprendizaje lingüístico y las necesidades comunicativas del aprendiz, además de que cuenta con un importante respaldo empírico (p. ej., Norris y Ortega, 2000). No obstante, la evaluación de esta propuesta también mostraba que este paradigma de enseñanza formal no contempla como parte integrante a las actividades de práctica sistemática que involucran al aprendiz en la comunicación de mensajes reales

mediante la estructura gramatical meta. Es decir, el objetivo de la enseñanza gramatical, según lo estipulado por la AF, debe ser concienciar al aprendiz de las propiedades formales de la lengua meta, pero no implicarle en la práctica de ese conocimiento consciente.

Así, a la luz de esta evaluación, el grueso de este capítulo se ha dedicado a reflexionar científicamente, y desde la perspectiva de la psicología cognitiva, sobre las palabras de Sharwood Smith cuando hace ya tres decenios exponía que "existen razones para aceptar la versión antigua, intuitivamente atractiva, que dice que el conocimiento explícito puede contribuir a la adquisición mediante la práctica" (1981: 167)[22]. En este sentido, y como ya se ha discutido a lo largo del capítulo, todos tenemos la intuición y la experiencia de que con la práctica mejoramos la ejecución de la destreza que aprendemos. Más aún, esta intuición y experiencia, además de haber sido descrita en el campo de la psicología cognitiva, ha sido explicada mediante la Teoría del Control Adaptativo del Pensamiento (Anderson, 1976 y sigs.), una teoría sobre la cognición humana que postula precisamente que el conocimiento que subyace al comportamiento experto depende de la práctica sistemática. Así, considerando lo expuesto, se ha presentado el trabajo de DeKeyser (1997) como evidencia empírica disponible en el campo de la adquisición de una L2.

Habida cuenta de las posibilidades de la práctica sistemática para contribuir al aprendizaje de estructuras gramaticales de la L2 según lo estipulado por la teoría de Anderson, se han discutido a continuación posibles implicaciones didácticas y se ha concluido que la práctica sistemática:

> (...) tiene que salvar la distancia entre la presentación inicial del conocimiento de la L2 (en un aprendizaje tradicional deductivo a partir de la presentación del profesor) o la hipótesis inicial que se forma a partir de la exposición al *input* (cuando el aprendizaje es más inductivo, ya sea implícito o explícito) y la fase final deseada de gramática completamente procedimentalizada. (DeKeyser, 2009: 131-132)[23].

[22] "there is every reason to accept the older, intuitively attractive version which says that explicit knowledge may aid acquisition via practice" (Sharwood Smith, 1981: 167). [TA]

[23] "has to bridge the gap between the initial presentation of the L2 knowledge (in traditional deductive learning from the teacher's presentation) or the initial hypothesis formed on the basis of the input (in more inductive learning, be it implicit or explicit) and the desirable end stage of fully proceduralized grammar" (DeKeyser, 2011: 131) [TA].

Referencias bibliográficas

Anderson, J.R. (1976). *Language, Memory, and Thought.* Hillsdale (NJ): Lawrence Erlbaum Associates.

Anderson, J.R. (ed.) (1981). *Cognitive skills and their acquisition.* Hillsdale (NJ): Lawrence Erlbaum Associates.

Anderson, J.R. (1982). "Acquisition of Cognitive Skill", *Psychological Review*, 89 (4), 369-406.

Anderson, J.R. (1983). *The Architecture of Cognition.* Cambridge (MA): Harvard University Press.

Anderson, J.R. (1993). *Rules of the Mind.* Hillsdale (NJ): Lawrence Erlbaum Associates.

Anderson, J.R., Bothell, D., Byrne, M.D., Douglass, S., Lebiere, C. y Qin, Y. (2004). "An Integrated Theory of the Mind", *Psychological Review*, 111 (4), 1036-1060.

Anderson, J.R. y Fincham, J.M. (1994). "Acquisition of Procedural skills from examples", *Journal of Experimental Psychology: Learning, Memory, and Cognition*, 20, 1322-1340.

Anderson, J.R. y Lebiere, C. (1998). *The Atomic Components of Thought.* Mahwah (NJ): Lawrence Erlbaum Associates.

Beebe, L.M. (ed.) (1988). *Issues in Second Language Acquisition. Multiple Perspectives.* Boston: Heinle & Heinle Publishers.

Bilalic, M., McLeod, P. y Gobet, F. (2008). "Why good thoughts block better ones: The mechanism of the pernicious *Einstellung* (set) effect", *Cognition*, 108, 652-661.

Bot, K., Ginsberg, R. y Kramsch, C. (eds.) (1991). *Foreign language research in cross-cultural perspective.* Amsterdam: John Benjamin.

Burt, M. y Dulay, H. (1980). "On acquisition Orders", en S. Felix (ed.), 265-327.

Casellas Guitart, J. "Principios cognitivo-operacionales en el aula de niveles avanzados" (Este volumen).

Castañeda Castro, A. y Ortega Olivares, J. (2001). "Atención a la forma y gramática pedagógica: algunos aspectos del metalenguaje de presentación de la oposición *imperfecto/indefinido* en el aula de español/LE", en S. Pastor Cesteros y V. Salazar García (eds.), 213-248.

Castañeda Castro, A. y Alhmoud, Z. "Gramática cognitiva en descripciones gramaticales para niveles avanzados de ELE" (Este volumen).

Castañeda Castro y Alhmoud, Z. "Criterios descriptivos y didácticos para la presentación pedagógica del sistema verbal" (Este volumen).

Castañeda Castro, A. y Chamorro Guerrero, M.D. "Adjetivos antepuestos y pospuestos al sustantivo en español. Problemas descriptivos y propuesta didáctica" (Este volumen).

Chamorro Guerrero, M. D. y Castañeda Castro, A. "Determinantes y cuantificadores del nombre. Problemas descriptivos y propuestas didácticas" (Este volumen).

Chaudron, C. (1985). "Intake: On Models and Methods for Discovering Learners' Processing of Input", *Studies in Second Language Acquisition*, 7 (1), 1-14.

Chomsky, N. (1959). "A Review of B. F. Skinner's Verbal Behaviour", *Language*, 35 (1), 26-58.

Corder, S. P. (1967). "The Significance of Learner's Errors", *IRAL*, 4, 161-170.

DeKeyser, R. (1994). "How Implicit can Adult Second Language Learning Be?", en J. Hulstyn y R. Schmidt (eds.), 83-96.

DeKeyser, R. (1997). "Beyond Explicit Rule Learning: Automatizing Second Language Morphosyntax", *Studies in Second Language Acquisition*, 19 (2), 195-221.

DeKeyser, R. (1998). "Beyond focus on form: Cognitive perspectives on learning and practicing second language grammar", en C. Doughty y J. Williams (eds.), 42-63.

DeKeyser, R. (2001). "Automaticity and automatization", en P. Robinson (ed.), 125-151.

DeKeyser, R. (2003). "Implicit and Explicit Learning", en C.J. Doughty y M.H. Long (eds.), 313-348.

DeKeyser, R. (ed.) (2007). *Practicing in a Second Language: Perspectives from Applied Linguistics and Cognitive Psychology.* Nueva York: Cambridge University Press.

DeKeyser, R. (2007). "Introduction: Situating the concept of practice", en R. DeKeyser (ed.), 1-18.

DeKeyser, R. (2009). "Cognitive-Psychological Processes in Second Language Learning", en C.J. Doughty y M.H. Long (eds.), 119-138.

DeKeyser, R. (2010). "Practice for Second Language Learning: Don't Throw out the Baby with the Bathwater", *International Journal of English Studies*, 10 (1), 155-165.

DeKeyser, R. y Juffs, J. (2005). "Cognitive Considerations in L2 Learning", en E. Hinkel (ed.), 437-454.

DeKeyser, R. y Sokalski, K. (1996). "The Differential Role of Comprehension and Production Practice", *Language Learning*, 46 (4), 613-642.

Doughty, C. (2003). "Instructed SLA: Constraints, Compensation, and Enhancement", en C.J. Doughty y M.H. Long (eds.), 256-310.

Doughty, C. y Long, M.H. (eds.) (2003). *The Handbook of Second Language Acquisition.* Oxford: Blackwell Publishing Ltd.

Doughty, C. y Long, M.H. (eds.) (2009). *The Handbook of Language Teaching.* Malden (MA): Blackwell Publishers.

Doughty, C. y Williams, J. (eds.) (1998). *Focus on Form in Classroom Second Language Acquisition.* Cambridge: Cambridge University Press.

Doughty, C.J. y Williams, J. (1998) "Pedagogical choices in focus on form", en C.J. Doughty y J. Williams (eds.), 197-261.

Faerch, C. y Kasper, G. (1987). "Perspectives on Language Transfer", *Applied Linguistics*, 8 (2), 111-136.

Felix, S. (ed.) (1980). *Second Language Development. Trends and Issues.* Tubinga: Narr.

Gass, S. y Madden, C. (eds.) (1985). *Input in second language acquisition.* Rowley (MA): Newbury House.

Hinkel, E. (ed.) (2005). *Handbook of Research in Second Language Teaching and Learning.* Mahwah (NJ): Lawrence Erlbaum Associates.

Hinkel, E. (ed.) (2011). *Handbook of Research in Second Language Teaching and Learning. Volumen II.* Nueva York: Routledge.

Hulstijn, J.H. (1990). "A Comparison Between the Information-Processing and the Analysis/Control Approaches to Language Learning", *Applied Linguistics*, 11 (1), 30-45.

Hulstyn, J. y Schmidt, R. (eds.) (1994). *Consciousness and Second Language Learning. AILA Review*, 11.

Johnson, K. (1996). *Language Teaching and Skill Learning*. Oxford: Blackwell.

Kasper, G. (ed.) (1988). *Classroom Research. AILA Review*, 5.

Lightbown, P.M. (1998). "The importance of timing in focus on form", en C. Doughty y J. Williams (eds.), 177-196.

Loewen, S. (2011). "Focus on Form", en E. Hinkel (ed.), 576-592.

Long, M.H. (1983). "Does Second Language Instruction Make a Difference? A Review of Research", TESOL *Quarterly*, 17 (3), 359-382.

Long, M.H. (1988). "Instructed Interlanguage Development", en L.M. Beebe (ed.), 115-141.

Long, M.H. (1991). "Focus on form: A design feature in language teaching methodology", en K. de Bot, R. Ginsberg y C. Kramsch (eds.), 39-52.

Long, M.H. (1996). "The Role of the Linguistic Environment in Second Language Acquisition", en W. Rithie y T. Bhatia (eds.), 413-468.

Long, M.H. (2007). *Problems in SLA*. New Jersey: Lawrence Erlbaum Associates.

Long, M.H. y Robinson, P. (1998). "Focus on form: Theory, research, and practice", en C. Doughty y J. Williams (eds.), 15-41.

McLaughlin, B. (1978). "The Monitor Model: Some Methodological Considerations", *Language Learning*, 28 (2), 309-332.

McLaughlin, B. (1987). *Theories of Second Language Learning*. Londres: Edward Arnold.

McLaughlin, B. (1990). "Restructuring", *Applied Linguistics*, 11 (2), 113-128.

McLaughlin, B. y Heredia, R. (1996). "Information-Processing Approaches to Research on Second Language Acquisition", en W. Ritchie y T.K. Bhatia (eds.), 213-228.

McLaughlin, B., Rossman, T. y McLeod, B. (1983). "Second Language Learning: An Information Processing Perspective", *Language Learning*, 33 (2), 331-350.

Miquel López, L. y Ortega Olivares, J. "Actividades orientadas al aprendizaje explícito de recursos gramaticales en niveles avanzados de ELE" (Este volumen).

Muranoi, H. (2007). "Output practice in the L2 classroom", en R. DeKeyser (ed.), 51-84.

Neves, D.M. y Anderson, J.R. (1981). "Knowledge compilation: Mechanisms for the automatization of cognitive skills", en J.R. Anderson (ed.), 57-84.

Newell, A. y Rosenbloom, P.S. (1981). "Mechanisms of skill acquisition and the law of practice", en J.R. Anderson (ed.), 1-55.

Norris, J. y Ortega, L. (2000). "Effectiveness of L2 Instruction: A Research Synthesis and Quantitative Meta-analysis", *Language Learning*, 50 (3), 417-528.

Nunan, D. (1989). *Designing Tasks for the Communicative Classroom*. Cambridge: Cambridge University Press.

O'Malley, J.M., Chamot, A.U. y Walker, C. (1987). "Some Applications of Cognitive Theory to Second Language Acquisition", *Studies in Second Language Acquisition*, 9 (3), 287-306.
Ortega Olivares, J. (2001). "Gramática y Atención a la Forma en el aula de E/LE". *Revista del Instituto Cervantes de Nápoles*, 1, 73-87.
Pashler, H. (ed.) (1998). *Attention*. Hove: Psychology Press.
Pashler, H. y Johnston, J.C. (1998). "Attentional Limitations in Dual-task Performance", en H. Pashler (ed.), 155-189.
Rithie, W. y Bhatia, T. (eds.) (1996). *Handbook of Second Language Acquisition*. San Diego: Academic Press.
Pastor Cesteros, S. y Salazar García, V. (eds.) (2001). *Estudios de Lingüística. Universidad de Alicante*, Número Monográfico dedicado a "*Tendencias y líneas de investigación en adquisición de segundas lenguas*".
Pienemann, M. (1984). "Psychological Constraints on the Teachability of Languages", *Studies in Second Language Acquisition*, 6 (2), 186-214.
Pienemann, M. (1988). "Determining the influence of instruction on L2 speech processing", en G. Kasper (ed.), 40-72.
Pienemann, M. (1989). "Is Language Teachable? Psycholinguistic Experiments and Hypotheses", *Applied Linguistics*, 10 (1), 52-79.
Robinson, P. (ed.) (2001). *Cognition and Second Language Instruction*. Nueva York: Cambridge University Press.
Robinson, P. (2001). "Task Complexity, Task Difficulty, and Task Production: Exploring Interactions in a Componential Framework", *Applied Linguistics*, 22 (1), 27-57.
Sato, C. (1990). *The syntax of conversation in interlanguage development*. Tubinga: Gunter Narr.
Schmidt, R. (1983). "Interaction, acculturation and the acquisition of communicative competence", en N. Wolfson y E. Judd (eds.), 137-174.
Schmidt, R. (1990). "The Role of Consciousness in Second Language Learning", *Applied Linguistics*, 11 (2), 129-158.
Schmidt, R. (2001). "Attention", en P. Robinson (ed.), 3-32.
Schumacher, E.H., Seymour, T.L., Glass, J.M., Fencsik, D.E., Lauber, E.J., Kieras, D.E. y Meyer, D.E. (2001). "Virtually Perfect Time Sharing in Dual-task Performance: Uncorking the Central Cognitive Bottleneck", *Psychological Science*, 12 (2), 101-108.
Segalowitz, N. (2003). "Automaticity and second language learning", en C.J. Doughty y M.H. Long (eds.), 382-408.
Sharwood Smith, M. (1981). "Consciousness-Raising and the Second Language Learner", *Applied Linguistics*, 2 (2), 159-168.
Singley, M.K. y Anderson, J.R. (1989). *Transfer of Cognitive Skill*. Cambridge (MA): Harvard University Press.
Skehan, P. (1996). "A Framework for the Implementation of Task based Instruction", *Applied Linguistics*, 17 (1), 38-62.

Spada, N. (1997). "Form-Focused Instruction and Second Language Acquisition: A Review of Classroom and Laboratory Research", *Language Teaching*, 30 (1), 73-87.

Spada, N. y Lightbown, P.M. (1999). "Instruction, First Language Influence and Developmental Readiness in Second Language Acquisition", *The Modern Language Journal*, 83 (1), 1-22.

Swain, M. (1985). "Communicative competence: some roles of comprehensible input and comprehensible output in its development", en S. Gass y C. Madden (eds.), 235-256.

Ur, P. (1988). *Grammar Practice Activities. A practical guide for teachers.* Cambridge: Cambridge University Press.

Ur, P. (1996). *A Course in Language Teaching*. Cambridge: Cambridge University Press.

White, L. (1989). *Universal Grammar and Second Language Acquisition*. Filadelfia: John Benjamins Publishing Company.

White, L. (2003). *Second Language Acquisition and Universal Grammar.* Cambridge: Cambridge University Press.

Williams, J. (2005). "Form-Focused Instruction", en E. Hinkel (ed.), 671-688.

Wolfson, N. y Judd, E. (eds.) (1983). *Sociolinguistics and language acquisition.* Rowley (MA): Newbury House.

CAPÍTULO II

GRAMÁTICA COGNITIVA EN DESCRIPCIONES GRAMATICALES PARA NIVELES AVANZADOS DE ELE

ALEJANDRO CASTAÑEDA CASTRO
ZEINA ALHMOUD
Departamento de Lingüística General
y Teoría de la Literatura
Universidad de Granada

Resumen

Discutiremos en este capítulo, en relación con diferentes aspectos de la gramática del español, algunas de las ventajas descriptivas y explicativas que caracterizan, frente a otros modelos teóricos y en lo concerniente al desarrollo de aplicaciones pedagógicas, a la Gramática Cognitiva en las propuestas de Langacker[1].

1. Algunas señas de identidad del modelo de la Gramática Cognitiva de Langacker

El modelo de la Gramática Cognitiva (en adelante CG) desarrollado por R. W. Langacker (1987, 1991, 2001, 2008, 2009) se caracteriza por una serie de rasgos que lo distinguen de otras propuestas, tanto de corte formalista como de corte funcionalista, y que lo convierten en un punto de partida teórico especialmente apto para el desarrollo de versiones pedagógicas de la gramática pero también como una concepción de referencia para la enseñanza de lenguas basada en los presupuestos del enfoque comunicativo en sus diferentes desarrollos. Entre esos rasgos están los que incluimos en la siguiente relación.

1.1 La función representativa del lenguaje

De las tres funciones básicas a las que se refiere Halliday (1973) (ideativa o representativa, textual e interpersonal o pragmática) la cg concede especial relevancia a la función ideativa o representacional sin desatender por ello las otras. Desde

[1] Varias apartados de este capítulo son versiones actualizadas y ampliadas de contenidos presentes en Castañeda y Alonso, 2006 y Castañeda, 2012. La versión contenida en este capítulo de parte de los contenidos de Castañeda 2012 es publicada aquí con permiso de Cambridge Scholars Publishing.

el punto de vista de la cg, podemos comunicar hechos, nuestra concepción de los mismos, así como, por un lado, dar cuenta de la relación de esos hechos con los datos ya compartidos, y, por otro, transmitir nuestras intenciones sobre tales hechos, precisamente porque somos capaces de hacer algo más básico o primordial en el sentido funcional: representar esos hechos y hacerlo con perspectivas distintas según las circunstancias discursivas y pragmáticas.

Pensemos, por ejemplo, en los matices discursivos asociados a la distinción de (1)-(3).

1. *Me ha llamado dos veces.*
2. *A mí me ha llamado dos veces.*
3. *Me ha llamado dos veces a mí.*

Las diferencias formales de estas tres variantes tienen que ver con dos aspectos: la reduplicación (o ausencia de la misma) del pronombre personal átono *me* mediante la forma tónica acompañada de preposición *a mí* y la posición en el enunciado, inicial o final, que ocupa este grupo formado por preposición y pronombre tónico. La ausencia de reduplicación de (1) se corresponde con una representación neutra de los hechos en la que parece que el complemento directo (CD) no adquiere relevancia informativa especial ni como tema (información dada sobre la que aportamos alguna otra novedosa) ni como rema (información novedosa que se aporta en el enunciado en relación con un tema que puede estar explícito o implícito). En (2), el CD adquiere relevancia informativa como tema sobre el que predicamos alguna información y que contrasta o puede distinguirse por ello de otras entidades de las que podrían predicarse otras cosas. Aunque el CD tiene carácter temático, no queda implícito, como se hace normalmente por defecto, sino que se hace explícito porque debemos identificarlo entre otras posibles entidades que podrían ser candidatas a tema del enunciado. En (3), el CD también cobra relevancia informativa pero en este caso como rema, como información nueva focalizada, con sentido restrictivo, pues, en posición final, el pronombre tónico se interpreta en el sentido excluyente: "Me ha llamado a mí y no a otras personas"[2]. Los diferentes contextos discursivos a los que pueden asociarse (2) y (3) pueden sintetizarse en las diferentes preguntas que podrían haber dado lugar a cada uno:

2b • *¿Sabéis algo de Pedro?*
   ○ *A mí me ha llamado dos veces.*
3b • *Pedro ha llamado dos veces a tu hermano.*
   ○ *Perdona, pero me ha llamado dos veces a mí.*

[2] Para la distinción de los conceptos de *tema, rema, foco, tópico* y *comentario*, ver Gutiérrez Ordóñez, 1997.

Desde un punto de vista representativo, el cual adquiere la mayor relevancia para la CG, podemos observar estas estructuras como alternativas formales en las que uno de los elementos de la oración se destaca con un realce especial frente a otros elementos de un conjunto del que forma parte. Ese realce queda doblemente marcado mediante la presencia redundante del pronombre tónico, por una parte, y mediante la posición destacada al principio (ámbito de la información temática) o al final del enunciado (ámbito de la información remática), por otra. Ciertamente, no sería suficiente limitar la descripción de estas variantes a clasificarlas como redundantes o a caracterizarlas como enfatizadoras de uno de los elementos del enunciado. Aún menos desde la perspectiva del estudiante de español como lengua extranjera, puesto que esos valores discursivos de los que se han revestido de forma regular, aunque se consideren derivados de una función representativa básica que consiste en subrayar redundantemente algunos de los elementos de la estructura, adquieren relevancia primordial desde el punto de vista informativo y comunicativo. Compárense en este sentido las respuestas (a) y (b) de (4)[3]. La respuesta de (b) es absolutamente inapropiada porque informativamente no recibe una interpretación adecuada en ese contexto.

4. • *¿Has visto? Me ha sonreído.*
   ○ (a) *Perdona, pero me ha sonreído a mí.*
   ○ (b) ¿?*Perdona, pero me ha sonreído.*

No podemos, por tanto, limitar la descripción pedagógica a una descripción representacional minimalista, diciendo que los pronombres reduplicados en español son una marca redundante que insiste en o subraya alguna de las funciones de la oración. Porque, en ese caso, los estudiantes reaccionarían bien usando siempre esas marcas redundantes para no arriesgarse a no dejar clara la estructura sintáctica de la oración bien prescindiendo siempre de la reduplicación por considerarla superflua.

No debemos confundir, así pues, una posición descriptiva teórica con la descripción pedagógica. Lo que queremos dejar claro, sin embargo, es que, en la concepción de la CG, la función representacional tiene un carácter básico generador de recursos que pueden ser explotados de forma sistemática en niveles funcionales discursivos o pragmáticos. Volveremos a esta cuestión en el apartado 3 de este capítulo.

1.2 Gramática y significado

La gramática se concibe esencialmente vinculada al significado. Para la CG, todo en la lengua se reduce a relaciones simbólicas entre estructuras fonológicas y estructuras conceptuales. También la gramática, y en particular la sintaxis, es un

[3] Ejemplo tomado de Castañeda et ál., 2008.

sistema de asociaciones entre significantes y significados. Por ejemplo, la noción de *sujeto*, una categoría gramatical que ha sido tratada por numerosas escuelas desde un punto de vista formal en el que se prescinde del significado, es concebida desde un punto de vista semántico como la figura principal entre los distintos participantes de la relación descrita por el verbo. Para mantener esa aproximación semántica, es fundamental reconocer que muchos de los significados identificables en la morfología gramatical y en la sintaxis pueden poseer un carácter muy abstracto y caracterizarse por su naturaleza configuracional o imaginística, lo que en inglés se denomina con el término *construal*. En este sentido, para la CG es fundamental la idea de que muchas oposiciones formales expresan la misma situación objetiva desde perspectivas o puntos de vista alternativos. Eso es lo que ocurre en contrastes como los siguientes ejemplos:

5. *Esta mañana fui al dentista. / Esta mañana he ido al dentista.*
6. *Ha roto el papel. / El papel se ha roto.*
7. *Va a la oficina. / Se va a la oficina.*
8. *Ayer estudié dos horas. / Ayer estuve estudiando dos horas.*
9. *Hay un poco de arroz. / Hay poco arroz.*
10. *Cuida del cachorro pequeño. / Cuida del pequeño cachorro.*
11. *Me ha pintado un paisaje. / A mí me ha pintado un paisaje. / Me ha pintado un paisaje a mí.*
12. *Esa fruta es verde. / Esa fruta está verde.*
13. *Es un jugador altísimo. / Es el jugador más alto.*
14. No *quedan más de diez bocadillos.* / No *quedan más que diez bocadillos.* Etc.

Desarrollaremos esta idea en el apartado 2 de este capítulo.

1.3 Significado de las construcciones

En relación con la vinculación entre gramática y significado propia de la CG, es importante otra idea compartida con la llamada "gramática de construcciones" (Goldberg, 2003), a saber, que las expresiones complejas o las construcciones significan en conjunto más que la suma del significado aportado por cada una de sus partes constituyentes. Esa condición no analítica del significado de las expresiones complejas se advierte sin esfuerzo en el significado de las palabras compuestas o derivadas. Así, por ejemplo, *correveidile* es más que las tres acciones a las que se refieren los verbos que la componen; y *ventilador* no es solo "algo que ventila", porque si solo fuera eso podríamos usar esa palabra para nombrar al artilugio que denominamos *abanico*. Y es igualmente evidente el carácter imprevisible, por su naturaleza metafórica, de frases hechas e idiomatismos como *tener la mosca detrás de la oreja*, *traerse algo entre manos*, *éramos pocos y parió la abuela*, *no tener pelos en la lengua*, *no hay que levantar la liebre*, *no hay más cera que la que arde*, *quitarle hierro al asunto*, *echar leña al fuego*, *que cada palo aguante su vela*, *eso está en el quinto pino* y tantas otras.

La cuestión es que, para la CG, el significado de muchas otras clases de expresiones que son aparentemente transparentes tampoco es enteramente composicional. Piénsese, por ejemplo, en la razón por la que se usa el verbo *ir* en la expresión de desacuerdo o negación *¡Qué va!*; en el sentido concesivo de las construcciones ejemplificadas en frases como *Vaya donde vaya, estaré localizable* o *Estará cansado pero no para*; en el reproche convencionalizado expresado en *¿Quién te has creído que eres?*; en la focalización contrastiva transmitida por *Si alguien me convenció, fuiste tú* [y no otra persona], o en la idea de cuantificación exacta pero insuficiente expresada por *No hay más que cinco sillas*, ausente en *No hay más de cinco sillas*, que, por su parte, indica un número probable de cinco o menor de cinco sillas.

Que la suma de las partes no es suficiente para dar cuenta del significado del conjunto se advierte igualmente en casos en los que eso no puede cumplirse precisamente porque, de hecho, las partes no funcionan por sí solas, separadas del conjunto, con el mismo significado al que se asocian en la expresión considerada. En *Se le acabó la gasolina*, podemos entender que al significado de la construcción medial *Se acabó la gasolina* se suma el del dativo *le* con el que identificamos al beneficiario (o "perjudicatario") de esa situación, pero eso no es posible en *Se le ocurren muchas tonterías* puesto que la construcción medial no es admisible sin el dativo: **Se ocurren muchas cosas*.

Ciertamente, muchos de los aspectos semánticos asociados a la construcción en conjunto pueden explicarse como efectos de sentido inducidos por procesos pragmáticos inferenciales surgidos en cierto tipo de contextos pero que finalmente se hacen convencionales y quedan fijados a la construcción. Pensemos en el patrón de tipo comparativo que se da en expresiones como *más vale pájaro en mano que ciento volando*, *más vale tarde que nunca*, *más vale solo que mal acompañado*, *más vale malo conocido que bueno por conocer*, etc. En esta construcción, no solo decimos que una cosa tiene más valor que otra sino que implicamos de forma regular que lo que resulta más valorado (el pájaro que se tiene, la realización tardía de algo, la soledad o lo malo familiar) se presenta como una cosa que en principio podría considerarse como no valiosa, como evitable o negativa. Esta corrección de una presuposición negativa que implica la construcción ha debido surgir eventualmente asociada a ciertos contextos pero finalmente ha quedado fijada a la construcción como un valor esencial que viene asociado a un orden de palabras peculiar, con el cuantificador *más* anticipado al verbo *vale*, y los dos a su vez anticipados al sujeto pospuesto, y a un comportamiento sintáctico particular de algunos de sus elementos, como la ausencia de determinante en el sujeto. La idea de que "es preferible la opción planteada para evitar males mayores" se mantiene en la expresión *más vale* por sí sola:

15. • *Deberíamos avisar a tu madre de que vamos para su casa.*
    ○ *Más vale...*

Para hacernos una idea de hasta qué punto esta constatación es relevante, pensemos en los contrastes significativos de los siguientes pares de expresiones, tanto a nivel léxico como sintáctico, que comparten muchos de sus componentes pero que adquieren un significado muy diferente:

16a	*Buen día.* [Buenos deseos para el resto del día.]	16b	*Buenos días.* [Saludo de encuentro o de despedida.]
17a	*No tiene arreglo.* [No tiene remedio o solución.]	17b	*No tiene arreglos.* [No se han hecho reformas.]
18a	*Que descanses.* [Buenos deseos antes de ir a la cama o al iniciarse un tiempo de ocio.]	18b	*Que descanse en paz.* [Fórmula ritual por un fallecimiento.]
19a	*De mediana edad.* [Ni joven ni viejo.]	19b	*De la Edad Media.* [De ese período histórico.]
20a	*Hacer gracia.* [Resultar simpático.]	20b	*Caer en gracia.* [Contar con el apoyo y aprecio subjetivo de ciertas personas.]
21a	*Acabó casándose.* [Finalmente eso fue lo que pasó.]	21b	*Acababa de casarse.* [Lo había hecho recientemente.]
22a	*Abandonó el pueblo.* [Dejó el lugar. Se fue de allí.]	22b	*Abandonó al pueblo.* [Lo desatendió.]
23a	*Luminoso.* [Que tiene luz.]	23b	*Iluminador.* [Que arroja luz.]
24a	*Aquí hace frío.* [Temperatura baja.]	24b	*Aquí hay frialdad.* [Falta de afectividad o cordialidad en el trato.]
25a	*Quieren quitarte el trabajo.* [Dejarte sin trabajo.]	25b	*Quieren quitarte trabajo.* [Ayudarte con el trabajo.]
26a	*¿Qué dejamos hacer?* [¿Qué permitimos que hagan otros?]	26b	*¿Qué dejamos de hacer?* [¿Qué cosas no hacemos?]

Este reconocimiento del carácter simbólico no plenamente analítico de los patrones construccionales es un fundamento teórico esencial de los métodos comunicativos de orientación nociofuncional. La aplicación de las funciones como unidad comunicativa sobre cuya base se seleccionan y organizan los contenidos lingüísticos de un programa presupone el reconocimiento del carácter simbólico propio de los exponentes complejos (las construcciones que incluyen estructuras sintácticas y elementos léxicos) con que se expresan tales funciones.

1.4 Gramática y conocimiento de los hablantes

La CG concibe de forma peculiar la relación entre la gramática y el conocimiento operativo que los hablantes tienen de ella, es decir, el conocimiento en gran parte implícito que les permite actuar eficazmente usando los recursos lingüísticos en la comunicación real.

1.4.1 *Categorías lingüísticas como categorías complejas.*

En primer lugar, en esta propuesta las categorías lingüísticas se entienden como categorías complejas en las que se integran valores esquemáticos o generales y valores prototípicos y en las que se pueden reconocer significados básicos y significados secundarios surgidos por extensión metafórica o metonímica.

Un ejemplo de esta clase de complejidad podemos encontrarlo en los distintos valores otorgados al pretérito IMPERFECTO. Podríamos considerar que el sentido de pasado no terminado, como el que se ilustra en casos como *Me lo encontré cuando* ***volvía*** *a casa*, constituye el valor prototípico de este tiempo. Sin embargo, en otras ocasiones el IMPERFECTO se usa para hacer referencia a situaciones hipotéticas que no situamos en el pasado, como en los usos en los que el IMPERFECTO alterna con el condicional (*Si pudiera, me* ***iba*** *a casa*). En estos otros casos, hablaríamos de extensiones del valor prototípico de pasado a valores contrafactuales que comparten con el sentido de pasado la pertenencia a un ámbito no actual. Ambos valores, y otras muchas variantes, podrían reducirse a un denominador común, que constituiría el valor genérico o esquemático de *presente de entonces*, donde el valor de *presente* daría cuenta no solo de los casos de usos no terminativos sino también de los terminativos (*En ese momento el corredor jamaicano ganaba la carrera*) y en el que *entonces* puede remitir tanto a un ámbito pasado como a uno ficticio o imaginado o a otro hipotético o contrafactual. La relación entre el valor esquemático y los valores prototípico y extendido es como la relación entre un hiperónimo (presente de entonces) y dos hipónimos (pasado no terminado y valor contrafactual). En los hipónimos, se cumple la categoría general y se da algún rasgo específico añadido (ámbito pasado en el uso prototípico, ámbito hipotético en el uso contrafactual). Esta es la relación, representada mediante una flecha continua doble en la figura 1, que se privilegia en las descripciones gramaticales al uso, en las que no se contempla otra relación de categorización que la estrictamente basada en rasgos suficientes y necesarios. Sin embargo, en la relación entre prototipo y uso extendido o no prototípico se advierte una conexión de tipo metonímico. Aunque el uso contrafactual no se identifica plenamente con el ámbito de pasado, comparte con este su naturaleza no actual, su oposición al aquí y al ahora. Esa analogía permite extender el uso del pretérito a los valores que lo aproximan al CONDICIONAL. Esa relación se expresa mediante una flecha horizontal discontinua en la figura 1.

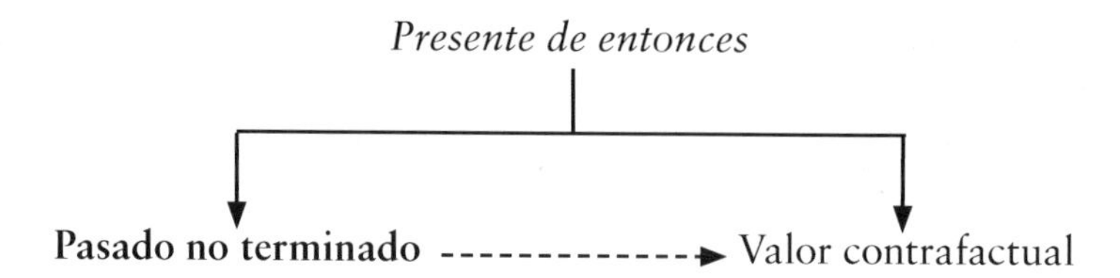

Figura 1. Valores prototípico, extendido y esquemático del pretérito IMPERFECTO.

La relación de extensión, la que permite identificar conexiones metafóricas y metonímicas, adquiere un papel preponderante en la CG para dar cuenta del carácter sistemático de la relación entre valores muy dispares de una misma forma. A este respecto, intenta superar la presentación de esos valores como meras listas de valores distintos de una sola forma, que, así considerada, más bien se comporta como varias formas homónimas (con un solo significante pero con significados no relacionados). La CG, en ese sentido, adoptaría la concepción propia de la polisemia, es decir, la de una sola forma con varios significados o valores distintos pero que están relacionados entre sí. Aunque la CG no renuncie a buscar y reconocer un solo valor común a todos los usos, no se empeña en conceder a ese valor único, en caso de que exista, relevancia psicológica ni valor operativo mayor que el de los valores prototípicos o los secundarios concretos (en la figura 1, esa relevancia y accesibilidad de los distintos valores relacionados con una forma se indica por el realce en negrita del valor de pasado, la redonda normal del valor contrafactual o la cursiva del valor esquemático). Puede que, en ocasiones, identificar ese valor contribuya a esclarecer el carácter coherente de un sistema particular (eso es lo que creemos que ocurre con el valor de "presente de entonces" para el pretérito IMPERFECTO), pero no tiene por qué ser así en todos los casos. Por ejemplo, si, como argumenta Langacker (2000), intentamos buscar un valor único presente en todos los usos de los posesivos (*mi moto, mi padre, mi ciudad, mi profesor, mi despacho, mi autobús, mi retrato, mi sitio*, etc.), tendríamos que remontarnos a un nivel de abstracción tan alto que la definición no podría especificarse más allá de "localización abstracta de un objeto en el dominio de otro (alguna de las personas gramaticales) que sirve de punto de referencia y acceso para localizar al primero entre todos los demás". Pero este tipo de descripción, si resultara válida para todos los casos, no sería manejable, no permitiría establecer una conexión inmediata con contextos particulares, no ayudaría a reconocer de forma inmediata el valor de los posesivos como lo haría una ejemplificación basada en los usos prototípicos de posesión o parentesco, probablemente presentes en todas las lenguas que tienen posesivos.

Para la CG, por tanto, los usos más concretos, tanto los prototípicos como los extendidos, tienen más probabilidad de estar disponibles y accesibles, a pesar de tener un alcance más limitado como reglas, que los más abstractos y esquemáticos, que tienen mayor alcance pero pueden tener menos relevancia cognitiva en tanto que pueden ser rutinas menos enraizadas en relación con el uso efectivo de la lengua[4].

Piénsese en el caso de los tres usos de *poner* con pronombre reflexivo que se ilustran en los ejemplos (27), (28) y (29).

27. *Se pone un collar.*
28. *Se pone allí.*
29. *Se pone nervioso.*

Reconocemos en estos tres ejemplos una misma estructura morfosintáctica, en la que está presente la forma *se* y tres valores bastante distintos: acción transitiva reflexiva que afecta al collar como CD y al propio sujeto como CI en (27); movimiento y localización del sujeto en cierto lugar en (28), y cambio de estado emocional del sujeto en (29). La relación de localización que mantiene *poner* en los dos primeros casos se diluye en el tercero a través de un proceso de abstracción metafórica por el que un nuevo estado se concibe como una localización.

Por otro lado, el carácter netamente reflexivo del primer uso (*Se pone el collar a sí misma*) se difumina en el caso del segundo, donde la reflexividad no parece tan evidente (**Se pone allí a ella misma*) en la medida en que se ha perdido el sentido de transitividad del verbo *poner*. La reflexividad propiamente dicha debe ser transitiva, es decir, una configuración en la que una misma entidad se represente claramente disociada en dos papeles semánticos y sintácticos distintos. Eso es lo que ocurre en casos como *Se ve en el espejo*, *Se imagina en el baile*, *Se pone la mano en la cabeza*, *Se pone el collar*. En estos cuatro ejemplos, como señala Maldonado (1999), concebimos dos partes o dos facetas o dos representaciones de la misma entidad ejerciendo cada una de ellas un papel semántico distinto. Sin embargo, en *Se pone allí*, aunque el origen de la fuerza que da lugar al movimiento del sujeto procede del propio sujeto, esta entidad no se concibe en esas dos facetas de manera disociada; más bien se observa que el sujeto experimenta un cambio de localización, no lo observamos tanto como instigador del cambio sino más bien como experimentador del mismo. Ese cambio experimentado por el sujeto, pero ya no referido a una localización sino a un cambio de estado, es lo único que se preserva en el caso de *Se pone nervioso*.

Así pues, con este tipo de conceptos (extensiones del significado, metáforas y metonimias conceptuales), la CG permite rastrear la relación sistemática entre

[4] En el capítulo I de este volumen, Alonso Aparicio aborda la forma en que el modelo de Anderson sobre el control adaptativo del conocimiento respalda la idea de que las reglas basadas en valores concretos y no en variables generales tienen más probabilidad de automatizarse y sostener un conocimiento operativo del lenguaje que las basadas en variables más generales o abstractas. Lo puesto en evidencia por la CG sobre la mayor relevancia psicológica de las unidades simbólicas más específicas es congruente con esa teoría de Anderson.

usos diversos de una misma forma y comprender el parentesco de familia entre unos valores y otros. Por otro lado, ese hilo conductor podría permitir reconocer un significado abstracto presente en los tres casos de (27)-(29), como podría ser el carácter pasivo o ergativo del sujeto, ya que en todos ellos la forma pronominal señala al sujeto como experimentador de un cambio. Identificar ese valor general podría ayudar a entender la relación entre estos usos comentados y el valor de pasiva refleja que adquiere *se* en casos como *Las cucharas se ponen a la derecha del plato*.

No obstante, reconocer la utilidad que tiene encontrar un denominador común a usos dispares de una misma forma o estructura para encontrar la coherencia de un sistema no tiene por qué traducirse en conceder a ese valor ni naturaleza operativa ni capacidad predictiva. Pensemos en el caso del uso concesivo del FUTURO en la frase *Sabrá mucho pero no es capaz de transmitirlo*. Aun aceptando que el valor general de este tiempo no es en realidad localización en un tiempo venidero sino más bien "suposición" de una situación (ya sea en el presente como en *No nos oye, estará en la ducha* o en el futuro como en *Mañana vendrá mi padre*), y aun admitiendo que ese valor de suposición es congruente con el sentido concesivo del ejemplo de antes ("Si lo dices tú, supongo que es verdad que sabe..."), eso no significa que conocer ese valor general permita predecir, aun menos desde el punto de vista del estudiante, que este tiempo se usa en español con valor concesivo. El estudiante deberá asimilar y automatizar cada uno de los distintos usos de forma relativamente independiente de los otros y en relación con contextos léxicos, funcionales, nocionales y comunicativos particulares si quiere integrarlos en su interlengua de forma efectiva.

Debemos insistir en dos cuestiones relevantes para la clase de español como lengua segunda o extranjera en relación con lo que planteamos en este punto. La primera es que debemos distinguir (1) la descripción gramatical que se propone facilitar la comprensión del sistema gramatical de (2) la descripción gramatical que aspira a facilitar la automatización de las diversas asociaciones entre formas y estructuras, por un lado, y significados o valores, por otro. La primera modalidad debe favorecer la comprensión de la congruencia entre significados básicos o generales y valores particulares de las distintas formas, o el vínculo existente entre los diferentes valores o funciones particulares que las formas adquieren regularmente para diferentes contextos. La segunda debe dar prioridad a la asimilación de rutinas de representación contextualmente determinadas que sean accesibles de forma inmediata sin que medie un esfuerzo consciente en su construcción.

En cuanto a la descripción que intenta revelar el carácter sistemático de la gramática, nos interesa señalar aquí que ese carácter sistemático puede mostrarse recurriendo a diferentes niveles de abstracción, más concretos o más esquemáticos, dependiendo de los casos. Consideremos un caso en que no parece conveniente buscar el valor más esquemático o general, el de las preposiciones de significado básico espacial.

1.4.2 *Nivel de abstracción adecuado para abordar descripciones gramaticales. Una visión de conjunto de las preposiciones*

Uno de los casos que mejor ejemplifican la dificultad de reducir la disparidad de valores de una forma a un solo significado básico es el de las preposiciones. Pensemos, por ejemplo, en la preposición *por*. No parece fácil encontrar un denominador común a todos los usos de esta preposición. Basta pensar en ejemplos como *Vinieron por el río*; *Está en la cárcel por robar en la empresa*; *Lo hago por ti*; *Por mí, de acuerdo*; *Por ejemplo,...*; *Un caramelo por niño*; *Nos vemos el lunes por la tarde*; *El balón está por ahí*; *Fueron recibidos por multitud de personas*, etc. Sin embargo, se puede rastrear la conexión entre algunos de estos usos y un valor espacial prototípico, el que hace referencia al espacio que se recorre para llegar de un origen a un destino. De este valor parecen haber surgido otros mediante extensiones metafóricas o metonímicas encadenadas, como parece haber ocurrido con el valor causal: llegamos a una consecuencia pasando por el hecho que constituye su causa. Y del valor causal, a su vez, se deriva el valor final cuando la causa de algo es la intención de alcanzar cierto objetivo, como en *He venido por la conferencia* ["He venido movido por la idea de asistir a la conferencia"]. El valor espacial de "trayecto", prototípico de *por*, así como otros valores espaciales de otras preposiciones, puede servir no solo para reconocer el hilo conductor que conecta valores muy diversos de una sola forma sino para captar una visión sistemática del conjunto de todas las preposiciones relacionadas con las relaciones espaciales. Esa visión intenta mostrarse gráficamente en la figura 2.

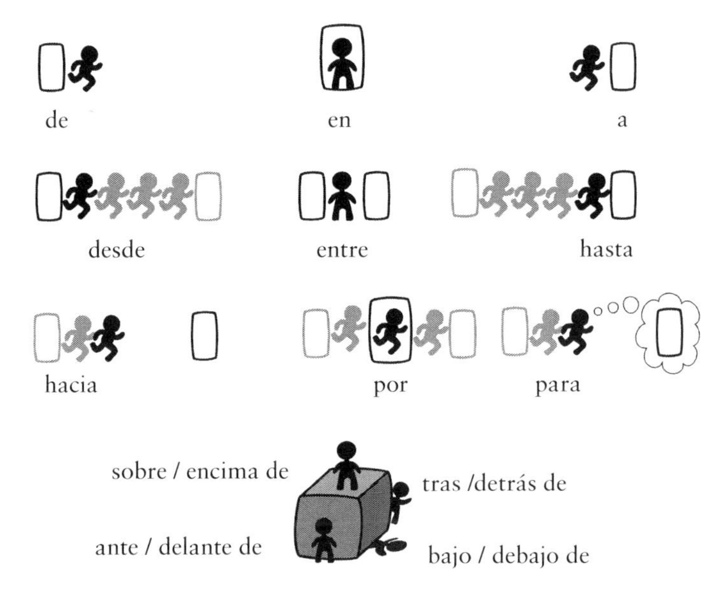

Figura 2. Valores espaciales básicos de las preposiciones.

En la figura 2, se disponen las distintas preposiciones en relación con características compartidas por unas y otras. A la izquierda, se sitúan *de* y *desde*, que tienen carácter dinámico retrospectivo (apuntan o señalan al origen), y a la derecha se sitúan *a*, *hasta*, *hacia* y *para*, que tienen carácter dinámico prospectivo (señalan punto de llegada o destino). En el centro, se sitúan las preposiciones que son neutras respecto de la orientación retrospectiva o prospectiva; *en*, *entre* y *por*, pero, de estas, mientras que *en* y *entre* son estáticas, *por* es dinámica. *En* sitúa un objeto en el espacio o punto definido por otro objeto, *entre* sitúa en relación con un espacio definido o delimitado por más de un objeto. *Por* sitúa en algún punto del trayecto que va de un punto de partida a un punto de llegada. No se orienta ni respecto del origen ni respecto del destino, pero los presupone a los dos.

Si se consideran las relaciones horizontales, *desde* y *hasta* conforman pareja porque las dos, además de señalar un punto de referencia, que es origen o destino respectivamente, implican un recorrido, posterior para *desde* y anterior para *hasta*, que no está presente en la pareja *de-a*. Por ello, *desde* y *hasta*, por sí solas, son capaces de presuponer un recorrido que no pueden expresar *de* y *a* por sí solas, como ocurre en *El niño estuvo llorando desde/hasta/*de/*a Teruel.*

A diferencia de *a* y *hasta*, *hacia* y *para* se orientan al destino pero solo como lugar al que apunta el movimiento y sin presuponer que se lo ha alcanzado. *Para* implica, además, un rasgo intencional que no está presente en *hacia*.

Ante, *tras*, *sobre* y *bajo* y sus locuciones prepositivas correlativas (*delante de*, *detrás de*, *encima de* y *debajo de*) constituyen un subconjunto muy cohesionado, pues todas ellas sitúan un objeto en relación con otro de referencia que muestra asimetrías orientacionales, es decir, un objeto con parte anterior, parte posterior, parte inferior y superior.

Adviértase que todas las preposiciones dinámicas remiten a un modelo o esquema mental abstracto básico que conforma una configuración conceptual en la que un objeto se mueve de un origen a un destino a través de un espacio por el que se traza una trayectoria. Cada preposición enfoca alguno de los elementos de esa configuración y relega otros a un segundo plano que, a veces, como ocurre con el recorrido presupuesto en *desde* y *hasta*, resulta relevante en el significado de la preposición (ver en el apartado 2.3 la distinción entre *perfil* y *base*)[5].

Cada una de estas preposiciones despliega una variedad enorme de usos que, aunque estén relacionados, más o menos directamente, con estos valores espaciales prototípicos, requieren de instrucción particular y aprendizaje independiente. No es posible revisar aquí ni siquiera parte de esa variedad y la forma en que la concepción de la CG intentaría retrotraer esos usos distintos

[5] No todas las preposiciones remiten a ese esquema mental. *Con* y *sin* parecen ser ajenas a él y *contra* más bien presupone un esquema relativo a dinámica de fuerzas antagónicas que no está presente en las preposiciones espaciales.

a los valores espaciales básicos[6]. Solo pretendemos poner un ejemplo de cómo la visión coherente del conjunto puede obtenerse no tanto a partir de valores esquemáticos abstractos sino a partir de valores prototípicos.

En el capítulo VI de este volumen, exponemos una visión de conjunto del sistema verbal en el que puede reconocerse la validez de otro tipo de aproximación alternativa a la comentada para las preposiciones, ya que en este otro caso sí puede resultar más eficaz una descripción que tenga presente en mayor medida los valores esquemáticos más generales.

Por tanto, a diferencia de otros modelos, como el chomskiano, que separan de forma radical la competencia o el conocimiento lingüístico, por un lado, del acceso a y el uso de ese conocimiento, por otro, para la CG las unidades del sistema gramatical (abstractas o concretas, complejas o simples, de carácter léxico o gramatical) se conciben como rutinas automatizadas, las cuales permiten, en el caso de las rutinas léxico-gramaticales complejas y concretas, la disponibilidad de un vasto conjunto de recursos preensamblados con los que garantizar la fluidez comunicativa[7]. De tales rutinas construccionales, con material léxico ya insertado o preestablecido, pueden emerger patrones construccionales más esquemáticos y abstractos. La existencia de estos patrones más abstractos, no obstante, no se presupone necesariamente ni su valor operativo se considera mayor que el de las rutinas concretas. Sin embargo, cuando se enseña gramática con afán de sistematizar, y en el peor de los casos de reducir, los distintos valores relacionados con algún recurso gramatical, se tiene la tendencia a buscar el denominador común a todos los usos de una forma o una estructura, aunque ese valor tenga un carácter muy abstracto y difícilmente accesible o manejable como regla operativa. Creemos que la CG se sitúa en un razonable punto intermedio entre las diferentes opciones más o menos extremas de este continuo.

2. Perspectiva y significado en descripciones pedagógicas de la gramática del español/LE

No podemos hacer aquí una revisión pormenorizada de los cuatro aspectos indicados en el apartado 1 que hacen de la CG un modelo especialmente adecuado para su aplicación a la clase de L2[8]. De los cuatro puntos comentados, en este apartado nos centraremos en la cuestión del significado de las estructu-

[6] Un intento de ese tipo es el de Delbecque, 1996 para la pareja *por – para*

[7] Ver, en este sentido, el trabajo de Pawley y Hodgetts, 1983.

[8] Remitimos al lector a Castañeda, 2004 para una revisión complementaria a la que presentamos aquí. Otros trabajos y obras que tratan la aplicabilidad del modelo de la CG para la enseñanza de lenguas son los de Dirven, 1990, Taylor, 1993 y varios de los incluidos en Achard y Niemeier (eds.), 2004 o, más recientemente, De Knop y De Rycker (eds.), 2008, Ellis y Ronbinson, 2008, Littlemore, 2009 y Tyler, 2012.

ras gramaticales relacionado con la idea de *construal* o perspectiva y su aplicación en descripciones pedagógicas que hagan uso de imágenes. Haciendo uso de ejemplos de nivel avanzado referidos al caso del español como lengua segunda o extranjera, llamaremos la atención sobre un aspecto fundamental de esta concepción con importantes consecuencias para su aplicación en clase: la comprensión de los signos lingüísticos como portadores de representaciones conceptuales que en muchas ocasiones se oponen entre sí por ofrecer imágenes o perspectivas distintas de una misma escena objetiva concebida.

2.1 Dimensiones en la representación lingüística

La descripción de la gramática de las lenguas, sobre todo en el ámbito de la lingüística funcional, recibió una saludable inyección de savia nueva cuando se vio enriquecida por la consideración de las dimensiones discursiva e interpersonal de los recursos lingüísticos. Más allá de la función básica de las lenguas como medios aptos para representar las cosas y sus relaciones, y más allá del punto de vista logicista con el que se discriminaba la función de una distinción morfológica, sintáctica o léxica según su valor de verdad, es decir, según su correspondencia con distintas circunstancias de la realidad; más allá, en definitiva, de los aspectos meramente factuales, nuestra visión de las funciones de la lengua se ha visto enriquecida al entender que los recursos lingüísticos también pueden asociarse a las distintas condiciones discursivas de la información a la que nos referimos, por una parte, y a las intenciones que abrigamos de cara a nuestros interlocutores, por otra[9].

Halliday (1973) resume esta situación sugiriendo que con la lengua atendemos a tres tipos fundamentales de funciones o expresamos tres tipos generales de significado: IDEATIVOS, los que se refieren a las cosas y a sus relaciones (significados proposicionales o factuales); TEXTUALES o discursivos (los que tratan de la relación entre lo que decimos y lo que suponemos que sabe o necesita saber nuestro interlocutor), e INTERPERSONALES o pragmáticos (los que tienen que ver con las intenciones que tenemos respecto de nuestros interlocutores cuando hablamos).

Un ejemplo muy claro de la función textual es la que se manifiesta en las oposiciones que abundan en las lenguas para distinguir entre la primera mención de algún aspecto y las subsiguientes menciones de ese mismo aspecto. Esta distinción entre información ya mencionada e información que se menciona por primera vez puede verse ejemplificada para el español en casos como los siguientes:

30. • *Me han regalado* ***una pelota de cuero y un patinete.***
    ○ *¿Quién?*
    • ***La pelota de cuero,*** *mi madre, y* ***el patinete,*** *mi tito.*

[9] Un trabajo que ha contribuido esencialmente a incluir los aspectos discursivos y pragmáticos en la descripción de la gramática del español como lengua extranjera es el de Matte Bon, 1992.

31. • *He comprado* ***pastelillos****. ¿Dónde* ***los*** *pongo?*
32. • *¿Te has cansado* ***mucho****?*
   ○ *No, no* ***tanto****.*
33. • *El presidente de la comunidad* ***va a cambiar las plantas de la entrada y va a poner un cenicero en el ascensor.***
   ○ ***Que cambie las plantas de la entrada*** *me parece muy bien pero* ***que ponga un cenicero en el ascensor*** *es de locos.*
34. • ***Cómete*** *las patatas.*
   ○ *¿Qué?*
   • ***Que te comas*** *las patatas.*
35. • **Hay** *un hombre que pregunta por ti.* ***Está*** *en la entrada.*

En los ejemplos (30)-(35), hemos subrayado las expresiones que, aun aludiendo a la misma idea, presentan esta de una forma u otra según se trate de la primera mención o de la segunda. La condición de no mencionado o mencionado permite, en efecto, diferenciar el uso del artículo indefinido (*una*, *un*) del definido (*el*, *la*) en (30). La existencia de una mención previa explica el uso de un pronombre clítico (*los*) para hacer referencia a los *pastelillos* en (31). Asimismo, en (32), *tanto* se usa para mencionar por segunda vez la cantidad que se expresaba con *mucho* en la primera intervención. En (33), el uso del subjuntivo (*que cambie las plantas..., que ponga un cenicero...*) sirve para aludir a ideas que han sido mencionadas por la otra persona previamente en indicativo (*va a cambiar las plantas..., va a poner un cenicero...*). En (34), la repetición de la exhortación adopta la forma de una cláusula introducida por *que* y con verbo en subjuntivo. En (35), *hay* y *está* también se corresponden respectivamente con la primera mención de la existencia de un objeto y con la mención ulterior a ese objeto para localizarlo. Por lo demás, las elipsis del verbo y complementos en *¿Quién* (te ha regalado)...? y *No, no* (me he cansado) *tanto* o la del sujeto en *Está* (el hombre) *en la entrada* y en *que* (el presidente) *cambie las plantas...* y *que* (el presidente) *ponga cenicero...* es evidente que dependen de su mención previa.

En muchos casos, la condición discursiva de ya mencionado que se asocia a ciertos recursos no debe interpretarse en sentido estricto; más bien se trata de ya conocido o consabido, presente de alguna manera en el conocimiento compartido por los interlocutores, ya sea por su mención explícita o por su inferencia implícita.

En cuanto a la función interpersonal o pragmática que desempeñan muchos recursos lingüísticos, esta se manifiesta de forma prototípica en la señalización de la fuerza ilocutiva de los enunciados (con la que se indica en qué sentido deben ser entendidos: como mera afirmación, como petición, como pregunta, como promesa, como queja, como sugerencia, como advertencia, etc.) y en todos aquellos aspectos con los que revestimos nuestras palabras del tono adecuado para que no resulten amenazantes para el oyente, es decir, todos los elementos que contribuyen a otorgar el grado de cortesía adecuado a la situación y a la relación de los interlocutores. Es indiscutible el carácter pragmático, por ejemplo, de la elección entre *tú* y *usted* en el español peninsular estándar o de la expresión *por favor* para indicar la intención exhortativa de un enunciado. Sin embargo, la función interpersonal impregna la lengua de manera generalizada. Consideremos al respecto los siguientes ejemplos desde el punto de vista de la cortesía que en ellos se expresa a través de la elección de ciertos tiempos verbales.

36. • *¿Vas a salir?*
    ○ ***Pensaba** ir al supermercado, ¿por qué?*
37. • *Tiene un doctorado por la Universidad de Columbia.*
    ○ ***Tendrá** un doctorado, pero no ayuda en nada.*
38. María dice a Juan: *Pedro es imbécil. No lo soporto.*
    Juan unas horas más tarde dice a Pedro: *María me dijo que **eras** imbécil y que no te soporta.*
39. *Perdona, ¿tú cómo te **llamabas**?*
40. • *¿**Podría** ponerse un poco a la derecha?*
    ○ *Sí, claro, por supuesto*[10].

En efecto, la elección de las formas temporales subrayadas parece estar motivada no tanto por la localización temporal de las predicaciones sino por la necesidad de mostrar deferencia (*¿Podría ponerse...?*), expresar distanciamiento respecto de lo que decimos (*Tendrá un doctorado...; ... dijo que eras imbécil...*), atenuar actos lingüísticos arriesgados (*¿Cómo te llamabas?*) o dejar claro que no queremos imponer nuestros criterios o deseos (*Pensaba ir al supermercado...*). No se habla de un tiempo futuro con *tendrá* en (37), ni del pasado con *pensaba* en (36), *eras* en (38) o *llamabas* en (39). No se alude a circunstancias irreales sino al momento presente con la forma *podría* en (40).

En relación con la función ideativa, correspondería a esta dimensión básica de la capacidad simbólica del lenguaje todo lo que en él nos permite significar los distintos tipos de objetos sobre los que podemos hablar, los diferentes tipos de relaciones que pueden entablar con otros objetos, los diferentes procesos en que se pueden ver envueltos, sus propiedades, etc. Es decir, todo aquello que en el lenguaje sirve para discriminar unos objetos de otros, unas circunstancias de otras. Decimos *El perro está triste* o *El perro está contento* para describir estados emocionales diferentes del perro. Decimos *La pelota está debajo de la mesa* o *La pelota está encima de la mesa* para describir dos situaciones relativas de la pelota respecto de la mesa. Decimos *Juan le ha pegado a Alberto* o *Alberto le ha pegado a Juan* para dar cuenta de dos hechos que tienen aspectos en común pero que afectan de modo diametralmente distinto a Alberto y a Juan.

[10] Gran parte de los ejemplos de 30 a 40 se los debemos a Lourdes Miquel: comunicación personal.

En general, los hablantes solo somos conscientes de esta dimensión proposicional o factual del lenguaje y normalmente reducimos el valor de todas las oposiciones y alternativas a esta función. Ya hemos considerado, sin embargo, hasta qué punto son importantes las otras dimensiones del significado a las que aludíamos: la textual y la interpersonal.

Ahora bien, al parecer, la triple distinción de Halliday, tal y como ha sido interpretada hasta aquí, no basta para dar cuenta de todas las vicisitudes de los signos lingüísticos. Debemos prestar atención ahora a ciertas distinciones disponibles en las lenguas que no es fácil hacer encajar en la función ideativa (en tanto que factual o proposicional), en la textual o discursiva o en la interpersonal o pragmática.

Pensemos en las siguientes expresiones:

41a *Olvidé las pastillas.*
41b *Me olvidé de las pastillas.*
41c *Se me olvidaron las pastillas.*

No parece que podamos explicar las diferencias entre unas y otras en virtud de circunstancias veritativas distintas. No se refieren a hechos o a escenas objetivas diferentes y no resulta fácil encontrar circunstancias discursivas o pragmáticas distintas responsables de la elección de una u otra forma de referirnos al "olvido". Esto mismo ocurre con otras distinciones estructurales propias de las lenguas. En el caso del español, podemos encontrar otros ejemplos en los siguientes pares:

42a	*La revista está encima del libro.*	42b	*El libro está debajo de la revista.*
43a	*He traído la comida.*	43b	*Yo he traído la comida.*
44a	*El chico rompió el papel.*	44b	*El papel se le rompió al chico.*
45a	*Pedro va esta tarde al despacho.*	45b	*Pedro se va esta tarde al despacho.*
46a	*En ese momento reconoció la derrota electoral.*	46b	*En ese momento reconocía la derrota electoral.*
47a	*Hay una carretera que va desde mi casa hasta la suya.*	47b	*Hay una carretera que va desde su casa hasta la mía.*
48a	*A Alfredo le encanta el cine de época.*	48b	*Alfredo adora el cine de época.*

49a	*Contrataremos a la persona que sepa italiano.*	49b	*Contrataremos a la persona que sabe italiano.*
50a	*Se come un plátano todos los días.*	50b	*Come un plátano todos los días.*

Es cierto que en algunos casos podemos identificar circunstancias discursivas o pragmáticas que favorecen una elección u otra. Por ejemplo, en (42a) respondemos a la pregunta implícita *¿Dónde está la revista?*, mientras que en (42b) respondemos a la pregunta implícita *¿Dónde está el libro?* También podemos reconocer circunstancias discursivas en la presencia del pronombre personal explícito de (43b) (contraste con otras entidades que han sido descartadas como sujeto) o en el cambio de sujeto en (44b) respecto de (44a). Compárese *El niño dio un golpe con el cucharón y* ***rompió el vaso*** con *El vaso cayó al suelo y* ***se rompió****.*

Sin embargo, los factores discursivos no bastan para explicar la diferencia. Y ello, en primer lugar, porque hay oposiciones que no pueden reducirse a circunstancias discursivas recurrentes, como las de (45a)/(45b), (46a)/(46b) y (50a)/50(b), o, por poner algunos ejemplos más, como las siguientes:

51a	*Queda un poco de papel.*	51b	*Queda poco papel.*
52a	*Hemos visto una gran ballena.*	52b	*Hemos visto una ballena grande.*
53a	*Esta mañana fui al dentista.*	53b	*Esta mañana he ido al dentista.*

En segundo lugar, porque las distinciones que suelen asociarse a condiciones discursivas distintas, como la relacionada con la elección de sujeto, no siempre dependen de esas condiciones. Por ejemplo, si pidiéramos al lector que pusiera nombre a la imagen de la figura 3, ¿en qué nombre pensaría?

Figura 3

Probablemente en alguno parecido a estos: *Gato sobre alfombra; La mirada felina; Gato y alfombra de colores...* Todos ellos con el denominador común de la perspectiva sintáctica que escoge a *gato* como sujeto o referente primordial. Por supuesto que es posible escoger otra perspectiva distinta a la del gato (*Alfombra debajo de gato*), pero no es habitual y no son razones discursivas las que explican esa tendencia, porque aquí no había ninguna pregunta de partida que orientara la respuesta hacia el *gato* o hacia la *alfombra*. Adoptamos el punto de vista del gato porque es animado, porque suele moverse, por empatía, etc., pero no por razones discursivas.

Estos hechos han conducido a algunas escuelas lingüísticas a sostener que gran parte de la gramática de las lenguas (especialmente la sintaxis) está desvinculada del significado (sea ideativo, pragmático o discursivo-textual), puesto que las diferencias estructurales que establecen no pueden relacionarse con diferencias semánticas. Sin embargo, la respuesta que la CG da a esta cuestión es llamar la atención sobre cierta dimensión del significado que no se reduce a lo meramente veritativo ni tampoco a lo discursivo o pragmático y que puede reconocerse en muchas distinciones recalcitrantes que caracterizan a las lenguas: esa dimensión es la que podríamos denominar con el término genérico de *perspectiva*[11].

La perspectiva es una función representativa básica que puede ayudar a explicar muchas distinciones sutiles de las lenguas. La CG se distingue de otros modelos precisamente por destacar el hecho de que gran parte de las oposiciones estructurales propias de las lenguas expresan representaciones distintas de un mismo contenido conceptual objetivo: imágenes alternativas de una misma situación. En este sentido, las condiciones discursivas o pragmáticas que favorecen una elección u otra se podrían entender como algunas de las variables, pero no las únicas, que propician la elección de un punto de vista y no de otro para expresar cierto estado de cosas. En esto, la CG hace patente la manifestación de una capacidad cognitiva que la lengua comparte con otras formas de representación, como la visual.

Langacker (1987, 2008) establece como relevante en la descripción lingüística una serie de dimensiones con las que se construyen las diferentes imágenes lingüísticas ofrecidas por la gramática de una lengua. Entre ellas, destacamos aquí:

(I) el grado de resolución o de detalle en la categorización de un objeto (*algo / cosa / ser vivo / planta / árbol / árbol frutal / cerezo / cerezo en flor*, etc.);

[11] En relación con la triple distinción funcional de Halliday, la perspectiva podría integrarse fácilmente en la función ideativa. La función ideativa, de esta manera, se correspondería con la representación de la realidad, teniendo en cuenta que dicha representación no debe confundirse con una correspondencia objetiva y unívoca con la realidad que se representa, es decir, que una misma realidad, una situación objetiva dada, puede ser representada lingüísticamente de distintas maneras.

(II) la elección de *figuras* frente a *fondos*, como cuando escogemos a un sujeto de entre los distintos participantes en algún proceso (***Pedro** le dio el regalo a Juan* / ***Juan** recibió el regalo de Pedro* / ***El regalo** fue entregado a Juan por Pedro*);

(III) el grado de realce o focalización dado a los componentes designados (*Ha echado las aspirinas* ***en el bolso*** / *Ha echado en el bolso* ***las aspirinas*** / ***Las aspirinas*** *ha echado en el bolso* [no otra cosa]; ***Yo*** *ya he recargado las pilas* / *He recargado ya las pilas* / *Las pilas las he recargado* ***yo***);

(IV) el grado y las formas alternativas de *subjetivización* en la representación de los hechos (*Hay una carretera que va desde mi casa a la costa*; *Hay una carretera que va desde la costa hasta mi casa*; *Hay una carretera entre mi casa y la costa*);

(V) la distinción entre *perfil* y *base*, es decir, entre planos de representación de distinta preeminencia en el significado de las expresiones: el primer plano de lo designado y el segundo de lo presupuesto pero no designado (*Llegar* presupone, como *base* de su significado, un desplazamiento de un lugar a otro, pero solo designa o elige como *perfil* las últimas fases de ese desplazamiento; *venir*, sin embargo, designa todo el desplazamiento); y, por último,

(VI) la imagen metafórica alternativa escogida para hablar de ámbitos abstractos. Podemos hablar de *colores cegadores* o de *colores chillones*; y elegir entre *La chica ha llamado mi atención* o *Fijé mi atención en la chica*, *El siglo pasado fue testigo de muchas guerras* o *El siglo pasado fue escenario de muchas guerras*, etc. Por razones de espacio, nos detendremos solo en considerar las posibilidades descriptivas y pedagógicas derivadas del reconocimiento de la naturaleza simbólica de las formas gramaticales así como de la distinción *perfil/base* y de la idea de *subjetivización*.

2.2 Significados muy abstractos en gramática

En cuanto al grado de detalle o concreción con el que designamos aquello de lo que hablamos, probablemente una de las dimensiones de configuración del significado lingüístico más evidentes, queremos hacer hincapié aquí en que los distintos grados de abstracción presentes en el significado de las expresiones no solo pueden reconocerse en las series léxicas de hiperónimos e hipónimos como la citada antes (*algo / cosa / ser vivo / animal...*), sino también en las estructuras gramaticales. Una de las afirmaciones más radicales de la CG es la de que todo en la lengua tiene carácter simbólico, incluida la gramática. Las estructuras y construcciones gramaticales, así como los morfemas asociados a categorías gramaticales (género, número, tiempo, etc.) son concebidos como estructuras simbólicas en las que podemos identificar la asociación regular entre un significante (que puede ser complejo) y un significado, aunque ese significado posea un grado de abstracción muy alto. La cuestión clave es comprender que el grado de abstracción de las formas y categorías gramaticales no las priva de su condición simbólica.

Es fundamental, desde un punto de vista pedagógico, la presuposición de que los elementos de la gramática son portadores de significado (por muy abstracto o esquemático que este sea) y no meras estructuras formales que se imponen arbitrariamente. La arbitrariedad resulta intrínsecamente antipedagógica. Entender que la gramática ofrece un abanico de recursos para representar nociones o ideas de distinto tipo es el mejor punto de partida para elaborar una gramática pedagógica operativa y funcional. Veamos un sencillo ejemplo de cómo el significado puede ir haciéndose cada vez más abstracto conforme consideramos las formas gramaticales de forma aislada sin que por ello dejemos de reconocer en ellas su capacidad de representar configuraciones conceptuales muy elaboradas. Pensemos en la frase *Un suelo fregado*. Se trata de una expresión con "relleno" léxico, el que aportan el sustantivo *suelo* y la raíz del verbo *fregar*. Ese relleno léxico permite que nos representemos fácilmente su significado. La imagen de la figura 4 puede servir de representación parcial de aspectos importantes de ese significado[12].

Figura 4. Un suelo fregado.

En la figura 4, se pretende mostrar que esa frase es un sintagma nominal, puesto que se refiere a un objeto, una cosa, el suelo, aunque en su representación (tanto lingüística como gráfica) se le presente en relación con un proceso (haber sido fregado). El proceso de su limpieza y la relación entre el suelo y quien lo friega están presentes pero se los representa en un segundo plano: con trazos más tenues en el gráfico o como componentes subordinados al sustantivo en la estructura sintáctica, que es un sintagma nominal, es decir, una estructura articulada en torno a un núcleo nominal, precisamente porque en ella el primer plano de la representación se reserva a la designación de una cosa, sin perjuicio de que, en un segundo plano, también esté presente

[12] Para hacer el ejemplo más útil, prescindiremos de la representación del valor del artículo indefinido o de algunos aspectos del significado del morfema de participio pasado, así como de la manera en que en la CG se concibe la integración de los significados de los componentes de la expresión.

la relación entre esa cosa y el proceso que ha dado lugar al estado en el que se encuentra, relación que expresamos a través de la modificación desempeñada por el adjetivo verbal *fregado*. En el sintagma nominal en conjunto, se alude al proceso pero este no se designa como tal. Lo que se designa es la cosa (el suelo).

Si extraemos el término *un suelo* de la construcción y dejamos solo la forma de participio *fregado*, con esa única palabra aludimos a la relación entre un objeto (x), cuya naturaleza específica no conocemos, y el estado resultante de un proceso por el que alguien ha hecho que tal objeto pase de estar sucio a estar limpio. Esta concepción se muestra en la figura 5.

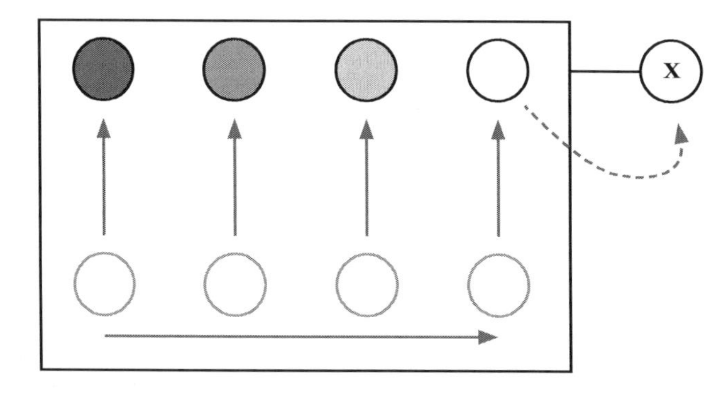

Figura 5. ...X... fregado

En la figura 5, los círculos representan objetos cuya naturaleza específica no conocemos. Se muestran dos objetos que se captan en distintas fases de su interacción. La flecha horizontal inferior pretende indicar que vemos la relación de dos objetos (los que están a uno y otro extremo de la flecha vertical) como una relación compleja que cambia en el tiempo. La flecha vertical indica que el objeto situado abajo lleva a cabo algún tipo de acción sobre el que está arriba haciendo que este, en fases sucesivas, deje de estar sucio. El objeto marcado como x se representa aparte porque con la forma de participio *fregado* no designamos ni un proceso ni una cosa sino la relación entre ambos, es decir, la relación entre un objeto no especificado y el estado final de un proceso en el que tal objeto resulta afectado por la acción de fregar llevada a cabo sobre él por otro objeto o entidad. Por esa razón, el participio, y cualquier adjetivo, carece de autonomía conceptual, en el sentido de que siempre remite al objeto del que se predica[13].

[13] En ese sentido, la única clase de palabras que goza de autonomía es el sustantivo, que designa cosas, ya que tanto adjetivos como verbos, adverbios, preposiciones y conjunciones tienen carácter relacional, es decir, designan relaciones entre objetos, entre objetos y procesos, entre procesos, etc. Ver, a este propósito, Taylor, 2002: 221.

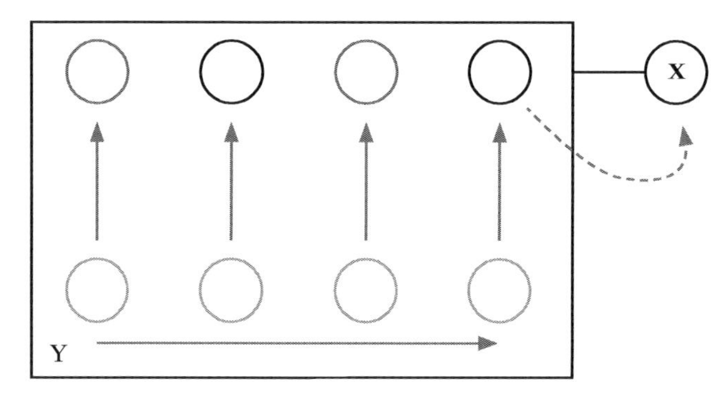

Figura 6. ...X... ...Y... -do

En la figura 6, damos un paso más en la progresiva abstracción del significado que llevamos a cabo cuando nos quedamos solo con las formas gramaticales, una vez desgajadas de los componentes léxicos de las palabras y las frases. Si solo preservamos el morfema ....*-do*, el significado evocado por esta forma adquiere un grado de abstracción mucho mayor. Se conserva la misma configuración semántica relacional de la forma *fregado* pero ahora no se especifica ni el tipo de objeto implicado ni el tipo de proceso por el que pasa, que podemos concebir también como una variable (Y). Sin embargo, a pesar de la vaguedad y el carácter esquemático de la conceptualización asociada al morfema del participio, no podemos negar su naturaleza netamente simbólica ni la elaboración y complejidad de la configuración semántica que evoca. Es cierto que su vaguedad, abstracción y carácter relacional impiden disponer de una representación natural autónoma de ese significado, pero ello no justifica que dudemos de su naturaleza semántica. Esta concepción de los hechos del lenguaje se extiende en la CG a todos los ámbitos y proporciona una base de enorme valor para el desarrollo de versiones pedagógicas de la gramática.

2.3 Perfil y base

Observemos en la figura 7 la relación entre los términos *rincón* y *esquina*:

Figura 7

En la distinción *rincón / esquina* encontramos que los dos términos comparten el mismo perfil, es decir, designan o se refieren a lo mismo, un ángulo, pero cada uno lo hace en relación con una *base* distinta: el espacio interior o cóncavo al ángulo en *rincón* y el espacio exterior o convexo en *esquina*.

La relación perfil/base se reconoce fácilmente en las relaciones parte-todo. La palabra *ventana* se refiere a la abertura practicada en la pared de una casa. En este significado, la abertura propiamente dicha constituye el perfil y la pared de la que forma parte conforma su base. A su vez, *hoja* (de la ventana) presupone la ventana como base con la que enmarcamos el perfil del término, que es la pieza abatible o corredera con la que cerramos o abrimos la abertura de la ventana. Mientras que, por su parte, *pared* tiene como base la casa de la que forma parte. Otro ejemplo al que puede aplicarse la distinción perfil/base, como nos hace ver Langacker (1987: 185), es el de los sustantivos de carácter relacional, como los términos de parentesco. Por ejemplo, la palabra *tío* designa a una persona, pero lo hace presuponiendo en la base la relación ascendente colateral entre esa persona y otra que sirve de referencia. Esta otra persona que forma parte de la base de la expresión *tío* está presente en su significado solo en un segundo plano, como fondo o marco necesariamente presupuesto respecto del cual se caracteriza al ser humano al que se denomina *tío*. Sin embargo, la situación inversa se da en el caso de la palabra *sobrino*, en la que se designa a alguien como descendiente colateral de otra persona.

También puede entenderse que palabras derivadas de un mismo lexema pero que pertenecen a categorías verbales diferentes (sustantivo, adjetivo, verbo, etc.) se diferencien entre sí por constituir configuraciones perfil/base distintas de una misma situación objetiva. Por ejemplo, tanto *elegir* como *elector* y *electo* hacen referencia a la situación en que una entidad es escogida entre varias posibles por parte de alguien que lleva a cabo esa selección. La diferencia de significado entre esos tres términos, según se muestra en Langacker (2008: 100), estriba en cuáles de los elementos que se reconocen en esa situación son puestos en el primer plano de representación del perfil: *elegir* designa la propia relación que se da entre quien elige y quien es elegido; *elector* designa a la persona que elige y remite a la base tanto el acto de elegir como la cosa elegida; y *electo* designa la relación entre un objeto y su condición de objeto elegido. En los tres casos, el conjunto de alternativas u opciones entre las que se puede escoger o elegir forma parte de la base. Ese conjunto de opciones se eleva a la categoría de perfil, sin embargo, en uno de los significados del término *elección* (como en la frase *No tengo elección,* es decir “no tengo opciones entre las que elegir”).

Lo más interesante es que estos conceptos no son útiles solo para las distinciones léxicas o para las diferencias entre clases de palabras. Podemos explicar muchas diferencias gramaticales identificando cuál es el alcance del *perfil* de una expresión frente al de otras parecidas.

Por ejemplo, la distinción entre un esquema transitivo, uno pasivo reflejo y uno medial puede entenderse desde este punto de vista. Así se intenta mostrar en los esquemas de la figura 8[14]:

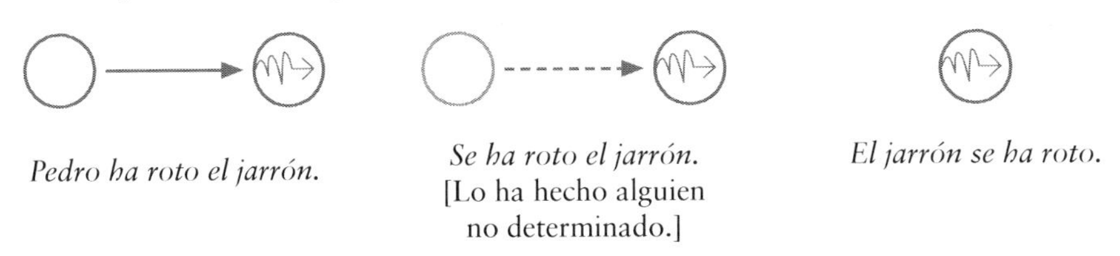

Figura 8

En el gráfico, los círculos representan actantes del proceso; la flecha recta, la interacción (por ejemplo, la transferencia de energía que se da en un golpe) entre uno de ellos (el agente) y el otro (la entidad afectada o paciente), y la flecha ondulada, el cambio de estado que provoca la interacción en el objeto paciente (que pasa de estar bien a estar roto)[15].

Pues bien, en el esquema transitivo (*Pedro ha roto el jarrón*) el *perfil* abarca a los dos actantes: se designa o perfila la interacción entre ambos. En el esquema pasivo-reflejo (*Se ha roto el jarrón*), a veces llamado "de indeterminación de agente", solo se designa o perfila la entidad afectada por el proceso y el cambio de estado que experimenta, pero la alusión a un agente indeterminado, que queda oculto, está presente en la *base* (línea fina discontinua). El agente no se designa pero es presupuesto necesariamente. Por último, en el esquema medial (*El jarrón se ha roto*), el alcance designativo queda reducido al sujeto paciente y al cambio de estado que experimenta, sin presuponer intervención de agente alguno. Basándonos en la idea propuesta en Castañeda y Melguizo (2006), presentamos en las figuras 9a-9e una versión más pedagógica de la relación comentada.

La serie de representaciones figurativas de algunos de los principales usos de *se* que se ilustran en las figuras 9a-9e se basan en contrastes construidos sobre variantes del verbo *dormir*. El verbo *dormir*, a diferencia de otros ver-

[14] Así se formula en Melguizo (2006) en gran parte de acuerdo con las ideas de Maldonado (1999).

[15] En español, parece que la interpretación impersonal pasiva se asocia al orden VERBO + SUJETO, mientras que la interpretación medial se correlaciona con el orden SUJETO + VERBO. No obstante, esa disposición no es un rasgo sistemático, y en muchas ocasiones la misma estructura puede recibir dos interpretaciones distintas, sobre todo cuando el paciente es un objeto. Para la frase *Se ha curado la herida* podríamos pensar tanto que se ha curado sola como que ha sido curada por alguien. Es el significado del verbo o las pistas aportadas por el contexto oracional más amplio lo que evita la ambigüedad (*Con el tiempo se curará la herida / Se ha curado la herida con desinfectante; Se ha arreglado el jarrón / Se ha arreglado el jarrón por arte de magia; El hielo se derretirá con el tiempo / Se ha derretido el hielo con un soplete*). La interpretación impersonal se hace patente de forma inequívoca en construcciones del tipo *Se recibirá a los invitados en el salón principal*, en la que el paciente queda marcado como complemento directo, lo cual obliga a presuponer un agente distinto a aquel y responsable de la acción.

bos, es excepcional en relación con los usos de *se*, puesto que admite todas las construcciones con *se* sin variar su significado fundamental: *Es tan aburrido que se duerme a sí mismo* (reflexiva); *Se duermen el uno al otro cantándose nanas* (recíproca); *Los niños se duermen en un minuto* (medial); *Se le durmió la pierna* (medial con dativo de interés); *Se duerme unas siestas de tres horas que no te imaginas* (medial aspectual); *Se duermen las dos piernas con anestesia epidural* (impersonal pasiva refleja); *Se duerme a los niños cantándoles nanas* (impersonal transitiva); *Aquí se duerme muy bien* (impersonal intransitiva). Pocos verbos pueden encajar en todos los esquemas si no es mediante contextualizaciones excepcionales para algunos de ellos. Sin embargo, desde el punto de vista pedagógico, es interesante contar con la posibilidad de poder ejemplificar el mayor número de construcciones o valores de *se* con un solo verbo, puesto que eso nos permitiría mostrar las oposiciones entre unos y otras apoyándonos en una base de comparación común, asegurándonos así de que el valor gramatical de la construcción se considera en sí mismo y no contaminado o mezclado con valores léxicos.

Figura 9a. *Dormir* transitivo.

Figura 9b. *Dormir* intransitivo.

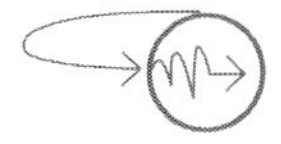

*Los niños se **duermen** cantándose* [a sí mismos] *una nana.*

Figura 9c. *Dormirse* reflexivo.

*En mi casa **se duerme a los niños/se duermen los niños** cantándoles una nana.*

Figura 9d. *Dormirse* impersonal.

*Los niños **se duermen.***

Figura 9e. *Dormirse* medial.

Veamos otro ejemplo, el caso de la perífrasis *estar* + GERUNDIO frente a la forma personal no perifrástica[16]. Siguiendo la propuesta desarrollada en Alonso et ál. (2005), en la figura 10 se aplica la configuración de la forma perifrástica al ejemplo *Los niños se están durmiendo*, que debe ponerse en contraste con la representación de la figura 9e (Dormirse medial: *Los niños se duermen*).

Los niños ***se están durmiendo.***

Figura 10. *Estar durmiéndose.*

En la representación de la perífrasis, se hace uso de la distinción *perfil/base*. Con la perífrasis designamos (escogemos como *perfil*) el estado o situación que reconocemos en la fase intermedia de desarrollo de una acción. El proceso completo de *dormirse* está presente en la versión con perífrasis pero solo en un segundo plano, como base. La perífrasis nos permite derivar estados de acciones o transformar acciones en estados, pero, sea como sea, proporcionando una imagen compleja del proceso: o hablamos de una acción que concebimos como situación que se mantiene en el tiempo o de un estado que se genera durante la realización de una acción.

Dependiendo del tipo de acción a la que hagamos referencia, la construcción de la situación con la perífrasis se llevará a cabo de forma diferente: por extensión en el tiempo de un estado intermedio (*Está subiendo*), por repetición continuada (*Está saltando sin parar*), por regularidad (*Está saltando muy bien estos días*), por abstracción de los estados iniciales y finales de un proceso puntual (*En esa foto está saltando*), etc.

Consecuencia de todo ello es que normalmente la perífrasis no se aplica a verbos que de por sí ya significan "estado". Comparemos, con ejemplos de Alonso et ál. (2005), la distribución de formas simples y con perífrasis para la descripción de situaciones momentáneas, tanto en presente como en pasado: *El bebé* ***está llorando; tiene*** *hambre y* ***parece*** *cansado. (El bebé* ***estaba llorando;***

[16] Adviértase que la presuposición de un proceso en el participio pasado, como el comentado en el apartado 2.2, remite igualmente a la distinción perfil/base. El perfil de esta forma es la relación entre un objeto y el estado resultante de un proceso en el que participa como paciente. El proceso como tal solo está presente en la base de su significado.

***tenía** hambre y **parecía** cansado). **Están estudiando;** no **pueden** venir. (**Estaban estudiando;** no **podían** venir). Tu hermana **está leyendo; está** sentada en la terraza. (Tu hermana **estaba leyendo; estaba** sentada en la terraza).*

¿Qué pasa cuando aplicamos la perífrasis a un verbo que significa "estado", como en ***Está teniendo** un ataque* o en *Lo **está sabiendo** ahora*? ¡El verbo originalmente estativo se interpreta como un proceso con cambio de estado! ¿No es esto contradictorio con el carácter estativo de la perífrasis? No, si pensamos en su doble plano de representación: aunque en el *perfil* la perífrasis designa un estado, en la *base* evoca una acción. Esa es la diferencia con el verbo estativo sin perífrasis. La perífrasis relega a un segundo plano el carácter de acción de un verbo no estativo, pero aporta un fondo de acción o proceso, en particular un cambio de estado, al verbo que de por sí significa estado. En este caso, aporta el cambio de estado que da lugar a la nueva situación. El contraste, por ejemplo, entre *Sabe qué hay en la caja* / *Está sabiendo lo que hay en la caja* podemos reflejarlo en la presentación pedagógica de las figuras 11a y 11b[17]:

Figura 11a. *Está sabiendo lo que hay en la caja.*

Figura 11b. *Sabe lo que hay en la caja.*

[17] Otra consecuencia interesante para la comprensión del funcionamiento de la perífrasis que se deriva de esta distinción tiene que ver con la combinación de la perífrasis con los tiempos perfectivos, como en *Ha estado llevando los regalos*. Si suponemos que el aspecto perfectivo se aplica al perfil (el estado intermedio) y no a la base del verbo (la acción completa), comprenderemos que en estos casos lo que aparece como delimitado no es la acción completa sino un estado intermedio de esta, el designado por el perfil de la perífrasis. Por eso, este tipo de predicados no implica, a diferencia de las formas no perifrásticas, que la acción se haya realizado completamente. *Ha estado llevando los regalos* no implica que los haya llevado todos o que haya completado la tarea; solo que durante un tiempo delimitado ha estado realizando esa acción. En cambio, *Ha llevado los regalos*, en ausencia de ninguna matización, sí implica que la acción se ha completado.

La distinción perfil/base es relevante pedagógicamente porque permite tomar conciencia de aspectos del significado de las palabras y las construcciones que pueden pasar desapercibidos porque están presentes solo en la base y, por tanto, fuera del alcance de la designación. Esto no es difícil reconocerlo intuitivamente en el caso de las diferencias léxicas: es fácil entender que la noción de un ordenador está presente en el significado de *ratón* o que *sombra* designa un espacio de luminosidad reducida respecto a su entorno a la vez que alude, en la base, al objeto que proyecta esa sombra. Sin embargo, es menos intuitivo reconocer las bases conceptuales en las que se sustentan los perfiles de ciertas estructuras gramaticales debido al carácter extremadamente abstracto de sus significados.

Eso es lo que ocurre, por ejemplo, con el significado de los morfemas temporales. Las desinencias temporales designan procesos, pero lo hacen respecto a puntos o ámbitos temporales o epistémicos de referencia que les sirven de base. En la base de todos los morfemas temporales, por ejemplo, debemos reconocer el "ahora" que constituye el tiempo en el que se encuentra el hablante. La clave en la comprensión del valor de muchos tiempos puede estar en la comprensión de configuraciones perfil/base especiales, puesto que incluyen en la base puntos de referencia añadidos al del "ahora". Eso es probablemente lo que ocurre con el IMPERFECTO (figura 12), con el que se designa un proceso "presente de entonces", es decir, un proceso simultáneo a "entonces", esto es, un proceso simultáneo a un momento anterior o distinto (narrado, imaginado, contrafactual) a "ahora". El PRETÉRITO PERFECTO COMPUESTO, a su vez, en aquellas variedades del español en los que se opone al PRETÉRITO PERFECTO SIMPLE O INDEFINIDO, designa un proceso terminado que incluye en su base la localización en un ámbito temporal que también incluye el "ahora" (figura 13). En estos tiempos, las nociones de entonces y de ámbito actual que incluye el ahora se encuentran en la base, relativamente invisible, de su significado[18].

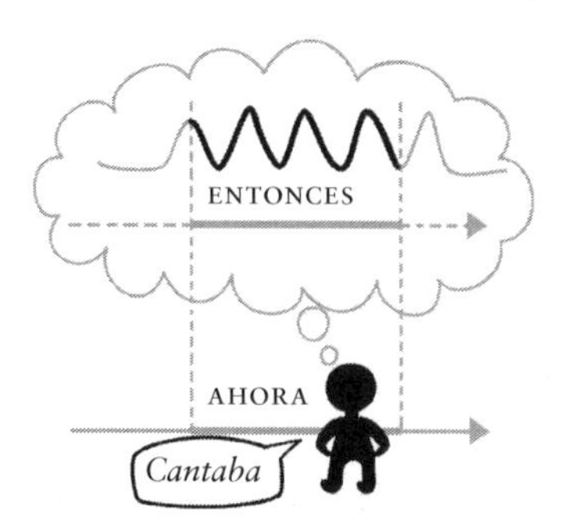

Figura 12

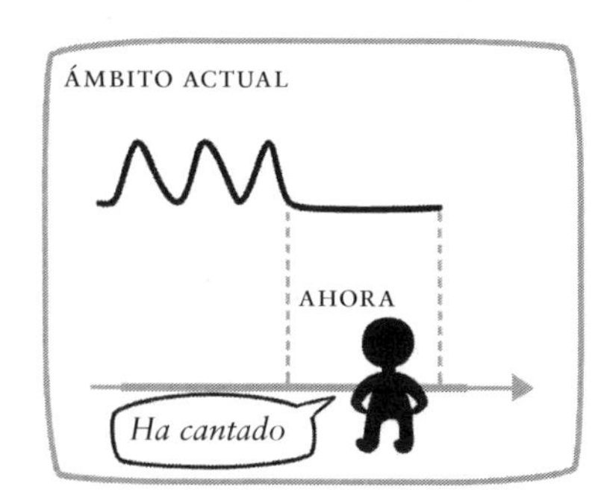

Figura 13

[18] En realidad, todos los morfemas temporales incluyen el centro deíctico, "ahora", en la base de su significado como punto de referencia al que todos ellos remiten de forma directa o indirecta.

A diferencia del PRETÉRITO PERFECTO COMPUESTO, el PRETÉRITO PERFECTO SIMPLE O INDEFINIDO no incluye en su base la evocación de un marco temporal actual en que se sitúan tanto el acto de habla como el suceso descrito, lo que se traduce en una localización temporal que se presenta en un ámbito distinto o desvinculado de la actualidad.

2.4 Subjetivización

El concepto de *subjetivización* es también muy fructífero no solo desde el punto de vista descriptivo sino también pedagógico. Se basa en la idea de que en la conceptualización se reconoce no solo el objeto concebido sino el sujeto que concibe. Una importante fuente de variación en la representación lingüística depende del proceso de *subjetivización*. La *subjetivización* se da cuando aspectos propios de la escena objetiva concebida se reinterpretan en relación con el sujeto que concibe; es decir, cuando hablamos del mundo como si estuvieran ocurriendo cosas que, al representárnoslo, solo ocurren en nuestra mente. Esta idea se ejemplifica muy bien en el contraste comentado por Langacker (1987: 128-132) en relación con los dos usos de *elevar* en las frases *El globo se eleva suavemente* / *La colina se eleva suavemente* y que se representan en las figuras 14a y 14b:

El globo se eleva suavemente.

Figura 14a. Movimiento objetivo

La colina se eleva suavemente.

Figura 14b. Movimiento subjetivo

En efecto, en el caso de *La colina se eleva suavemente*, no es la colina la que se eleva sino la dirección de nuestra vista para recorrer la superficie completa de la colina. Igualmente ocurre cuando decimos *Hay una muralla que va desde A hasta B*. El movimiento al que señala *va* no es el movimiento de la muralla, que no se mueve, sino el del sujeto que se representa esa situación, el cual, para concebir la extensión espacial de la muralla, la recorre visual o mentalmente.

Pues bien, uno de los aspectos más interesantes de este concepto es que saca a la luz la importancia que reviste, para la explicación de muchos elementos gramaticales, la distinción entre los procesos que se representan y los procesos que se llevan a cabo mentalmente para representar los primeros, o, en otro sentido, entre el tiempo representado y el tiempo de la representación[19]. Así, la identificación de los rasgos característicos de perífrasis, preposiciones, conjunciones y marcadores discursivos puede esclarecerse desde ese punto de vista. En efecto, la descripción de muchos de estos elementos se beneficiará si advertimos que en muchos casos sirven no tanto para describir relaciones, pautas temporales y procesos representados, sino para describir los que llevamos a cabo o debemos llevar a cabo para representarnos cierto contenido conceptual. Por ejemplo, se ha descrito en ocasiones el uso causal de *como* indicando que identifica un hecho conocido como causa de otro (*Como no me has llamado, no he podido avisarte*; *Como no tiene hambre, se lo ha dejado todo en el plato*). En nuestra opinión, en realidad, lo que el carácter discursivo de "conocido" o "ya mencionado" denota es la consecuencia prototípica de la idea de antelación que transmite *como*, pero que no debemos entender en un sentido objetivo sino subjetivo. Con *como* –esta es la definición adoptada en Alonso et ál. (2005)–, presentamos un hecho en el que hay que pensar antes para entender otro hecho después. En la mayoría de los casos en los que se usa *como*, los hechos que sirven de anclaje para entender otros hechos suelen ser datos ya conocidos, mencionados previamente o compartidos de alguna manera por hablante y oyente, y el orden previsible de la oración compleja que contiene una causal con *como* es primero la cláusula introducida por *como* y después la cláusula principal, como en los ejemplos mencionados arriba. Esta, sin embargo, es solo la situación prototípica, la del discurso bien cohesionado y orientado a facilitar el procesamiento al oyente. Podemos encontrar casos en que la partícula *como* introduce información no compartida o novedosa y casos de discursos no bien planificados donde la cláusula introducida por *como* aparece en última posición y con entonación final en suspenso: *He ido yo a recoger al niño, como tu madre no me ha llamado*... *Como*, al igual que otras partículas de este tipo, da instrucciones sobre los pasos que debemos seguir, los puntos de referencia a los que debemos orientarnos o tener presentes para entender ciertos hechos.

[19] Langacker (1987) distingue entre tiempo concebido y tiempo de procesamiento.

Algo parecido ocurre con el uso de las preposiciones: a veces estas se refieren a orientaciones que describen procesos mentales que se siguen en la concepción o representación de alguna situación objetiva. Por ejemplo, la preposición *por*, en su valor prototípico espacial básico, se refiere a la relación entre un recorrido o movimiento y el trayecto que se recorre para llegar de un origen a un destino (*Ha cruzado por el paso de peatones*). Sin embargo, también se usa para hablar de la localización indeterminada de cierto objeto respecto de cierto espacio, como en *La pelota está por ahí detrás*. En realidad, *por* no puede señalar un trayecto objetivo seguido por el movimiento de la pelota, porque la pelota no tiene por qué estar en movimiento, sino más bien el movimiento subjetivo que debe recorrer el conceptualizador para encontrar la pelota. Funcionalmente, podríamos parafrasear la frase diciendo algo así como "Si vas por ahí detrás encontrarás la pelota en algún punto del trayecto de tu recorrido". De forma equivalente, la preposición *a*, que en español tiene una clara condición direccional prospectiva, como se muestra en casos como *Voy a la casa*, es usada también para localizaciones estáticas como en *El restaurante está a la derecha*. Una forma de explicar esta aparente excepción a su carácter prospectivo es interpretar este uso como un caso de subjetivización, por el que se entiende que la preposición designa no tanto la localización del restaurante en el ámbito de la derecha sino la dirección a la que debe orientarse la persona que se representa la escena para encontrar el restaurante.

En otros casos, como en los ejemplos (54), (55), (56) y (57), podemos advertir que la elección de ciertas expresiones vinculadas con el tiempo (*entonces*, *ahora*, *fue*, *todavía*, etc.) no representan la localización de los hechos en el tiempo objetivo ni la percepción de su evolución cronológica, sino que remiten al tiempo subjetivo, el tiempo de la conceptualización.

54. *Entonces, ¿cuándo quedamos esta noche?*
55. *Ahora, yo no estoy dispuesto a aceptarlo.*
56. *El paisaje fue precioso.*
57. *La talla 36 ni pensarlo y la 38 me está todavía pequeña.*

En (54) y (55), *entonces* y *ahora* pueden funcionar como marcadores discursivos y adoptar un sentido distinto al estrictamente temporal (*entonces* = "en ese caso"; *ahora* = "sin embargo") porque no se refieren al tiempo de los hechos sino al tiempo implícito al desarrollo de la argumentación, al punto de ese tiempo discursivo en el que podemos añadir alguna información relacionada con lo dicho o pensado hasta ese momento. En (57), (adaptado de otro equivalente analizado en Langacker, 2008: 82), *todavía* no tiene por qué referirse exclusivamente al momento presente en el que se dice que la talla pequeña es aún pequeña, dando a entender que la persona está a dieta y espera en un futuro poder ponerse esa talla; también puede referirse al tiempo interno vinculado al recorrido mental de una serie de tallas, por lo que *todavía*, desde un punto de vista objetivo, puede traducirse en este caso por "también". La forma de INDEFINIDO en (56) presenta la belleza del paisaje como una característica delimitada en el tiempo, como algo que dejó de ser a partir de cierto momento; sin embargo, esa no es la única interpretación posible. Esta forma puede estar motivada por la clase de metonimia subjetiva a la que nos venimos refiriendo: con el aspecto terminativo o perfectivo del INDEFINIDO no aludimos sino a la duración delimitada de nuestra experiencia del paisaje, en el sentido de "el paisaje fue precioso para nosotros en cierta ocasión".

Por otro lado, la adopción de la forma perifrástica *ir* + INFINITIVO *(va a cantar)* puede entenderse desde ese punto de vista (Langacker, 1991: 218-220). El verbo *ir* no describe tanto el movimiento objetivo de la entidad que se verá implicada en cierta acción, sino el movimiento subjetivo del conceptualizador que se desplaza desde el presente a un punto en el futuro para localizar cierto hecho.

Quizás este concepto de subjetivización podría ser útil para entender también algunos aspectos de la distinción *ser / estar*. En ocasiones, se ha descrito la diferencia de estos dos verbos copulativos tan idiosincrásicos del español oponiendo el carácter clasificativo, categorizador o identificativo de *ser* (*Esta fruta es verde; Esta fruta es la tuya*) frente al carácter episódico, estativo, circunstancial o situacional de *estar* (*Esta fruta está verde*). Fernández Leborans (1999: 2366), por ejemplo, describe *estar* como un verbo que, a diferencia de *ser*, expresa una propiedad que, de un modo u otro, presupone o implica un cambio. Por otro lado, la idea de localización está presente de manera muy relevante en muchos de los valores de *estar*. En Genta (2008), se ofrece una caracterización de *estar* que insiste en esa condición localizadora y cómo su valor atributivo se deriva de su significado predicativo situacional. De la localización espacial (*Mario estaba allí*) se pasa a la localización abstracta en un estado (*Mario está enfermo*), de forma parecida al proceso comentado páginas atrás de la transformación de *poner(se)* locativo a *ponerse* (de cierta manera) incoativo o de cambio de estado. La noción de subjetivización encajaría oportunamente en esta situación en el sentido de que el carácter episódico indicado por *estar* tendría en muchos casos condición subjetiva, como en *El yogur está ácido* (resulta ácido cuando se saborea) frente a *El yogur es ácido* (ese es su sabor, lo identificamos con esa clase de sabor, lo clasificamos como un alimento ácido). El sujeto que experimenta, el que descubre o percibe, usa precisamente *estar* cuando describe la relación entre una característica y un objeto como resultado de su descubrimiento, de su experiencia o de su percepción, que son intrínsecamente episódicas, aunque la relación descrita en sí misma no lo sea. Es un indicio importante en este sentido que una paráfrasis frecuente de los predicados con *estar* sea la del verbo *encontrar/se*: *El niño está / se encuentra malo*; *La catedral está / se encuentra junto a la plaza mayor*[20].

[20] Una propuesta interesante planteada desde presupuestos de orientación cognitivista sobre la distinción *ser/estar* se encuentra en Llopis-García, Real-Espinosa y Ruiz Campillo, 2012.

Aunque esa sustitución no sea siempre posible, por supuesto: *Mi bisabuelo se encuentra muerto.*

3. Valores discursivos y pragmáticos asociados a formas y construcciones gramaticales

Volvamos ahora a considerar la manera en que tener presentes las dimensiones de representación comentadas hasta ahora permite entender la relación entre las funciones textual, interpersonal e ideativa. Una clave importante para entender esa relación es considerar que, en muchos casos, los valores textuales e interpersonales que adoptan los recursos gramaticales son secundarios o derivados en relación con distinciones que, en su valor más genérico y abstracto, son casos de perspectiva gramatical. Es evidente, como señalábamos en el apartado 2.1, que muchos valores textuales e interpersonales se asocian de forma directa a formas gramaticales y variantes estructurales (formas endofóricas, distinciones modales, marcadores de fuerza ilocutiva, marcadores discursivos, etc.), pero en otros muchos casos podemos considerar que las funciones textuales e interpersonales de ciertos recursos gramaticales surgen como asociaciones regulares entre factores textuales o interpersonales recurrentes y la perspectiva gramatical para las que aquellos actúan como condicionantes.

Un caso especialmente recalcitrante para la gramática, que puede recibir una explicación satisfactoria con esta concepción, es el de la categoría sintáctica de *sujeto*. Es bien conocido que un mismo hecho puede describirse con dos oraciones cuya única diferencia consiste en que en ellas se asigna la función de sujeto a un elemento distinto de entre los que participan en el proceso descrito por el verbo:

58a *La carta fue escrita por el secretario.*
58b *El secretario escribió la carta.*
59a *Juan recibió el regalo de Pedro.*
59b *Pedro dio el regalo a Juan.*
60a *El teléfono está encima de la revista.*
60b *La revista está debajo del teléfono.*
61a *Fijé mi atención en la chica.*
61b *La chica llamó mi atención.*
62a *Fuimos por el paseo marítimo hasta el faro.*
62b *El paseo marítimo nos condujo hasta el faro.*

Desde el punto de vista de la CG, la elección de sujeto, ya sea mediante cambio de estructura sintáctica como en (58), mediante representaciones *metafóricas* alternativas como en (61) y (62) o alternando piezas léxicas especulares (los verbos *recibir* / *dar* en (59) o los adverbios *encima* / *debajo* en (60), se corresponde con la elección de una perspectiva desde la que se percibirá una escena. Al elegir como sujeto a uno de los participantes en la relación descrita por el verbo, lo erigimos en *figura* y relegamos el resto de los elementos que configuran la escena en *fondo* sobre el que destaca la figura.

Ciertamente, esta elección de perspectiva con la asignación de sujeto, la selección de una figura en torno a la cual se va a construir la escena de la oración, puede venir dada por razones discursivas (el sujeto suele coincidir con aquel objeto o individuo que viene siendo protagonista de nuestro discurso precedente). Pero también hay otras razones semánticas para elegir sujeto: grado de determinación, movilidad o animación del objeto, humanidad, prominencia psicológica, etc. En el ejemplo *La revista está debajo del libro* vs. *El libro está encima de la revista,* disponemos de dos perspectivas para la misma escena. En este caso, resulta difícil imaginar otra razón distinta a la discursiva para justificar la elección de una figura u otra, un sujeto u otro; pero, si pensamos en otros ejemplos como *El gato está encima del felpudo* frente a *El felpudo está debajo del gato,* comprobaremos que la opción que elige a *felpudo* como sujeto (figura) resulta marcada en relación con la que elige a *gato* independientemente de las razones discursivas, puesto que erigir un objeto inerte, en relación a otro animado y móvil, como figura de una relación de localización es, de por sí, extraño a nuestras inercias de percepción si no hay un contexto especial que lo justifique.

Otro ejemplo lo proporcionan algunos de los usos asociados a la forma de IMPERFECTO. Recordemos a este propósito los ejemplos (38) y (39) comentados al principio de este trabajo y que repetimos aquí como (63) y (64) para mayor comodidad.

63. *Perdona, ¿tú cómo te llamabas?*
64. *Dijo que eras imbécil y que no te soporta.*

El ejemplo (63) es muy ilustrativo de la relación entre estas tres funciones a las que venimos aludiendo. La forma *llamabas* sirve para preguntar por el nombre del oyente en el presente pero adoptando una perspectiva que arranca del pasado. La elección de IMPERFECTO da a entender que hablante y oyente ya han sido presentados previamente, que el hablante debería conocer el nombre del oyente pero no lo recuerda. Usar IMPERFECTO en vez de presente en este tipo de contexto transmite una buena dosis de cortesía o consideración al oyente o la relación del hablante con él. Usar el PRESENTE de indicativo no expresaría ninguna conciencia de la relación previa entre hablante y oyente, mientras que el IMPERFECTO sí. Entendemos que la base significativa de la oposición IMPERFECTO/PRESENTE es deíctica y, por tanto, representativa en un aspecto esencial: la localización epistémico-temporal de los eventos. Ahora bien, el carácter no cerrado o no terminativo del IMPERFECTO permite aludir al nombre de esa persona en el pasado sin cerrar la posibilidad de su vigencia en el presente (cosa que impediría el INDEFINIDO), y con ello podemos ser más corteses cuando tenemos que preguntar el nombre de alguien que se supone deberíamos recordar de una presentación o identificación anterior. El IMPERFECTO permite, por consiguiente, aludir a una situación discursiva previa para amortiguar el impacto de una posible señal de desconsideración o desinterés al tener que preguntar el nombre dos veces. Aquí vemos implicadas las tres funciones pero partiendo de un valor básico de carácter ideativo o representacional.

En cuanto a (64), lo más llamativo es que, al referirse a las palabras de otra persona, el hablante escoge la forma de IMPERFECTO en un caso y la de PRESENTE en otro, y ello a pesar de que no hay diferencias objetivas entre los hechos referidos en cuanto a su relación con el presente. Hacemos alusión a dos cláusulas dichas por la misma persona en la misma ocasión, ambas relativas a su apreciación actual sobre el oyente, ambas formuladas originalmente en PRESENTE. Sin embargo, al reproducirlas, el hablante decide usar el IMPERFECTO para una y el PRESENTE para otra. En el caso que usa IMPERFECTO (*eras imbécil*), parece querer subrayar que son las palabras dichas en aquella ocasión, evitando que la ofensa que conllevan puedan asociarse al acto de habla en curso: "estas son palabras dichas por otra persona en otra ocasión, no son mías". Para la segunda cláusula, esa precaución no es necesaria porque no hay confusión posible. Así pues, el IMPERFECTO cumple en este caso una función interpersonal muy importante, pero lo hace en virtud de su sentido de tiempo de pasado o no actual no terminativo.

Por poner un último ejemplo más: pensemos en la distinción *un poco/poco*. La oposición *un poco/poco* resulta ser muy ilustrativa de la posibilidad que tenemos como usuarios del lenguaje de representar una misma situación con formas alternativas dependiendo de qué aspectos queremos destacar en cierto estado de cosas. Tanto *un poco* como *poco* aluden a una cantidad pequeña, pero, además, *un poco* apunta hacia las consecuencias positivas de la existencia de esa cantidad ("queda un poco de papel: todavía podemos escribir algo") y *poco* a las consecuencias negativas de que la cantidad sea pequeña ("queda poco papel: no hay suficiente"). Se puede considerar que *un poco* es un cuantificador de polaridad positiva, pues insiste en que la cantidad es superior a cero (aunque no alcance la norma de referencia), mientras que *poco* es de polaridad negativa, pues insiste en que la cantidad está lejos de alcanzar la norma de referencia (aunque aluda a una cantidad mayor de cero). De hecho, la distribución de estos dos cuantificadores en ciertos contextos es consecuencia del carácter positivo y negativo de uno y otro. El carácter negativo de *poco* explica, por ejemplo, que, a diferencia de *un poco*, pueda usarse como antecedente de oraciones de relativo tanto con indicativo como con subjuntivo (*Tengo pocos amigos que tienen/tengan casa propia*) o que no pueda usarse con complementos directos de verbos de ingestión en la versión pronominal (**Se) comió pocos caramelos*, ya que el uso de los verbos de ingestión con *se* se correlaciona con la idea de la ingestión completa del alimento y *poco* precisamente entraña la negación de la totalidad.

La posibilidad de que esta oposición sea explotada en el ámbito interpersonal se adivina a partir de su propia condición y se advierte sobre todo cuando *un poco* y *poco* se combinan con adjetivos. Cuando esos adjetivos sirven para atribuir propiedades a personas, la distribución de *un poco* / *poco* depende de que la atribución sea amenazadora de la imagen pública de la persona o no, de que trate de características que se consideren negativa o positivamente, defectos o virtudes. La cuantificación con *un poco* o *poco* entraña la minimización de la cualidad modificada, y esa minimización responde a una apreciación subjetiva más que objetiva cuando se trata de valorar o caracterizar a los demás. De hecho, la minimización desempeña un papel muy importante en la atenuación del riesgo que, para la armonía personal, pueda suponer la caracterización de los demás. Si digo de alguien que es tonto, será conveniente minimizar el impacto de tal afirmación diciendo que lo es en un grado mínimo (*un poco tonto*). Si debo afirmar de alguien que no es listo aminorando en algo mi declaración, será preferible decir que es listo pero en un grado mínimo, insuficiente (*poco listo*).

La contraposición de los valores y usos asociados a uno y otro cuantificador se resumen en la figura 15, en la que se usa un diagrama adaptado de Langacker (2009:76).

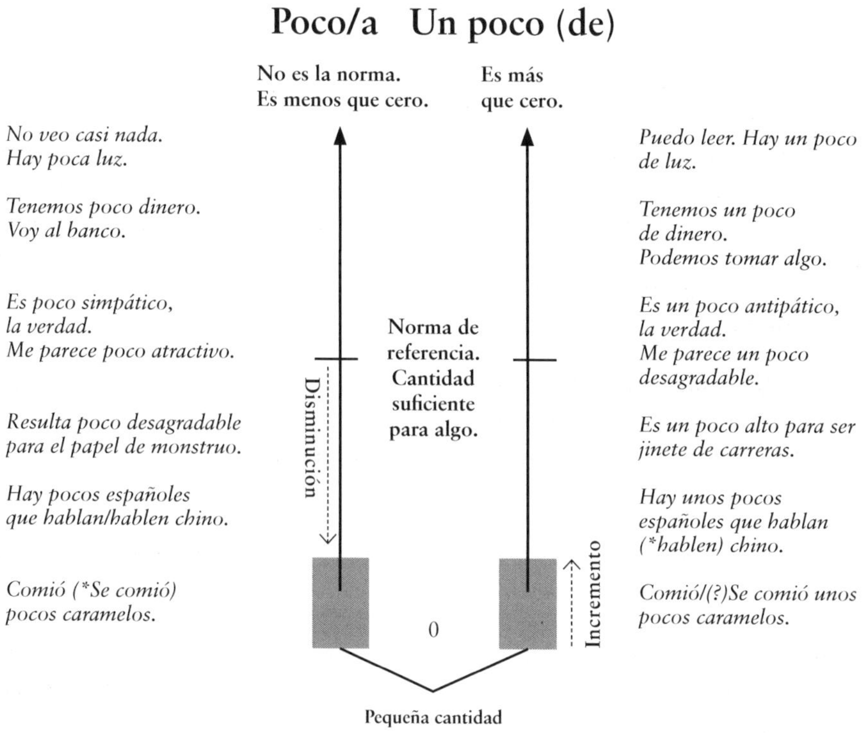

Poco/a Un poco (de)

No es la norma.
Es menos que cero.

Es más
que cero.

No veo casi nada.
Hay poca luz.

Tenemos poco dinero.
Voy al banco.

Es poco simpático,
la verdad.
Me parece poco atractivo.

Resulta poco desagradable
para el papel de monstruo.

Hay pocos españoles
que hablan/hablen chino.

*Comió (*Se comió)*
pocos caramelos.

Disminución

Norma de
referencia.
Cantidad
suficiente
para algo.

0

Incremento

Puedo leer. Hay un poco
de luz.

Tenemos un poco
de dinero.
Podemos tomar algo.

Es un poco antipático,
la verdad.
Me parece un poco
desagradable.

Es un poco alto para ser
jinete de carreras.

Hay unos pocos
españoles que hablan
*(*hablen) chino.*

Comió/(?)Se comió unos
pocos caramelos.

Pequeña cantidad

Figura 15

Adviértase que no podemos reducir la combinatoria de *un poco* y *poco* con distintos adjetivos restringiendo sin más *un poco* a los adjetivos que indican características negativas y *poco* a los que expresan características positivas en términos supuestamente absolutos. En los casos como los incluidos en la figura 15, *Resulta poco desagradable para el papel de monstruo* o *Es un poco alto para ser jinete de carreras*, se muestra que la valoración positiva de la presencia o ausencia de cierta condición es algo que está determinado contextualmente.

Los ejemplos considerados hasta aquí pueden ser una buena muestra con la que ilustrar la idea de que muchas funciones discursivas y pragmáticas se asocian a ciertos recursos como condiciones contextuales recurrentes que motivan la elección de una perspectiva u otra de representación. Por lo demás, discernir entre valores básicos y valores derivados permite mantener una visión coherente de la gramática que puede traducirse en la construcción de descripciones pedagógicas lo más sencillas posible sin ofrecer una visión distorsionada de la misma.

4. Imágenes en la enseñanza de la gramática

En las líneas que preceden, hemos comentado el concepto de imagen o representación gramatical fundamentalmente como una noción teórica de la CG con la que se puede dar cuenta de muchas distinciones formales de la gramática del español, pero también hemos tenido oportunidad de ilustrar con algunos ejemplos la manera en que la noción teórica de perspectiva gramatical puede traducirse en materiales didácticos que ayuden a asimilar las sutiles diferencias de la gramática. Queremos terminar comentando algunos aspectos más sobre el valor que las imágenes pueden llegar a tener en la enseñanza de la gramática.

La forma en que las imágenes ayudan a aprender o a memorizar algo se ha demostrado en muchas ocasiones y con argumentos muy variados (ver Arnold, 2000 o Stevick, 1986, por ejemplo). Las imágenes presentan de forma integrada muchos elementos que de otra forma resultarían inconexos; las imágenes son fáciles de comprender e identificar de forma global y sirven de patrón para interpretar conceptos más abstractos, aquellos que no se perciben físicamente pero que se entienden como si fueran objetos que podemos ver cuando los interpretamos metafóricamente ["un texto es un edificio"; "una persona airada es una olla a presión"; "la vida es un viaje", etc. (ver Lakoff y Johnson, 1980)].

Las imágenes vinculan la información a aspectos emocionales o afectivos que otorgan viveza e intensidad a los datos así aprendidos. Una frase suelta en un manual no es más que un ejemplo; pero, si esa frase sale de la boca de una figura humana, es (parece) un acto de habla que reclama nuestra comprensión, nuestra atención o nuestra reacción. Parece que así cobra vida y sentido.

Cuando captamos conceptos complejos a través de imágenes o secuencias coherentes de imágenes (películas mentales), podemos comprenderlos, recordarlos y aplicarlos a distintas circunstancias más fácilmente. La lista inconexa de una zanahoria, tres bolas de nieve, una pipa, varios botones y un sombrero se convierten en un conjunto coherente que recordaremos para toda la vida cuando integramos todos esos objetos en la imagen de un muñeco de nieve. Seguro que el lector tiene en mente muchos ejemplos como este sobre el valor didáctico y memorístico de las imágenes.

Por otro lado, parece ser que los conceptos más fácilmente recordables son los que pueden asociarse a objetos representables "imaginísticamente". Esos parecen constituir el nivel conceptual básico, con un nivel de abstracción intermedio que los hace generalizables pero no tan abstractos como para que resulten difícilmente asociables a una forma bi- o tridimensional (Lakoff, 1987). Así, recordaremos mejor el concepto "perro", con un nivel de abstracción intermedio, que el de "caniche", demasiado concreto, y que el de "mamífero", demasiado abstracto, o el concepto "mesa" antes que el de "escritorio" o el de "mueble". Los niños parece que asimilan ese vocabulario de cierto nivel de abstracción, pero aun así representable con una imagen, antes que otro demasiado concreto o demasiado abstracto.

En la construcción de imágenes visuales, parecen manifestarse aspectos básicos de nuestra capacidad psicológica general de representarnos el mundo. En las páginas precedentes, hemos tratado hasta qué punto la CG reconoce esos aspectos imaginativos o representativos no solo en el uso de las palabras sino también en el de la gramática.

En la enseñanza de lenguas extranjeras, en general, y, concretamente, en la enseñanza de ELE, esta eficacia de las imágenes se ha tenido muy en cuenta en la confección de manuales, muchos de ellos repletos de ilustraciones que ayudan a asimilar los contenidos. Es fácil encontrar en la bibliografía al uso ilustraciones que acompañan a los ejemplos y que aportan humor, que ayudan a crear un imaginario rico en detalles, humanizado y colorido, asociado a los contenidos abstractos de la gramática.

Sin embargo, los dibujos, además de ilustrar, pueden explicar, mostrar el significado de las formas. Esto se reconoce evidentemente en los casos en que las estructuras expresan hechos diferentes o cosas y personas con características distintas. Así se muestra en las figuras 16 y 17 para el caso de frases comparativas (o en la figura 2 para las preposiciones orientacionales *sobre, bajo, tras, ante*). No obstante, con las imágenes pueden mostrarse aspectos más sutiles que las diferencias objetivas como las relativas al tamaño de dos individuos o la posición de un objeto respecto de otro. En el caso de las figuras 16 y 17, el color más intenso de uno de los personajes puede ayudar a identificar al sujeto de la oración como figura que destaca frente al otro personaje (de color más apagado), que sirve de punto de referencia en la comparación.

Juan es más alto que Pedro.

Figura 16

Pedro es más bajo que Juan.

Figura 17

La presuposición de un recorrido presente en el significado de las preposiciones *desde* y *hasta* (figura 2) sería otro ejemplo del potencial de las imágenes para representar nociones escurridizas asociadas a formas y estructuras gramaticales más allá de las diferencias objetivas.

Ya hemos vistos algunos casos en los que conceptos gramaticales ciertamente abstractos pueden encontrar acomodo en imágenes alternativas como las de las figuras 11a y 11b para la diferencia *está sabiendo*, *sabe*; o las de las figuras 9a-9e para las diferentes construcciones transitiva, reflexiva, impersonal y medial del verbo *domir/domirse*, o las representaciones contrastadas de los cuantificadores *un poco* y *poco*. En lo capítulos IV, V y VI de este volumen, hay otros ejemplos de imágenes representativas de valores sutiles relacionados con cuantificadores, con el valor de la posición del adjetivo respecto al sustantivo o con oposiciones temporales y modales del sistema verbal.

Por otro lado, los dibujos pueden mostrar de qué manera las palabras y las estructuras que usa el hablante permiten al oyente crear representaciones e imágenes pero no de forma abstractas, sino en el contexto de la dinámica discursiva. Para comprender el valor de muchos recursos gramaticales, es imprescindible entender de qué forma hablante y oyente gestionan el intercambio de información y construyen entre ambos el significado compartido en la conversación.

El carácter sistemático de la alternancia de tiempos para la narración de hechos tanto en presente como en pasado (figuras 20-23 del capítulo VI de este volumen), la combinación de modos indicativo y subjuntivo en la progresión discursiva de una conversación (figura 4 del capítulo VI) o la distinción entre adjetivación antepuesta y pospuesta de las figuras 10 y 11 del capítulo V son, creemos, una muestra de que una estructura ilustrada del modo en que se propone aquí puede ser comprendida en sus niveles conceptuales más sutiles.

En este sentido, uno de los aspectos más importantes que pueden ser clarificados por representaciones de este tipo es el que tiene que ver con la carga presuposicional asociada a una construcción o a una forma. Aspectos de su significado que son implicados pero no referidos directamente. La distinción *perfil/base* comentada más arriba propuesta por la CG alude precisamente a estas dimensiones no inmediatamente evidentes de las palabras y las construcciones.

Esa carga presuposicional, no siempre evidente a primera vista, se puede ejemplificar, precisamente, con las construcciones comparativas de igualdad. En los casos, por ejemplo, de *Pedro no es tan alto como Juan* o *Juan no es tan bajo como Pedro*, desde un punto de vista estrictamente lógico se diría que las dos frases pueden referirse a la misma situación, una en la que esas dos personas no tienen la misma altura. Sin embargo, el uso de estas comparativas de igualdad conlleva, en situaciones discursivas normales, la presuposición de que la persona que sirve de referencia tiene una altura muy distinta a la media (por exceso o por defecto). Es decir, *Pedro no es tan alto como Juan* entraña que uno y otro no tienen la misma altura, pero además implica o presupone que Juan es bastante alto o que tiene una altura por encima de lo normal. Igualmente, *Juan no es tan bajo como Pedro* niega que tengan la misma altura y además presupone que Pedro es bastante bajo o que tiene una altura por debajo de lo normal. Las imágenes de las figuras 18 y 19 representan de forma simplificada lo que venimos comentando.

Pedro no es tan alto como Juan.

Figura 18

Juan no es tan bajo como Pedro.

Figura 19

Otro caso relacionado con esta idea de las nociones presupuestas en el significado de las palabras y las construcciones se suscita al presentar la diferencia entre superlativo absoluto (*El jugador más alto del equipo*) y superlativo relativo (*Un jugador altísimo*). En este contraste, podemos reconocer que, en el caso del superlativo relativo, el conjunto de jugadores que sirven de referencia para reconocer al más alto debe estar presente como información necesariamente presupuesta y reflejada en la estructura de la expresión (*del equipo*), incluso aunque esté elidida. Sin embargo, la presuposición de que si una persona es calificada de altísima es porque llega a cotas que no alcanza la mayoría de sus congéneres queda relegada al nivel de una inferencia pragmática, sin reflejo formal en la estructura, en el caso del superlativo absoluto. El grado superlativo absoluto, en rigor, no puede ser absoluto, ya que la cuantificación se establece respecto de una norma establecida en relación al conjunto de los individuos. Sin embargo, ese conjunto de referencia no necesita ser identificado. Curiosamente, además, el superlativo relativo implica la unicidad evidenciada por el artículo definido: solo hay uno que puede ser el más alto de un conjunto; mientras que puede haber más de uno que sean altísimos. Los términos *absoluto* y *relativo* no resultan, por tanto, muy clarificadores de esta distinción. Esta situación, compleja de hacer explícita verbalmente, se capta, sin embargo, intuitivamente en las figuras 20 y 21.

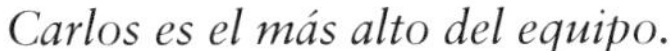
Carlos es el más alto del equipo.

Figura 20

Carlos es altísimo.

Figura 21

Otros ejemplos, en el ámbito de las construcciones comparativas, de oposiciones que presuponen un marco discursivo o pragmático que acompaña al valor referencial primario de la construcción son las que se reconocen en las frases (63a/63b) y (64a/64b):

63a *Esta casa tiene más de dos dormitorios.*
63b *Esta casa tiene más que tres dormitorios.*
64a *Estas casas no tienen más que 3 dormitorios.*
64b *Estas casas no tienen más de 3 dormitorios.*

En (63a), el establecimiento de un valor se hace desde un punto de vista cuantitativo: el número de dormitorios es mayor que dos. Una cantidad no especificada en cierta dimensión (cierto número de dormitorios) se localiza en relación con (por encima de) otra cantidad de esa dimensión (dos dormitorios). Mientras que en (63b) la caracterización de la casa no es exclusivamente cuantitativa sino cualitativa, puesto que establece una relación entre varias dimensiones o categorías de cosas: la casa, además de tener tres dormitorios, tiene salón, cocina, baño, terraza, chimenea y jardín, y está amueblada. En (63a), cuantificamos valores de una misma categoría; en (63b), cuantificamos un valor de una categoría (con el numeral *tres*) y, además, cuantificamos implícitamente categorías diferentes en la dimensión presupuesta del significado. (63b), por tanto, podría parafrasearse como "esta casa tiene más ventajas o más cosas aparte de su número de habitaciones". Este contraste se intenta ilustrar en las figuras 22 y 23. En la figura 22, no tenemos presente otra característica de la casa más que el número de dormitorios. Lo que no es dormitorio resulta irrelevante para nuestra caracterización. En la figura 23, las otras características de la casa sí resultan relevantes como marco presupuesto implícito en la comparativa, aunque queden sin enumerar o especificar en la frase.

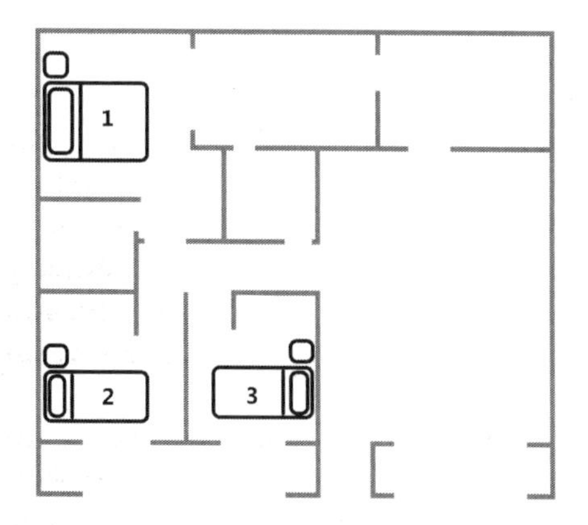

Esta casa tiene más de dos dormitorios.

Figura 22

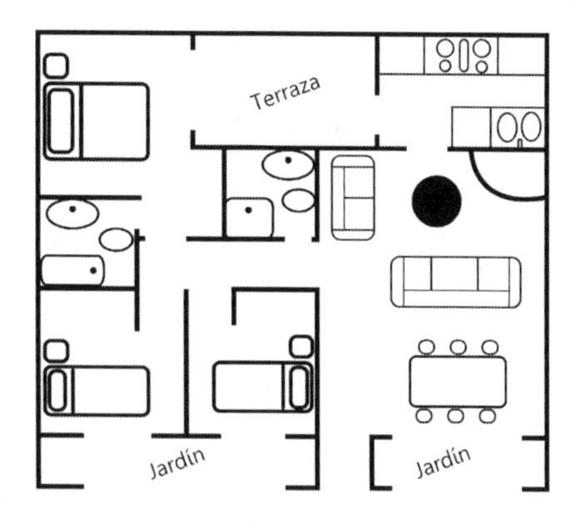

Esta casa tiene más que tres dormitorios.

Figura 23

En (64a) y (64b), la negación aporta un marco presuposicional aún más elaborado, con tintes pragmáticos identificables como valoraciones subjetivas de la cuantificación. En (64a), se indica que el límite máximo de dormitorios de ciertas casas es de tres, aunque puede haber casas con menos (con uno o con dos). En (64b), se indica que la cantidad de dormitorios de ciertas casas es tres y, además, se expresa una valoración negativa de esa cantidad: no alcanza cierto valor de referencia presupuesto no explícito. Se trata de una cantidad que no es suficiente para ciertas necesidades o expectativas. En las figuras 24 y 25, se ilustra con imágenes ese contraste. En la figura 25, el contexto presupuesto que justifica la valoración negativa de la cantidad de tres dormitorios es el carácter numeroso de la familia del hablante, que necesitará una casa con más de tres dormitorios.

Figura 24

Figura 25

Por lo demás, la utilidad de los dibujos puede verse reforzada si están correlacionados, mediante colores y otros elementos tipográficos, con ejemplos y muestras de lengua añadidos y se combinan con diagramas y otros esquemas más abstractos (que después pueden usarse o reproducirse por parte del profesor de forma más cómoda). Como en el caso de los diagramas con flechas y óvalos para representar las construcciones transitivas, reflexivas, impersonales y mediales de las figuras 9a-9e o en las representaciones diagramáticas de las figuras 12, 13 y 15.

Las ilustraciones, por lo demás, no tienen por qué usarse de forma excluyente. Pueden complementarse con paráfrasis y descripciones verbales explícitas. Un ejemplo de ello son las figuras 5a, 5b, 6a y 6b del capítulo VI, en la que se presenta y describe el uso de indicativo y subjuntivo en oraciones de relativo con determinantes definidos e indefinidos[21].

El uso de las imágenes no significa renunciar a la explicación textual del significado y los valores de las distintas formas gramaticales. Al contrario, imágenes, ejemplos, paráfrasis, descripciones verbales explícitas, diagramas, tablas, esquemas y colores pueden combinarse en configuraciones multidimensionales para ayudar a que el estudiante de español reconozca en la gramática un conjunto de formas y recursos para significar y comunicar.

[21] El uso de imágenes como las que hemos comentado se aplica de forma sistemática en Alonso et ál., 2005.

Sin embargo, todos esos instrumentos pedagógicos, que pueden funcionar por sí solos, serán máximamente eficaces con la intervención fundamental del profesor. Es esencial el papel de este como guía del alumno en la aprehensión de estas descripciones, pues en ellas se condensa mucha información que conviene reconocer de forma progresiva e interactiva. Para ello, es especialmente adecuado el uso de herramientas como los programas de presentaciones animadas[22].

En los capítulos III-VII de este volumen, se ofrecen diversas extensiones de nociones introducidas aquí. Se ofrecen descripciones pedagógicas de distintos aspectos de la gramática del español así como propuestas de actividades gramaticales que pretenden integrar la visión característica de la CG con la metodología basada en la atención a la forma, el procesamiento del *input* y la práctica sistemática de la gramática.

[22] Ver ejemplos de presentaciones animadas para clase en www.gramaticacognitiva.es [Apartado dedicado a los Pronombres Personales] y en el cedé que acompaña este volumen.

Referencias bibliográficas

Arnold, J. (2000). "Visualización: las imágenes mentales al servicio del aprendizaje de idiomas", en J. Arnold (ed.), 277-294.

Arnold J. (ed.) (1999). *Affect in language learning.* Cambridge: Cambridge University Press. (Trad. esp.: *La dimensión afectiva en el aprendizaje de idiomas.* Cambridge University Press, 2000.)

Achard, M., y S. Niemeier (eds.) (2004). *Cognitive linguistics, Second language Acquisition and Foreign Language Teaching.* Berlín, Nueva York: Mouton de Gruyter.

Alonso Aparicio, I. (2013). "Fundamentos cognitivos de la práctica sistemática en la enseñanza gramatical" (Este volumen.)

Alonso Raya, R., A. Castañeda Castro, P. Martínez Gila, L. Miquel, J. Ortega Olivares, J. P. Ruiz Campillo (2005). *Gramática Básica del Estudiante de Español.* Barcelona: Difusión. (Edición para EE. UU.: Upper Saddle River NJ: Pearson/Prentice Hall, 2008.)

Bosque, I. y V. Demonte (eds.) (1999). *Gramática descriptiva de la lengua española I,* Madrid: RAE / Espasa Calpe.

Castañeda Castro, A. (2004). "Potencial pedagógico de la Gramática Cognitiva. Pautas para la elaboración de una gramática pedagógica de español/LE", en *RedELE* [en línea], 0. <www.sgci.mec.es/redele/index.html>.

Castañeda Castro, A. (2012). "Perspective and meaning in pedagogical descriptions of SFL (Spanish as a Foreign Language) grammar", en G. Ruiz Fajardo, 221-271.

Castañeda Castro, A. y R. Alonso Raya (2009). "La percepción de la gramática. Aportaciones de la lingüística cognitiva y la pragmática a la enseñanza de español/LE", en *MarcoELE.* [en línea], 8. <http://marcoele.com/>.

Castañeda Castro, A. y E. Melguizo (2006). "*Querían dormirlo, se ha dormido, está durmiendo.* Gramática Cognitiva para la presentación de los usos del *se* en clase de ELE", en *Mosaico,* [en línea], 18, 13-20. <http://www.mec.es/sgci/be/es/publicaciones/mosaico/mosaico18/mos18c.pdf>.

Casad, E. H. (ed.) (1996). *Linguistics in the redwoods: The expansion of a new paradigm in Linguistics.* Berlín, Nueva York: Mouton de Gruyter.

Castañeda Castro, A., J. Ortega Olivares, L. Miquel López, R. Alonso Raya, J. P. Ruiz Campillo, y P. Martínez Gila, (2008). *Pronombres personales en la Gramática básica del estudiante de español. Guía para el profesor, material didáctico y presentaciones animadas.* (Libro y CD-ROM con material multimedia.) Barcelona: Difusión. [En línea] <http://gramaticacognitivaele.es/paginas/guia_pronombres_personales.htm>

De Knop, S. y T. de Rycker (eds.) (2008). *Cognitive approaches to pedagogical grammar.* Berlín, Nueva York: Mouton de Gruyter.

Delbecque, N. (1996). "Towards a cognitive account of the use of the prepositions *por* and *para* in Spanish", en E. H. Casad, 249-318.

Dirven, R. (1990). "Pedagogical Grammar", *Language Teaching,* 23, 1-18.

Ellis, N. C. y P. Robinson (2008). *Handbook of Cognitive Linguistics and Second*

Language Acquisition. Nueva York, Londres: Routledge.
Fernández Leborans, M. J. (1999). "La predicación: las oraciones copulativas", en I. Bosque y V. Demonte, 2357-2461.
Geiger, R. A. y B. Rudzka-Ostyn (eds.) (1993). *Conceptualizations and Mental processing in Language*. Berlín, Nueva York: Mouton de Gruyter.
Genta, F. (2008). *Perífrasis verbales en español: focalización aspectual, restricción temporal y rendimiento discursivo*. Tesis doctoral. Editorial de la Universidad de Granada. Disponible en el Repositorio de la Universidad de Granada. [En línea] < http://hera.ugr.es/tesisugr/17647526.pdf].
Goldberg, A. E. (2003). "Constructions: a new theoretical approach to language", *Trends in Cognitive Science*, 7, 209-224.
Gutiérrez Ordóñez, S. (1997). *Temas, remas, focos, tópicos y comentarios*. Madrid: Arco/Libros.
Halliday, M. A. K. (1973). *Explorations in the functions of language*. Londres: Arnold.
Lakoff, J. (1987). *Women, fire and dangerous things. What Categories Reveal about the Mind*. Chicago: Chicago University Press.
Lakoff, J. y M. Johnson (1980). *Metaphors We Live By*. Chicago: Chicago University Press. (Trad. esp.: *Metáforas de la vida cotidiana*. Madrid: Cátedra, 1986).
Langacker, R. W. (1987). *Foundations of Cognitive Grammar. Volume I: Theoretical Prerequisites*. Stanford: Stanford University Press.
Langacker, R. W. (1991). *Foundations of Cognitive Grammar. Volume II: Descriptive Application*. Stanford: Stanford University Press.
Langacker, R. W. (2000). "Estructura de la cláusula en la gramática cognoscitiva", en R. Maldonado (ed.), *Estudios cognoscitivos del español. Número monográfico de la revista* RESLA *(Asociación Española de Lingüística Aplicada)*, 19-65.
Langacker, R. W. (2001). "Cognitive Linguistics, Language Pedagogy and the English Present Tense", en M. Pütz, S. Niemeier y R. Dirven, 3-40.
Langacker, R. W. (2008). *Cognitive Grammar: A Basic Introduction*. Nueva York: Oxford University Press.
Langacker, R. W. (2009). *Investigations in Cognitive Grammar*. Berlín, Nueva York: Mouton De Gruyter.
Littlemore, J. (2009). *Applying cognitive linguistics to second language learning and teaching*. Palgrave: McMillan.
Llopis-García, R., Real Espinosa, J. M. y Ruiz Campillo, J. P. (2012). *Qué gramática enseñar, qué gramática aprender*. Madrid: Edinumen.
Matte Bon, F. (1992). *Gramática comunicativa del español. Tomo I: De la lengua a la idea. Tomo II: De la Idea a la lengua*. Barcelona: Difusión.
Maldonado, R. (1999). *A media voz. Problemas conceptuales del clítico* se. Universidad Nacional Autónoma de México. Instituto de Publicaciones Filológicas.
Melguizo, E. (2005). *El señor Se y su extraña familia. Una aproximación cognitiva a la presentación de los usos de 'se' en clase de* E/LE. Memoria para el Máster de Enseñanza de E/LE de la Universidad de Granada, 2004-2005. RedELE. [En línea] <www.sgci.mec.es/redele/index.html>.

Pawley, A. y F. Hodgetts Syder (1983). "Two puzzles for linguistic theory: nativelike selection and nativelike fluency", en J. C. Richards y R. W. Schmidt, 191-227.

Pütz, M., S. Niemeier y R. Dirven (eds.) (2001). *Applied Cognitive Linguistics Volume (I): Theory and Acquisition*. Berlín, Nueva York: Mouton De Gruyter.

Richards, J. C. y R. W. Schmidt (eds.) (1983). *Language and communication*. Londres, Nueva York: Longman.

Ruiz Fajardo, G. (ed.) (2012). *Methodological Developments in Teaching Spanish as a Second and Foreign Language*. Newcastle upon Tyne (UK): Cambridge Scholars Publishing.

Stevick, E. W. (1986). *Images and options in the language classroom*. Cambridge: Cambridge University Press.

Taylor, J. R. (1993). "Some pedagogical implications of cognitive linguistics", en R. A. Geiger y B. Rudzka-Ostyn, 201-221.

Taylor, J. R. (2002). *Cognitive Grammar*. Oxford: Oxford University Press.

Tyler, A. (2012). *Cognitive Linguistics and Second Language Learning*. Nueva York, Londres: Routledge.

CAPÍTULO III

ACTIVIDADES ORIENTADAS AL APRENDIZAJE EXPLÍCITO DE RECURSOS GRAMATICALES EN NIVELES AVANZADOS DE E/LE

LOURDES MIQUEL LÓPEZ
Escuela Oficial de Idiomas Barcelona-Drassanes de Barcelona

JENARO ORTEGA OLIVARES
Departamento de Lingüística General
y Teoría de la Literatura
Universidad de Granada

Resumen

En este capítulo, se explican los elementos esenciales de la *atención a la forma* (*focus on form*) y se ofrece una serie de actividades orientadas a la práctica explícita de recursos gramaticales. Tales actividades, inspiradas y resueltas en los principios de esa corriente de investigación, se presentan agrupadas en dos apartados: las interpretativas y las productivas. En el primero, se tratan las actividades de *toma de conciencia gramatical* y las de *input estructurado*; en el segundo, las de *gramaticalización* y las de *output estructurado*. En uno y otro caso, las actividades propuestas como ejemplo están debidamente desarrolladas y justificadas.

1. *Atención a la forma* y actividades gramaticales

Desde hace ya más de veinte años, viene desarrollándose, en el ámbito de estudio de la adquisición de lenguas segundas y extranjeras y, dentro de este, en el de la *investigación de aula* (*classroom oriented research*)[1], la corriente de

[1] *Vid.* al respecto, entre otros: Allwright, 1988; Allwright y Bailey, 1991; Bailey y Nunan, 1996; Branscombe et ál., 1992; Brumfit y Mitchell, 1990; Chaudron, 1998 y 2000; Freed, 1991; Harklau, 2011; James y Garrett, 1991; Johnson, 1995; Lightbown, 1985 y 2002; Long, 1980 y 1991b; Mitchell, 2009; Nunan, 1989a, 1992 y 2005; Nunan y Choi, 2011; Pica, 1997, 2011; Schachter y Gass, 1996; Seliger y Long, 1983; Spada, 1990a y 1990b; Spada y Fröhlich, 1995; Van Lier, 1988 y 1996; Woods, 1996.

investigación denominada *atención a la forma* (*focus on form*, en adelante AF). Desde esta perspectiva, se destaca que ni la simple exposición a una lengua segunda o extranjera ni su solo uso en situaciones comunicativas bastan para poder aprenderla. Se aducen, para justificar esta idea, argumentos como los siguientes: (i) Quienes, ya fuera de la niñez, han adquirido una lengua segunda o extranjera presentan, con mucha frecuencia, diversos estancamientos y fosilizaciones en el desarrollo de algunos aspectos de su competencia comunicativa: el sociolingüístico y, muy especialmente, el gramatical. (ii) La instrucción gramatical (la enseñanza de los recursos gramaticales en el aula), si bien no parece que altere el itinerario que ha de recorrer la adquisición de la gramática de una lengua segunda o extranjera, sí que puede acelerar el ritmo de esta adquisición y mejorar el resultado último del aprendizaje[2].

En su versión más general, la AF se ve definida sobre todo por aspectos como estos:

a) Frente a otras propuestas teóricas que, para dar cuenta de la adquisición de lenguas segundas o extranjeras, recurren a razones de carácter innatista o ambientalista[3], la AF propugna partir del modelo denominado *hipótesis de la interacción*[4]. Según esta opción teórica, para explicar el desarrollo de una lengua segunda o extranjera hay que examinar sobre todo el marco en que tiene lugar este proceso, en concreto el conformado por las interacciones –de muy diverso tipo– que median entre los aprendices de una lengua y los hablantes de esta, básicamente circunscritas a lo que suele denominarse *negociación del sentido*[5].

[2] La AF surge, en gran medida, como respuesta al *impasse* provocado por los resultados obtenidos tras la aplicación de importantes programas de enseñanza de lenguas segundas en los que no había tenido cabida alguna la enseñanza de la gramática. Se trataba, por ejemplo, de ciertos programas de inmersión lingüística basados únicamente en ofrecer a los estudiantes un *input* lingüístico rico y adecuado y proporcionarles abundantes oportunidades de comunicación. En relación con estos asuntos y con los fundamentos de la AF, merecen ser consultados los siguientes trabajos: de Graaff y Housen, 2009; Doughty, 1991, 1998, 2001 y 2003; Doughty y Williams (eds.), 1998; N. Ellis, 1994; R. Ellis, 1990, 1994b 1997a y 1997b; Harley, 1988 y 1992; Harley y Swain, 1984; Hauptman et ál., 1988; Hulstijn y Schmidt, 1994; Hyntelstam y Pienemann, 1993; Johnson y Swain, 1997; Larsen-Freeman, 1991; Larsen Freeman y Long, 1991a y 1991b; Lightbown, 2002; Lightbown y Spada, 1993; Lightbown et ál., 1993; Loewen, 2011; Long, 1983a, 1988, 1991a, 1991b, 1996, 2009; Long y Crookes, 1992; Long y Robinson, 1998; Lyster, 1987; Norris y Ortega, 2000a y 2000b; Pica, 1994; Robinson, 1996 y 2001; Schmidt, 1990, 1995 y 2001; Sheen, 2002 y 2003; Spada, 1997; Spada y Lightbown, 1989; Svalberg, 2007; Swain, 1993; Swain y Lapkin, 1982; VanPatten, 1994; J. Williams, 1995 y 2005.

[3] *Vid.*, como visión de conjunto, Larsen Freeman y Long, 1991b.

[4] *Vid.*: Day, 1986; R. Ellis, 1994a y 1999; Gass, 1997; Gass y Mackey, 2007; Long, 1981, 1983b, 1996 y 2009; Long y Robinson, 1998; Pica, 1994 y 2013; Pica et ál., 1987 y 1996; Swain y Suzuki, 2008.

[5] *Vid.*, sobre todo: Gibbons, 2002; Long, 1996; Pica, 1994.

Se afirma, a partir de este supuesto, que es en este espacio interactivo donde los hablantes pueden lograr que la comunicación avance y resulte efectiva, donde pueden llegar a percibir –y esto es un aspecto esencial para lo que aquí nos concierne– las posibles diferencias entre lo que se ha querido decir y lo dicho realmente o entre lo que se ha llegado a entender y lo que en realidad ha sido expresado[6]. Es en este contexto donde puede darse un incremento en la comprensión del *input* sin necesidad de que este deba ser manipulado artificialmente (simplificándolo lingüísticamente), esto es, sin el inconveniente de que los aprendices se vean privados de la posibilidad de acceder libremente al léxico y las formas gramaticales de la lengua meta[7]. Este entorno es el lugar donde acontece algo que resulta básico para esta propuesta: aquí podrán los aprendices hacerse con la mejor información sobre las conexiones que ligan formas y contenidos, es decir, las relaciones de cuyo conocimiento y uso depende el mejor ajuste entre lo dicho y lo que se ha querido decir o entre lo entendido y lo que de hecho ha sido expresado[8]. Por último, es también en este ámbito donde surge de manera natural la necesidad de retroalimentación negativa, es decir, todas esas diversas reacciones que, provocadas por algún desajuste presente en la contribución del aprendiz, seguramente favorecerán que este, por un lado, preste atención a las correspondencias defectuosas entre formas y contenidos y que, por otro, *advierta* (*notice*) las formas susceptibles (si se dan en un *input* comprensible solamente) de pasar inadvertidas[9].

b) Instalados en este espacio de interacción, quienes aprenden una lengua segunda o extranjera hacen algo que, dados sus efectos, al parecer resulta esencial: prestan cierto tipo de atención a la forma lingüística para intentar salir al paso de una necesidad planteada por el contenido, para resolver un problema comunicativo. Es decir, en tanto que aprendices, y sobre la base de que cuenten siempre con un contenido y uso previos que resulten evidentes y asequibles, los estudiantes dirigen su atención a cierto rasgo lingüístico necesario para lograr que el sentido avance o pueda establecerse. En pocas palabras: practican una suerte de atención selectiva y desarrollan, gracias a esto, la ca-

[6] *Vid.*: Donato, 1994; Ehrlich et ál., 1989; R. Ellis et ál., 2006; Gass y Varonis, 1985 y 1994; Gibbons, 2002; Lightbown y Spada, 1990 y 1993; Loewen, 2011; Long, 1983b y 1996; Long y Ross, 1997; Lyster, 1998; Lyster y Ranta, 1998 y 2006; Parker y Chaudron, 1987; Pica, 2013; Pica et ál., 1987 y 1996; Sheen y Ellis, 2011; Swain, 1985; Swain y Suzuki, 2008; Varonis y Gass, 1985; J. Williams, 1995.

[7] *Vid.*, entre otros: Long y Ross, 1997, Parker y Chaudron, 1987; Yano et ál., 1994.

[8] *Vid.*, por ejemplo: Doughty, 1998; Kowal y Swain, 1997; Leeman et ál., 1995; VanPatten, 1990.

[9] *Vid.*, entre otros: Carroll y Swain, 1993; Chaudron, 1987 y 1988; Doughty, 2003; N. Ellis, 1995a; N. E. Ellis, 2009; R. Ellis, 1990, 1994c; Gibbons, 2002; Hulstijn y Schmidt, 1994; Izumi, 2002; Loewen, 2011; Long, 1996; Lyster y Ranta, 1997 y 2006; Pica, 2013; Schmidt, 1990, 1995 y 2001; Sharwood-Smith, 1981; Sheen y Ellis, 2011; Skehan, 1994; Thornbury, 1997; VanPatten, 1994; White, 1991.

pacidad para el procesamiento de la lengua meta. Estos procesos, además, los llevan a cabo con mayor eficacia durante la negociación del sentido[10].

Amparándose en estos supuestos y en relación con la enseñanza y el aprendizaje de una lengua segunda o extranjera, la AF traza algunas directrices para aquellas intervenciones pedagógicas que, realizadas siempre en un entorno comunicativo apropiado, se destinen a mover la atención de los aprendices hacia, sobre todo, diversos aspectos del entramado gramatical de la lengua meta. Estas intervenciones favorecen, según la AF, el que las relaciones entre las formas y sus significados se establezcan del modo más seguro y eficaz, y que, gracias a ello, puedan ser evitados no pocos de los efectos negativos que, para el aprendizaje, ocasionan, por un lado, las formas no advertidas (diluidas en el flujo comunicativo por la presión que este impone o por resultar especialmente opacas desde el punto de vista perceptivo[11]) y, por otro, los ajustes incorrectos entre forma y contenido (frecuentemente basados en hipótesis erróneas).

El tipo de intervención pedagógica propuesto por la AF difiere de los otros dos tipos de intervención usados comúnmente hasta el momento: la *atención al contenido* (*focus on meaning*, en adelante AC) y la *atención a las formas* (*focus on forms*, en adelante AFS).

La AC descansa sobre todo en la supuesta ausencia, a efectos prácticos, de relación entre el conocimiento de carácter implícito y el de carácter explícito. Dicho de otro modo: los recursos gramaticales de una lengua segunda o extranjera, en tanto que saberes implícitos, se adquieren incidentalmente en el transcurso del procesamiento de los datos lingüísticos que afloran en las diversas situaciones de comunicación real. Así las cosas, no hay que llamar la atención sobre ellos de ningún modo: basta con proporcionar a los aprendices *input* adecuado y oportunidades para establecer entre ellos una comunicación efectiva. Esta aproximación a la enseñanza de una lengua segunda o extranjera propugna, como se ve, centrarse solo en aquello que se dice y nunca en los instrumentos lingüísticos empleados para decirlo.

La AFS, al contrario que la AC, defiende la integración de los conocimientos implícitos y explícitos y justifica, por tanto, el que se pueda llevar la atención de los aprendices al ámbito de las formas lingüísticas por sí mismas, esto es, fuera de cualquier proceso comunicativo, incluso abandonándolo por completo cuando estas son tratadas.

Para la AF, los dos modos de intervención pedagógica considerados conducen a resultados discutibles en el aprendizaje. La AC, como es sabido, favorece en gran medida el desarrollo de la comprensión y la fluidez en los aprendices, pero también provoca frecuentemente en ellos ciertos desajustes en lo concerniente a

[10] *Vid.*, en especial: R. Ellis, 1990 y 1994c; Loewen, 2011; Long y Robinson, 1998; Robinson, 1994 y 1996; Schmidt, 1990, 1995 y 2001.

[11] *Vid.* a este respecto 2.2., donde se tratan los principios del procesamiento del *input*.

la precisión gramatical y el desarrollo de aspectos sociopragmáticos de la competencia. La AFS, por su parte, no parece ser el marco más apropiado para el desarrollo de la fluidez, habida cuenta de que los aprendices dirigen la mayor parte de su esfuerzo a las formas en sí, lo que se traduce en escasas oportunidades de comunicación real y en que construyan expresiones poco naturales o inapropiadas. Para superar los inconvenientes de estas dos posturas, la AF fundamenta su intervención pedagógica básicamente en las siguientes acciones:

a) Se atrae o dirige la atención del aprendiz hacia cierta forma lingüística y esto siempre se hace desde la base de que tal forma se constituye en el vehículo a través del cual se expresa cierto significado.

b) Dada la importancia que para el desarrollo de la interlengua reviste el establecimiento de correspondencias ajustadas de formas y contenidos, se impone que la atención sea enfocada *primero* en procesar el contenido y *después*, y en este contexto, en procesar los aspectos formales asociados a ese contenido. Con ello, de lo que se trata es de crear oportunidades de aprendizaje, ya que este, según la AF, resulta favorecido cuando, por un lado, la forma por adquirir es procesada, en tanto que vehículo del contenido expresado, junto con los aspectos lingüísticos de esta que convenga poner de relieve, y cuando, por otro lado, este procesamiento se lleve a cabo sin interrumpir el proceso de la comunicación.

Como puede apreciarse, frente a la AC, que desatiende el mecanismo lingüístico, y la AFS, que lo hace con el contenido, la AF no excluye ninguno de estos factores: ambos son considerados esenciales dada la íntima interrelación que muestran en los complejos procesos de enseñar y aprender una lengua segunda o extranjera[12].

Como era de esperar, las directrices planteadas por la AF han sido interpretadas de modo diverso, por lo que también es diversa la naturaleza de las intervenciones pedagógicas fundamentadas en tales interpretaciones. En términos generales, cabe afirmar que básicamente son tres las propuestas pedagógicas inspiradas en la AF:

a) La propuesta original[13] aconseja que la atención del aprendiz se enfoque en determinados aspectos formales del *input* (los cuales, de no recibir esta atención, quedarían inadvertidos) y que esto siempre se lleve a cabo mediante una negociación de sentido surgida al hilo de la interacción y comunicación en la lengua meta. Estas intervenciones son *reactivas* e *implícitas* en sumo grado. Son reactivas porque se realizan *in situ* ante determinados problemas susci-

[12] *Vid.*, en relación con la oposición de la AF frente a la AC y la AFS, sobre todo: Doughty y Varela, 1998; Doughty y Williams, 1998; Loewen, 2011; Long y Crookes, 1992; Long y Robinson, 1998.
[13] *Vid.*, por ejemplo: Doughty y Williams, 1998; Long y Robinson, 1998; Loewen, 2005 y 2011.

tados en el transcurso de la comunicación (entendida productiva o receptivamente tanto en lo oral como en lo escrito) o ante determinados rasgos de la interlengua que reclaman atención. Y son de carácter implícito porque, para no interrumpir el desarrollo de la comunicación, canalizan la atención hacia la forma enfocada sin apoyo externo explícito.

Las dificultades para aplicar en el aula la AF desde esta perspectiva son evidentes. De ahí que se recomiende la intervención cuando el problema que merezca atención sea común (lo muestren todos los aprendices), susceptible de solución (el desarrollo de la interlengua de los aprendices se halla en un punto en el que la forma problemática puede ser integrada y ser objeto de reestructuración) y rentable (la forma problemática en cuestión es frecuente y comunicativamente importante).

b) Otros investigadores[14] proponen intervenciones inspiradas en la AF que no muestran perfiles tan tajantes. Defienden que se puede actuar sobre la atención del aprendiz de muy diversas maneras y favorecer, así, la adquisición de numerosos recursos lingüísticos. Por tanto, además de por la intervención reactiva y el tratamiento implícito, también abogan por la intervención *proactiva* (planeada a partir de una previsión de los problemas de los aprendices) y el tratamiento *explícito* (no se descarta el tratamiento del problema en términos metalingüísticos y de conocimiento declarativo). Es obvio que quienes asumen esta postura coinciden en aceptar el supuesto de que existe una conexión amplia entre el conocimiento implícito y el explícito.

c) Hay, por último, una tercera propuesta[15] que se sitúa en un punto intermedio respecto de las anteriores. Según ella, las intervenciones, para que estén debidamente basadas en los principios de la AF, (i) han de estar fundamentadas en el objetivo de atraer o dirigir la atención de los aprendices hacia determinados aspectos del *input* o del producto del *output* que generalmente quedan en la sombra durante el proceso comunicativo; (ii) han de enfocar primero la atención del aprendiz en el contenido y después extender este enfoque a los aspectos formales. Por otra parte, en esta propuesta es esencial que las intervenciones alcancen un equilibrio entre lo que en ellas se aporta (más o menos artificiosamente) para que una forma lingüística sea enfocada debidamente y el objetivo primordial de toda tarea pedagógica comunicativa: comprender y transmitir significado. Es decir, se trata de acompasar del mejor modo *realce* y *ausencia de intrusión*. Por último, las formas problemáticas pueden ser abordadas, para salir al

[14] *Vid.*, sobre todo: R. Ellis, 1997a, 1997b, 2001, 2002, 2003 y 2005; Fotos, 1994, 2002; R. Ellis et ál., 2002; Fotos y Ellis, 1991; Hinkel y Fotos, 2002; Loewen, 2011; Pica, 2008; Rutherford, 1987; Sharwood-Smith, 1981; Widdowson, 1990.

[15] Doughty y Williams, 1998; Loewen, 2011.

> paso de las exigencias impuestas por los diversos contextos educativos, tanto *reactiva* como *proactivamente*. En ambos casos, las decisiones que se tomen al respecto estarán siempre fundadas en el estado de desarrollo de la interlengua de los aprendices y en sus necesidades de aprendizaje.

A nadie se le escapan las dificultades de decidir cómo plasmar estos principios en el marco del aula, dadas la complejidad y la cantidad de factores que concurren en los procesos de enseñar y aprender una lengua segunda o extranjera. Piénsese, por ejemplo, en la singularidad que muestran muchas de las circunstancias operantes en toda situación de enseñanza y aprendizaje (por ejemplo, la disponibilidad de *input*, el carácter monolingüe o multilingüe de la clase, el que la lengua meta sea lengua segunda o extranjera, las diversas limitaciones impuestas por las instituciones educativas, etc.); o en la singularidad de las circunstancias relativas a las características personales de los aprendices (como pueden ser la lengua materna, la edad, el estilo de aprendizaje, el nivel de dominio de la lengua meta, las necesidades con que acceden al aula, el tipo de escolarización, etc.). Repárese, por otra parte, en los problemas que las formas mismas presentan (referidos, por ejemplo, a la complejidad o sencillez de las reglas que determinan su uso, a la frecuencia con que las formas han de aparecer o ser tratadas o a las relaciones que puedan mantener con otras formas de la lengua materna) o en las no pocas preguntas planteadas por la necesidad de explicar cómo conseguir el funcionamiento más eficaz de importantes mecanismos de aprendizaje (entre otros, los empleados para *advertir* las formas, para aprehender las diferencias entre la L1 y la L2 o entre la interlengua y la L2, para comparar, comprobar hipótesis y automatizar lo aprendido)[16].

Aunque se haya avanzado no poco y se auguren resultados prometedores, no se han aportado hasta la fecha, en el ámbito de la AF, respuestas suficientes y totalmente satisfactorias a los problemas y preguntas anteriores. De haberlas, quedaría firmemente fundamentada una buena parte de los procesos que intervienen en el aprendizaje de una lengua segunda o extranjera, en especial la concerniente a lo que comúnmente denominamos "gramática", y, en virtud de esto, se delimitarían con precisión las intervenciones que resultaran más eficaces en la enseñanza de los recursos gramaticales de esa lengua en el aula. Ante estas carencias, los pedagogos y el profesorado, aun aplicando los principios de la AF en el aula, habrán de seguir buscando y proponiendo, en mayor o menor medida y hasta que la investigación aporte explicaciones más consistentes, soluciones *a priori* que, adoptadas sobre la base de la experiencia docente cotidiana o vislumbradas con cierta dosis de intuición, respondan a los apremios impuestos por las directrices curriculares y las urgencias de una clase[17]. No estamos, sin embargo,

[16] *Vid.*: MacLaughlin, 1990; McLaughlin y Heredia, 1996; y, como visión de conjunto, Doughty y Williams, 1998; y Spada, 1997.

[17] *Vid.*: Doughty y Williams, 1998; Mitchell, 2000.

en un escenario que mueva al desaliento, sino en unos momentos de intensa y fundamentada experimentación en el aula. Los resultados alcanzados hasta el momento son prometedores y seguramente, en un futuro no muy lejano, dispondremos de protocolos para la enseñanza mucho más elaborados y eficaces. En cualquier caso, y hasta que eso sea un hecho, los profesores deberían, para alcanzar el mejor resultado en la aplicación de la AF, tener en cuenta lo siguiente:

a) En primer lugar, se impone la necesidad de conocer lo mejor posible las circunstancias en que va a tener lugar el proceso de docencia y aprendizaje, pues de este conocimiento dependerán en buena medida las decisiones que puedan tomarse respecto de las intervenciones pedagógicas. Se deberán, por tanto, determinar hasta donde resulte posible estas realidades:

   (i) los elementos más relevantes del contexto de aprendizaje (clase monolingüe o multilingüe; lengua segunda o extranjera; accesibilidad al *input*, directrices del currículo, etc.);
   (ii) las circunstancias individuales del alumnado (lengua materna, edad, estilo de aprendizaje, necesidades, motivación, etc.);
   (iii) la complejidad o sencillez de las formas que serán objeto de atención, así como el lugar que estas ocupan en el desarrollo de la interlengua;
   (iv) el alcance de los procesos que en cada ocasión pueden intervenir en el aprendizaje (advertir, comparar, reestructurar, comprobar hipótesis, automatizar).

b) En segundo lugar, y según aconsejen los resultados de todo lo relacionado en el apartado anterior, se decidirá cómo habrán de ser las intervenciones, esto es, entre otras cosas, si estas

   (i) serán explícitas (por medio de ellas, el aprendiz llegará, consciente y más o menos reflexivamente, a un conocimiento declarativo sobre la forma tratada), serán implícitas (el aprendiz, simplemente, llevará su atención a la forma en cuestión) u ocuparán algún punto intermedio entre uno y otro extremo;
   (ii) presentarán, en caso de ser explícitas, la forma objeto de modo deductivo (se ofrecerá alguna suerte de explicación metalingüística y ejemplos), de modo inductivo (el valor de la forma considerada será inferido de alguna manera a partir de sus apariciones) o de un modo que mezcle estos dos aspectos;
   (iii) se centrarán en el *input*, el *output* o en ambos;
   (iv) serán elaboradas desde un punto de vista proactivo (o preventivo) y, por tanto, las formas que deban ser tratadas serán previstas con antelación, o serán elaboradas desde un punto de vista reactivo, en cuyo

caso no existirá tal previsión y las formas problemáticas serán tratadas al hilo de su aparición.

c) En tercer lugar, se elegirá, entre las técnicas susceptibles de ser asumidas por la AF, la que resulte más recomendable para cada ocasión en función de lo considerado en los dos apartados anteriores. Estas técnicas, que integran uno o más de los aspectos reseñados en (b), pueden ordenarse según una escala que mida el grado de intromisión que impongan en un proceso comunicativo. He aquí algunas, dispuestas de menor a mayor intromisión[18]:

(i) realce del *input*
(ii) negociación del sentido
(iii) reformulación significativa
(iv) realce del *output*
(v) dictoglosia[19]
(vi) toma de conciencia gramatical
(vii) procesamiento del *input*
(viii) reflexión y explicación metalingüísticas

Sentadas las bases anteriores, en lo que sigue nos ocuparemos de examinar algunas actividades y, por tanto, modos de intervención destinados a la ejercitación gramatical en niveles avanzados de español como lengua extranjera[20].

Quienes acceden a estos niveles suelen ser, como es sabido, personas jóvenes y adultas que continúan el aprendizaje lingüístico por necesidades concretas (académicas, profesionales o relacionadas con algún cambio en la vida personal, familiar, política, etc., sobre todo) y que, habida cuenta del grado de competencia comunicativa alcanzado, han afianzado ya los suficientes recursos gramaticales como para acceder a otros nuevos, más complejos o no percibidos antes, o volver sobre aspectos controvertidos o no resueltos de los conocidos. Al darse tales circunstancias, estas personas suelen mostrarse más dispuestas que otras (como puede ser el caso de adolescentes o de aprendices de niveles intermedios, por ejemplo) a la observación y reflexión lingüísticas, a involucrarse en procesos de aprendizaje explícito (esto no quiere decir que lo implícito no tenga cabida en este contexto). El que aquí se haga hincapié en lo explícito, a expensas de lo implícito, se debe a que partimos, sobre todo, de dos supuestos: (i) en el amplio

[18] Seguimos en buena parte la clasificación propuesta por Doughty y Williams, 1998: 257-260. Cada una de estas técnicas puede constituir en sí misma una única actividad. Lo usual, sin embargo, es que las actividades sean el resultado de aplicar más de una (por ejemplo, realce del *input* y toma de conciencia gramatical, entre otras combinaciones).

[19] *Vid.* 3.1.1.3, donde se propone una actividad inspirada en esta técnica.

[20] Se tendrán en cuenta sobre todo los niveles B1, B2 y C1 definidos en el *Plan Curricular del Instituto Cervantes. Niveles de referencia para el español* (Madrid: Instituto Cervantes-Biblioteca Nueva, 2007).

e intrincado debate sobre las relaciones entre conocimiento implícito y explicito, creemos en la posibilidad (justificada por numerosos estudios y, sobre todo, por la investigación en el aula) de que el explícito se transforme en implícito[21]; (ii) en los niveles avanzados, dado el carácter de los aspectos gramaticales que han de abordarse, el procedimiento que resulta más ajustado es, al parecer, la aproximación explícita[22].

[21] Resulta evidente que, si se opta por enseñar gramática en el aula (esto es, intervenir para presentar los recursos gramaticales, acondicionar los datos lingüísticos que recibe el alumnado, realizar actividades productivas orientadas a la práctica de algún aspecto gramatical e identificar y tratar errores), ello está basado en el supuesto, tácito o no, de que el conocimiento explícito del valor y funcionamiento de un elemento lingüístico (conocimiento controlado, consciente, lento e ineficaz pero creativo y flexible) puede convertirse mediante una práctica adecuada en conocimiento implícito (automático, no consciente, rápido y eficaz). Es más, en caso de que no se admita esta relación amplia entre el conocimiento explícito y el implícito, se reconoce al menos alguna relación "débil" entre uno y otro: (i) el conocimiento explícito puede contribuir a que se perciban y reconozcan diversos aspectos de los elementos lingüísticos que faciliten el procesamiento de estos, tanto en el *input* como en el *output*, y por tanto su asimilación como conocimiento implícito; (ii) dadas determinadas condiciones de procesamiento, se podrá recurrir al conocimiento explícito y aplicarlo en situaciones inéditas que exijan explotarlo creativamente. Las relaciones entre lo implícito y lo explícito han sido y siguen siendo objeto de numerosos estudios. A pesar de ello, aún estamos lejos, al parecer, de haber alcanzado una visión clara de la cuestión (*vid.*: Alonso Aparicio (este volumen); Bialystok, 1982; Carroll y Swain, 1993; Castañeda Castro, 1997; DeKeyser, 1994, 1998; R. Ellis et ál., 2006; Green y Hecht, 1992; Krashen, 1982, 1985 y 1992; McWhinney, 1997; Robinson, 1994 y 1996; Swain, 1998; VanPatten y Cadierno, 1993a y 1993b. Pueden consultarse, como visión de conjunto: Bialystok, 1978 y 1990; Burgess y Etherington, 2002; Bybee, 2006; DeKeyser, 2003; Doughty, 2003; Doughty y Williams, 1998; N. Ellis, 1994, 1995a y 1995b; R. Ellis, 1990, 1994b, 1994c y 2008; Lightbown et ál., 1993; Long y Robinson, 1998; Hulstijn, 2005; Norris y Ortega, 2000; Ortega, 2001; Ortega Olivares, 1998; Robinson, 2001; Schmidt, 1995 y 2001; Skehan, 1998; Swain, 1998; VanPatten, 1994).

[22] En este contexto, cobran especial importancia, por un lado, el tipo de explicación que en un momento dado el profesor pueda ofrecer o que el alumnado mismo pueda forjar sobre los rasgos lingüísticos de la lengua objeto de aprendizaje; y, por otro, y más en concreto, el metalenguaje que se utilice o surja en tales explicaciones. Puede esgrimirse, en particular sobre la base de la experiencia que proporciona la clase, que de la calidad de estas dos cosas dependerán, en no poca medida, la calidad del conocimiento explícito alcanzado a través de ellas y la mayor o menor influencia favorable que ese conocimiento pueda ejercer en las condiciones de procesamiento de los elementos lingüísticos. Como puede verse, es muy posible que este asunto no sea banal, dadas las implicaciones que seguramente muestra en relación con la enseñanza y el aprendizaje de la gramática (*vid.*: Aljaafreh y Lantolf, 1994; Alonso Raya, 1999; Batstone, 1994a y 1994b; Birdsong, 1989; Borg, 1999; Byrd, 2005; Castañeda Castro, 1997; Castañeda Castro y Ortega Olivares, 2001; de Graaff y Housen, 2009; R. Ellis, 2008; DeKeyser, 1994, 1998; Donato, 1994; Fotos y Ellis, 1991; Harley, 1993; James, 1994; Kowal y Swain, 1994; Leech, 1994; Lightbown et ál., 1993; Liu y Master, 2003; Locke, 2010; Mitchell, 1994; Ruiz Campillo, 1998; Samuda, 2001; Seliger, 1979; Simard y Jean, 2011; Spada y Tomita, 2010; Svalberg, 2007; Swain, 1995, 1998; Swan, 1994; Westney, 1994; G. Williams, 2004). Pese a todo ello, la verdad es que estas realidades no han recibido, en el terreno de la AF, la atención que merecen (*vid.*: Larsen-Freeman, 2003 y 2009; Mitchell, 2000). De ahí que no podamos disponer aún de una base empírica que resulte lo suficientemente segura y sobre la que puedan tomarse las decisiones más adecuadas para la clase. Es más, tampoco ha emprendido todavía la AF con la suficiente determinación la tarea de examinar qué modelos teóricos, entre los propuestos por la lingüística actual, resultan más accesibles a las condiciones que impone la expli-

Los modelos de actividad que presentaremos y analizaremos, además de parecer los más adecuados para los niveles que nos ocupan, responden en todos los casos a lo siguiente: (i) se acomodan a los principios básicos de la AF; (ii) promueven, en mayor o menor medida, la elaboración de conocimiento explícito sobre el elemento gramatical sometido a atención; (iii) pueden integrar una o más de las técnicas mencionadas arriba o de otras inspiradas en ellas; (iv) presentan carácter proactivo, esto es, han sido elaborados con la intención de tratar problemas gramaticales previstos en el aprendizaje de español como lengua segunda o extranjera de estudiantes avanzados.

Por otra parte, y para facilitar la exposición, incluiremos los modelos en cuestión en dos categorías: los de carácter interpretativo, orientados al tratamiento del *input*, y los de carácter productivo, orientados al tratamiento del *output*[23].

---

cación gramatical en una clase de lengua segunda o extranjera, a la creación y uso del metalenguaje que resulte más útil en este contexto, esto es, del que en mayor grado favorezca el aprendizaje gramatical. En general, hasta ahora la AF se ha contentado, para llevar a cabo sus estudios tanto en el laboratorio como en el aula, con las explicaciones al uso, comúnmente de carácter tradicional o estructural (Spada, 1997; Mitchell, 1994 y 2000). En cambio, en el ámbito de la gramática pedagógica sí se vienen investigando cuestiones tales como determinar el grado de aplicabilidad pedagógica de las teorías lingüísticas o el modo en que estas puedan ayudar a presentar con las mayores coherencia, claridad y eficacia el contenido gramatical en clase (*vid.*: Batstone, 1994; Besse y Porquier, 1984; Bygate et ál., 1994; Dirven, 1990; R. Ellis, 1998, 2002 y 2006; Graustein y Leitner, 1989; Hinkel, 2005 y 2011; Hinkel y Fotos, 2002; Larsen-Freeman, 2001, 2003 y 2009; Leitner y Graustein, 1989; Matte Bon, 1987, 1988a y 1988b; McKay, 1987; Miki Kondo, 2002; Odlin, 1994; Omaggio, 1986; Rutherford, 1987; Rutherford y Sharwood-Smith, 1988; Thornbury, 1997 y 1999; Ur, 2011; Westney, 1994). Gracias a ello, disponemos de algunos marcos que, en diverso grado de desarrollo, pueden constituir la base para articular con cierta seguridad las explicaciones gramaticales en clase. Algunas muestras representativas de estos trabajos las constituyen, por ejemplo, las propuestas de corte funcionalista (*vid.*, Batstone, 1994; Hasan y Perrett, 1994; Pennington, 2002; Tomlin, 1994; Widdowson, 1990 y 1997), la que insiste en las interrelaciones de la sintaxis, el léxico y el discurso (*vid.*: Celce-Murcia, 1991; Celce-Murcia et ál., 1997; Celce-Murcia y Hilles, 1988; Larsen-Freeman, 2001, 2002, 2003 y 2009), la que gira en torno a la gramática de la lengua hablada (*vid.*: Carter y McCarthy, 1995; Hughes y McCarthy, 1998; McCarthy y Carter, 2002), la fundamentada en el léxico (*vid.*: D. Willis, 1990), o, en fin, la que se apoya en una visión cognitiva de los mecanismos lingüísticos (*vid.*: Achard y Niemeier, 2004; Casad, 1996; Castañeda Castro, 2004a, 2004b, 2004c, 2006a, 2006b y 2012; Castañeda Castro y Alhmoud (este volumen); Castañeda y Melguizo, 2006; de Knop y de Rycker, 2008; Dirven, 1994; Langacker, 2001; Littlemore, 2009; Llopis et ál., 2012; Pütz, Niemeier y Dirven (2001); Ruiz Campillo, 1998, 1999, 2005, 2007, 2008 y 2012; Taylor, 1993; Tyler, 2012; Tyler y Evans, 2004). Estas propuestas presentan de momento algunos inconvenientes, como pueden ser el que aún no haya hasta el momento ninguna descripción pedagógica completa de la gramática de una lengua o el que ninguna de tales propuestas haya sido suficientemente examinada desde el punto de vista empírico para corroborar su mayor o menor eficacia en el aula (Mitchell, 2000). Aun reconociendo los retos que plantea, este cuadro ofrece abundantes oportunidades para clarificar no pocos de los elementos que hoy por hoy conforman el aprendizaje y la enseñanza de una lengua segunda o extranjera en el aula. Esta circunstancia, por otra parte, evidencia la necesidad de que la investigación y la educación compartan objetivos, medios y espacios de trabajo (*vid.*: R. Ellis, 1997b; Jourdenais, 2009; Tedick, 2005; Tsui, 2005; Woods, 1996).

[23] Como es obvio, se pueden elaborar actividades complejas, esto es, aquellas que resulten articuladas por una determinada secuencia de actividades constituyentes que respondan a uno u otro carácter.

2. Modelos de actividad orientada a la interpretación

2. 1. Actividades de toma de conciencia gramatical

Con las *actividades de toma de conciencia gramatical* (*consciousness-raising activities*, en adelante ATCG)[24] se persigue, sobre todo, la elaboración de conocimiento explícito (incluso metalingüístico) sobre un recurso gramatical dado, porque se parte del supuesto, ya tratado, de la posibilidad de relación entre este conocimiento y el implícito. No se pretende con una actividad de este tipo producir *output* en la lengua meta. Si esto ocurre, es porque ello resulta necesario para llegar al conocimiento en cuestión.

Para alcanzar este objetivo, los aprendices dispondrán de un *input* (por lo general textos escritos) debidamente contextualizado y comunicativamente ajustado, y llevarán a cabo, siempre desde el contenido, diversas operaciones (como las de identificar, juzgar, clasificar, establecer correspondencias, etc.) que promuevan el descubrimiento y la comprensión del valor de la forma gramatical enfocada.

Las ATCG pueden ser planteadas de forma deductiva o inductiva. Las deductivas consisten básicamente en que, tras ser presentado de manera explícita cierto mecanismo gramatical (lo cual puede hacerse desde diversos puntos de vista[25]), los aprendices emprenden la tarea de aplicar este conocimiento a la comprensión y la organización de ciertos datos presentes en el *input* proporcionado. Las inductivas, en cambio, carecen de esta presentación explícita, por lo que el saber explícito sobre un elemento gramatical dado deberán obtenerlo los aprendices inductivamente. Siempre que se considere adecuado para favorecer esta tarea, el elemento sometido a examen aparecerá debidamente realzado[26] en el *input*.

[24] Se trata de actividades inspiradas, sobre todo, en los trabajos de Rutherford, 1987; Rutherford y Sharwood-Smith, 1988; Sharwood-Smith, 1981. Para desarrollos posteriores, *vid.*: Alonso Raya y Martínez Gila, 1993a y 1999; Bygate et ál., 2001; Crookes y Gass, 1993a y 1993b; Doughty y Williams, 1998; R. Ellis, 2002, 2003 y 2005; Fotos, 1994 y 2002; Fotos y Ellis, 1991; Frank y Rinvolucri, 1987; Locke, 2010; Long y Crookes, 1992; Loschky y Bley-Vroman, 1993; Martínez Gila, 1999; McKay, 1987; Nunan, 1989b; Pica, 2008; Prabhu, 1987; Rinvolucri, 1984; Robinson, 2009; Ur, 1988; J. Willis, 1996.

[25] *Vid.* la nota núm. 22.

[26] El realce puede aparecer de diversas maneras. Por ejemplo, en un texto escrito los elementos objetos de atención pueden aparecer en negrita, cursiva, subrayados, en color, etc. En un texto oral, tales elementos pueden ser ofrecidos en una transcripción, de modo que puedan ser tenidos en cuenta al tiempo que se escucha el texto.

2.1.1 *Ejemplos propuestos de ATCG deductivas*

2.1.1.1 La agenda de Mauricio

¿Qué tal andas de relaciones temporales? Vas a oír un texto sobre una extraña historia de un ejecutivo. Mientras escuchas el texto, mira el calendario y completa el cuadro. No todas las fechas son exactas. Para poder hacer la actividad, debes situarte en el día en el que la realices.

Enero

L	M	M	J	V	**S**	**D**
	1	2	3	4	**5**	**6**
7	8	9	10	11	**12**	**13**
14	15	16	17	18	**19**	**20**
21	22	23	24	25	**26**	**27**
28	29	30	31			

Febrero

L	M	M	J	V	**S**	**D**
				1	**2**	**3**
4	5	6	7	8	**9**	**10**
11	12	13	14	15	**16**	**17**
18	19	20	21	22	**23**	**24**
25	26	27	28			

Marzo

L	M	M	J	V	**S**	**D**
				1	**2**	**3**
4	5	6	7	8	**9**	**10**
11	12	13	14	15	**16**	**17**
18	19	20	21	22	**23**	**24**
25	26	27	28	29	**30**	**31**

Abril

L	M	M	J	V	**S**	**D**
1	2	3	4	5	**6**	**7**
8	9	10	11	12	**13**	**14**
15	16	17	18	19	**20**	**21**
22	23	24	25	26	**27**	**28**
29	30					

Mayo

L	M	M	J	V	**S**	**D**
		1	2	3	**4**	**5**
6	7	8	9	10	**11**	**12**
13	14	15	16	17	**18**	**19**
20	21	22	23	24	**25**	**26**
27	28	29	30	31		

Junio

L	M	M	J	V	**S**	**D**
					1	**2**
3	4	5	6	7	**8**	**9**
10	11	12	13	14	**15**	**16**
17	18	19	20	21	**22**	**23**
24	25	26	27	28	**29**	**30**

a. Fecha de la conversación:

b. Último contacto con el jefe de Malta:

c. Fecha de la reunión en Barcelona:

d. Hora de suspensión de la reunión:

e. Fecha tope del nuevo encuentro que pactaron:

f. Fecha del congreso en Barcelona:

g. Fecha del fin de semana en Sitges:

h. Fecha del traslado de Mauricio a Valencia:

i. Fecha para ocupar el nuevo cargo en Valencia:

j. Fecha en la que Mauricio asegura que se incorporará:

k. Fecha de la desaparición de la secretaria:

l. Tiempo sin noticias de ellos:

Texto que debe ser leído o grabado

Mauricio, un alto ejecutivo de una empresa de Barcelona, habló el día siete de marzo con su jefe en Malta, con el que hacía dos meses justos que no tenía contacto, para reunirse once días después en Barcelona. La reunión empezó a las ocho de la mañana pero se suspendió al cabo de dos horas porque el jefe tuvo que volver a Malta urgentemente. Dijeron que se verían lo antes posible, como muy tarde al mes siguiente. También decidieron inscribirse en un congreso que se realiza dentro de nueve días en el Recinto de Congresos de Montjuic y, así, podrían pasar el fin de semana siguiente en Sitges.
A los dos días de la reunión, Mauricio fue trasladado a la delegación de Valencia. Tenía que ocupar su nuevo cargo el lunes de la semana siguiente, pero no acudió. Ese mismo lunes envió un mensaje diciendo que su incorporación se retrasaría un poco y que llegaría cuatro días más tarde. Cuando hacía tres días que había enviado el mensaje, su nueva secretaría de Valencia tampoco acudió al trabajo. Y desde entonces nadie ha sabido nada de ellos.

Solución

a. Fecha de la conversación: 7 de marzo
b. Último contacto con el jefe de Malta: 7 de enero
c. Fecha de la reunión en Barcelona: 18 de marzo
d. Hora de suspensión de la reunión: a las 10 h.
e. Fecha tope del nuevo encuentro que pactaron: en abril (no se especifica cuándo)
f. Fecha del Congreso en Barcelona: hay que contar 9 días desde el día de la actividad en clase
g. Fecha del fin de semana en Sitges: el fin de semana siguiente a partir de la fecha de f.
h. Fecha del traslado de Mauricio a Valencia: 20 de marzo
i. Fecha para ocupar el nuevo cargo en Valencia: 25 de marzo
j. Fecha en la que Mauricio asegura que se incorporará: 29 de marzo
k. Fecha de la desaparición de la secretaria: 28 de marzo
l. Tiempo sin noticias de ellos: calcular desde el 28 de marzo hasta el momento de la actividad

Objetivo y estructura

Se promueve, mediante un proceso de comprensión oral selectiva, el reconocimiento y la interpretación de marcadores temporales referidos tanto al plano actual (el "aquí" del acto comunicativo) como al plano no actual de la comunicación (el "allí" del acto comunicativo: en este caso, las referencias a hechos en un espacio del pasado). Se persigue, como se ve, que los estudiantes enfoquen su atención en la interpretación de las expresiones que constituyen referencias temporales y puedan, así, situar cronológicamente los hechos en los dos planos mencionados. Obviamente, los estudiantes han de poseer un conocimiento previo sobre el funcionamiento de los marcadores temporales.

Para facilitar la consecución de este objetivo, se ha procurado que la lengua ofrecida en el *input* sea sencilla y directa, de modo que no suponga una carga añadida a la ya compleja tarea de prestar atención a las referencias temporales y a su interpretación.

El calendario propuesto permite que la actividad pueda ser realizada en cualquier momento del desarrollo del programa. Por otra parte, es importante que el profesor haga notar a sus estudiantes que en algún momento (sin mencionar cuándo) tendrán que relacionar lo que escuchan con el momento cronológico en que se esté llevando a cabo la actividad, tal y como se dice en las instrucciones.

Desarrollo

a) El texto propuesto puede presentarse grabado o ser leído ante la clase.
b) Se entrega a los estudiantes la hoja con las instrucciones, calendario y cuadro que se ha de completar; se les dice que escucharán dos veces una historia que trata de un ejecutivo, y que responderán, a medida que escuchan, las preguntas del cuadro.
c) Se oye o se lee el texto una vez. Los estudiantes, al tiempo que escuchan, van completando el cuadro. Este proceso es individual.
d) Antes de la segunda audición o lectura, se les dice a los estudiantes que contrasten sus respuestas (generalmente incompletas) con un compañero.
e) Se procede a la segunda audición o lectura. Una vez realizada, se corrigen las respuestas prestando mucha atención al funcionamiento referencial de cada marcador temporal.

2.1.1.2 Mi jefe no hace nada

Relaciona todas las frases posibles de acuerdo con el contexto y señala, entre ellas, las matrices de deseo que encuentres.

Mi jefe no hace nada, pero necesita mucho dinero porque le gusta el lujo y comprarse lo mejor de lo mejor.

Mi jefe necesita	ganar	más.
Mi jefe sabe	que gano	poco.
	que gane	

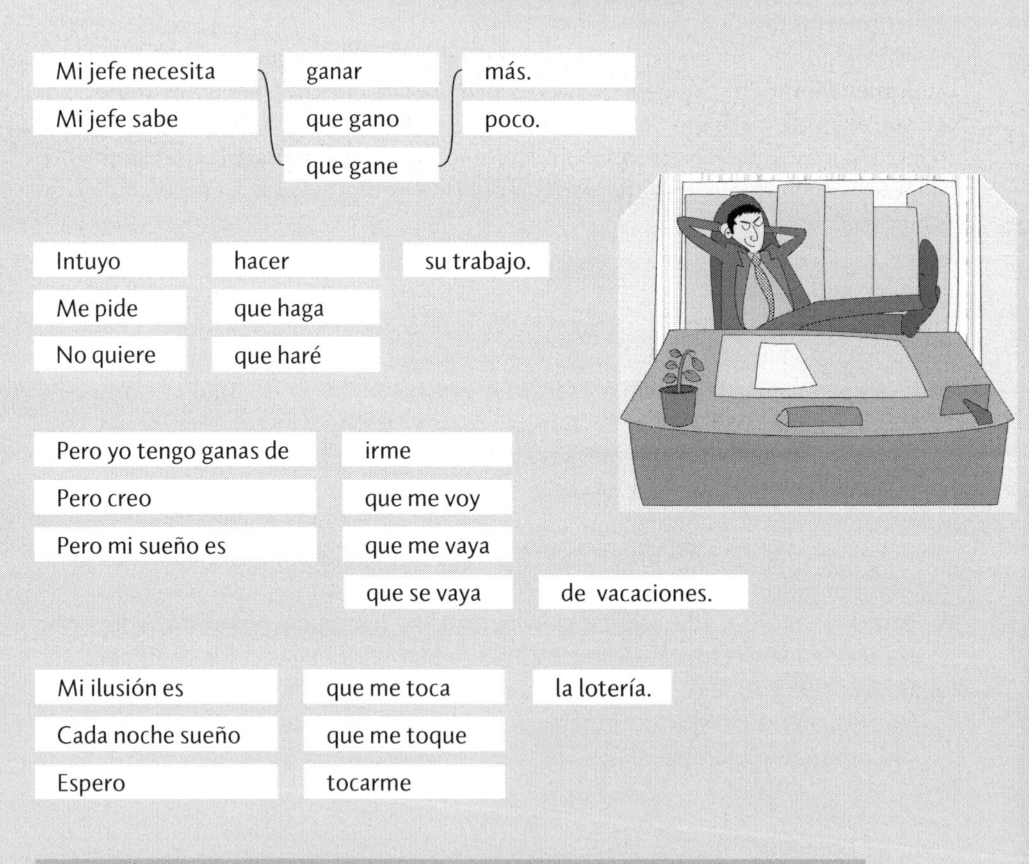

Intuyo	hacer	su trabajo.
Me pide	que haga	
No quiere	que haré	

Pero yo tengo ganas de	irme	
Pero creo	que me voy	
Pero mi sueño es	que me vaya	
	que se vaya	de vacaciones.

Mi ilusión es	que me toca	la lotería.
Cada noche sueño	que me toque	
Espero	tocarme	

En realidad, es un jefe cruel e inhumano, incluso podría decirse que es sádico.

Sabe	sufrir	por alcanzar los objetivos.
Su objetivo es	que sufro	
Le interesa	que sufre	
Intenta	que sufra	

Me pide	que hago	horas extra.
Quiere	que haga	
Me exige	hacer	
Insiste en		

Veo	que mi contrato	no se renovará.
Me apetece		no se renueve.
Solo quiero		
Supongo		

Solución

Mi jefe **necesita** ganar más. / Mi jefe **necesita que** *gane* poco. / Mi jefe sabe que gano poco. / Intuyo que haré su trabajo. / Me **pide** que *haga* su trabajo. / Me **pide** hacer su trabajo. / No **quiere** hacer su trabajo. / Pero yo **tengo ganas de** irme de vacaciones. / Pero yo **tengo ganas de que** se *vaya* de vacaciones. / Pero creo que me voy de vacaciones. / Pero **mi sueño** es irme de vacaciones. / Pero mi sueño es que me voy de vacaciones. / Pero **mi sueño es que** se *vaya* de vacaciones. / **Mi ilusión es que** me *toque* la lotería. / Cada noche sueño que me toca la lotería. / **Espero que** me *toque* la lotería. / Sabe que sufro por alcanzar los objetivos. / **Su objetivo es que** *sufra* por alcanzar los objetivos. / **Le gusta que** *sufra* por cumplir los objetivos. / **Intenta que** *sufra* por cumplir los objetivos. / **Me pide que** *haga* horas extra. / **Me pide** hacer horas extra. / **Quiere que** *haga* horas extra. / **Me exige que** *haga* horas extra. / **Me exige** hacer horas extra. / **Insiste en que** *haga* horas extra. / Veo que mi contrato no se renovará. / **Me apetece que** mi contrato no se *renueve*. / Solo **quiero que** mi contrato no se *renueve*. / Supongo que mi contrato no se renovará.

Objetivo y estructura

Esta actividad[27] de carácter deductivo se integra en aquellas fases de aprendizaje en que los estudiantes empiezan a familiarizarse con los tipos básicos

[27] Se reproduce aquí esta actividad por cortesía de su autor, Jordi Casellas (EOI de Barcelona).

de matrices relacionadas con la selección de indicativo y subjuntivo: las que expresan deseos y objetivos, probabilidad, rechazo y valoración. En este contexto, lo que con ella se intenta promover es que los estudiantes reconozcan, frente al de otras, el significado de las matrices de deseo y objetivo y que, coherentemente con tal significado, opten por una construcción en subjuntivo *(**Quiere** que **vengas** mañana* frente a ***Sabe** que **vienes** mañana)* o por otra en infinitivo *(**Quiero venir** mañana* frente a ***Sé** que **vengo** mañana).* Es decir, al ir decidiendo cómo interpretar los datos, los estudiantes, por una parte, deberán comprobar si coinciden o no el sujeto de la matriz y el de la frase que expresa el deseo u objetivo y, en función de ello, optar por el uso del infinitivo o del subjuntivo (*Mi jefe **necesita ganar** más* frente a *Mi jefe **necesita** que **gane** poco*); en algunos casos, incluso, podrán mostrar si prefieren usar o no infinitivo con matrices como *pedir* o *exigir: Le **pide** que **trabaje** más / **trabajar** más*). Por otra parte, deberán tener en cuenta que con matrices como *creer, pensar, suponer*, etc., no se aplica la construcción con infinitivo.

Conviene resaltar que el objetivo propuesto solo es alcanzable si, en el transcurso de la actividad, los estudiantes tienen en mente en todo momento las claves contextuales que se les han proporcionado: i) *Mi jefe no hace nada, pero necesita mucho dinero porque le gusta el lujo y comprarse lo mejor de lo mejor;* ii) *Mi jefe es cruel e inhumano, incluso podría decirse que es sádico.* De este modo, la interpretación de los datos propuestos, al depender de los supuestos de tales claves, se emprenderá siempre desde el contenido y llevará a soluciones no solo correctas sino adecuadas a la situación.

En la actividad se incluye, además, algún elemento de reflexión léxica como, por ejemplo, dos significados diferentes del verbo *soñar*: en un caso se trata de una matriz de deseo y en el otro se expresa la visualización de un sueño, y esto provoca que sus respectivos objetos se verbalicen con modos distintos *(**Mi sueño es irme** de vacaciones* frente a *Cada noche **sueño** que me **toca** la lotería).* Por lo demás, el léxico es deliberadamente sencillo para facilitar que toda la atención se centre en el valor de las formas gramaticales.

Por ser deductiva, esta actividad requiere que los estudiantes hayan recibido previamente la debida instrucción sobre las matrices tratadas en ella.

Desarrollo

a) Esta actividad puede plantearse como trabajo de reflexión individual. Sin embargo, resulta también muy útil si se realiza en parejas, ya que el proceso de reflexionar en grupo resulta siempre más enriquecedor.
b) El profesor se asegura de que sus estudiantes entienden bien el contexto y deja muy claro que solo basándose en ese contexto podrán sacar provecho de la actividad. Les insistirá en que no se trata solo de seleccionar frases

correctas, sino de que estas resulten adecuadas al contexto dado: un jefe que no trabaja, que es cruel, inhumano...

c) Tras haber realizado la tarea de interpretación, es muy conveniente llevar a cabo una corrección colectiva de los resultados. Gracias a ella se podrá reflexionar sobre si las selecciones gramaticales que se han hecho son o no las adecuadas y por qué. Un ejemplo: si un estudiante dice, en el transcurso de la actividad, *Le gusta [al jefe] sufrir por alcanzar los objetivos*, el profesor podría plantear una serie de preguntas a tal estudiante para que se percatara de que su interpretación no resulta adecuada al contexto propuesto: *¿Tú crees que el jefe sufre por eso?, ¿al jefe le gusta sufrir?...*
d) Posteriormente, se puede plantear qué significaría escoger otras opciones, para que los estudiantes especulen sobre ello.

2.1.1.3 Donde dije digo, digo Diego

He aquí lo que ha dicho la internacional actriz española Tosca Rocamora en la rueda de prensa que hoy jueves, 10 de mayo, ha ofrecido en Sevilla a los periodistas de la prensa del corazón:

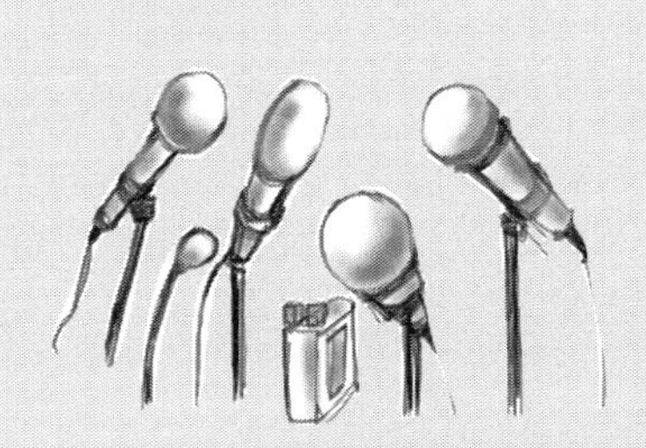

"Hasta ahora Charlie y yo éramos simplemente amigos, como he dicho siempre. Pero hoy tengo el placer de comunicar a los medios que somos oficialmente novios y que estamos muy enamorados. Todavía no tenemos la fecha exacta para la boda, pero seguro que será dentro de unos meses, lo más tarde en agosto, en alguna isla exótica. Será una ceremonia íntima, alejada de las cámaras. Lo hemos decidido hace unos días, en un viaje a Goa.

[...] Sí que puedo concretaros que la petición de mano es este sábado, aquí, en Sevilla, en casa de mis padres. Imagino que ese día Charlie, como todos los novios, me regalará el anillo de prometida... Aunque, como es un hombre tan generoso, ya me ha regalado estos pendientes que llevo hoy y este collar de perlas que es fabuloso, ¿verdad?

[...] Todavía no sé quién será el modisto de mi traje de novia... Estoy pensando en varias opciones, pero estoy segura de que para la petición de mano me pondré un traje parecido a este que llevo ahora."

En la revista *Buenas* del 15 de septiembre siguiente, hay una crónica sobre el noviazgo de Tosca Rocamora y Charles Fitzwilliams. El periodista ha adaptado las palabras a la nueva situación de comunicación y para ello ha hecho una serie de cambios, que están subrayados en el texto. Sin embargo, en algunas de esas transformaciones, el periodista no ha sido fiel a la verdad. Señala los diez errores (además del ejemplo) que ha cometido y escribe soluciones que respondan a las verdaderas palabras de Tosca Rocamora.

Silencio en torno al enlace de Tosca Rocamora

Madrid.- Toda la prensa rosa está extrañada ante el silencio de Tosca Rocamora y Charles Fitzwilliams sobre su boda que, contra todo pronóstico, todavía no se ha celebrado, aunque todos esperábamos que el anunciado acontecimiento se produjera este mes de agosto.

En sus declaraciones del mes de mayo, la popular actriz comunicó a la prensa que ella y Charles estaban muy enamorados (1) y que su noviazgo ya había sido oficial (2). Comentó la actriz que, en un viaje que habían realizado (3) hace (4) unos días, han decidido (5) casarse y que la boda estaba prevista (6) para dentro de unos meses (7) y que era una ceremonia íntima (8), sin prensa. Anunció que el sábado próximo (9) era (10) la petición de mano, en la casa que tienen sus padres aquí (11). La actriz también comentó que, lógicamente, ese día Charles Fitzwilliams le había regalado (12) el anillo de prometida. También explicó que le había regalado (13) los pendientes que llevaba (14) y este collar (15) de perlas espectacular que lucía ese día.

En aquel momento, la actriz dudaba sobre quién era (16) el modisto de su traje de novia, pero afirmó que para la petición de mano pensaba ponerse (17) un traje parecido al que había llevado (18) entonces.

Error	Solución alternativa
(2) Su noviazgo ya había sido oficial	*Su noviazgo ya era oficial*

Solución

(2) Su noviazgo ya era oficial. (4) hacía. (5) habían decidido. (7) al cabo de unos meses / unos meses más tarde. (8) sería una ceremonia íntima. (9) el sábado siguiente. (11) en Sevilla [el periodista escribe desde Madrid]. (12) regalaría. (15) el collar. (16) sería. (18) llevaba.

Objetivo y estructura

Se persigue, con esta actividad, que los estudiantes se ejerciten, sobre la base de dos muestras de *input*, en el reconocimiento e interpretación de diversos aspectos relacionados con el discurso referido. Como se trata de una actividad de carácter deductivo, tales estudiantes habrán tenido ya ocasión de ver (gracias a otras actividades previas) que, cuando se transmiten las palabras de otros, hay que adaptarlas a la nueva situación de comunicación y que tal adaptación puede afectar a no pocos elementos (por ejemplo, tiempos verbales, referencias espaciales y temporales, pronombres, elementos léxicos, etc.). Conviene, pues, plantear esta actividad cuando los estudiantes hayan observado previamente el alcance de tales cambios. No es necesario, por otra parte, que hayan realizado con antelación actividades de producción. Es más, creemos más conveniente que esta actividad las preceda.

Para alcanzar el objetivo propuesto, se ofrecen a los estudiantes dos muestras de *input*. La primera reproduce un texto oral en estilo directo típico de la situación descrita: las declaraciones que una actriz de moda hace sobre su próximo matrimonio. La segunda constituye un texto escrito representativo de la prensa rosa y que reproduce en discurso referido las declaraciones de la actriz. El autor de este segundo texto ha cometido diez errores en la transmisión del contenido de tales declaraciones. Los estudiantes deberán descubrir estos errores y subsanarlos. Para ello, deberán recurrir a todos sus conocimientos sobre cómo transmitir, en la modalidad de discurso referido, las palabras de otros, y aplicarlos de modo efectivo en la interpretación de ambos textos.

Desarrollo

a) Se entrega a cada estudiante una copia con todo lo necesario para realizar la actividad (instrucciones, textos y cuadro de errores).
b) Se les explica brevemente en qué consiste la actividad y se les advierte de que deben prestar atención a todo lo relativo al discurso referido.
c) Si bien puede hacerse esta actividad individualmente, resulta más enriquecedora si se hace en parejas.
d) Es conveniente que sea planteada y llevada a cabo en el transcurso de la clase. Así, por un lado, podrá el profesor ir guiando a sus estudiantes ante las dudas que les surjan en la toma de decisiones; por otro, dado que la actividad cubre buena parte de los aspectos del mecanismo del discurso referido, es posible que haya más de una solución en algún caso y que, por ello, la corrección final resulte más efectiva.

2.1.1.4 De pocas palabras

Carolina y Emilio son una pareja bastante lacónica. Demuestra que los entiendes identificando, en cada caso, la opción *menos verosímil*.

1. (Ella a él)
   ¿Cuántos años ***tiene****?*
   - a. Habla de la hermana de él.
   - b. Habla de la casa donde viven los dos.
   - c. Habla de una niña que está pasando delante de ellos.
   - d. Habla del gato de la vecina.

2. (Él a ella)
   Será *alemán.*
   - a. Habla de un chico con acento extraño.
   - b. Habla de unas palabras escritas en la pared.
   - c. Habla de un hombre que habla mal de la cerveza española.
   - d. Habla de su hijo.

3. (Ella a él)
   *¿****Habrá llamado*** *Bine?*
   - a. Los dos acaban de llegar a casa.
   - b. Los dos están en un bar.
   - c. Carolina acaba de llegar a casa y le pregunta a Emilio.
   - d. Carolina acaba de llegar y no hay nadie en casa.

4. (Él a ella)
   Tendremos *nueve hijos.*
   - a. Emilio imagina el futuro.
   - b. Habla de los hijos que quiere tener.
   - c. Calcula cuántos hijos tiene ahora.
   - d. Le está haciendo una promesa a Carolina.

5. (Ella a él)
   Estaría *cansada.*
   - a. Imagina por qué se fue su amiga de una fiesta.
   - b. Discuten por qué no bailó.
   - c. Carolina imagina la hipótesis de haber estado todo el día estudiando.
   - d. Imagina por qué se está yendo una chica de una fiesta.

6. (Habla ella)
Valdrá 15.000€.
   a. Los dos están mirando un coche en un escaparate.
   b. Carolina es vendedora y le dice el precio de un coche a un cliente.
   c. Los dos están pensando en comprarse un Opel.
   d. Están hablando del precio de su coche dentro de un año.

7. (Habla él)
*Ya **tendré** cuarenta.*
   a. Habla del momento en que acabará de pagar su coche.
   b. Lleva tres años perdido en una isla desierta.
   c. Le está diciendo su edad a un policía.
   d. Habla de su colección de mariposas.

8. (Ella, en el comedor, a él)
*¿**Habremos apagado** el fuego de la sopa?*
   a. Él está en la cocina.
   b. Él está a punto de salir a la calle.
   c. Los dos están viendo la tele en el sofá.
   d. Él está duchándose.

9. (Él a ella)
Habría bebido.
   a. Habla de por qué su amigo, que acaba de irse, tenía los ojos rojos.
   b. Habla de por qué su amigo bailó encima de la mesa en una fiesta.
   c. Habla de por qué su amigo tenía la boca mojada.
   d. Habla de por qué su amigo quiere quitarse la ropa en público.

10. (Ella a él)
***Sería** la novia de Pepe.*
   a. Habla de una chica que acompañaba a Pepe en una fiesta.
   b. Habla de la chica que vieron ayer besando a un amigo de Pepe.
   c. Habla de la chica que está sentada al lado de Pepe.
   d. Habla de ella misma, imaginando que Pepe fuera rico.

Solución

1.c; 2.d; 3.c; 4.c; 5.d; 6.b; 7.c; 8.a; 9.d; 10.c.

Objetivo y estructura

En el aula de español, se suele hacer hincapié en el valor temporal de las formas verbales a expensas del valor de perspectiva de estas. Quizá no se insiste lo suficiente en aspectos como, por ejemplo, los siguientes: (i) con el presente de indicativo afirmamos un hecho, esto es, lo vemos y presentamos como una realidad cierta y controlada, y tal hecho puede ser presente o futuro cronológicamente hablando (***Llueve***, *porque hay charcos en la calle* – ***Llueve*** *mañana; lo sé porque lo han dicho en la tele*); (ii) con el futuro de indicativo suponemos un hecho cronológicamente presente (*–¿Qué es ese ruido? –No sé:* ***lloverá***) o predecimos un hecho cronológicamente futuro (*Mañana* ***lloverá***; *está nublado*) y, por tanto, vemos y presentamos tales hechos como realidades que no nos resultan totalmente ciertas o controladas; (iii) ambas formas verbales sirven, como se ve, para hablar de hechos presentes o futuros, pero lo hacen ofreciendo perspectivas diferentes a los hablantes.

El objetivo de esta actividad[28] consiste en que los estudiantes reconozcan e interpreten los valores de perspectiva de algunas formas verbales (presente, futuro simple y compuesto, condicional simple y compuesto). Para ello, se les ofrece un *input* que ha sido dispuesto de cierto modo en dos columnas. En la de la izquierda y en casillas diferenciadas, se ofrecen diez muestras de lengua. Cada una de ellas representa un pequeño turno extraído de los diálogos en que intervienen Carolina y Emilio, los personajes que vertebran la actividad. El material lingüístico provisto en cada turno es intencionadamente reducido: se ha eliminado todo elemento que pudiera menoscabar la atención reservada a las formas verbales que son el objeto de la actividad. En la columna de la derecha se ofrecen, para cada turno, cuatro opciones. Cada una de ellas ofrece la descripción de un contexto o situación en la que debe "anclarse" el turno correspondiente. En todos los casos hay tres opciones que resultan coherentes con él y una que ofrece resistencia a ello. Hay que resaltar que esta última opción no responde a una falta total de coherencia, sino que describe un contexto o situación poco verosímil en relación con el contenido del turno. Los estudiantes han de determinar en cada caso, sobre la base del valor de las formas verbales contenidas en los turnos, qué opción resulta poco verosímil. Hay que decir que este formato enriquece considerablemente las tareas de reconocimiento e interpretación, ya que, como se explica más abajo, favorece el debate sobre las condiciones contextuales que permiten o no el anclaje de cierta forma verbal en un enunciado. En este debate, los estudiantes, guiados por el profesor, harán y compartirán reflexiones metalingüísticas, aspecto este que reviste la mayor importancia.

Esta actividad, dado su carácter deductivo, requiere que los estudiantes estén ya familiarizados de algún modo con los valores de perspectiva de las formas verbales.

[28] Se reproduce aquí esta actividad por cortesía de su autor, José Plácido Ruiz Campillo (Universidad de Columbia).

Desarrollo

a) El profesor, con la ayuda de algún diagrama o esquema, repasa con sus estudiantes los conocimientos que estos ya poseen sobre los valores básicos de perspectiva de las formas verbales.
b) Se suministra a cada estudiante el material necesario para realizar la actividad y se les da algunas instrucciones breves al respecto.
c) Los estudiantes harán primero la actividad individualmente. A continuación, se formarán grupos de tres y se les dirá que discutan las soluciones dadas. Se fijará el tiempo que se considere conveniente para una y otra fase.
d) Cada grupo expone ante la clase las conclusiones a las que ha llegado. Los demás grupos intervienen y discuten, si procede, tales conclusiones. Se suscita un debate que será moderado por el profesor. Generalmente, en él se tratarán de manera adecuada los errores de interpretación y se justificarán o no los elementos sugeridos para ajustar los contextos o situaciones menos verosímiles a la exigencias impuestas por el significado de las formas verbales.
e) El profesor puede ir anotando en el encerado los conceptos fundamentales que vayan surgiendo en el transcurso del debate.
f) Como final, el profesor elabora, con la participación de sus estudiantes y sobre la base de los conceptos anotados, un mapa mental que sirva de recapitulación de todo lo tratado en el proceso.

2.1.2. *Ejemplos propuestos de ATCG inductivas*

2.1.2.1 Vacaciones bestiales

El director de la película *Vacaciones bestiales* necesita algunas cosas urgentemente para la próxima escena que tiene que rodar y va muy mal de tiempo. Decide llamar a su productor ejecutivo, Isidro Labrador, para que se las consiga. El productor intenta convencer al Director de que lo que ha encontrado, aunque no siempre exacto, puede servir. Aquí tienes algunos fragmentos de los mensajes que se han intercambiado.

10 de septiembre

[...] Lo necesito ya, ¿eh? Un loro **que hable inglés con acento puertorriqueño**; es que, si no, no se entiende el guión. Consígueme también un mono **que baile claqué** y **que tenga aspecto de pícaro, de sinvergüenza**...

8: 36 AM ✓

Isidro Labrador:

[...] Ya sé que no es igual, pero la cotorra es una preciosidad. Una cotorra **que habla francés sin acento prácticamente**, ¿qué más te da?... El mono es un poco grande, de hecho es un gorila, pero tiene una cara **que es ideal para el personaje**, un aire que comunica ternura y desamparo; es genial.

4: 40 PM ✓

12 de septiembre

[...] Bueno, y que no se te olvide eso, por Dios: una serpiente **que no sea venenosa**, pero **que parezca mortal, que dé miedo**, ¿entiendes? ¿Sabes, Isidro?, una serpiente, te digo, **que no nos traiga problemas**. Lo único que nos faltaba era un accidente.

7: 40 AM ✓

Isidro Labrador:

[...] bueno, y lo otro, pues, verás, he encontrado una araña **que parece mortal** y **que da muchísimo miedo**, pero hay que tener cuidado porque resulta que es un poco venenosa. Por lo demás es perfecta.

5: 05 PM ✓

13 de septiembre

[...] Mañana por la tarde tienes que hacer un *casting* de camareros. Me hace falta uno **que esté muy gordo, un poco calvo, tipo mesonero**, y **que tenga buena voz, que sepa cantar** y **que no sea menor de cuarenta**. Luego, para el plano de la piscina, me hace falta otro **que tenga un aspecto elegante, un poco inglés, que maneje bien la coctelera** y **que esté ágil**, porque tiene que dar un salto por encima de la barra; uno **que sea jovencillo**...

5: 43 PM ✓

14 de septiembre

Isidro Labrador:

[...] El *casting* de camareros ha sido una pesadilla. Al final, he encontrado una mujer **que no está calva**, pero **que pesa ciento veinte kilos**. Es espectacular. Si le ponemos un bigote... Tiene una voz **que parece un ángel**; emociona, te lo juro. El de la piscina tiene un don. Yo, es la primera vez en mi vida que veo una coctelera **que da diez vueltas en el aire** y **que cae en la barra sin hacer ruido.** Impresionante. El chico tiene una pega, y es que es un poco mayor y que no está muy ágil. Tiene setenta y dos años. ¿Qué quieres?: es lo que hay. La experiencia no se consigue de un día para otro...

11: 40 PM ✓

16 de septiembre

[...] Es un elemento crucial, Isidro, vital. Es lo que desencadena el drama. Me da igual que te lo traigas de Suiza o de Cuenca, pero mañana tiene que estar aquí: un reloj **que tenga un cuco con la música de *Para Elisa*, que sea de madera, que parezca una pieza de museo**. Si no lo encuentras, lo pintas, ¿sabes? Para mañana.

6: 01 PM ✓

Isidro Labrador:

[...] Es un poco fuerte, ya, pero tengo una cosa **que se parece algo a lo que necesitamos**. Es un radio-reloj-despertador **que me trajo de Ceuta mi primo el año pasado**. De hecho, tengo dos: uno **que es de plástico marrón** y otro **que parece de metal dorado**.

6: 23 PM ✓

Fíjate en las frases que están resaltadas. Son frases de relativo (empiezan con un pronombre relativo "que"); sirven para describir características de los objetos. Observa que en algunas, las del mensaje del director, el verbo se usa en subjuntivo; en otras, en concreto las frases del mensaje del productor, se usa el indicativo. Piensa por qué...

Objetivo y estructura

La selección del modo es, por su complejidad, uno de los aspectos gramaticales del español que exigen gran atención y tratamiento continuado. El objetivo de esta actividad[29] consiste en que, tras la lectura y comprensión del texto propuesto (la transcripción de los mensajes que se intercambian dos personajes

[29] Se reproduce aquí esta actividad por cortesía de su autora, Rosario Alonso Raya (Universidad de Granada).

a través de algún servicio de mensajería instantánea), los estudiantes fijen su atención en los elementos resaltados, observen sus peculiaridades formales y de significado y traten de hallar alguna explicación al respecto. El aspecto gramatical enfocado es la selección modal en las oraciones de relativo (*Quiero leer una novela* ***que sea divertida*** frente a *Estoy leyendo una novela* ***que es muy divertida***). Los alumnos podrán reparar en cómo los hablantes adoptan perspectivas diferentes a la hora de ver y concebir un objeto y en cómo, según sea la perspectiva elegida, lo describen con indicativo o subjuntivo. También podrán advertir cómo una y otra perspectiva se verbaliza con elementos distintos (por ejemplo, en el caso de la perspectiva que exige el subjuntivo, con el uso de verbos como *buscar, necesitar, querer,* etc.).

Dado su carácter inductivo, la actividad se plantea como un primer acercamiento al problema gramatical tratado. Es más, consideramos que esta primera aproximación puede resultar muy provechosa para una posterior presentación explícita y más completa sobre el aspecto gramatical examinado.

Desarrollo

a) Se entrega a cada estudiante el material necesario para realizar la prueba (el texto con los mensajes).
b) Se les pide que, individualmente, lean el texto con atención y que, de haberlas, anoten las palabras que desconozcan. Se asigna el tiempo que se considere conveniente para la lectura. No se hace alusión alguna al problema gramatical que es el objeto de la actividad.
c) Tras la lectura, se resuelven, si los hay, los problemas léxicos, y se recomienda una relectura rápida.
d) Una vez concluida la fase anterior, se forman grupos de dos o tres estudiantes y se les pide que observen las estructuras realzadas en el texto. Para hacerlo, además de seguir las instrucciones incluidas al pie de la actividad, podrán también guiarse por algunas preguntas sencillas que sirvan para encauzar la reflexión y que planteará el profesor: ¿cómo ven y describen los objetos el director y el productor?, ¿existen de hecho las cosas que pide el director?, ¿y las cosas de las que habla el productor?, ¿cómo son los verbos que hay delante de los objetos descritos con la oración de relativo?, etc.
e) Cada grupo trabaja sobre la base del contenido del texto, los elementos realzados y las instrucciones y preguntas dadas, formula hipótesis y trata de alcanzar alguna explicación sobre el uso del indicativo y el subjuntivo en la estructura examinada. Se determina el tiempo necesario para llevar a cabo esta tarea.
f) Acabada la fase anterior, cada grupo expone al resto de la clase sus conclusiones, que serán debatidas. Este debate será moderado por el profesor, quien corregirá, reformulará o refrendará las propuestas al tiempo que deja constancia, por escrito en el encerado, de los conceptos esenciales.

g) Por último, y como recapitulación, el profesor elaborará, con la participación de sus estudiantes y utilizando los elementos anotados en la fase anterior, un mapa conceptual que proporcione, en relación con la estructura tratada, una clara visión de conjunto.

2.1.2.2 Alta sociedad

Aquí tienes un artículo de periódico en el que se habla de un suceso. Léelo para informarte de la noticia.

ROBO EN LA NOCHE MARBELLÍ

Sustraen valiosas obras de arte y joyas del patrimonio de los Marras

Marbella.- **La mansión de la Duquesa de Marras ha sido asaltada** este fin de semana. Según fuentes policiales, unos desconocidos entraron en ella el sábado por la noche aprovechando que la célebre aristócrata estaba celebrando su octogésimo cumpleaños en los jardines de su residencia marbellí con una fiesta de gala a la que había acudido lo más selecto de la alta sociedad española.

La policía informa de que en el asalto **fueron robadas varias obras de arte**, entre ellas un Goya, un Picasso y un Dalí, que estaban en el salón principal, así como una gran cantidad de joyas que pertenecían a los antepasados de la familia. Llama la atención que **el dinero en metálico no fuera sustraído por los asaltantes**. Eso hace pensar a la policía que no se trata de una simple banda de ladrones, sino de una importante red internacional de traficantes de arte.

Al parecer, los ladrones entraron por la puerta de servicio haciéndose pasar por empleados de un *catering*. **El mayordomo y el ama de llaves fueron maniatados y escondidos** en la bodega de la finca. **Otros miembros del servicio fueron golpeados y amordazados por los ladrones y posteriormente encerrados en la lavandería**, según han contado ellos mismos tras la liberación.

La policía fue alertada por una llamada desde un móvil de uno de los invitados que, al ver que hacía tiempo que no salía ningún camarero para seguir sirviendo bebidas, se acercó al salón, donde observó que había un gran desorden: **la caja fuerte había sido forzada**, había dinero por el suelo y reinaba un silencio inquietante en el interior de la residencia.

Al enterarse de la noticia, la duquesa sufrió un desvanecimiento, por lo que **fue trasladada al servicio de urgencias** del Hospital General. También **fueron ingresados los miembros del servicio**, aquejados de crisis nerviosas y ataques de pánico.

La policía no descarta que **la banda de delincuentes sea dirigida por alguno de los asistentes a la fiesta**, por lo que está procediendo al interrogatorio de todos los invitados.

1. Observa las frases en negrita:

a. Localiza los sujetos de esas frases. ¿Coinciden esos sujetos con los agentes reales?
b. ¿Cómo están formados los verbos?
c. ¿Los participios concuerdan? ¿Con qué?
d. Cuando se menciona, ¿dónde está el agente real de la actividad?
e. ¿Qué elemento gramatical va delante del agente real?
f. ¿Para qué crees que sirve el mecanismo gramatical que se repite en todas estas frases?
g. ¿Sabes cómo se llama este mecanismo gramatical?

Tras leer la noticia en el periódico, la Marquesa de Pringao, que no estaba en la fiesta, le explica lo que ha pasado a una amiga. Esto es lo que le dice:

MARQUESA: Te llamo porque me he enterado de una cosa terrible, atroz... ¡Ayer le robaron a Tita!

AMIGA: (...)

MARQUESA: Sí, sí, como lo oyes... Y en plena fiesta de cumpleaños...

AMIGA: (...)

MARQUESA: Pues cuadros y joyas y no sé qué más.

AMIGA: (...)

MARQUESA: No, no. Parece que los de la biblioteca están intactos, pero que **el Goya, el Picasso y el Dalí** del salón sí **se los robaron**. Qué disgusto tan enorme... Tan preciosos que eran...

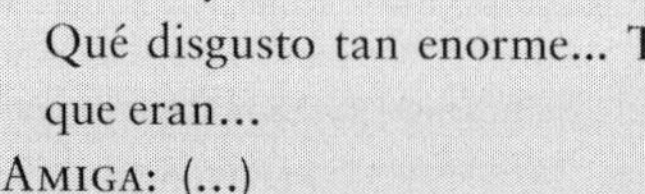

AMIGA: (...)

MARQUESA: Sí, joyas sí, pero no sé si todas. En el periódico pone que **las de los antepasados** sí que **se las robaron**... Con lo bonitas que eran... Pero fíjate qué curioso: **el dinero no lo cogieron**... ¿Verdad que es rarísimo?

AMIGA: (...)

MARQUESA: Y se ve que **al mayordomo y al ama de llaves los ladrones los amordazaron y los escondieron**, atados y todo, en la bodega...

AMIGA: (...)

MARQUESA: Sí, realmente espantoso. Pero eso no fue lo peor, porque **a los camareros, a las chicas del servicio y a los chóferes los golpearon y los metieron** en la lavandería. Qué pánico, pobres.

AMIGA: (...)

MARQUESA: Pues no sé cómo lo debieron hacer, pero nadie se enteró de nada hasta que alguien entró en la casa y vio que todo estaba muy desordenado, que **la caja fuerte la habían forzado** y que **el dinero lo habían tirado** por el suelo y decidió llamar a la policía.

AMIGA: (...)

MARQUESA: Y, claro, con todo este lío, **a Tita la llevó alguien** a urgencias y **a los del servicio** también **los tuvieron que ingresar.**

AMIGA: (...)

MARQUESA: Pero, espera, lo más gordo es que parece que **la banda la dirige uno de los invitados...** ¿Tú quién crees que puede ser? Seguro que será uno de esos impresentables nuevos ricos a los que invita últimamente en lugar de invitarnos a nosotras... Qué suerte tuvimos de no estar allí, querida. La verdad es que no hay mal que por bien no venga.

2. Observa ahora las frases en negrita de este diálogo:

a. ¿Se da la misma información que en el texto anterior?
b. ¿Ves formas pasivas en las frases en negrita?
c. En esas frases, ¿se da, también, importancia a los CD más que a los sujetos?
d. ¿A quién o a qué se refieren los pronombres en negrita?
e. ¿Qué forma tiene el verbo?
f. Cuando se mencionan, ¿dónde están los sujetos dentro de la frase?
g. ¿Con qué mecanismo gramatical se expresa ahora el contenido que antes se usaba en pasiva?

3. Compara ahora los dos textos:

a. ¿Resaltan ambos los mismos elementos?
b. ¿Lo hacen de la misma manera?
c. Si piensas en el tipo de texto, ¿qué es lo que distingue un texto del otro?
d. ¿Puedes completar estas reglas?
La pasiva se utiliza, sobre todo, en textos ______________________.
Sin embargo, en textos ______________ se suele utilizar______________.

Solución

1. Observa las frases en negrita:
a. Localiza los sujetos de esas frases, ¿coinciden esos sujetos con los sujetos reales? *No.*
b. ¿Cómo están formados los verbos? *Con el verbo ser y un participio.*
c. ¿Los participios concuerdan? ¿Con qué concuerdan? *Con los sujetos.*
d. Cuando se menciona, ¿dónde está el sujeto real de la actividad? *Después del verbo.*
e. ¿Qué forma gramatical va delante del sujeto real? *La preposición* ***por.***
f. ¿Para qué crees que sirve el mecanismo que se repite en todas estas frases? *Para dar más importancia al complemento directo que al sujeto.*
g. ¿Sabes cómo se llama este mecanismo gramatical? *La voz pasiva.*

2. Observa ahora las frases en negrita de este diálogo:
a. ¿Se da la misma información que en el texto anterior? *Sí.*
b. ¿Ves formas pasivas en las frases en negrita? *No.*
c. En esas frases, ¿se da, también, importancia a los complementos directos más que a los sujetos? *Sí.*
d. ¿Con qué mecanismo gramatical se expresa ahora el contenido que antes se usaba en pasiva? *Se pone el complemento directo delante y se repite con pronombre.*

e. ¿A quién o a qué se refieren los pronombres en negrita? *Al complemento directo.*
f. ¿Qué forma tiene el verbo? *Normal.*
g. Cuando se mencionan, ¿dónde están los sujetos dentro de la frase? *Antes o después del verbo, pero siempre detrás del complemento directo.*

3. Compara ahora los dos textos:
a. ¿Resaltan ambos los mismos elementos? *Sí.*
b. ¿Lo hacen de la misma manera? *No.*
c. Si piensas en el tipo de texto, ¿qué es lo que distingue un texto del otro? *Uno es un texto escrito, periodístico, formal.... El otro es oral y coloquial.*
d. ¿Puedes completar estas reglas?:
La pasiva se utiliza, sobre todo, en textos *periodísticos, escritos y formales.* Sin embargo, en textos *orales* se suele utilizar *la anticipación del complemento directo para resaltarlo más que al sujeto.*

Objetivo y estructura

En muchas lenguas (incluso románicas), resulta muy frecuente el uso de la voz pasiva, pues se puede recurrir a ella en diversos contextos y registros. El español, en cambio, la situación es diferente: el uso de la voz pasiva está restringido a textos orales o escritos que respondan a un registro formal (por ejemplo, un texto escrito académico o administrativo, el texto oral de un informativo televisivo o radiofónico, etc.). Si la circunstancia de formalidad no se da, en español se prefiere, para la expresión del mismo contenido de la pasiva, mantener el verbo en la voz activa, anteponer el paciente debidamente reduplicado y posponer el agente (cuando la mención de este resulte necesaria). Por tanto, en español, el contenido expresado en un enunciado formal como *La droga fue encontrada en el interior del vehículo (por la policía)* se muestra en un enunciado no formal como *La droga la encontró la policía en el interior del vehículo* o *La droga la encontraron en el interior del vehículo.* Así las cosas, lo que con esta actividad se pretende es que los estudiantes empiecen a familiarizarse a un mismo tiempo con estos dos mecanismos expresivos y los acoten. Gracias a ello, tendrán numerosas oportunidades de observarlos y reparar en las peculiaridades de su uso. Por otra parte, al ser una actividad de carácter inductivo, se supone que previamente no ha habido una presentación explícita sobre el contenido y la forma de estos mecanismos gramaticales y que serán los propios estudiantes quienes, inductivamente y observando los datos ofrecidos, llegarán a determinar diversos aspectos de tales mecanismos.

A los estudiantes se les suministra, primero, un *input* escrito de carácter formal, esto es, un texto representativo de un artículo periodístico de sucesos, en el que han sido realzadas todas las expresiones en voz pasiva, uno de los mecanismos que han de examinar. A partir de este examen, deben llegar a descubrir los aspectos esenciales del funcionamiento de la voz pasiva en español. Para ello, se apoyan en algunas preguntas que los guían en todo este proceso.

A continuación, los estudiantes se enfrentan a un nuevo *input*, esta vez de carácter no formal, que consiste en la transcripción de los turnos de uno de los participantes en cierto diálogo. En ellos, se habla de los mismos hechos que en el texto anterior y se destacan los mismos elementos, pero esta vez mediante la anteposición del objeto directo. Se trata del mecanismo paralelo a la voz pasiva sobre el que deberán reflexionar los estudiantes. Las expresiones de este segundo mecanismo han sido debidamente realzadas. Los estudiantes disponen, como en el caso del texto anterior, de algunas preguntas que los guían en el transcurso de su reflexión.

Por último, sobre la base de sus observaciones y reflexiones, los estudiantes formulan alguna hipótesis sobre las reglas de uso de ambos mecanismos expresivos.

Desarrollo

a) El profesor entrega a sus estudiantes el material necesario para la realización de la actividad (textos y preguntas), pero no da información alguna sobre la voz pasiva ni la anticipación de objeto directo. Basta con que comente que se trata de dos textos que hablan sobre unos mismos hechos.
b) A continuación, se trabaja en primer lugar el texto periodístico y después la transcripción del texto oral. Conviene seguir, para el tratamiento de ambos textos, este procedimiento:
   (i) En primer lugar, los estudiantes leen individualmente el texto que corresponda. Esto permite que el ritmo de lectura de cada estudiante sea respetado –lo cual es fundamental para poder realizar la actividad– y que, además, se elaboren hipótesis individuales. Tales hipótesis las va forjando cada estudiante con la ayuda de las preguntas incluidas en los apartados 1 (primer texto) y 2 (segundo texto).
   (ii) En segundo lugar, los estudiantes trabajan en parejas para contrastar sus hipótesis y alcanzar alguna conclusión.
   (iii) En tercer lugar, se ponen en común las conclusiones alcanzadas en la fase anterior y el profesor ayuda a que, sobre la base de las hipótesis y conclusiones elaboradas por sus estudiantes, se establezca la mejor descripción de los mecanismos gramaticales examinados.
c) Tras haber hablado de los dos textos y de los dos procedimientos gramaticales que ellos ilustran, se invita a los estudiantes a que, en parejas y contestando las preguntas del apartado 3, formulen las reglas de uso de la voz pasiva y la anticipación del objeto directo.

2. 2. Actividades de *input* estructurado

Las *actividades de input estructurado* (*structured input activities*, en adelante AIE) tienen como principal objetivo el que el *input* suministrado en ellas sea procesado del modo más efectivo posible, esto es, el que los datos obtenidos a partir de ese *input* y elaborados en la fase de *intake* sean de la mejor calidad[30].

Como es sabido, los complejos procesos que intervienen en el procesamiento del flujo de datos aportado por el *input* dependen, en buena medida, de la aplicación de determinadas estrategias. En el caso de quien aprende una lengua segunda o extranjera, tales estrategias se regulan según los siguientes principios[31]:

1 Al procesar el *input*, se acomete primero el contenido y después la forma. La aplicación de este principio puede presentar los siguientes aspectos:

(i) Los elementos que en el *input* presenten un contenido "denso" (por ejemplo, nombres, verbos, etc.) serán procesados antes que cualquier otra cosa.

(ii) Si cierta información semántica se muestra codificada a un mismo tiempo en el *input* a través de elementos léxicos y gramaticales, se tiende a recurrir, para procesarla, antes a los elementos léxicos que a los gramaticales[32].

[30] Las AIE se apoyan en los planteamientos del modelo de procesamiento del *input* propuesto por VanPatten (1990, 1993, 1995, 1996, 2002a, 2002b y 2007). Con este modelo, intenta su autor dar cuenta de cómo quienes aprenden una lengua segunda o extranjera procesan el *input* de la lengua meta y establecen, en este proceso, relaciones entre formas y significados. VanPatten sostiene que la adquisición de una lengua segunda o extranjera es el resultado de la aplicación, al *input* significativo, de ciertos mecanismos internos. Estos mecanismos consisten en determinados conjuntos de procesos. El primero de ellos se denomina procesamiento del *input* y tiene como cometido la conversión del *input* en *intake*. Cabe definir el *intake* como el *input* sobre el que un aprendiz centra su atención y del que obtiene alguna conexión entre forma y significado El segundo conjunto de procesos se ocupa de que los datos queden incorporados al sistema en desarrollo (*developing system* o interlengua del aprendiz): se trata de la acomodación (*accommodation*), que puede ser parcial o completa. Según sean los datos, la acomodación puede afectar al sistema en desarrollo y hacer que este se reestructure de alguna manera. Por último, los datos integrados en el sistema en desarrollo pueden ser utilizados por el aprendiz para producir un enunciado en la lengua meta (*output*); a este conjunto de procesos se lo denomina acceso (*access*) (VanPatten, 1994, 1995, 1996 y 2002; para una visión de conjunto, Benati, 2013; Harrington, 2004; VanPatten, 2007; para otras visiones relativas al *input*, *vid.*, entre otros: C. Ellis, 2009; Gass, 1997; Gass y Madden, 1985; Gass y Mackey, 2006; Izumi, 2002; Swain, 1985).

[31] *Vid.*: Lee y VanPatten, 2005; VanPatten, 1996 y 2004a.

[32] Así, por ejemplo, en un enunciado como *Ayer me llamó mi amiga para decirme la fecha del examen*, las formas *ayer* y *-ó* expresan la noción de "pasado". Igualmente, *mi amiga* y *-ó* expresan "singular". Por tanto, al procesar como *input* este mensaje, no es necesario dirigir la atención a *-ó* ("pasado" y "singular") cuando se dispone de *ayer* y *mi amiga*, unidades de contenido más "denso". En *Rosa me ha puesto un mensaje para decirme que está enferma y que no viene a la*

(iii) Es más probable que las formas gramaticales con valor comunicativo y no redundantes sean procesadas antes que las redundantes.
(iv) Independientemente de la redundancia, es más probable que las formas gramaticales con valor comunicativo se procesen antes que las formas carentes de él.
(v) Para que puedan procesarse las formas gramaticales con valor comunicativo redundantes o las gramaticales sin valor comunicativo, la interpretación del contenido oracional completo no debe consumir recursos de procesamiento disponibles[33].
(vi) Se tiende a procesar en primer lugar los elementos que aparecen en posición inicial y después los que lo hacen en posición final y media[34].

2 Se tiende a asignar el papel de sujeto/agente al primer nombre o pronombre que se encuentre en una oración. Se trata de la "estrategia del primer nombre". Hay tres hechos que están estrechamente ligados a cómo esta estrategia interviene en la interpretación de las oraciones:

(i) Se puede recurrir a la semántica léxica, cuando esto es posible, en vez de al orden de palabras.
(ii) Se puede recurrir, si ello resulta posible, al grado de probabilidad de que lo denotado por la oración ocurra en la realidad, en vez de al orden de palabras.
(iii) Puede que se recurra menos a la estrategia del primer nombre si el contexto previo restringe la interpretación de un conjunto oracional[35].

---

reunión, la forma *enferma* aparece en un contexto (el que expresa la no asistencia a la reunión) que facilita la interpretación del estado de Rosa como "transitorio"; por tanto, no hay que prestar atención a la forma *está*. Por otra parte, se prefiere recuperar el contenido de "género femenino" en la forma *Rosa* antes que en la terminación *-a* de *enferma*.

[33] Aparece, en la exposición de los principios 1.(iii), 1.(iv) y 1.(v), el concepto de valor comunicativo (Lee, 1987; VanPatten, 1985), que se refiere al contenido con el que contribuye una forma dada al contenido general de la oración en que se inserta. Se basa este valor en dos aspectos: [+/-contenido semántico inherente] y [+/-redundancia]. En general, una forma posee más valor comunicativo cuando muestre los aspectos [+contenido semántico / -redundancia]; ese valor será menor cuando una forma muestre los aspectos [+contenido semántico / +redundancia]. En otras palabras, si cierto contenido puede ser recuperado en otro lugar del *input* y no solo a partir de una única forma, entonces el valor comunicativo de esa forma disminuye. Considérese, a este respecto, el comentario de los ejemplos incluidos en la nota anterior.

[34] En español, por ejemplo, se procesan con rapidez las preguntas y su sintaxis, pues sus elementos más relevantes aparecen al principio de la secuencia (interrogativos, entonación, posposición del sujeto). En cambio, los clíticos o el subjuntivo, que generalmente aparecen en el interior de un enunciado, muestran más resistencia a ser procesados.

[35] En un enunciado como *Lo ha llamado Juan para la fiesta*, es muy probable que los aprendices tiendan a interpretar *lo* como sujeto de *ha llamado* y *Juan* como objeto (es decir, se interpreta: "Él ha llamado a Juan para la fiesta"). Los ejemplos siguientes presentan casos en que se tienen en cuenta otros factores a la hora de aplicar el principio: *Café no toma Pepe nunca* (la estrategia del primer nombre cede ante la semántica léxica: *café* nunca se interpreta, aunque esté en primer

A menudo, estos principios no se aplican por separado: varios de ellos pueden ser usados conjuntamente o alguno adquiere preeminencia sobre otro, por ejemplo. Conducen a esta circunstancia diversos factores, como pueden ser la presión comunicativa, el grado de perceptibilidad y la complejidad de las formas lingüísticas presentes en el *input*, el grado de desarrollo de la interlengua o la influencia de la lengua materna. Quien, como aprendiz, procesa un *input* dado, ya que se enfrenta –como se ve– a una compleja tarea, no siempre la lleva a cabo de manera eficiente u obtiene de ella un resultado válido. Así, entre otras cosas, puede que no "vea" ciertos elementos lingüísticos o que fragmente el *input* sobre la base de hipótesis erróneas. Consecuentemente, lo que una AIE persigue es que esa persona modifique las estrategias basadas en la interacción de los principios y factores mencionados o las sustituya por otras, para que, gracias a ello, lleve a cabo un análisis bien fundamentado del *input* y consiga interpretarlo de manera correcta y adecuada.

La puesta en práctica de una sesión de procesamiento del *input* en el aula se desarrolla por lo general siguiendo tres fases[36]:

a) Se les proporciona a los estudiantes información sobre el elemento lingüístico que va a ser el objeto de atención (una forma lingüística o el funcionamiento de una estructura, según sea el caso).

b) La información explícita anterior se completa con otra, también de carácter explícito: la relativa a cómo la aplicación de una particular estrategia de procesamiento conduce a un análisis inadecuado y, por tanto, a una interpretación incorrecta del *input*.

c) Por último, los estudiantes realizan actividades de *input* estructurado, esto es, actividades que contienen *input* debidamente manipulado con el propósito de que tales estudiantes eviten las estrategias menos aconsejables y puedan, de manera incidental, poner la atención en la conexión más relevante de forma y significado.

Como el objetivo de estas actividades es el de crear el mejor *intake* a partir del *input*, no implican la producción de la forma o estructura objeto de atención.

lugar, como sujeto de *toma*; se aplica 2.(i)); *Al niño del vecino le ha mordido un perro* (se sabe que los perros puedan morder a las personas; lo contrario, aunque posible, es inusual; por tanto se interpreta *perro* como agente y *niño* como paciente; se aplica 2.(ii)); *Olga está en el hospital: la ha golpeado una vecina* (con el contexto previo que expresa la estancia de Olga en el hospital, se hace muy difícil interpretar *la* como sujeto y *vecina* como objeto; se aplica 2.(iii); basta con que cambie ese contexto previo para que la interpretación pueda variar: en *Olga está en la comisaría: la ha golpeado la vecina* sí cabe interpretar que *la* es agente y *vecina* paciente).

[36] *Vid.*: Lee y VanPatten, 1995; VanPatten, 1993 y 1996; Wong, 2004.

Las AIE, en esto, son como las ATCG, ya examinadas, pero se diferencian de ellas en que mueven, a quienes las hacen, (i) a establecer conexiones entre forma y significado; (ii) a que, para culminar este proceso, se centren sobre todo en la forma o estructura lingüística, y (iii) eviten –conviene resaltarlo– estrategias de procesamiento inadecuadas[37].

La naturaleza del objetivo perseguido por una AIE impone que, en su elaboración, se den ciertos pasos y se cumplan algunos requisitos[38]:

Paso 1: Identificación de la estrategia de procesamiento problemática.
Paso 2: Directrices para el desarrollo de una AIE:
a) *Presente una cosa cada vez.*
b) *Tenga siempre presente el contenido.*
c) *Vaya de las oraciones al discurso.*
d) *Utilice* input *tanto oral como escrito.*
e) *Que los estudiantes hagan algo con el* input.
f) *Tenga siempre en mente las estrategias de procesamiento de los estudiantes.*

[37] El que las AIE no impliquen la producción del elemento gramatical enfocado no significa que el *output* no desempeñe función alguna en la adquisición de una lengua segunda o extranjera (sobre los efectos del *output* en este ámbito, *vid.*, entre otros: Gass y Mackey, 2006; Izumi, 2002; Morgan-Short y Wood Bowden, 2006; Pica, 2013; Pica et ál., 1996; Swain, 1985, 1997 y 2005; VanPatten, 1996, 2002a y 2002b, 2003; VanPatten y Sanz, 1995; VanPatten, 2004b). El practicar con el *output* no forma parte de una AIE porque, sencillamente, esta se ocupa del procesamiento del *input*, es decir, del proceso que lleva a convertir datos del *input* en *intake*. Practicar con el *output*, en cambio, tiene que ver con los procesos de acceso a los elementos lingüísticos incorporados al sistema en desarrollo. Se proponen, sobre la base del modelo propuesto por VanPatten, las actividades de *output* estructurado, complementarias de las AIE (*vid.* 3.2).

[38] *Vid.*: Lee y VanPatten, 1995; VanPatten, 1996 y 2002b; Wong, 2004.

2.2.1. *Ejemplos propuestos de AIE*

2.2.1.1 Un extraño día en la vida de Maruchi y Chema

Escoge la interpretación más probable para cada situación de esta historia:

1. Cuando Chema llegó, Maruchi ya se **había ido**.
2. Cuando Chema llegó, Maruchi se **fue**.

a. La vio un momento.
b. No la vio.

3. Maruchi no le **había dicho** nada.
4. Maruchi no le **dijo** nada.

a. Chema no entendía su silencio.
b. Chema no entendía su soledad.

5. Chema fue a la cocina. ¡Se lo **había comido** todo!
6. Fue a la cocina. ¡Se lo **comió** todo!

a. Chema se quedó con hambre
b. Chema se quedó lleno.

7. Se sentó. **Trabajó** mucho.
8. Se sentó. **Había trabajado** mucho.

a. Estaba cansado.
b. Estaba despejado.

9. Solo quedaba una cerveza en la nevera. No **había ido** a comprar.
10. Solo quedaba una cerveza en la nevera. **Fue** a comprar.

a. No se emborrachó.
b. Se emborrachó.

11. Tenía que sacar a pasear al perro. Chuchi no **había salido**.
12. Tenía que sacar a pasear al perro. Chuchi no **salió**.

a. A Chuchi le apetecía salir.
b. A Chuchi le daba pereza salir.

13. Cenó. **Encontró** algo.
14. Cenó. **Había encontrado** algo.

a. Era algo de comer.
b. Era algo extraño.

15.	Estaba nervioso. Se **tomó** un café.	a.	La cafeína crea dependencia.
16.	Estaba muy nervioso. Se **había tomado** un café.	b.	La cafeína es muy excitante.

17.	Cuando se fue a la cama, **había visto** una película de terror.	a.	La película la vio en la cama.
18.	Cuando se fue a la cama, **vio** una película de terror.	b.	La película la vio en el sofá.

19.	Se durmió. Su mujer no **había llegado.**	a.	Hay alguna esperanza.
20.	Se durmió. Su mujer **llegó.**	b.	No hay esperanza.

Al terminar, lee solamente los números pares; luego, lee solamente los impares. Verás que hay dos historias diferentes. ¿En cuál de las dos tienen futuro Maruchi y Chema?

Solución

1.a, 2.b; 3.b, 4.a; 5.a, 6.b; 7.b, 8.a; 9.a, 10.b; 11.a, 12.b; 13.b, 14.a; 15.a, 16.b; 17.b, 18.a; 19.a, 20.b.

Objetivo y estructura

El valor del pretérito pluscuamperfecto (la referencia a un hecho terminado anterior a otro hecho bien delimitado en el pasado) entra a menudo en colisión, durante el período de aprendizaje, con el del pretérito indefinido (la referencia a un hecho terminado en un espacio no actual). Esto puede dar lugar a que los estudiantes eviten el pluscuamperfecto o que extiendan su uso indebidamente (*Su marido no pudo venir porque* ***salió*** *de viaje el día anterior* frente a *El fin de semana pasado mi novio* ***había venido*** *a verme*). Esta circunstancia plantea la necesidad de que se perciban y experimenten las diferencias de significado existentes entre uno y otro tiempo. El objetivo de la presente actividad de procesamiento de *input* es, por tanto, que los estudiantes se percaten, a través de la interpretación de las muestras de lengua suministradas, de tales diferencias y que, al hacerlo, reparen las estrategias erróneas que provocan los errores mencionados.

El material verbal que la actividad ofrece a los estudiantes es presentado como una secuencia de pares de frases. La única diferencia entre los miembros de cada par es el tiempo verbal (uno contiene el pluscuamperfecto y el otro el indefinido). Por otro lado, en la parte derecha de la secuencia, cada par se corresponde con dos opciones interpretativas. De este modo, a medida que leen e interpretan los pares de la secuencia principal, los estudiantes deberán establecer con tales opciones las correspondencias que consideren pertinentes. Este proceso los llevará a percibir las diferencias de uso de las formas observadas y –lo que es importante– a que lo hagan solo con los elementos que las mismas formas ofrecen.

Más adelante, cuando terminen la actividad, los estudiantes podrán comprobar dos cosas. La primera es que la variación de significado es tal que se han creado dos historias diferentes: una, si se siguen los ítems pares; otra, si se siguen los impares. La segunda es que las diferencias entre una historia y la otra se deben a la diferente perspectiva de significado propia de cada forma verbal examinada.

Antes de proponer esta actividad, los estudiantes deberán conocer, gracias a diversas explicaciones previas e incluso otras actividades de procesamiento de *input* más simples, el alcance del funcionamiento del pretérito indefinido y del pretérito pluscuamperfecto.

Desarrollo

a) El profesor, respetando las directrices del procesamiento del *input*[39], deberá explicar a los estudiantes, que ya conocen de algún modo el valor de las formas de pluscuamperfecto e indefinido, las diferencias de uso entre uno y otro, por un lado, y las estrategias erróneas que deben evitar cuando se enfrentan a ellos, por otro.
b) Sigue a lo anterior la fase de interpretación del *input* propuesto, que puede llevarse a cabo individualmente o en parejas.
c) Los estudiantes tienen que ir resolviendo los problemas de interpretación siguiendo la secuencia de los pares de frases.
d) Concluido el proceso anterior, se corrigen los resultados colectivamente.
e) Por último, se pide a un estudiante que lea en voz alta las frases impares y a otro que haga lo mismo con las pares. Se comprobará así que surgen dos historias. Se comentarán las diferencias entre una y otra y, al hilo de esto, se llevará la atención de la clase a cómo esas historias han podido crearse gracias a las diferencias en el significado de las formas gramaticales enfocadas en la actividad. Para indagar en si pueden tener futuro Maruchi y Chema, resultarán útiles preguntas como estas: ¿tienen futuro Maruchi y Chema?, ¿en qué versión de la historia sí tienen y por qué?, ¿en cuál no y por qué?, etc.

[39] *Vid.* 2.2.

2.2.1.2 El día que a Poncio le bajaron el sueldo

1. Lee esta escena de la obra teatral *El día que a Poncio le bajaron el sueldo.*

Poncio es un trabajador ejemplar de la empresa de jabones Dovesei, en la que lleva trabajando muchísimos años. Es un hombre silencioso y obediente. Ahora está en el despacho de la Dirección de Recursos Humanos de la mencionada empresa porque querían hablar con él.

DIRECTOR DE RECURSOS HUMANOS: Sr. Poncio, le hemos pedido que venga porque tenemos que comunicarle algunas cosas. Como usted ya sabe, la crisis no perdona y las ventas de Dovesei han bajado notablemente. Esto, como usted comprenderá, nos obliga a tomar medidas dolorosas, pero necesarias, si queremos que la empresa siga adelante... Nos vemos obligados a tener que bajarle el sueldo un 10%... Lo sentimos mucho, créame, pero no hay otra salida... Y, por favor, no se enfade, sino que, al contrario, comprenda los motivos de la empresa y nuestro afán por no perjudicarle... Por otra parte, también queremos advertirle de que tiene que mantener la productividad como hasta ahora. En el caso, esperemos que improbable, de que su productividad baje, no tendremos más remedio que enviarlo a la sección de empaquetado e, incluso, considerar la posibilidad de un despido... ¡Ah! Una última cosa: no debe comentar nada de todo esto con nadie.

[Poncio escucha cabizbajo y callado. Tras las palabras del director de Recursos Humanos, Poncio se levanta y se dirige lentamente hacia la puerta. Una vez allí, se vuelve de repente, mira al director y le grita como un loco].

PONCIO: No comprendo nada y nunca lo comprenderé... No, no voy a enfadarme, porque ya no puedo enfadarme más de lo que estoy... Por supuesto, no voy a bajar la productividad, porque voy a pararla... ¡Bájense ustedes los sueldos, sinvergüenzas! Y otra cosa: claro que voy a explicar esto a todo el mundo, sobre todo a la prensa y a los sindicatos. Voy a hundir la empresa. Lo juro. No piensen que voy a dar marcha atrás.

[Poncio se queda callado y, en silencio, mira desafiante al director. Antes de salir dando un portazo, dice una última frase].

PONCIO: Y tengan esto en cuenta: cuando Dovesei se hunda, yo me lavaré las manos.

Ahora que lo has leído, subraya las otras siete peticiones (ruegos, órdenes...) que hacen los personajes de este texto.

2. Aquí tienes un relato de la misma escena. Mientras lo lees, tienes que decidir, en cada caso, si el verbo "decir" introduce una afirmación o una petición. Después, escoge la forma correcta y escríbela en el cuadro.

PONCIO TRABAJABA desde hacía muchos años en la conocida empresa de jabones de manos Dovesei. Era un empleado serio y eficiente, que siempre aceptaba las decisiones de sus superiores.

Un día lo llamaron a la Dirección de Recursos Humanos de la empresa porque, por la crisis, las ventas no iban bien y le **dijeron que** le iban a bajar/bajaran (0) el sueldo, **que**, pese a todo, no se enojaría/enojara (1), sino **que** entendía/entendiera (2) los motivos de la empresa. También le **dijeron que** bajo ningún concepto dejaría/dejara (3) de producir como hasta entonces y **que** lo mandarían/mandaran (4) a una sección inferior si no lo hacía, o, aún peor, que lo despedirían/despidieran (5). Además, los jefes le **dijeron que** no hablaría/hablara (6) con nadie lo que le habían dicho.

Poncio escuchó todas las explicaciones cabizbajo y callado. Cuando terminaron de hablar, se levantó de la silla en silencio y se dirigió hacia la puerta. Allí, se volvió, miró a los jefes y, de golpe, empezó a gritarles como un loco... Les **dijo que** no solo no entendía/entendiera (7) nada, sino que jamás lo podría/pudiera comprender (8), y **que** no se enfadaría/enfadara (9) porque ya estaba totalmente enojado. **Siguió diciéndo**les **que** él no solo descendería/descendiera (10) su rendimiento, sino que, incluso, pararía/parara (11) la empresa; asimismo les **dijo que** se reducirían/redujeran (12) ellos el sueldo si querían ahorrar. Les **dijo**, además, **que** se lo contaría/contara (13) a todo el mundo y, sobre todo, a la prensa y a los sindicatos. Y, por si esto fuera poco, también les **dijo que** pensaba/pensara (14) acabar con la empresa y **que** no creían/creyeran (15) que iba a desistir. Entonces se calló y miró a los jefes en silencio. Lo último que les **dijo** antes de salir, dando un portazo, fue **que**, cuando la empresa desapareciera, tendrían/tuvieran (16) muy claro que él se lavaría las manos.

	Afirmar	Pedir		Afirmar	Pedir
(0)	*iban a bajar*		(9)		
(1)			(10)		
(2)			(11)		
(3)			(12)		
(4)			(13)		
(5)			(14)		
(6)			(15)		
(7)			(16)		
(8)					

Ahora, en los casos en que haya una petición, sustituye el verbo "decir" por otros verbos que signifiquen "pedir" y que resulten adecuados en cada caso.

Solución

Texto 1

Peticiones:
0. le hemos pedido que venga
1. Y, por favor, no se enfade
2. comprenda los motivos de la empresa
3. tiene que mantener la productividad
4. no debe comentar nada de todo esto con nadie
5. ¡Bájense ustedes los sueldos!
6. No piensen que voy a dar marcha atrás
7. Y tengan esto en cuenta

Texto 2

	Afirmar	Pedir		Afirmar	Pedir
(0)	iban a bajar		(9)	enfadaría	
(1)		enojara	(10)	descendería	
(2)		entendiera	(11)	pararía	
(3)		produjera	(12)		redujeran
(4)	mandarían		(13)	contaría	
(5)	despedirían		(14)	pensaba	
(6)		hablara	(15)		creyeran
(7)	entendía		(16)		tuvieran
(8)	podría				

Objetivo y estructura

Como sabemos, una de las facetas más complejas del estilo indirecto es la relativa a cómo se "traduce" la fuerza ilocutiva del mensaje original al mensaje referido. Por ejemplo, ante un enunciado oral que transcribimos como *¡Vete de aquí ahora mismo!*, quien posteriormente quiera reproducirlo deberá, entre otras cosas, por una parte, recuperar en el recuerdo la imagen sonora y significativa de tales palabras; por otra, interpretar el contexto (relación entre hablante y oyente, acto de habla realizado, circunstancias situacionales, etc.) en que fueron pronunciadas. Con los datos obtenidos en ambos procesos, esa persona podría elaborar mensajes como estos: *Le dijo que saliera inmediatamente; Le pidió que se fuera de allí enseguida; Le ordenó que se fuera al momento; Le suplicó que se marchara; Le sugirió que lo dejara todo y no lo pensara más; Le contestó diciéndole que se fuera de allí inmediatamente*, etc.

Sin embargo, en todos ellos la persona en cuestión declara la realización de cierto acto (*dijo, pidió, ordenó*, etc.) y menciona en subjuntivo (no declara) el objeto de ese acto (*que saliera inmediatamente; que se fuera de allí enseguida; que se fuera al momento*, etc.): como se ve, ajusta la selección modal a los imperativos de las matrices (*decir, pedir, ordenar*, etc.).

Estas operaciones, como es de suponer, no resultan simples para los aprendices. Por una parte, hay matrices con dos significados que, justo por ello, imponen tomar decisiones sobre el modo verbal de sus objetos. *Decir* es uno de los casos más representativos al respecto. Con esta matriz se puede hacer referencia tanto a asertos (afirmaciones y suposiciones) como a peticiones, en el primer caso mostrando su objeto en indicativo y en el segundo en subjuntivo (***Dijo** que **venías/vendrías*** frente a ***Dijo** que **vinieras***). Por otra parte, el que se pueda situar lo referido tanto en el plano actual como en el no actual plantea la necesidad de numerosos ajustes formales. Así, unos enunciados orales que transcribiremos aquí como *Estaré en la oficina hasta las nueve* y como *No me llames al móvil* pueden ser recuperados posteriormente en uno y otro plano de diversas maneras. En el actual darían lugar, respectivamente, entre otros, a enunciados como *Me **dice/ha dicho/acaba de decir** que **está/estará/va a estar** en la oficina hasta las nueve* y a otros como *Me **dice/pide/recomienda/sugiere/ha pedido...** que no lo **llame** al móvil*. En el no actual: *Me **dijo/aseguró/prometió** que **estaba/estaría/iba a estar** en la oficina hasta las nueve*, por un lado, y *Me **dijo/pidió/recomendó/sugirió** que no lo **llamara** al móvil*.

El objetivo de esta actividad es que los estudiantes centren su atención en el funcionamiento de *decir*, interpreten debidamente en cada ocasión si con esta matriz se hace referencia a un aserto o a una petición, lo hagan en un contexto de discurso referido no actual, y decidan, en consecuencia, el modo verbal que deba mostrar el objeto de uno y otro acto. El que estas operaciones hayan de llevarse a cabo en el plano no actual persigue que los estudiantes se familiaricen con los ajustes particulares que la matriz *decir* provoca en este plano, los comparen con los que se dan en el plano actual, y obtengan del contraste de unos y otros una imagen más nítida y completa del mecanismo gramatical observado. Se supone, por otra parte, que la comprensión adecuada de esta matriz, tan frecuente y rentable en la comunicación, ayudará más adelante a los estudiantes a abordar y comprender otras de este tipo en ambos planos.

La actividad está planteada de modo tal que su realización exige algunos requisitos: (i) los estudiantes conocen ya el doble valor de *decir*, pues lo habrán trabajado en contextos de discurso referido localizados en el plano actual (***Dice** que **vienes/vendrás*** frente a ***Dice** que **vengas***); (ii) conocen también el condicional y las formas del imperfecto de subjuntivo; (iii) por último, conviene que hayan trabajado ya en el plano no actual con matrices que solo admiten un modo (veritativas, valorativas, etc.: ***Sabía** que **venías**; **Imaginé** que **vendrías**; Me **gustó** mucho que **vinieras**; Te **pedí** que **vinieras***, etc.).

El estudiante se enfrenta a dos muestras de *input*. La primera la constituye un fragmento extraído de una obra teatral. Este texto reproduce, con todos los rasgos propios del estilo teatral (intervenciones, acotaciones, etc.), una de las escenas de tal obra. La segunda muestra es la transcripción del relato de alguien que ha presenciado la escena anterior. Los estudiantes escuchan y leen el primer texto y reconocen en él las peticiones de diverso tipo que realizan los personajes, peticiones expresadas mediante variados recursos gramaticales (imperativo positivo, imperativo negativo, perífrasis como *deber + infinitivo* o *tener que + infinitivo*, etc.). Concluidas las tareas del primer texto, los estudiantes emprenden la lectura del segundo texto y posteriormente deciden, entre las ofrecidas en cada caso, cuál es la forma verbal adecuada. Las formas seleccionadas las trasladarán a un cuadro en el que las organizarán indicando si son parte de un aserto o de una petición. Se ha procurado que las formas verbales sobre las que hay que tomar decisiones en este texto se muestren con un léxico diferente al que muestran los actos en el texto anterior (por ejemplo, en "... (le dijeron) **que**, pese a todo, no se enojaría/enojara (1)..." se hace referencia a una petición realizada del siguiente modo en el texto teatral: "...Y, por favor, no se enfade...": *enfadarse* ha sido sustituido por *enojarse*). Esta medida, además de incrementar la variedad y verosimilitud de las muestras lingüísticas ofrecidas, promueve que las respuestas surjan de la interpretación del significado y que se eviten otras de carácter mecanicista.

Desarrollo

a) El profesor les recuerda a sus estudiantes el doble valor de la matriz *decir* y su funcionamiento en el plano actual. Después, les hará repasar las formas del condicional y del pretérito imperfecto de subjuntivo. Por último, y como ayuda para la modificación de estrategias de procesamiento erróneas, les explicará el funcionamiento de *decir* en el plano no actual y los ajustes que en este marco impone, destacará los elementos conflictivos y aconsejará cómo resolverlos.
b) Se suministra a los estudiantes el material necesario para realizar la actividad.
c) El profesor lee la escena teatral en voz alta, con un ritmo natural aunque no muy rápido. Los estudiantes escuchan y, si lo ven necesario, leen al mismo tiempo el texto.
d) Los estudiantes leen de manera individual el texto previamente escuchado e intentan descubrir las ocho peticiones que hay en él. Se asigna el tiempo que se considere conveniente para esta fase.
e) Se hace una puesta en común para despejar posibles dudas y comprobar que todos han llegado a las mismas conclusiones.

f) Se invita a los estudiantes a que lean individualmente el segundo texto (el relato), escojan la opción correcta en cada caso y rellenen el cuadro. Conviene advertirles de que, a la hora de tomar una decisión, tienen que plantearse cada vez que se encuentren el verbo *decir* si lo que este introduce se corresponde con un aserto o una petición en el texto teatral.
g) Se hace otra puesta en común y se emprende una reflexión posterior para que todos vean con claridad las peculiaridades y consecuencias del doble valor de *decir* en el plano actual y en el no actual.
h) Los estudiantes buscan términos diferentes para la noción de "pedir" (*pedir, rogar, ordenar,* etc.) e intentan integrarlos convenientemente en aquellos momentos del relato en que *decir* admita ser sustituido por alguno de ellos.

3. Modelos de actividad orientada a la producción

La producción de *output*, que surge de la necesidad o el deseo de transmitir a otros un contenido intencional, exige a quienes la acometen, entre otras cosas, recurrir a los recursos disponibles en su interlengua, elegir los más convenientes, elaborar sobre esta base un enunciado que resulte lo más eficaz posible y emitir tal enunciado oralmente o por escrito. Los procesos que la producción del *output* son, como es de suponer, complejos y repercuten de un modo u otro en la adquisición de una lengua segunda o extranjera[40]. Se viene aceptando, en general, que la producción de *output* durante el aprendizaje lingüístico va ligado al menos a los siguientes procesos[41]:

a) promueve una conciencia más clara de la posible diferencia existente entre lo que se quiere decir y los medios de que se dispone para expresarlo;
b) proporciona un campo abonado para probar hipótesis de muy diverso tipo;
c) ofrece oportunidades para el desarrollo del conocimiento metalingüístico de aspectos controvertidos de los mecanismos lingüísticos.

Los posibles efectos de estas posibilidades, unidos a los que pueda producir la retroalimentación (tratamiento y reparación de errores), seguramente influirán de manera positiva en el uso cada vez más preciso y adecuado de los recursos gramaticales y, por ende, en que sea vea facilitada la adquisición de tales recursos[42].

[40] *Vid.*: Gass y Mackey, 2006; Izumi, 2002; Morgan-Short y Wood-Bowden, 2006; Pica, 2013; Pica et ál., 1996; Swain, 1985, 1993, 1995 y 2005; Swain y Lapkin, 1995 y 2001; Swain y Suzuki, 2008.

[41] *Vid.* en especial: Swain, 1995.

[42] *Vid.*: Aljaafreh y Lantolf, 1994; Carroll y Swain, 1993; Chaudron, 1988; Donato, 1994; R. Ellis et ál., 2006; Gass, 1997; Gibbons, 2002; Lantolf y Appel (eds.), 1994; Long, 1996; Lyster, 1998;

3. 1. Actividades de gramaticalización

Las *actividades de gramaticalización* (*grammaticization activities*, en adelante AG)[43] responden sobre todo al objetivo de que los estudiantes accedan a los recursos lingüísticos necesarios para expresar cierto contenido intencional y, al hacerlo, desarrollen determinadas habilidades estrechamente vinculadas con los procesos de producción lingüística, en especial las que tienen que ver con la concatenación de elementos lingüísticos (oraciones, bloques de información, etc.) y el ajuste de lo anterior a los requerimientos textuales (coherencia, cohesión, adecuación, etc.).

Como es sabido, no es tarea simple crear un texto (oral o escrito), máxime cuando los recursos a los que se accede para hacerlo son limitados o no están completamente determinados en la interlengua, o cuando las habilidades para manipularlos no están suficientemente desarrolladas. Esta es la situación en que, en diverso grado, se halla quien aprende una lengua segunda o extranjera (o el hablante nativo en no pocas ocasiones). Tantos son los frentes a los que hay que prestar atención cuando se habla o escribe que, debido a esta presión y pese al esfuerzo que pueda ponerse en tales acciones, el resultado es a menudo imperfecto y pierde, por ello, en mayor o menor medida eficacia comunicativa.

Dadas estas circunstancias, una AG ha de estar configurada de tal modo que el acceso a los recursos de expresión se lleve a cabo del mejor modo y que, en consecuencia, se favorezca el desarrollo de las habilidades productivas asociadas a ellos. Para cumplir estas exigencias, una AG deberá plantear la consecución de un objetivo comunicativo dado de modo que quienes intenten alcanzarlo dispongan previamente, en la medida de lo posible, de todo el material necesario, excepto de aquel que constituya el objeto de enfoque en cada ocasión. Gracias a esta provisión de recursos, quienes realicen una AG, al verse libres de la necesidad de atender a no pocos frentes, podrán canalizar con mayor eficacia su atención y esfuerzos hacia aquellos elementos que, en el proceso productivo, merezcan, por alguna razón relativa al aprendizaje, ser tratados debidamente. En consecuencia, una AG, para que pueda ser realizada de manera efectiva, debe plantear la resolución de un problema comunicativo (creación de un texto oral u escrito) y proveer como mínimo, para ello, los siguientes recursos:

Lyster y Ranta, 1997 y 2006; Pica, 1994 y 2013; Pica et ál., 1996; Samuda, 2001; Sheen y Ellis, 2011; Swain y Suzuki, 2008.

[43] En este contexto, el término *gramaticalización* alude a que en el *output* de quienes aprenden una lengua van apareciendo progresivamente los elementos gramaticales sobre la base de los elementos léxicos (por decirlo así, un camino que lleva de las palabras a la gramática (*vid.*: Givón, 1979a y 1979b)). Por tanto, la idea fundamental que subyace en las AG es que quienes las hagan vayan del léxico a la gramática (morfología, sintaxis, etc.). Las AG están inspiradas en gran medida en los trabajos de Rutherford (1987) y Widdowson (1990). Para una visión de conjunto, *vid.* Batstone, 1994; Ur, 1988.

a) una fuente de información, es decir, una base debidamente organizada que contenga todo aquello que pueda ofrecer datos susceptibles de ser utilizados en la producción del texto (dibujos, esquemas, gráficos, textos seleccionados, páginas web, etc.);
b) un modelo textual, esto es, un marco en el que se organice e integre, como texto reconocible, la información procedente de las fuentes anteriormente consideradas (por ejemplo, una postal, un diálogo, una historia, un anuncio, un debate, una receta, un mensaje electrónico, un *blog*, etc.); la aplicación de este modelo no debe suponer una carga para quienes realizan la AG, porque les resulta conocido o lo han usado en otras ocasiones[44];
c) un conjunto de recursos lingüísticos mínimos (palabras, frases a medio hacer, etc.) que permitan recomponer y expresar la información ya considerada e integrarla en un modelo textual dado; tales recursos se ofrecerán de forma incompleta, desprovistos hasta donde sea posible de los elementos gramaticales que convenga tratar; esta circunstancia exigirá que, para llevar la actividad a buen término, se deban añadir tales elementos en función del sentido y la finalidad comunicativa del texto que se está elaborando.

Como se desprende de lo expuesto, la realización de las AG transcurre en el plano textual y, por tanto, en el del discurso. Gracias a esto, cabe la posibilidad de abordar en ellas más de un elemento gramatical, siempre y cuando tales elementos estén estrechamente relacionados y el concederles la atención debida no conduzca a la dispersión. Se trata, como puede verse, de actividades de corte comunicativo especialmente diseñadas para prestar atención a la forma: han sido pensadas para la expresión de sentido y, dentro de este proceso productivo, para ayudar, a quienes aprenden una lengua, a establecer las mejores relaciones entre forma y significado. Por otra parte, estas actividades, dados los procesos que promueven, conforman un espacio didáctico inestimable tanto para la reflexión e interacción metalingüísticas como para la retroalimentación más eficaz.

[44] Puede que el modelo textual al que deba remitirse el producto de una AG resulte poco familiar o muestre una estructura compleja (imagínese, por ejemplo, una actividad de este tipo que imponga redactar un artículo académico o intervenir en un debate). En casos así conviene que los aprendices, antes de hacer la AG, se familiaricen con las peculiaridades del modelo textual requerido en ella. Pueden, para ello, realizar previamente alguna ATCG o tener a mano, durante el transcurso mismo de la AG y siempre que sea posible, uno o más ejemplos del modelo textual que venga al caso (es lo que ocurre en la actividad que proponemos en 3.1.1.3). Estos modelos pueden ser comentados de diversa manera según las exigencias que plantee la AG.

3.1.1. *Ejemplos propuestos de AG*

3.1.1.1 El Gordo y el Flaco: un juego para poner condiciones

1. Trabajad en parejas: por turnos, uno será el Gordo y otro, el Flaco. Formulad una condición con cada uno de estos temas y declarad algo sobre cada una.

El Gordo es una persona que ve como probables muchas cosas.

El Flaco tiende a ver como improbable casi todo.

Ejemplo:

0. **Tocar la Lotería...**
   El Gordo: *Si me toca la Lotería, dejo de hacer películas, que ya estoy harto.*
   El Flaco: *Si me tocara la Lotería, no estaría tan preocupado y engordaría.*

1. Trasladarse a vivir a otro país.
2. Hacerse la cirugía estética.
3. Hacer régimen.
4. Comprar un coche.
5. Enamorarse de repente.
6. Quedarse sin ordenador ni móvil.
7. Comprar un perro.
8. Tener mucho tiempo libre.
9. Cambiarse de piso.
10. Poder vivir sin trabajar.

2. Ahora, algunos compañeros dirán qué piensan de cada uno de estos temas. Decide, en cada caso, si habla el Gordo o el Flaco.

Objetivo y estructura

Es fundamental que, llegado el momento en que los estudiantes deban abordar la compleja expresión de las condiciones, se familiaricen, primero y sobre todo, con la perspectiva desde la que "ven" la condición (la prótasis del período condicional). Las dos perspectivas básicas a este respecto son, como se sabe, (i) la que presenta la condición como algo que puede realizarse o asumirse (***Si me compro una moto nueva****, te dejaré conducirla*); (ii) la que presenta la condición como algo que no puede realizarse o que es improbable (***Si me comprara una moto nueva****, te dejaría conducirla*). Lo condicionado (la apódosis del período condicional), puede expresarse sobre la base de diversas perspectivas que van asociadas a otros tantos actos: peticiones, asertos, suposiciones, preguntas, etc. (*Si me compro una moto nueva,* ***te dejo/dejaré/dejaría conducirla;*** *Si vas al dentista,* ***te podría acompañar;*** *Si tuvieras un problema con el router,* ***llámame/me llamas,*** *¿vale?;* etc.)[45].

El objetivo de esta actividad productiva consiste en que los estudiantes elijan, según sus intenciones y las circunstancias del contexto, la perspectiva que en cada caso corresponda a la expresión más adecuada de una condición integrada en escenarios no pasados (*Si vienes al pueblo para Navidad, ven a verme/¿vendrías a verme?* frente a *Si vinieras al pueblo para Navidad, ven a verme/¿vendrías a verme?*). Para ello, los estudiantes disponen de un contexto con el que han de resultar coherentes los enunciados que produzcan: el talante psicológico de dos personajes ya convertidos en mito: Oliver Hardy y Stan Laurel ("El Gordo y el Flaco"). También disponen de diversas entradas para la formulación de las condiciones. Al expresarlas, deberán asumir, según los casos, el modo de ver las cosas de uno y otro personaje (optimismo del uno frente a la cautela del otro) y elegir la perspectiva y recursos lingüísticos apropiados. Como se ve, a partir de cierto contexto y de algunos elementos lingüísticos ya dados, los estudiantes producen mensajes efectivos y, para hacerlo, "ponen la gramática que falta".

La producción resultante de la actividad está, como se ve, muy controlada y descansa en un léxico accesible. Se intenta con ello que la atención de los estudiantes se centre lo más posible en la elección del recurso gramatical que resulta más adecuado para la expresión de cierto significado; en el caso que nos ocupa, en adoptar una u otra perspectiva en la producción de enunciados condicionales y en usar, consecuentemente, los elementos formales adecuados (presente de indicativo para las condiciones posibles y asumibles, imperfecto de subjuntivo para las no posibles e improbables).

Esta actividad productiva resulta muy aconsejable cuando los estudiantes empiezan a enfrentarse con buena parte del mecanismo gramatical de la estructura condicional. Por otro lado, debe ser planteada una vez que tales estudiantes estén ya familiarizados con los elementos asociados a tal estructura y hayan recibido instrucción sobre las diferentes perspectivas asociadas a ella.

Desarrollo

a) Se distribuye el material necesario, se recuerda lo esencial del mecanismo gramatical que se va a practicar en la producción y se dan breves instrucciones sobre cómo llevar a cabo la actividad.
b) Los estudiantes se integran en parejas y, por turnos, cada miembro de ellas usa los ítems propuestos para formular, según la psicología del personaje asumi-

[45] Como se ve, no adoptamos aquí una visión estrictamente formal del mecanismo de las condicionales (tan al uso en no pocos manuales), basada en una concepción rígida de la *consecutio temporum*.

do, condiciones y hechos condicionados (lo declarado sobre una condición).

c) Los ítems que se proponen son orientativos. Pueden ampliarse con otros que respondan a las necesidades e intereses de la clase, siempre que estos cumplan el requisito expuesto en el paso anterior.

d) Es muy importante la retroalimentación que se ofrezca en la fase de corrección. Debe ir dirigida a que los estudiantes comprueben si las perspectivas empleadas en las condiciones resultan o no adecuadas al contexto y a la intención comunicativa. Esto significa que deberán examinar la coherencia que en cada caso muestren la condición y lo condicionado.

e) Como conclusión, se hace una puesta en común a partir de los datos ofrecidos por unos cuantos enunciados que aún no se hayan corregido. Los estudiantes escuchan el enunciado y tienen que determinar si lo expresado en cada uno de ellos lo ha podido decir el Gordo o el Flaco. Esto tiene la ventaja de que, además de la producción, se trabaja también la comprensión de la oposición de una y otra perspectiva condicional.

3.1.1.2 El bando del alcalde

El alcalde de tu ciudad acaba de publicar un bando municipal. Léelo y luego escribe en la página web del Ayuntamiento dando tu opinión y valorando los aspectos tratados.

Bienvenidos al blog del Ayuntamiento de Villaverduzca

Martes, 25 de junio

Bando del Sr. Alcalde

Ciudadanos y ciudadanas:

Dado que una de las mayores preocupaciones de este Ayuntamiento es la ecología y para conseguir que nuestra ciudad sea una verdadera ecociudad, hago saber que el Consistorio ha arbitrado las siguientes medidas:

1. Se fomentará el uso de la bicicleta como vehículo no contaminante y se suprimirá el 50% del transporte público para alentar a los ciudadanos a que la usen.
2. Se aumentará la limpieza de las calles, así como el cuidado de los parques y de los jardines. Para poder mantener adecuadamente las zonas verdes y que nuestros parques sean lugares limpios, tranquilos y apacibles, los impuestos por familia se incrementarán en un 25%.

3. Las piscinas municipales se cerrarán a partir de este mismo mes, puesto que resultan muy costosas para el presupuesto municipal. Asimismo, se cerrarán todas las fuentes de la ciudad para reducir el consumo de agua. Los ciudadanos disfrutarán, así, de sus propias piscinas y fuentes.
4. Como los contenedores de basura afean y ensucian el paisaje urbano, se instalarán unas plantas de reciclado a 20 kilómetros del centro de la ciudad. Los vecinos contribuirán de un modo responsable al reciclaje de la basura llevando sus desechos a esas plantas.
5. El uso del alumbrado público se reducirá a la mitad desde las 22:00. De este modo, no se consumirá energía inútilmente y disminuirá el importe de la factura por este concepto.
6. Para reducir la contaminación acústica, se prohibirá la música en los bares a partir de las 21:00. y las motos solo podrán circular entre las 9:30 y las 20:00.
7. A fin de eliminar el efecto antiestético que producen en las fachadas del casco histórico las antenas parabólicas y los aparatos de aire acondicionado, los propietarios deberán reinstalarlos en otros espacios donde no resulten visibles, y ello deberá ser llevado a cabo en el plazo de un mes.
8. La celebración de "botellones" queda estrictamente prohibida, dados los problemas que provoca en la salud de los jóvenes, en la seguridad de las personas y, sobre todo, en el mantenimiento de la limpieza urbana.
9. Todos los vecinos deben vigilar a sus conciudadanos para asegurarse de que el cumplimiento de este bando sea efectivo.

Quienes incumplan estas normas serán multados, según proceda, con sanciones económicas y con trabajos sociales obligatorios.
Como alcalde, sé que las medidas arbitradas son las más justas y adecuadas para hacer de nuestra ciudad un entorno mejor, y sé, también, que mis conciudadanos y conciudadanas las aceptarán con satisfacción para que nuestra maravillosa ciudad se convierta en modelo de sostenibilidad y de convivencia.

Fructuoso Campos de la Hoz
Alcalde de Villaverduzca

Danos tu opinión:

Pedro Montes on **25 junio a las 23:54** said:
He leído el último bando de nuestro alcalde y no creo que estas medidas hagan que nuestra ciudad sea más ecológica. Lo que me parece obvio es que el alcalde piensa solo en cuestiones económicas y no en cuestiones sociales. Por ejemplo, no me parece justo que...

Reply ↓

María Magdalena Cerezo on **26 junio a las 15:23** said:
Qué genial que nuestra ciudad pueda ser un modelo de convivencia, de ecología y de sostenibilidad. Me parece muy bien que el alcalde haya tomado estas decisiones porque es evidente que, con muy poco esfuerzo, podemos llegar a serlo. Que la bicicleta sea...

Reply ↓

Algunas personas ya han participado con sus opiniones. Da la tuya.

Objetivo y estructura

Esta es una actividad de gramaticalización que tiene dos objetivos. Por un lado, la producción de matrices de indicativo y subjuntivo en un marco textual supuestamente conocido por los estudiantes: el de redactar cartas de opinión o comentarios sobre algún acontecimiento o tema en los contextos de comunicación que proporciona hoy en día la Internet (en páginas web, en un *blog* o a través de redes sociales como *Facebook*, por ejemplo). Por otro, el cumplimiento de los requisitos que exigen, en un marco de carácter escrito como el propuesto aquí, la estructuración de la información, la coherencia y la cohesión.

Para alcanzar estos objetivos, se ofrece a los estudiantes un texto de partida en el que hallarán abundante información sobre la que podrán emitir opiniones, comentarios, valoraciones, deseos, etc.: el controvertido bando municipal que ha hecho público cierta alcaldía a través, entre otros medios, de la página web del Ayuntamiento. El carácter polémico de distintas disposiciones incluidas en el documento suscitará sin duda en los estudiantes reacciones diversas (los términos del bando les podrán parecer normales, lógicos, justos, injustos, más o menos claros, evidentes, probables, rechazables, etc.). Para verbalizarlas según los requerimientos de alguno de los formatos textuales arriba mencionados, tales estudiantes deberán acometer dos tareas. Una consiste en reformular la información que hayan seleccionado en el bando, integrarla en las matrices que mejor se ajusten a sus intenciones y revestirla del modo verbal adecuado (por ejemplo: ***Creo** que la prohibición de los "botellones" **está** muy bien, porque dejan la ciudad que da pena y molestan mucho a los vecinos* frente a ***Es muy injusto** que **prohíban** los "botellones": ¿qué lugares nos quedarán a los jóvenes para divertirnos los fines de semana?*). La otra, en procurar que el resultado de la tarea anterior se muestre debidamente organizado en lo que a coherencia y cohesión se refiere.

El momento de la programación más adecuado para plantear esta actividad será aquel en que, por una parte, haya concluido todo el trabajo referido al contraste de indicativo y subjuntivo en el plano actual, y, por otra, hayan sido tratados otros recursos gramaticales y textuales necesarios para la realización de la presente actividad: usos de los pronombres (por ejemplo, la reduplicación: ***Yo** pienso que...; **A mí me** parece que...* frente a *Pienso que.../ **Me** parece que...*), diversos tipos de conectores, etc.

El bando está diseñado para que ilustre un amplio campo léxico relacionado con numerosas realidades del ámbito de la ciudad, muy propio de este nivel, y servirá para que los estudiantes se familiaricen, de modo pasivo, con sus términos en el transcurso de la lectura. Incluso podrán recurrir a ellos, de modo activo, en la elaboración del texto escrito.

Desarrollo

a) Se distribuye el material necesario.
b) De resultar conveniente, se repasa lo esencial de los elementos gramaticales que van a ser utilizados.
c) La actividad puede ser llevada a cabo de dos maneras:
   (i) Los estudiantes, individualmente, leen el bando y, a partir de él, elaboran el texto solicitado en la actividad. Se asigna el tiempo que se considere conveniente para ello. Los textos producidos serán corregidos también individualmente.
   (ii) Colectiva e individualmente:
      a Tras formar los estudiantes grupos de cuatro, y como fase previa a la redacción, el profesor proyecta en la pantalla el texto del bando y lo lee en voz alta. A continuación, con el texto a la vista proyectado en la pantalla, los estudiantes de cada grupo pueden ir comentando y valorando qué les parecen las medidas del bando. Esta fase resulta muy útil porque permite asegurarse de que los estudiantes lo han comprendido todo. También resulta muy apropiada para que cada uno de ellos considere los puntos de vista (diferentes o no) de los demás y pueda, gracias a ello, ampliar su visión personal antes de proceder a la redacción del texto. Por último, los estudiantes emprenden individualmente esa redacción.
      b Si en la clase se ha creado un *blog* o un grupo de *Facebook*, resultará muy interesante que se escriban los textos individuales en uno u otro medio. Ello daría pie a sugerentes dinámicas: por ejemplo, los estudiantes, antes de redactar, podrían leer los textos que ya se han publicado, tenerlos en cuenta en la redacción de los suyos y crear, de este modo, un producto escrito colectivo.
      c El profesor selecciona fragmentos de los escritos que contengan errores significativos relacionados con los objetivos gramaticales de la actividad y los organiza según la tipología de tales errores. Estas muestras, que serán anónimas, las presentará a la clase y en un momento posterior (no muy lejano) al de redacción de los textos. Se discutirán y resolverán en común los errores que se consideren más relevantes.

La actividad que presentamos a continuación responde a la técnica denominada *dictoglosia* (*dictogloss*), que comentaremos después. En esta ocasión, el material necesario para llevarla a cabo lo presentamos integrado en las palabras que el profesor podría utilizar para plantearla y desarrollarla en clase.

3.1.1.3 Receta de la tortilla de patatas

1. La tarea que vamos a realizar es la siguiente: vamos a escribir entre todos una receta, en concreto la de la tortilla de patatas. Para empezar, aquí tenéis una receta. No es la de la tortilla de patatas, por supuesto. Leedla con atención. Observad cómo está redactada: las partes de que consta, la forma en que se da la información en esas partes, etc.

Huevos a la española

Ingredientes

4 huevos • 1 cebolla • ½ kilo de tomates maduros • 5 pimientos verdes • aceite • sal.

Preparación

- Pique la cebolla y los pimientos (tras quitarles las semillas), y ralle los tomates.
- Ponga aceite en una cazuela y rehogue la cebolla.
- Cuando tome color, añádale los pimientos y los tomates. Sazone con sal, tape la cazuela y deje que cueza todo unos quince minutos a fuego lento.
- Mientras tanto, fría los huevos con aceite muy caliente hasta que los bordes de las claras estén dorados.
- Sirva los huevos en una fuente encima del sofrito.

Variantes

Si quiere, puede adornarlos con rebanadas de pan tostado o frito.

2. Ya tenéis, creo, una idea de cómo se redacta una receta de cocina. Ahora ya podemos empezar a escribir la de la tortilla de patatas. Lo primero que necesitaremos para hacerlo es información suficiente sobre los ingredientes y sobre cómo hay que proceder (qué se hace primero y cómo, qué cosa después, etc.). Para tener esta información, vamos a ver un vídeo en el que un cocinero explica todas estas cosas que necesitamos saber[46]. Lo vamos a ver tres veces. La primera vez, intentad haceros una idea general. Si hay algo que no os quede claro, apuntadlo y lo aclaramos después, ¿de acuerdo? Las otras dos veces tenéis que hacer algo importante: os concentraréis en tomar notas para recoger toda la información que consideréis necesaria para redactar la receta.

[46] El vídeo está disponible en la siguiente dirección: <https://www.youtube.com/ watch?v= pYnDi3M-Sw8> [Consulta: 11 de junio de 2013].

Transcripción de las instrucciones orales contenidas en el vídeo:
Para nuestra tortilla, lo primero que vamos a hacer es pelar las patatas y lavarlas... Vamos a hacer lo mismo con la cebolla: la pelamos y la vamos a cortar para que nos quede fina. Una vez que tenemos la cebolla cortada, pasamos a cortar las patatas en lonchitas... Tenemos una sartén con aceite ya caliente y le incorporamos las patatas y la cebolla, y lo vamos a dejar todo a fuego lento hasta que la patata esté tierna. Eso lo comprobamos pinchando una patata, y cuando esté tierna lo que hacemos es pasarla por un recipiente para escurrir el aceite, el exceso de aceite; yo lo he hecho con un colador. Y mientras va escurriendo la patata y la cebolla, lo que hacemos es batir los huevos. Como son unos cuantos, pues un poquito de paciencia. Un vez que tenemos batidos los huevos, lo que vamos a hacer es echarles un poquito de sal. Esto, como siempre, a gusto de cada uno. Les incorporamos la patata y la cebolla y lo vamos a remover para que se mezcle perfectamente. Una vez que lo tenemos bien mezclado, lo volvemos a poner en la sartén, a fuego medio, hasta que se cuaje por un lado: eso lo veis más o menos. Una vez que está cuajado, pasamos a lo más complicado: darle la vuelta... con mucho cuidado. Y lo volvemos a dejar en la sartén, para que se haga por el otro... Y este es el resultado. La verdad es que estaba deliciosa. Os lo recomiendo. Espero que os haya gustado. Hasta otra.
(En los últimos planos del vídeo, se muestran los ingredientes de la receta).

3. Seguro que habéis tomado muchas notas, ¿verdad? Ahora vamos a formar grupos de tres y cada grupo hará lo siguiente:

a. Comparar la información recogida en las notas (comprobar si es correcta, si falta algo, etc.) y llegar a un acuerdo.
b. Intentar redactar, entre todos, la receta de la tortilla de patatas usando esa información y el modelo de receta que hemos visto al principio (se le puede echar un vistazo de vez en cuando para refrescar la memoria).
c. Una vez redactada la receta, esta será escrita en una transparencia por el miembro del grupo que tenga mejor letra[47].

4. Veo que ya habéis terminado de redactar la receta. Muy bien. Ahora cada grupo presentará su versión y la discutirá con el resto de la clase. Yo me encargaré de moderar el proceso.

5. Hemos tratado juntos muchos aspectos de las diferentes versiones de la receta y habéis tenido la oportunidad de mejorar no pocas cosas. Os voy a dar ahora una versión "definitiva", es decir, sin errores, con la información justa y ajustada estrictamente a las

[47] Esta redacción debe ajustarse a las disponibilidades del aula. Las transparencias pueden sustituirse por documentos creados con algún procesador de texto, los cuales podrán proyectarse. En el peor de los casos, las redacciones se podrán hacer en papel y luego ser fotocopiadas y distribuidas.

convenciones del tipo de texto llamado "receta". Podéis comparar esta versión con las vuestras: aún podremos comentar algunas cosas más.

Tortilla española

Ingredientes (4 personas)
5 patatas medianas • 6 huevos grandes • 1 cebolla • aceite • sal.

Preparación
- Pele las patatas y lávelas.
- Pele y corte la cebolla en rodajas finas.
- Corte las patatas en rodajas pequeñas.
- Eche las patatas y la cebolla en una sartén con aceite ya caliente.
- Deje que se hagan a fuego lento hasta que las patatas estén tiernas (se puede comprobar pinchando una patata).
- Cuando las patatas estén tiernas, páselo todo por un recipiente (por ejemplo, un colador grande) para que escurra el exceso de aceite.
- Mientras escurre el aceite, bata los huevos y añádales, una vez batidos, sal a su gusto.
- Eche a los huevos las patatas y la cebolla y remueva todo muy bien.
- Ponga la mezcla en una sartén a fuego medio y que se cuaje por un lado.
- Una vez cuajado ese lado, dele la vuelta con un plato para que se cuaje el otro lado.

Objetivo y estructura

Dar instrucciones sobre cómo hacer algo (programar un vídeo, acoplar las piezas de un *kit* para montar alguna cosa, etc.) no es, como sabemos, una tarea simple, pues requiere, junto a una planificación y un control adecuados del orden en que se transmite la información, el uso de recursos lingüísticos complejos. Las instrucciones que forman parte de una receta culinaria, sin embargo, dada la concisión con que suelen ser redactadas, constituyen un marco textual muy apropiado para ejercitar en la producción los elementos aludidos. Entre ellos, hay algunos muy frecuentes, como son los siguientes: peticiones con imperativo; frases temporales orientadas a cualquiera de los espacios cronológicos (sobre todo al futuro); frases finales; matrices de diverso tipo integradas en cualquiera de las estructuras anteriores; marcadores discursivos que orientan al lector sobre el orden de las acciones; determinación de la distancia interpersonal (*tú* frente a *usted*).

Las peticiones suelen realizarse recurriendo a las formas positivas y negativas del imperativo y, de haberlos, ajustando el alcance y la posición de los clíticos (por ejemplo: *Pique/Pica la cebolla; Fríala/Fríela con poco aceite; No la cueza/cuezas demasiado*, etc).

Es común, en un proceso culinario, que una acción deba hacerse antes, después o al mismo tiempo que otra. Como al hablar de tales acciones en una instrucción se alude a ellas asociándolas a un ámbito pasado, presente o futuro, la plasmación verbal de sus relaciones exigirá en no pocos casos recurrir a la conjunción temporal más oportuna y tomar decisiones sobre el modo verbal de lo introducido por esa conjunción (por ejemplo: ***Una vez que** ya **está/esté** hecho el sofrito, lo ponemos...; **Después de que ha/haya hervido** unos diez minutos, sacamos el pescado...; Manténgalo a fuego lento **hasta que esté** crujiente; **Cuando empieza/empiece** a hervir el agua, échele los huevos; **Mientras** se **pocha** la verdura, prepare...*, etc.).

En este universo de relaciones que muestra una receta, destacan también las de finalidad. Gracias a ellas, se conectan peticiones y acciones con objetivos y resultados (por ejemplo: *Para que no se hagan grumos, remueva la mezcla de vez en cuando; Para mantenerlas jugosas, añádales...*, etc.).

Pueden aparecer a su vez, integradas en las estructuras consideradas, matrices que, al exigir selección modal, compliquen toda esta trama (por ejemplo: *No **deje** que el aceite se **caliente** demasiado; **Asegúrese** de que la carne **está** jugosa por dentro; Cuando **vea** que el aceite **está** suficientemente caliente, añada el pescado enharinado; Para **evitar** que se **pongan** oscuras, ponga las alcachofas, una vez cortadas, en agua con limón*, etc.).

Es capital el orden en el que deben acometerse las acciones para un plato. De ahí la importancia que reviste en este contexto el orden en el despliegue de la información y, por tanto, el uso adecuado de los marcadores discursivos que indican las fases de ese proceso (por ejemplo: el uso de la numeración; *a continuación; primero, segundo...; por último*; etc.).

El objetivo de esta actividad es que, en un marco textual como el propuesto, los estudiantes se enfrenten y traten de resolver los problemas de producción concernientes a los aspectos gramaticales considerados. Es un objetivo, como se ve, múltiple, aunque sus elementos se presentan integrados gracias al formato textual.

La actividad ha sido elaborada siguiendo sobre todo las directrices de la técnica denominada *dictoglosia* (*dictogloss*)[48]. Esta consiste, esencialmente, en lo siguiente: (i) tras distribuirse en grupos, los estudiantes se dispondrán a tomar notas sobre el texto que les va a proporcionar el profesor; (ii) el texto en cuestión contendrá abundantes muestras de los recursos gramaticales que vengan al caso y será siempre expuesto de forma oral (leído o reproducido a una velocidad normal) dos o tres veces; (iii) los alumnos escuchan y van tomando notas; tienen presente, al hacerlo, que la información recogida en ellas será

[48] *Vid.*: R. Ellis, 2003: 156-7; Gibbons, 2002; Richards y Schmidt (eds.), 2009: *s. v.* "Dictogloss"; Wajnrayb, 1990.

utilizada para elaborar un resumen en la fase siguiente; (iv) discuten y trabajan en su grupo el contenido de las notas tomadas y elaboran un resumen del texto escuchado; (v) cada grupo presenta al resto de la clase el trabajo realizado; (vi) los grupos debaten sobre los diferentes trabajos presentados, proceso que es moderado por el profesor.

La técnica descrita tiene algunas ventajas. Integra, como se puede comprobar, las cuatro destrezas y ofrece a los estudiantes numerosas oportunidades para hablar sobre la lengua en sí misma, sobre el significado y las formas gramaticales en un contexto comunicativamente rico y funcional. Además, favorece que estos centren su atención, al escuchar el texto, en seleccionar la información que resulte relevante para cierta tarea posterior. Por último, al promover tareas en equipo, crea un ambiente de trabajo abierto y positivo, en el que los estudiantes más inseguros podrán sentirse integrados con más facilidad.

La variación que, con respecto a la técnica considerada, introduce la actividad que presentamos aquí es que los estudiantes no hacen un resumen del contenido del vídeo, sino que deberán redactar, sobre la base de la receta que se les da al comienzo de la actividad y que les servirá de modelo, una receta nueva: la de la tortilla de patatas. Es decir, puestos a redactarla, deberán tener en cuenta la información recogida en sus notas y las discusiones posteriores sobre cómo integrarla, con los medios gramaticales adecuados, en el formato textual propuesto.

Desarrollo

a) Material necesario: receta modelo de los huevos a la española (podrá ser distribuida en fotocopias o proyectada); archivo del vídeo y reproductor; transparencias, rotuladores y retroproyector; receta final de la tortilla de patatas (se la distribuirá en fotocopias llegado el momento).
b) Se pide a los estudiantes que formen grupos de cuatro.
c) Se distribuye o proyecta la receta modelo (*Huevos a la española*). Se explica en qué consiste la actividad y se invita a los alumnos a que lean la receta modelo y adviertan sus peculiaridades (se puede llamar la atención brevemente sobre ellas). Se asigna un tiempo razonable para todo esto.
d) Se explica la siguiente fase. Se dice a los estudiantes que verán un vídeo tres veces. La primera vez se concentrarán en entender todo lo que puedan y deberán apuntar lo que les cueste entender. Las otras dos veces deberán tomar notas.
e) Se visiona el vídeo por primera vez. Los alumnos apuntan, en la medida de sus posibilidades, lo que no entienden.
f) El profesor comenta y resuelve las dudas y problemas de comprensión que plantea la clase y se asegura de que todo ha sido comprendido.
g) Se insiste a los estudiantes en que, durante los dos visionados siguientes,

pongan su atención en seleccionar y apuntar todo lo que crean necesario para la redacción de la receta de la tortilla de patatas, que es el objetivo de la actividad.

h) Se visiona el vídeo por segunda vez. Los alumnos toman notas al tiempo que ven y escuchan.
i) Se dice que se va a visionar el vídeo la tercera y última vez.
j) Se visiona el vídeo por tercera vez. Los alumnos toman notas al tiempo que ven y escuchan.
k) Concluida la fase de visionado, los estudiantes se ponen a trabajar sobre las notas que han tomado. Para ello, hablan sobre la organización de la información, las formas gramaticales, las palabras empleadas, los modos verbales, etc. Tendrán a mano la receta modelo para consultarla siempre que lo necesiten (en fotocopia o proyectada). El resultado de todo ello será que cada grupo redactará una primera versión de la receta de tortilla de patatas. Se asigna un tiempo para este proceso.
l) A medida que se vaya concluyendo la anterior tarea de redacción, el profesor le proporcionará a cada grupo transparencias y rotuladores. El miembro del grupo que tenga mejor caligrafía escribirá en la transparencia la primera versión de la receta.
m) Pasadas a las transparencias las diversas versiones de la receta, cada grupo proyecta la propia ante la clase y responde a los comentarios de los otros grupos (cambios, correcciones, etc.). Este proceso será moderado por el profesor. Se asigna un tiempo a esta fase.
n) Para terminar, el profesor distribuye una copia de una segunda versión, "definitiva" (sin errores), de la receta de la tortilla de patatas. Los estudiantes comprueban hasta dónde han llegado y lo que aún deben recorrer. El profesor comenta los errores más comunes aparecidos en las versiones de los alumnos y resalta en términos positivos cómo muchos de ellos han sido reparados durante el debate previo. Los estudiantes conservarán, para posteriores revisiones, las versiones corregida y definitiva de la receta.

3. 2. Actividades de *output* estructurado

Las *actividades de output estructurado* (*structured output activities*, en adelante AOE)[49] son un correlato de las actividades de *input* estructurado y, como estas últimas, plantean un marco de acción circunscrito a un solo aspecto gramatical. Se caracterizan esencialmente por los siguientes aspectos:

a) Se fundamentan en el intercambio de información previamente no conocida.
b) Requieren que se acceda a una forma o estructura determinada para expresar cierto contenido en ese intercambio.

[49] *Vid.*: Lee y VanPatten, 1995; Morgan-Short y Wood Bowden, 2006; Toth, 2006; VanPatten, 1996, 2002a, 2002b y 2004b; VanPatten y Sanz, 1995; Wong, 2004.

Las directrices propuestas para la elaboración de una AOE son casi las mismas que las propuestas en el caso de una AIE:

a) *Presente una cosa cada vez.*
b) *Tenga siempre presente el contenido.*
c) *Vaya de las oraciones al discurso.*
d) *Utilice* output *tanto oral como escrito.*
e) *Los estudiantes han de responder de algún modo al contenido del* output.
f) *Los estudiantes han de poseer algún conocimiento previo de la forma o estructura enfocada en la actividad.*

Se deduce de lo expuesto que las AOE cobran pleno sentido cuando son realizadas después de las AIE. Esto resulta obvio si se tiene en cuenta la última de las directrices consideradas arriba y el hecho de que una AOE permite al estudiante recorrer el camino opuesto al recorrido en una AIE: extraer del sistema en desarrollo (interlengua) el recurso con el que pueda salir al paso de una necesidad comunicativa dada.

3.2.1. *Ejemplos propuestos de AOE*

3.2.1.1 El Genio Articulino

Hola, soy el Genio Articulino y te voy a hacer un test. Si lo haces bien, te concederé tres deseos... ¿Preparado/a?

1. *¿Qué tres cosas tomas para desayunar?*
2. *¿Cómo te gusta tomar esas tres cosas?*
3. *Di tres objetos que te gustaría tener.*
4. *Si consiguieras esos tres objetos, ¿qué podrías hacer con cada uno de ellos?*
5. *En español decimos que hay tres cosas importantes en la vida: salud, dinero y amor... Di qué tres cosas son importantes para ti.*
6. *Explícame ahora por qué son importantes las tres cosas que has dicho.*
7. *De las cosas extraordinarias que hay en el mundo, dime tres que te gustaría conocer.*
8. *¿Puedes definir qué es cada una de esas cosas extraordinarias?*

Ahora habla con un/a compañero/a y comparad vuestras respuestas:

Anotad y comentad las coincidencias.
Anota lo que tu compañero/a ha elegido, pensado, etc. y que te hubiera gustado pensar a ti. Coméntalo con él/ella.

Si habéis coincidido en más de diez cosas, tus deseos se cumplirán antes de seis horas.

Posibles soluciones

1. **¿Qué tres cosas tomas para desayunar?**
La pregunta se plantea de tal modo que la respuesta pueda hacerse de dos maneras: mencionando, sin artículo, una cantidad no determinada de algo no contable, o mencionando, con artículo indeterminado, un ejemplar cualquiera de cierta categoría.

- *Pan* *__Un__ bocadillo de jamón.*
- *Café* *__Una__ taza de café con leche.*
- *Cereales* *__Un__ zumo de naranja.*

2. **¿Cómo te gusta tomar esas tres cosas?**
La pregunta alude a algo totalmente identificable porque ya ha sido mencionado: hay que usar artículo determinado en la respuesta.

- ***El** pan, con mantequilla.*
- ***El** café, con azúcar.*
- ***El** yogur lo tomo desnatado.*

3. **Di tres objetos que te gustaría tener:**
La petición se plantea de este modo para que en la respuesta se hable de un ejemplar cualquiera de una categoría: hay que usar en la respuesta artículo indeterminado.

- ***Un** coche rojo.*
- ***Una** casa con jardín.*
- ***Un** apartamento en la playa.*

4. **Si consiguieras esos tres objetos, ¿qué podrías hacer con cada uno de ellos?**
La pregunta alude a algo totalmente identificable porque ya ha sido mencionado: hay que usar en la respuesta artículo determinado.

- *Con **el** coche rojo podría presumir ante mis amigos.*
- *Con **la** casa con jardín podría celebrar fiestas al aire libre.*

5. **En español decimos que hay tres cosas importantes en la vida: salud, dinero y amor... Di qué tres cosas son importantes para ti.**
La petición se plantea de este modo para que la respuesta pueda hacerse de dos maneras: mencionando sin más, y por tanto sin artículo, una categoría, o mencionando, con artículo determinado, una realidad concebida genéricamente (expresada en singular o plural, según los casos).

- *Libertad* ***La** libertad.*
- *Justicia* ***La** justicia.*
- *Amor* ***Los** hijos.*

6. **Explícame ahora por qué son importantes las tres cosas que has dicho.**
La petición alude a algo totalmente identificable porque ya ha sido mencionado: hay que usar en la respuesta artículo determinado.

- ***La** libertad es muy importante porque sin ella no podemos vivir.*
- ***La** justicia, porque...*
- ***Los** hijos, porque...*

7. **De las cosas extraordinarias que hay en el mundo, dime tres que te gustaría conocer:**
La petición se plantea de este modo para que en la respuesta se hable de algo totalmente identificable y concebido como realidad única: hay que usar en la respuesta artículo determinado.

- ***El** Taj Mahal.*
- ***Las** playas de Goa.*
- ***La** Sagrada Familia.*

8. **¿Puedes definir qué es cada una de las cosas extraordinarias?**
La pregunta se plantea de este modo para que en la respuesta aparezcan dos cosas: primero, se habla de objetos totalmente identificables (porque han sido aludidos antes) usando el artículo determinado; después, se habla de un ejemplar cualquiera y prototípico de una categoría usando el artículo indeterminado. Mediante lo primero se hace referencia a cierto objeto identificado. Mediante lo segundo es definido tal objeto, es decir, se expresa que el objeto mencionado en primer lugar es un ejemplar de la categoría mencionada en segundo lugar.

- ***El** Taj Mahal es **un** mausoleo.*
- ***Las** playas de Goa son **unas** playas que hay en la India.*
- ***La** Sagrada Familia es **un** templo de Gaudí.*

9. **Anotad y comentad las coincidencias.**
En esta parte de la actividad los estudiantes retoman lo que han contestado en diversos puntos de ella, por lo que tienen que usar cualquiera de los elementos que conforman el paradigma del artículo: ausencia de artículo, indeterminados o determinados.

- *Los dos tomamos café por las mañanas, queremos* ***un*** *Ferrari rojo, queremos ir a ver* ***el*** *Taj Mahal y pensamos que* ***el*** *amor es lo más importante en la vida.*

10. Anota lo que tu compañero/a ha elegido, pensado, etc. y que te hubiera gustado pensar a ti. Coméntalo con él/ella.

- *Las cataratas del Niágara*
- *El café*
- *La solidaridad*
- *Agua caliente con limón para desayunar*

Objetivo y estructura

No es tarea fácil el dominio de las funciones del artículo. De ahí que sea un recurso gramatical que exija tiempo y dedicación, sobre todo a aquellos estudiantes cuyas lenguas carecen de este determinante nominal.

Si se dejan a un lado los usos más o menos lexicalizados del artículo, los que permiten al hablante decidir cómo aludir a un objeto son, muy a grandes rasgos, los siguientes: (i) mencionar, sin artículo, un objeto en tanto que categoría (*No tenemos Ø teléfono; Tienes que ponerte Ø traje y Ø corbata*); (ii) aludir, sin artículo, a una cantidad no determinada de algo no contable (*Póngame Ø agua con gas; Se compra Ø oro*); (iii) aludir, sin artículo, a una cantidad no determinada de objetos, porque no es necesario especificarlos ni identificarlos más concretamente (*¿Tienen ustedes Ø cuentos para niños?; Viajó por Ø países exóticos*); (iv) hacer referencia, con algún artículo indefinido, a un objeto cualquiera de una categoría, porque no resulta identificable para el oyente (hay varios objetos del mismo tipo: *Ese es Luis,* ***un*** *profesor del centro,* o es la primera vez que se habla de ese objeto: *¿Sabes? Hay* ***un*** *guardia en la entrada; ¿qué pasará?*); (v) hacer referencia, con algún artículo definido, a un objeto que resulta identificable para el oyente (no hay otros objetos como él: *Ese es Luis,* ***el*** *profesor de matemáticas del centro*, o tal objeto ya ha sido mencionado: *Quedan un zumo y una cerveza;* ***la*** *cerveza es para mí*); (vi) aludir genéricamente, con algún artículo indefinido, a la totalidad de una categoría (***Un*** *hombre de verdad cumple lo prometido*); (vii) aludir genéricamente, con algún artículo definido, a la totalidad de una categoría (***Las*** *cigüeñas son aves migratorias;* ***El*** *oro vale más que* ***la*** *plata;* ***La*** *libertad es el mayor bien*).

Un conjunto de usos como este requiere que sea abordado pausada y concienzudamente. Los estudiantes deberían hacerse con tales usos a través de las convenientes explicaciones y de una serie de actividades interpretativas y productivas de diverso tipo y debidamente secuenciadas a lo largo de diferentes etapas curriculares. La actividad de procesamiento del *output* que proponemos aquí implica que los estudiantes han superado ya esta fase. De ahí que se proponga en ella como objetivo el que, debiendo responder a ciertas preguntas y peticiones, los estudiantes accedan a no pocos de los valores arriba esbozados, traten de resolver en cada caso el mejor ajuste de las formas y funciones del artículo e integren el resultado en sus respuestas.

Como suele ser habitual en este tipo de actividad, las preguntas han sido planteadas de tal modo que provoquen cierta respuesta: en este caso, la de empujar de algún modo al estudiante a que recurra y use los artículos. Para favorecer este proceso, el léxico es deliberadamente simple.

En la actividad se plantean de modo gradual diferentes problemas referidos al uso del artículo. Los primeros ocho ítems promueven una respuesta bastante controlada, mientras que los dos restantes permiten otras más abiertas y creativas.

El ítem 10, por otra parte, concluye el proceso con algo que acercará todo el trabajo gramatical previo a la esfera personal de los estudiantes, ya que los instala en un espacio en el que resulta posible el intercambio de experiencias y sentimientos.

Desarrollo

a) El profesor distribuye el material necesario para realizar la actividad.
b) Se recuerdan, a grandes líneas, los usos que van a practicarse y se advierte de los posibles errores que pueden aparecer.
c) Se dan instrucciones sobre cómo realizar la actividad: primero, individualmente, se leen y resuelven los primeros ocho ítems; después, cuando se indique el momento y por parejas, se hará lo mismo con los dos restantes.
d) Los estudiantes, individualmente, leen los primeros ocho ítems y los resuelven por escrito. Se asigna un tiempo para esto.
e) El profesor plantea en voz alta a cada estudiante los ocho ítems ya trabajados y corrige los posibles errores. Es conveniente que, cuando sean revisadas las respuestas de cada estudiante, los demás participen en tal revisión en la medida de lo posible.
f) Los estudiantes, en parejas, resuelven los ítems 9 y 10. Se asigna tiempo para esto. Los estudiantes escribirán sus respuestas y hablarán sobre ellas.
g) Cada pareja de estudiantes presenta ante la clase los resultados de los ítems 9 y 10. Se comentan las semejanzas, diferencias, singularidades, etc. El profesor procurará que, durante este proceso, los estudiantes se sientan cómodos y motivados para hablar. Para favorecer esto, reducirá a lo justo las correcciones. Lo importante aquí es sugerirles que todo el trabajo previo tiene un colofón comunicativo realista.

3.2.1.2 Diálogos

Habla con tu compañero/a. Él/ella tiene la otra parte del diálogo. Escoge los pronombres adecuados según lo que te diga.

1. Dos hermanas hablan sobre un jarrón.
Eres el personaje **A**

A: ¿Quién ha roto el jarrón chino de la abuela? ¿LO_____ sabes?
B: ....
A: Seguro que no, porque Felipa es muy cuidadosa. __________ habrá caído cuando lo limpiaba...
B: ....
A: No, no , ella no __________ rompió. __________ rompió porque era viejísimo... Seguro que ella no fue.
B: ....

1. Dos hermanas hablan sobre un jarrón.
Eres el personaje **B**

A: ....
B: Seguro que ha sido Felipa, que __________ quitó el polvo el otro día.
A: ....
B: No, no, no... Seguro que no __________ ha caído. Seguro que __________ ha tirado. Que ya me ha roto muchas cosas del dormitorio. Hace poco __________ rompió el reloj de arena que tenía yo en la mesilla de noche. El que me dio el abuelito Paco.
A: ....
B: Entonces, si sabes que ella no fue, a lo mejor es que __________ rompiste tú. Di, ¿fuiste tú?

Solución

1.

A: ¿Quién ha roto el jarrón chino de la abuela? ¿**Lo** sabes?
B: Seguro que ha sido Felipa, que **le** quitó el polvo el otro día.
A: Seguro que no, porque Felipa es muy cuidadosa. **Se le** habrá caído...
B: No, no, no... Seguro que no **se le** ha caído. Seguro que **lo** ha tirado. Que ya me ha roto muchas cosas. Hace poco **me** rompió el reloj de arena que tenía yo en la mesilla de noche. El que me dio el abuelito Paco..
A: No, no **te lo** rompió. **Se** rompió porque era viejísimo... Ella no fue. Seguro.
B: Entonces, si sabes que ella no fue, a lo mejor es que **lo** rompiste tú. Di, ¿fuiste tú?

2. Un matrimonio habla sobre sus hijos.
Eres el personaje **A** (mujer)

A: ¿A ti te parece normal que Pepito haya hecho una fiesta sin nuestro permiso?
B: ....
A: Pues __________ parece un horror. Tenemos que decir __________ que no vuelva a hacerlo.
B: ....
A: Vale, di __________. Y, de paso, comenta __________ que tiene que ordenar un poco su habitación.
B: ....
A: ¿Caso a mí? ¡Imposible! Manda __________ tú que la limpien a ver si tienes suerte.
B: ....

2. Un matrimonio habla sobre sus hijos.
Eres el personaje **B** (marido)

A: ....
B: Con la edad que tiene, __me__ parece normalísimo, ¿a ti no?
A: ....
B: Yo, si quieres, intento decir __________
A: ....
B: Eso, mejor, comenta __________ tú. Y, por cierto, tienes que hablar muy en serio con María y Juan y decir __________ que limpien la cocina después de hacerse los bocatas y el colacao. Tú pon __________ seria, así te harán más caso.
A: ....
B: No, mejor hablemos __________ los dos. Yo ya estoy harto de ser el malo de la película.

2.

A *(mujer)* ¿A ti te parece normal que Pepito haya hecho una fiesta sin nuestro permiso?
B *(marido):* Con la edad que tiene, **a mí me** parece normalísimo, ¿a ti no?
A: Pues **a mí me** parece un horror. Tenemos que decir**le** que no vuelva a hacerlo.
B: Yo, si quieres, intento decír**selo**.
A: Vale, dí**selo**. Y, de paso, coménta**le** que tiene que ordenar un poco su habitación.
B: Eso comténta**selo** tú. Y, por cierto, tienes que hablar muy en serio con María y Juan y decir**les** que limpien la cocina después de hacerse los bocatas y el colacao. Tú pon**te** seria, así te harán más caso.
A: ¿Caso a mí? ¡Imposible! Mánda**les** tú que la limpien a ver si tienes suerte.
B: No, mejor hablémos**les** los dos. Yo ya estoy harto de ser el malo de la película.

3. Una pareja quiere comprarse una casa.
Eres el personaje **A** (chico)

A: Por lo visto ___se___ vende aquella casa que tanto nos gustaba...
B: ....
A: Creo que __________ vende por mucho menos de lo que __________ vendían el año pasado...
B: ....
A: No sé.... ¿A ti te gustaría comprar __________?
B: ....
A: Pues __________ tenemos complicado. No creo que __________ den. Ganamos poquito.
B: ....
A: ¿Por qué no llamamos por teléfono a la inmobiliaria y negociamos para ver por cuánto __________ venden?
B: ....

3. Una pareja quiere comprarse una casa.
Eres el personaje **B** (chica)

A: ....
B: ¡No me digas! ¿Y por cuánto __________ venden?
A: ....
B: Eso es estupendo. ¿Te gustaría que __________ compráramos si realmente __________ vende barata?
A: ....
B: Sí, a mí me encantaría. Sobre todo si __________ vende a un buen precio. Pero primero me gustaría comentar __________ al director del banco para ver si nos dan un préstamo.
A: ....
B: La verdad es que, si la casa __________ venden por un poco más de lo que tenemos en el banco, igual no necesitamos préstamo ni nada.
A: ....
B: Vale, llama tú. Yo voy a mirar en otras webs para ver si __________ venden otras que __________ puedan gustar a los dos y que sean un poquito más baratas...

3.
A *(chico)*: Por lo visto **se** vende aquella casa que tanto nos gustaba…
B *(chica)*: ¡No me digas! Y ¿por cuánto **la** venden?
A: Creo que **se** vende por mucho menos de lo que **la** vendían el año pasado…
B: Eso es estupendo. ¿Te gustaría que **la** compráramos si realmente **se** vende barata?
A: No sé…. ¿A ti te gustaría compra**rla**?

4. Un niño habla con su madre.
Eres el personaje **A** (hijo)

A: Mamá, mamá, a papá y a mí ___se nos___ ha escapado, __________ ha escapado... ¡Qué horror!

B: ....

A: Es que a ti no __________ puedo decir, mamá...

B: ....

A: Es que en realidad no __________ ha escapado a mí, sino a papá...

B: ....

A: No, no, ¡la risa! __________ ha escapado la risa, pero mucho, ¿eh? No podía parar...

B: ....

A: Sí, porque papá __________ ha reído cuando mi profesor de matemáticas __________ decía que teníais que controlar __________ más para que yo no __________ riera tanto cuando él hablaba...

B: ....

4. Un niño habla con su madre.
Eres el personaje **B** (madre)

A: ....

B: ¿El qué, hijo? ¿El qué __________ ha escapado?

A: ....

B: Por favor, di __________, hijo. ¿ __________ ha escapado un taco, una palabrota, un ...?

A: ....

B: ¿A papá? ¿Qué __________ ha escapado a papá? ¿Qué? ¿El perro? ¿El hámster? ¿Un...?

A: ....

B: Y ¿por qué __________ cuentas tan nervioso? ¿Eso es tan importante?

A: ....

B: Ay, calla, calla, que no puedo parar de reír __________... Es genial. Jajajaja.

B: Sí, a mí me encantaría. Sobre todo si **se** vende a un buen precio. Pero primero me gustaría comentár**selo** al director del banco para ver si nos dan un préstamo.
A: Pues **lo** tenemos complicado. No creo que **nos lo** den. Ganamos poquito.
B: La verdad es que, si la casa **la** venden por un poco más de lo que tenemos en el banco, igual no necesitamos préstamo ni nada.
A: ¿Por qué no llamamos por teléfono a la inmobiliaria y negociamos para ver por cuánto **nos la** venden?
B: Vale, llama tú. Yo voy a mirar en otras webs para ver si **se** venden otras que **nos** puedan gustar a los dos y que sean un poquito más baratas...

4.

A: (*hijo*): Mamá, mamá, a papá y a mí **se nos** ha escapado, **se nos** ha escapado... ¡Qué horror!

B (*madre*): ¿El qué, hijo? ¿El qué **se te** ha escapado?

A: Es que a ti no **te lo** puedo decir, mamá....

B: Por favor, dí**melo**, hijo. ¿**Se te** ha escapado un taco, una palabrota, un...?

A: Es que en realidad no **se me** ha escapado a mí, sino a papá...

B: ¿A papá? ¿Qué **se le** ha escapado a papá? ¿Qué? ¿El perro? ¿El hámster? ¿Un...?

A: No, no, ¡la risa! **Se le** ha escapado la risa, pero mucho, ¿eh? No podía parar...

B: Y ¿por qué **me lo** cuentas tan nervioso? ¿Eso es tan importante?

A: Sí, porque papá **se** ha reído cuando mi profesor de matemáticas **le** decía que teníais que controlar**me** más para que yo no **me** riera tanto cuando él hablaba...

B: Ay, calla, calla, que no puedo parar de reír**me**... Es genial. Jajajaja.

Objetivo y estructura

Se pretende con esta actividad[50] de *output* estructurado que los estudiantes accedan a buena parte de los valores de los pronombres átonos y tónicos e intenten resolver los problemas que el uso de tales valores plantea en la producción de cierto texto.

Se practica sobre todo con lo siguiente: (i) uso de los pronombres en función de objeto directo e indirecto (***Las** compró ayer; ¿No **te** dieron el premio?*); (ii) redundancia pronominal (*A **mí me** gusta mucho; No **le** dijeron nada a **él***); (iii) *se* medial (***Se** cayó la pared; **Se me** ha olvidado el número*); (iv) *se* en pasiva refleja (***Se** venden parcelas*); (v) pronombres dobles (***Se lo** trajeron ayer*); (vi) anteposición y posposición de pronombres (*Dí**selo** a ellas* frente a *No **se lo** digas a ellas*). Como se ve, los aspectos pronominales tratados poseen diferentes alcances: (i), (v) y (vi) son de carácter más básico si se los compara con (ii), (iii) y (iv). Se pretende con ello que los básicos actúen como punto de referencia para los complejos, de modo que el contraste entre unos y otros enriquezca el proceso de acceso y selección de formas y valores.

La actividad está elaborada sobre el principio del "vacío de información"[51]. De ahí que ofrezca cuatro diálogos entre dos personas y que estos se presenten escindidos: un estudiante dispondrá de las intervenciones correspondientes al personaje A; otro, de las del B, y leerán en voz alta, representando los diálo-

[50] Esta actividad se ha elaborado sobre una idea original de María Dolores Chamorro Guerrero (Universidad de Granada).

[51] *Vid*: Johnson, 1982; Littlewood, 1996; Melero Abadía, 2000; Nunan, 1989.

gos, las partes asignadas. Al hacerlo, tropezarán con problemas de carácter pronominal que han resolver sobre la marcha: para que el diálogo se desarrolle y concluya adecuadamente, deberán insertar en algunos huecos el elemento o elementos pronominales que consideren convenientes al caso. Como puede apreciarse, para poder cumplir con esta tarea, los estudiantes se sitúan plenamente en el ámbito del significado, crean de manera conjunta el sentido de los diálogos y, al hilo de esto, encajan las piezas que faltan.

Como se trata de un proceso que exige concentración y esfuerzo (han de tenerse en cuenta no pocas cosas bajo la presión que impone el desarrollo dialógico), el léxico presente en los turnos de los diálogos es deliberadamente sencillo. También lo son las estructuras sintácticas, aunque sin dejar de ser propias del nivel. Se intenta, así, que los estudiantes centren toda la energía de su atención en la producción de las formas pronominales.

Está muy controlado el proceso mediante el cual ha de ser alcanzado el objetivo de la actividad. Sin embargo, esta circunstancia presenta las ventajas de que los estudiantes se ven muy impelidos a usar el elemento gramatical enfocado, y la de que, al hacerlo, se instalan, gracias al vacío de información, en un contexto muy cercano al de una conversación real.

Dada la complejidad de su objetivo, la actividad exige que los estudiantes conozcan y hayan trabajado a fondo los valores y formas pronominales para cuya práctica ha sido creada.

Desarrollo

a) Los estudiantes se agrupan por parejas.
b) El profesor distribuye el material necesario para realizar la actividad.
c) Se dan instrucciones sobre cómo realizar la actividad:
   (i) Las parejas leen y representan los diálogos 1 y 2;
   (ii) Se hace una puesta en común sobre los diálogos 1 y 2;
   (iii) Las parejas leen y representan los diálogos 3 y 4;
   (iv) Se hace una puesta en común sobre los diálogos 3 y 4.
d) Se recuerdan, a grandes líneas, los usos que van a practicarse en los diálogos 1 y 2 y se advierte de los posibles errores.
e) Las parejas de estudiantes leen y representan los diálogos 1 y 2. Anotan en los huecos las respuestas. Se asigna un tiempo para esto (conviene ajustarlo flexible y adecuadamente en cada caso: las exigencias de procesamiento impuestas por la tarea son altas).
f) Se emprende una puesta en común: se discuten las respuestas, se resuelven dudas y se corrigen los errores concernientes a los diálogos 1 y 2.
g) Se recuerdan, a grandes líneas, los usos que van a practicarse en los diálogos 3 y 4 y se advierte de los posibles errores.
h) Las parejas de estudiantes leen y representan los diálogos 3 y 4. Anotan en

los huecos las respuestas. Se asigna un tiempo para esto (conviene ajustarlo flexible y adecuadamente en cada caso: las exigencias de procesamiento impuestas por la tarea son altas).

i) Se emprende una puesta en común: se discuten las respuestas, se resuelven dudas y se corrigen los errores concernientes a los diálogos 3 y 4.

4. Consideraciones finales

La tipología de actividades gramaticales y los ejemplos propuestos no agotan, obviamente, todas las posibilidades existentes. Lo que aquí se ha pretendido ha sido justificar los tipos de actividad que, por acomodarse a las directrices de la AF (el marco teórico en el que nos apoyamos) y haber sido aplicados con provecho en diversos contextos de aprendizaje, nos parecen más sugerentes y apropiados para los niveles avanzados de español como lengua segunda o extranjera.

Por otra parte, creemos que los tipos de actividad propuestos ofrecen formatos que, además de estar sólidamente fundamentados en numerosos y reconocidos estudios de adquisición de lenguas, permiten desarrollos en múltiples direcciones. Esto último es, en nuestra opinión, un rasgo notable: el rigor que impone la aplicación de sus principios no supone, sin embargo, inflexibilidad ni brete alguno para la creatividad o la elección del modo más conveniente de tratar un recurso gramatical dado. A este respecto, las actividades propuestas como ejemplos para cada uno de los tipos tratados son solo una muestra de lo que se puede hacer con tales formatos.

Hemos presentado los tipos de actividad y los ejemplos de estos en dos grupos: los interpretativos y los productivos. Asimismo, hemos explicado la técnica o técnicas que cada tipo subsume. Este modo de proceder nos ha parecido el más conveniente para destacar lo que juzgamos esencial en la elaboración de una actividad gramatical. Es más, consideramos que el conocer esta tipología básica y el practicar con ella es un paso previo e ineludible para la ulterior elaboración de actividades más complejas como, por ejemplo, secuencias didácticas.

Por último, todos los tipos de actividad y ejemplos propuestos tienen en común, además de su carácter explícito, basarse en el significado de las formas objeto y estar destinados a niveles avanzados, el que promueven en el alumnado numerosas respuestas (tanto interpretativas como productivas) y el que estas dan pie a variadas posibilidades de retroalimentación y reparación de errores. Es esta una circunstancia que conviene resaltar, dados los efectos positivos que tales acciones ejercen, cuando son llevadas a cabo de manera adecuada, en el aprendizaje de una lengua segunda o extranjera. Incluso se ha llegado a decir que la mejor actividad gramatical es aquella que es capaz de promover errores para que puedan ser reparados convenientemente. En este sentido, y en la línea de lo que muchos estudios proponen, defendemos aquí el argumento de que un adecuado tratamiento de los errores gramaticales, enfocado en la interpretación de lo que los estudiantes realmente han dicho y no en una respuesta esperada *a priori*, favorecerá una mayor conciencia lingüística y, gracias a ello, un paulatino crecimiento en la habilidad de ajustar el valor de un recurso gramatical a la intención comunicativa. En suma, nos referimos a una labor de reparación de errores en la que resulte posible que los estudiantes asuman, cada vez más, protagonismo y autonomía en su proceso de aprendizaje.

Referencias bibliográficas

Achard, M. y S. Niemeier (eds.) (2004). *Cognitive Linguistics, Second Language Acquisition and Foreing Language Teaching*. Berlín: Mouton de Gruyter.

Alatis, J. (ed.) (1991). *Georgetown University Round Table on Languages and Linguistics 1991: Linguistics and Language Pedagogy: The State of the Art*. Washington, DC: Georgetown University Press.

Aljaafreh, A. y J. Lantolf (1994). "Negative feedback as regulation and second language learning in the Zone of Proximal Development", *Modern Language Journal*, 78, 465-483.

Allwright, D. (1988). *Observation in the Language Classroom*. Londres: Longman.

Allwright, D. y K. M. Bailey (1991). *Focus on the Language Classroom: An Introduction to Classroom Research for Language Teachers*. Cambridge: Cambridge University Press.

Alonso Aparicio, I. (este volumen). "Fundamentos cognitivos de la práctica sistemática en la enseñanza gramatical".

Alonso Raya, R. (1999). "La gramática en el aula de E/LE", *Documentos de Español Actual*, 1, 33-46.

Alonso Raya, R. (2004). "Procesamiento de *input* y actividades gramaticales", *RedELE* [en línea], 0. <http://www.mecd.gob.es/dctm/redele/Material-RedEle/Revista/2004_00/2004_redELE_0_01Alonso.pdf?documentId=0901e72b80e06c5b> [Consulta: 6 de mayo de 2013].

Alonso Raya, R. y P. Martínez Gila (1993a). "Reflexión consciente y adquisición de la lengua. Algunos ejemplos en español", *Foro Hispánico (Revista Hispánica de Flandes y Holanda)*, 6, 65-76.

Alonso Raya, R. y P. Martínez Gila (1993b). "Textos y procesos discursivos en el aula de E/LE", en L. Miquel y N. Sans (eds.), 9-24.

Alonso Raya, R. y P. Martínez Gila (1999). "Prácticas gramaticales. Criterios de presentación y secuenciación", en M. C. Losada Aldrey et ál. (eds.), 325-334.

Alonso Raya, R. y P. Martínez Gila (2006). "Reglas gramaticales y estrategias de procesamiento del *input*. *¿Creéis en las hadas?*", *Mosaico* [en línea], 18, 21-28. <https://sede.educacion.gob.es/publiventa/ImageServlet?img=13152.pdf&D=OK> [Consulta: 6 de mayo de 2013].

Bailey, K. M. y D. Nunan (eds.) (1996). *Voices from the Language Classroom*. Cambridge: Cambridge University Press.

Bartels, N. (ed.) (2005). *Applied Linguistics and Language Teacher Education*. Nueva York: Springer.

Batstone, R. (1994a). *Grammar*. Oxford: Oxford University Press.

Batstone, R. (1994b). "Product and process: Grammar in the second language classroom", en M. Bygate et ál. (eds.), 224-236.

Beebe, L. (ed.) (1988). *Issues in Second Language Acquisition: Multiple Perspectives*. Rowley (MA): Academic Press.

Benati, A. (2013). "The Input Processing Theory in Second Language Acquisition", en

M. P. García Mayo et ál. (eds.), 93-110.
Besse, H. y R. Porquier (1984). *Grammaires et didactique de langues*. París: Hatier-Credif.
Bialystok, E. (1978). "A Theoretical Model of Second Language Learning", *Language Learning*, 28, 69-84. (Trad. esp.: "Un modelo teórico de la adquisición de lenguas segundas", en J. Liceras (ed.), 177-192).
Bialystok, E. (1982). "On the relationship between knowing and using forms", *Applied Linguistics*, 3, 181-206.
Bialystok, E. (1990). *Communication Strategies. A Psychological Analysis of Second Language*. Oxford: Blackwell.
Birdsong, D. (1989). *Metalinguistic Performance and Interlinguistic Competence*. Nueva York: Springer.
Borg, S. (1999). "The use of gramatical terminology in the second language classrooms", *Applied Linguistics*, 20-1, 95-126.
Burgess, J. y S. Etherington (2002). "Focus on grammatical form: explicit or implicit?", *System*, 30, 433-458.
Bybee, J. (2006). "From usage to grammar. The mind's response to repetition", *Language*, 82-2, 711-733.
Byrd, P. (2005). "Instructed Grammar", en E. Hinkel (ed.), 545-562.
Branscombre, N. A., D. Goswami y J. Schmartz (eds.) (1992). *Students Teaching, Teachers Learning*. Portsmouth (New Hampshire): Boynton/Cook.
Brumfit, C. y K. Johnson (1979). *The Communicative Approach to Language Teaching*. Oxford: Oxford University Press.
Brumfit, C. y R. Mitchell (eds.) (1990). *Research in Language Classroom. ELT Documents 133*. Londres: Modern English Publications.
Bygate, M., A. Tonkin y E. Williams (eds.) (1994). *Grammar and the Language Teacher*. Hemel Hempstead: Prentice-Hall International.
Bygate, M., P. Skehan y M. Swain (eds.) (2001). *Researching Pedagogical Tasks*. Harlow: Longman.
Byrnes, H. (ed.) (1998). *Learning Foreign and Second Languages: Perspectives in Research and Scholarship*. Nueva York: Modern Language Association.
Carroll, S. y M. Swain (1993). "Explicit and implicit negative feedback. An empirical study of the learning of linguistic generalizations", *Studies in Second Language Acquisition*, 15, 357-386.
Carter, R. y M. Mccarthy (1995). "Grammar and the Spoken Language", *Applied Linguistics*, 16, 141-158.
Casad, E. H. (ed.) (1996). *Linguistics in the redwoods: The expansion of a new paradigm in Linguistics*. Berlín: Mouton de Gruyter.
Castañeda Castro, A. (1997). *Aspectos cognitivos en el aprendizaje de una lengua extranjera*. Granada: Método Ediciones.
Castañeda Castro, A. (2004a), "Gramática e imágenes. Ejemplos para el caso del español", *Mosaico* [en línea], 14, 7-14. <https://sede.educacion.gob.es/publiventa/ImageServlet?img=13148.pdf&D=OK> [Consulta: 6 de mayo de 2013].

Castañeda Castro, A. (2004b), "Potencial pedagógico de la gramática cognitiva. Pautas para la elaboración de una gramática pedagógica del español/LE", *RedELE* [en línea], 0. <http://www.mecd.gob.es/dctm/redele/Material-RedEle/Revista/2004_00/2004_redELE_0_06Castaneda.pdf?documentId=0901e72b80e0c73e> [Consulta: 3 de mayo de 2013].

Castañeda Castro, A. (2004c), "Una visión cognitiva del sistema temporal y modal del verbo en español". ELUA *(Estudios de Lingüística de la Universidad de Alicante).* Número monográfico: *El verbo*; 55-71.

Castañeda Castro, A. (2006a), "Aspecto, perspectiva y tiempo de procesamiento en la oposición Imperfecto / Indefinido del español. Ventajas explicativas y aplicaciones pedagógicas", RAEL (*Revista electrónica de Lingüística Aplicada de la Asociación Española de Lingüística Aplicada*) [en línea], 5, 107-140. <http://dialnet.unirioja.es/servlet/articulo?codigo=2254299> [Consulta: 6 de mayo de 2013].

Castañeda Castro, A. (2006b), "Perspectiva en las representaciones gramaticales. Aportaciones de la Gramática Cognitiva a la enseñanza de español/LE", *Boletín de* ASELE [en línea], 34, 11-32. <http://formespa.rediris.es/pdfs/asele34.pdf> [Consulta: 6 de mayo de 2013].

Castañeda Castro. A. (2012). "Perspective and Meaning in Pedagogical Descriptions of Spanish as a Foreign Language", en Ruiz Fajardo (ed.), 221-272.

Castañeda Castro, A. y E. Melguizo Moreno (2006), "*Querían dormirlo, se ha dormido, está durmiendo*. Gramática Cognitiva para la presentación de los usos de *se* en clase de ELE", *Mosaico* [en línea], 18, 13-20. <https://sede.educacion.gob.es/publiventa/ImageServlet?img=13152.pdf&D=OK> [Consulta: 6 de mayo de 3013].

Castañeda Castro, A. y J. Ortega Olivares (2001). "Atención a la forma y gramática pedagógica: algunos aspectos del metalenguaje de presentación de la oposición *imperfecto/indefinido* en el aula de español/LE", en S. Pastor Cesteros y V. Salazar García (eds.), 213-248.

Castañeda Castro, A. y Z. Alhmoud (este volumen). "Gramática cognitiva en descripciones gramaticales para niveles avanzados de ELE".

Celce-Murcia, M. (1991). "Grammar pedagogy in second and foreign language teaching", TESOL "*Quarterly*", 25, 459-480.

Celce-Murcia, M. (ed.) (2001). *Teaching English as a second or foreign language.* Boston (MA): Thomson-Heinle (3ª edic.).

Celce-Murcia, M. y S. Hilles (1988), *Techniques and Resources in Teaching Grammar.* Oxford: Oxford University Press.

Celce-Murcia, M., Z. Dörnyei y S. Thurrell (1997). "Direct approaches in L2 instruction: A turning point in communicative language teaching?", TESOL "*Quarterly*", 31, 141-152.

Chaudron. C. (1987). "The role of error correction in second language teaching", en B. K. Das (ed.), 17-50.

Chaudron, C. (1988). *Second Language Classrooms: Research on Teaching and Learning.* Cambridge: Cambridge University Press.

Chaudron, C. (2000). "Métodos actuales de investigación en el aula de segundas

lenguas", en C. Muñoz (ed.), 127-161.
Cook, G. y B. Seidlhofer (eds.) (1995). *Principle and Practice in Applied Linguistics.* Oxford: Oxford University Press.
Crookes, G. y S. M. Gass (1993a). *Tasks in a Pedagogical Context: Integrating Theory and Practice.* Clevedon: Multilingual Matters.
Crookes, G. y S. M. Gass (1993b). *Tasks in Language Learning: Integrating Theory and Practice.* Clevedon: Multilingual Matters.
Das, B. K. (ed.) (1987). *Patterns of Classroom Interaction in Southeast Asia.* Singapur: SEAMEO, Regional Language Center.
Davies, A., C. Criper y A. Howatt (eds.) (1984). *Interlanguage.* Edimburgo: Edinburgh University Press.
Day, R. (ed.) (1986). *Talking to Learn: Conversation in Second Language Acquisition.* Rowley: Newbury House.
De Graaff, R. y A. Housen (2009). "Investigating the Effects and Effectiveness of L2 Instruction", en M. H. Long y C. Doughty, 726-754.
De Knop, S. y T. De Rycker (eds.) (2008). *Cognitive approaches to pedagogical grammar.* Berlín/Nueva York: Mouton de Gruyter.
DeBot, K., R. Ginsberg y C. Kramsch (eds.) (1991). *Foreign Language Research in Cross-Cultural Perspective.* Ámsterdam/Filadelfia: John Benjamins.
DeKeyser, R. M. (1994). "How implicit can adult second language learning be?", en J. Hulstijn y R. Schmidt (eds.), 83-96.
DeKeyser, R. M. (1998). "Beyond focus on form: Cognitive perspectives on learning and praticing second language grammar", en C. Doughty y J. Williams (eds.), 42-63.
DeKeyser, R. M. (2003), "Implicit and explicit learning", en C. J. Doughty y M. H. Long, 313-348.
Dirven, R. (1990). "Pedagogical Grammar", *Language Teaching*, 23, 1-18.
Donato, R. (1994). "Collective scaffolding in second language learning", en J. Lantolf y G. Appel (eds.), 33-56.
Doughty, C. (1991). "Second language instruction does make a difference: Evidence from an empirical study of relativization", *Studies in Second Language Acquisition*, 13, 431-469.
Doughty, C. (1998). "Acquiring competence in a second language: Form and function", en H. Byrnes (ed.), 89-110.
Doughty, C. (2001). "Cognitive underpinnings of focus on form", en P. Robinson (ed.), 206-257.
Doughty, C. (2003). "Instructed SLA: Constraints, Compensation, and Enhancement", en C. J. Doughty y M. H. Long (eds.), 256-310.
Doughty, C. y E. Varela (1998). "Communicative focus on form", en C. Doughty y J. Williams (eds.), 114-138.
Doughty, C. y J. Williams (1998). "Pedagogical choices in focus on form", en C. Doughty y J. Williams (eds.), 197-260.
Doughty, C. y J. Williams (eds.) (1998). *Focus on Form in Classroom Second Language*

Acquisition. Cambridge: Cambridge University Press.

Doughty, C. J. y M. H. Long (eds.) (2003). *The Handbook of Second Language Acquisition*. Oxford: Blackwell.

Eckman, F., D. Highland, P. W. Lee, J. Mileham y R. R. Weber (eds.) (1995). *Second Language Acquisition Theory and Pedagogy*. Mahwah (N. J.): Lawrence Erlbaum.

Ehrlich, S., P. Avery y C. Yorio (1989). "Discourse structure and the negociation of comprehensible input", *Studies in Second Language Acquisition,* 11, 397-414.

Ellis, N. (ed.) (1994). *Implicit and Explicit Learning of Languages*. Londres: Academic Press.

Ellis, N. (1995a). "Consciousness in second language acquisition: A review of field studies and laboratory experiments", *Language Awareness*, 4-3, 123-146.

Ellis, N. (1995b). "At the interface: Dynamic interactions of explicit and implicit language knowledge", *Studies in Second Language Acquisition*, 24-2, 305-352.

Ellis, N. C. (2009). "Optimizing the Input: Frequency and Sampling in Usage-Based and Form-Focused Learning", en M. H. Long y C. Doughty (eds.), 139-158.

Ellis, R. (1990). *Instructed Second Language Acquisition*. Oxford: Blackwell.

Ellis, R. (1994a). "Classroom interaction and second language acquisition", en R. Ellis (1994d), 565-610.

Ellis, R. (1994b) "Formal instruction and second language acquisition", en R. Ellis (1994d), 611-663.

Ellis, R. (1994c). "A theory of instructed second language acquisition", en N. Ellis (ed.), 79-114.

Ellis, R. (1994d). *The Study of Second Language Acquisition*. Oxford: Oxford University Press.

Ellis, R. (1997a). *SLA and Language Teaching*. Oxford: Oxford University Press.

Ellis, R. (1997b). "SLA and language pedagogy. An educational perspective", *Studies in Second Language Acquisition*, 19, 69-92.

Ellis, R. (1998). "Teaching and research: Options in grammar teaching", *TESOL Quarterly*, 32-1, 91-113.

Ellis, R. (ed.) (1999). *Learning a Second Language through Interaction*. Ámsterdam/ Filadelfia: John Benjamins.

Ellis, R. (2001). "Investigating form-focused instruction", *Language Learning*, 51, 1-46.

Ellis, R. (2002). "Methodological Options in Grammar Teaching Materials", en E. Hinkel y S. Fotos (eds.), 155-180.

Ellis, R. (2003). *Task-based Language Learning and Teaching*. Oxford: Oxford University Press.

Ellis, R. (2005). "Instructed Language Teaching and Task-based Teaching", en E. Hinkel (ed.), 713-728.

Ellis, R. (2006). "Current issues in the teaching of grammar: An SLA perspective", *TESOL Quarterly*, 40 (1), 83-107.

Ellis, R. (2008). "Explicit Form-Focused Instruction and Second Language Acquisition", en B. Spolsky y F. M. Hult (eds.), 437-453.

Ellis, R., H. Basturkmen y S. Loewen (2002). "Doing focus on form", *System*, 30, 419-432.

Ellis, R., S. Loewen y R. Erlam (2006). "Implicit and explicit corrective feedback and the acquisition of L2 grammar", *Studies in Second Language Acquisition*, 28-2, 339-368.

Fotos, S. (1994). "Integrating grammar instruction and communicative language use through grammar consciousness-raising tasks", TESOL *Quarterly*, 28-3, 323-357.

Fotos, S. (2002). "Structure-Based Interactive Tasks for the EFL Grammar Learner", en E. Hinkel y S. Fotos (eds.), 135-154.

Fotos, S. y R. Ellis (1991). "Communicating about Grammar", TESOL *Quarterly*, 2-4, 605-628. (Reimpr.: R. Ellis (ed.) (1999), 189-208).

Fotos, S. y H. Nassaji (eds.) (2007). *Form focused instruction and teacher education. Studies in honor of Rod Ellis.* Oxford: Oxford University Press.

Frank, M. y M. Rinvolucri (1987). *Grammar in Action. Awareness Activities for Language Learning.* Englewood Cliffs (N. J.): Prentice Hall International.

Freed, B. F. (ed.) (1991). *Foreign Language Acquisition Research and the Classroom.* Lexington (MA.): Heath & Co.

García Mayo, M. P., M. J. Gutiérrez Mangado y M. Martínez Adrián (eds.) (2013). *Contemporary Approaches to Second Language Acquisition.* Ámsterdam/Filadelfia: John Benjamins.

Gass, S. M. (1997). *Input, interaction and the second language learner.* Mahwah (N. J.): L. Erlbaum Associates.

Gass, S. y C. Madden (eds.) (1985). *Input in Second Language Acquisition.* Rowley (MA.): Newbury House.

Gass, S. y E. Varonis (1985). "Variation in native speaker speech modification to non-native speakers", *Studies in Second Language Acquisition*, 7, 37-57.

Gass, S. y E. Varonis (1994). "Input, interaction, and second language production", *Studies in Second Language Acquisition*, 16, 283-302.

Gass, S. y A. Mackey (2007). "Input, interaction and output in SLA", en B. VanPatten y J. Williams (eds.), 173-196.

Geiger, R. A. y B. Rudzka-Ostyn (eds.) (1993). *Conceptualizacions and Mental Processing in Language.* Berlín/Nueva York: Mouton De Gruyter.

Gibbons, P. (2002). *Scaffolding Language, Scaffolding Learning.* Portsmouth (NH): Heinemann.

Givón, T. (1979a). "From discourse to syntax: grammar as a processing strategy", en T. Givón (ed.), 159-181.

Givón, T. (1979b). *On Understanding Grammar.* Nueva York: Academic Press.

Givón, T. (ed.) (1979). *Syntax and Semantics. Vol. 12: Discourse and Syntax.* Nueva York: Academic Press.

Graustein, G. y G. Leitner (eds.) (1989), *Reference Grammars and Modern Linguistic Theory.* Tubinga: Niemeyer.

Green, P. S. y K. Hecht (1992). "Implicit and explicit grammar: an empirical study", *Applied Linguistics*, 13, 168-184.

Harklau, L. (2011). "Approaches and Methods in Recent Qualitative Research", en E. Hinkel (ed.), 175-189.

Harley, B. (1988). "Effects of instruction on SLA: issues and evidence", *Annual Review of Applied Linguistics*, 9, 165-178.

Harley, B. (1992). "Patterns of second language development in French immersion", *Journal of French Language Studies*, 2, 159-183.

Harley, B. (1993). "Instructional strategies and SLA in early French immersion", *Studies in Second Language Acquisition*, 15, 245-270.

Harley, B. y M. Swain (1984). "The interlanguage of immersion studies and its implications for second language teaching", en A. Davies, C. Criper y A. Howatt (eds.), 291-311.

Harrington, M. (2004). "Commentary: Input Processing as a Theory of Processing Input", en B. VanPatten (ed.), 79-96.

Hasan, R. y G. Perrett (1994); "Learning to function with the other tongue: A systemic functional perspective on second language teaching", en T. Odlin (ed.), 179-226.

Hashemipour, P., R. Maldonado y M. Van Naerssen (eds.) (1995). *Festschrift in honor of Tracy D. Terrell*. Nueva York: McGraw-Hill.

Hauptman, P. C., M. B. Wesche y D. Ready (1988). "Second-language acquisition through subject-matter learning: A follow-up study at the University of Ottawa", *Language Learning*, 38, 433-475.

Hinkel, E. (ed.) (2005). *Handbook of Research in Second Language Teaching and Learning. Volume I*. Nueva York: Routledge.

Hinkel, E. (ed.) (2011). *Handbook of Research in Second Language Teaching and Learning. Volume II*. Nueva York: Routledge.

Hinkel, E. y S. Fotos (2002), "From Theory to Practice", en E. Hinkel y S. Fotos (eds.), 1-12.

Hinkel, E. y S. Fotos (eds.) (2002). *New Perspectives on Grammar Teaching in Second Language Classrooms*. Mahwah (N. J.): L. Erlbaum Associates.

Hughes, R. y M. MacCarthy (1998). "From sentence to discourse: discourse grammar and English language teaching", *TESOL Quaterly*, 32, 263-387.

Hulstijn, J. H. (2005). "Theoretical and empirical issues in the study of implicit and explicit second-language learning: Introduction", *Studies in Second Language Acquisition*, 27-2, 129-140.

Hulstijn, J. H. y R. Schmidt (eds.) (1994). *Consciousness in Second Language Learning*. Número especial de *AILA Review*.

Hyltenstam, K. y M. Pienemann (eds.) (1985). *Modelling and Assessing Second Language Acquisition*. Clevedon: Multilingual Matters.

Instituto Cervantes (2007). *Plan Curricular del Instituto Cervantes. Niveles de referencia para el español*. Madrid: Instituto Cervantes-Biblioteca Nueva.

Izumi, S. (2002), "Output, input enhancement and the noticing hypothesis", *Studies in Second Language Acquisition*, 24-4, 541-577.

James, C. (1994). "Explaining grammar to its learners", en M. Bygate et ál. (eds.), 203-214.

James, C. y P. Garrett (eds.) (1991). *Language Awareness in the Classroom*. Londres: Longman.

Johnson, K. E. (1985). *Communicative Syllabus Design and Methodology*. Oxford: Pergamon Press.

Johnson, K. E. (1995). *Understanding Communication in Second Language Classrooms*. Cambridge: Cambridge University Press.

Johnson, K. y M. Swain (eds.) (1997). *Immersion education: International Perspectives*. Cambridge: Cambridge University Press.

Johnson, K. y K. Morrow (eds.) (1981). *Communication in the Classroom*. Londres: Longman.

Jourdenais, R. (2009). "Language Teacher Education", en M. H. Long y C. Doughty (eds.), 647-658.

Kowal, M. y M. Swain (1997). "From semantic to syntactic processing: How can we promote metalinguistic awareness in the French immersion classroom?", en K. Johnson y M. Swain (eds.), 284-309.

Krashen, S. (1982). *Principles and Practice in Second Language Acquisition*. Oxford: Pergamon Press.

Krashen, S. (1985). *The Input Hypothesis. Issues and Implications*. Londres: Longman.

Krashen, S. (1992). "Teaching issues: formal grammar instruction", TESOL "*Quarterly*", 26-2, 409-411.

Langacker, R. (2001). "Cognitive Linguistics, Language Pedagogy and the English Present Tense", en Pütz et ál. (eds.), 3-40.

Lantolf, J. y G. Appel (eds.) (1994). *Vygoskian Approaches to Second Language Research*. Norwood (N. J.): Ablex.

Larsen-Freeman, D. (1991). "Concensus and divergence on the content, role, and process of teaching grammar", en J. Alatis (ed.), 260-272.

Larsen-Freeman, D. (2001). "Teaching Grammar", en M. Celce-Murcia (ed.), 251-266.

Larsen-Freeman, D. (2002). "The grammar of choice", en E. Hinkel y S. Fotos (eds.), 103-118.

Larsen-Freeman, D. (2003), *Teaching Language. From Grammar to Grammaring*. Boston (MA): Heinle.

Larsen-Freeman, D. (2009). "Teaching and Testing Grammar", en M. H. Long y C. Doughty (eds.), 518-542.

Larsen-Freeman, D. y M. H. Long (1991a). "Instructed Second Language Acquisition", en D. Larsen Freeman y M. H. Long, 299-331. (Trad. esp.: "La adquisición de la segunda lengua a través de la enseñanza", en D. Larsen Freeman y M. H. Long (1994), 272-302.)

Larsen-Freeman, D. y M. H. Long (1991b). "Theories in Second Language Acquisition", en D. Larsen Freeman y M. H. Long, 220-298. (Trad. esp.: "Teorías sobre la adquisición de segundas lenguas", en D. Larsen Freeman y M. H. Long (1994), 199-271.)

Larsen-Freeman, D. y M. H. Long (1991). *An Introduction to Second Language*

Acquisition Research. Londres: Longman. (Trad. esp.: *Introducción al estudio de la adquisición de segundas lenguas*. Madrid: Gredos, 1994).

Larson, P., E. Judd y D. S. Messerschmitt (eds.) (1985). *On TESOL: A brave new world for TESOL*. Washington, DC: TESOL.

Lee, J. F. "The Spanish subjunctive: An information processing perspective", *The Modern Language Journal*, 71, 50-57.

Lee, J. F. y B. VanPatten (2005). *Making Communicative Language Teaching Happen*. Nueva York: McGraw Hill.

Leech, G. (1994). "Students' grammar - Teachers' grammar - Learners' grammar", en M. Bygate et ál. (eds.), 17-30.

Leeman, J., I. Arteagoitia, B. Fridman y C. Doughty (1995). "Integrating attention to form with meaning: Focus on form in content-based Spanish instruction", en R. Schmidt (ed.), 217-258.

Leitner, G. y G. Graustein (eds.) (1989). *Linguistic theorising and grammars*. Tubinga: Niemeyer.

Liceras, J. (ed.) (1991). *La adquisición de las lenguas extranjeras. Hacia un modelo de análisis de la interlengua*. Madrid: Visor.

Lightbown, P. (1985). "Great Expectations: Second-Language Acquisition Research and Classroom Teaching", *Applied Linguistics*, 6, 173-189.

Lightbown, P. (2002). "Classroom SLA research and second language teaching", *Applied Linguistics*, 21-4, 431-462.

Lightbown, P. M. y N. Spada (1990). "Focus on form and corrective feedback in communicative language teaching", *Studies in Second Language Acquisition*, 12, 429-448.

Lightbown, P. M. y N. Spada (1993). *How Languages are Learned*. Oxford: Oxford University Press.

Lightbown, P. M., N. Spada y L. White (eds.) (1993). *The Role of Instructions in Second Language Acquisition*. Número especial de *Studies in Second Language Acquisition*, 15.

Littlemore, J. (2009). *Applying cognitive linguistics to second language learning and teaching*. Palgrave: MacMillan.

Littlewood, W. (1996). *Communicative Language Teaching: An Introduction*. Cambridge: Cambridge University Press. (Trad. esp.: *La enseñanza comunicativa de idiomas: Introducción al enfoque comunicativo*. Madrid: Cambridge University Press, 1998).

Liu, D. y P. Master (eds.) (2003). *Grammar Teaching in Teacher Education*. Alexandria (VA): TESOL.

Llopis, R., J. M. Real Espinosa y J. P. Ruiz Campillo (2012). *Qué gramática enseñar, qué gramática aprender*. Madrid: Edinumen.

Locke, T. (ed.) (2010). *Beyond the grammar wars: A resource for teachers and students on developing language knowledge in the English/literacy classroom*. Nueva York: Routledge.

Loewen, S. (2005). "Incidental focus on form and second language learning", *Studies*

in Second Language Acquisition, 27-3, 361-386.
Loewen, S. (2011). "Focus on Form", en E. Hinkel (ed.), 576-592.
Long, M. H. (1980). "Inside the "black box": methodological issues in classroom research on language learning", *Language Learning*, 30, 1-42.
Long, M. H. (1981). "Input, interaction and second language acquisition", en H. Winitz (ed.), 259-278.
Long, M. H. (1983a). "Does second language instruction make a difference? A review of research", TESOL "*Quarterly*", 17, 359-382.
Long, M. H. (1983b). "Native speaker/non-native speaker conversation and the negociation of comprehensible input", *Applied Linguistics*, 4, 126-141.
Long, M. H. (1988). "Instructed interlanguage de development", en L. Beebe (ed.), 115-141.
Long, M. H. (1991a). "Focus on form: a design feature in language teaching methodology", en K. DeBot et ál. (eds.), 39-52.
Long. M. H. (1991b). "The design and psycholinguistic motivation of research on foreign language learning", en B. F. Freed (ed.), 309-320.
Long, M. H. (1996). "The Role of the Linguistic Environment in Second Language Acquisition", en W. C. Ritchie y T. K. Bhatia (eds.), 413-468.
Long, M. H. (2009). "Methodological Principles for Language Teaching", en M. H. Long y C. Doughty (eds.), 373-394.
Long, M. H. y G. Crookes (1992). "Three approaches to task-based syllabus design", TESOL "*Quarterly*", 26, 27-56.
Long, M. H. y P. Robinson (1998). "Focus on form: Theory, research and practice", en C. Doughty y J. Williams (eds.), 15-41.
Long, M. H. y S. Ross (1997). "Modifications that preserve language and content", en M. L. Tikoo (ed.), 29-52.
Long. M. H. y C. Doughty (eds.) (2009). *The Handbook of Language Teaching*. Oxford: Blackwell.
Losada Aldrey, M. C., J. F. Márquez Caneda y T. E. Jiménez Juliá (eds.) (1998). *Español como lengua extranjera, enfoque comunicativo y gramática. (Actas del IX Congreso Internacional de* ASELE*)*. Santiago de Compostela: Universidad de Santiago de Compostela-ASELE.
Loschky, L. y R. Bley-Vroman (1993). "Grammar and task-based methodology", en G. Crookes y S. M. Gass (eds.), vol. I, 123-167.
Lyster, R. (1987). "Speaking immersion", *The Canadian Modern Language Review*, 43, 701-717.
Lyster, R. (1998). "Negotiacion of form, recasts, and explicit correction in relation to error types and learner repair in immersion classrooms", *Language Learning*, 48, 183-218.
Lyster, R. y L. Ranta (1997). "Corrective feedback and learner uptake: Negociation of form in communicative classrooms", *Studies in Second Language Acquisition*, 19, 37-66.
Lyster, R. y L. Ranta (2006). "Interactional feedback and instructional counterbalance",

Studies in Second Language Acquisition, 28, 119-151.
Martínez Gila, P. (1999), "Actividades para la reflexión gramatical en el aula de español/LE", en L. Miquel y N. Sans (eds.), 165-180.
Matte Bon, F. (1987). "Implicaciones de un enfoque comunicativo en el análisis gramatical", en L. Miquel y N. Sans (eds.), 59-82.
Matte Bon, F. (1988a). "En busca de una gramática para comunicar", *Cable*, 1, 36-39.
Matte Bon, F. (1988b). "De nuevo la gramática", en L. Miquel y N. Sans (eds.), 109-124.
McCarthy, M. y R. Carter (2002). "Ten Criteria for a Spoken Grammar", en E. Hinkel y S. Fotos (eds.), 51-76.
McKay, S. L. (1987), *Teaching Grammar. Form, Function and Technique*. Nueva York: Prentice Hall.
McLaughlin, B. (1990). "Reestructuring", *Applied Linguistics*, 11, 113-128.
McLaughlin, B. y R. Heredia (1996). "Information-Processing Approaches to Research on Second Language Acquisition and Use", en W. C. Ritchie y T. K. Bhatia (eds.), 213-228.
McWhinney, B. (1997). "Implicit and explicit processes: Commentary", *Studies in Second Language Acquisition*, 19-2, 277-281.
Melero Abadía, P. (2000). *Métodos y enfoques en la enseñanza/aprendizaje del español como lengua extranjera*. Madrid: Edelsa.
Miki Kondo, C. (2002). "Hacia una gramática para el no nativo: Replanteamiento y definición de la gramática pedagógica", en L. Miquel y N. Sans (eds.), 147-158.
Miquel, L. y N. Sans (eds.) (1987). *I Jornadas Internacionales de Didáctica del Español como Lengua Extranjera*. Madrid: Ministerio de Cultura.
Miquel, L. y N. Sans (eds.) (1998). *II Jornadas Internacionales de Didáctica del Español como Lengua Extranjera*. Madrid: Ministerio de Cultura.
Miquel, L. y N. Sans (eds.) (1993). *Didáctica del español como lengua extranjera. Volumen I*. Madrid: Fundación Actilibre.
Miquel, L. y N. Sans (eds.) (1999). *Didáctica del español como lengua extranjera. Volumen 4*. Madrid: Fundación Actilibre.
Miquel, L. y N. Sans (eds.) (2002). *Didáctica del español como lengua extranjera. Volumen 5*. Madrid: Fundación Actilibre.
Mitchell, R. (1994). "Grammar and teaching", en M. Bygate et ál. (eds.), 215-223.
Mitchell, R. (2000). "Applied Linguistics and Evidence-based Classroom Practice: The Case of Foreign Language Grammar Pedagogy", *Applied Linguistics*, 21, 281-303.
Mitchell, R. (2009). "Current Trends in Classroom Research", en M. H. Long y C. Doughty (eds.), 675-705.
Morgan-Short, K. y H. Wood Bowden (2006). "Processing instruction and meaningful output-based instruction: Effects on Second Language Development", *Studies in Second Language Acquisition*, 28-1, 31-65.
Muñoz, C. (ed.) (2000). *Segundas lenguas: Adquisición en el aula*. Barcelona: Ariel.
Norris, J. M. y L. Ortega (2000a). "Effectiveness of L2 instruction: a research synthesis and quantitative meta-analysis", *Language Learning*, 50, 417-528.
Norris, J. M. y L. Ortega (2000b). "Does type of instruction make a difference?

Substantive findings from a meta-analytic review", *Language Learning*, 1, suplemento 1, 157-213.

Norris, J. M. y L. Ortega (2009). "Towards an organic approach to investigating CAF in instructed SLA: The case of complexity", *Applied Linguistics*, 30, 555-578.

Nunan, D. (1989a). *Understanding Language Classrooms: A Guide for Teaching-Iniciated Action*. Nueva York: Prentice-Hall.

Nunan, D. (1989b). *Designing Tasks for the Communicative Classroom*. Cambridge: Cambridge University Press. (Trad. esp.: *El diseño de tareas para la clase comunicativa*. Madrid: Cambridge University Press, 1996).

Nunan, D. (ed.) (1992). *Collaborative Language Learning and Teaching*. Cambridge: Cambridge University Press.

Nunan, D. (2005). "Classroom Research", en E. Hinkel (ed.), 225-240.

Nunan, D. y J. Choi (2011). "Shifting Sands: The Evolving Story of "Voice" in Qualitative Research", en E. Hinkel (ed.), 237-254.

Odlin, T. (ed.) (1994). *Perspectives in Pedagogical Grammar*. Cambridge: Cambridge University Press.

Omaggio, A. C. (1986). *Teaching Language in Context*. Boston: Heinle & Heinle.

Ortega, L. (2001). "Atención implícita hacia la forma: teoría e investigación", en S. Pastor Cesteros y V. Salazar García (eds.), 179-211.

Ortega Olivares, J. (1998). "Algunas consideraciones sobre el lugar de la gramática en el aprendizaje del español/ LE", *RILCE*, 14, 325-347.

Parker, K. y C. Chaudron (1987). "The effects of linguistic simplifications and elaborative modifications on L2 comprehension", *University of Hawaii Working Papers in ESL*, 6, 107-133.

Pastor Cesteros, S. y V. Salazar García (eds.) (2001). *Estudios de Lingüística. Anexo 1: Tendencias y líneas de investigación en adquisición de segundas lenguas*. Alicante: Universidad de Alicante.

Pastor Villalba, C. (ed.) (1997). *Actas del Programa de formación para profesorado de español como lengua extranjera 2005-2006*. Múnich: Instituto Cervantes.

Pennington, C. (2002). "Grammar and Communication: New Directions in Theory and Practice", en E. Hinkel y S. Fotos (eds.), 77-98.

Pica, T. (1994). "Research on negociation: What does it reveal about second language acquisition?", *Language Learning*, 44, 326-359.

Pica, T. (1997). "Second language research and language pedagogy: A relationship in process", *Language Teaching Research*, 1-1, 48-72.

Pica, T. (2008). "Task-Based Teaching and Learning", en B. Spolsky y F. Hult (eds.), 525-537.

Pica. T. (2011). "Second Language Acquisition Research: Applied and Applicable Orientations to Practical Questions and Concerns", en E. Hinkel (ed.), 257-273.

Pica, T. (2013). "From input, output comprehension to negotiation, evidence, and attention: An overview of theory and research on learner interaction in SLA", en M. P. García Mayo et ál. (eds.), 49-70.

Pica, T., F. Lincoln-Porter, D. Paninos y J. Linnell (1996). "Language learners' interaction: How does it address the input, output, and feedback needs of language learners?", TESOL "*Quarterly*", 30, 59-84.

Pica, T., R. Young y C. Doughty (1987). "The impact of interaction in comprehension", TESOL "*Quarterly*", 21, 737-758.

Prabhu, N. S. (1987). *Second Language Pedagogy.* Oxford: Oxford University Press.

Pütz, M., S. Niemeier y R. Dirven (eds.) (2001). *Applied Cognitive Linguistics. Volume I: Theory and Acquisition.* Berlín/Nueva York: Mouton De Gruyter.

Richards, J. C. y D. Nunan (eds.) (1990). *Second Language Teacher Education.* Cambridge: Cambridge University Press.

Richards, J. C. y T. S. Rodgers (1986). *Approaches and Methods in Language Teaching: A Description and Analysis.* Cambridge: Cambridge University Press.

Richards, J. C. y R. Schmidt (eds.) (2009). *Longman Dictionary of Language Teaching and Applied Linguistics.* New York: Longman.

Rinvolucri, M. (1984). *Grammar Games. Cognitive, affective and drama activities for EFL learners.* Cambridge: Cambridge University Press.

Ritchie, C. W. y T. K. Bhatia (eds.) (1996). *Handbook of Second Language Acquisition.* Londres: Academic Press.

Robinson, P. (1994). "Implicit knowledge, second language learning and syllabus construction", TESOL "*Quarterly*", 28, 160-66.

Robinson, P. (1996). *Consciousness, Rules and Instructed Second Language Acquisition.* Nueva York: Peter Lang.

Robinson, P. (ed.) (2001). *Cognition and Second Language Instruction.* Cambridge: Cambridge University Press.

Robinson, P. (2009). "Syllabus Design", en M. H. Long y C. Doughty (eds.), 294-310.

Rothman, J. y B. VanPatten (2013). "On multiplicity and mutual exclusivity: The case for different SLA theories", en M. P. García Mayo et ál., 243-255.

Ruiz Campillo, J. P. (1998). *La enseñanza significativa del sistema verbal: un modelo operativo.* Granada: Universidad de Granada. (Disponible en *RedELE* [en línea], 2004, nº 0. <http://www.mecd.gob.es/redele/Biblioteca-Virtual/2004/memoriaMaster/1-Semestre/RUIZ-C.html> [Consulta: 6 de mayo de 2013]).

Ruiz Campillo, J. P. (1999). "Normatividad y operatividad en la enseñanza de los aspectos formales: El "casus belli" de la concordancia temporal", *Documentos de Español Actual*, 1, 193-217.

Ruiz Campillo, J. P. (2005). "Instrucción indefinida, aprendizaje imperfecto. Para una gestión operativa del contraste imperfecto/indefinido en clase", *Mosaico* [en línea], 15, 9-17. <http://es.scribd.com/doc/19509052/mos15> [Consulta: 6 de mayo de 2013].

Ruiz Campillo, J. P. (2007). "El concepto de no-declaración como valor del subjuntivo. Protocolo de instrucción operativa de la selección modal en español", en C. Pastor Villalba (ed.), 284-326.

Ruiz Campillo, J. P. (2008). "El valor central del subjuntivo: ¿informatividad o declaratividad?", *MarcoELE* [en línea], 7-2, 1-44. <http://marcoele.com/descargas/7/jpruizcampillo_valor_central-subjuntivo.pdf> [Consulta: 6 de mayo de 2013].

Ruiz Campillo, J. P. (2012). "The Subjunctive in a Single Concept: Teaching an Operational Approach to Mood Selection in Spanish", en Ruiz Fajardo (ed.), 273-329.

Ruiz Fajardo, G. (ed.) (2012). *Methodological Developments in Teaching Spanish as a Second and Foreign Language*. Newcastle upon Tyne: Cambridge Scholars Publishing.

Rutherford, W. (1987). *Second Language Grammar: Learning and Teaching*. Londres: Longman.

Rutherford, W. y M. Sharwood Smith (1988). *Grammar and Second Language Teaching: A Book of Readings*. Rowley (Mas.): Newbury House.

Samuda, V. (2001). "Guiding relationships between form and meaning during task performance: The role of the teacher", en M. Bygate et ál. (eds.), 119-134.

Schachter, J. y S. Gass (1996). *Second Language Classroom Research*. Mahwah (N. J.): Lawrence Erlbaum.

Schmidt, R. (1990). "The role of consciousness in second language learning", *Applied Linguistics*, 11, 17-46.

Schmidt, R. (ed.) (1995). *Attention and Awareness in Foreign Language Learning. Technical Report 9*. Honolulú: University of Hawaii, Second Language Teaching and Curriculum Center.

Schmidt, R. (2001). "Attention", en P. Robinson (ed.), 1-32.

Seliger, H. W. (1979). "On the nature and funcion of language rules in language teaching", TESOL "*Quarterly*", 13, 359-369.

Seliger, H. W. y M. H. Long (eds.) (1983). *Classroom Oriented Research in Second Language Acquisition*. Cambridge (MA.): Newbury House.

Sharwood Smith, M. (1981). "Consciousness-Raising and the Second Language Learner", *Applied Linguistics*, 2-2: 159-168.

Sheen, R. (2002), "'Focus on form' and 'focus on forms'", ELT *Journal*, 56-3, 303-305.

Sheen, R. (2003). "Focus on form: A myth in making?", ELT *Journal*, 57-3, 225-233.

Sheen, Y. y R. Ellis (2011). "Corrective Feedback", en E. Hinkel (ed.), 593-610.

Shehadeh, A. (2003). "Learner output, hypothesis testing, and internalizing linguistic knowledge", *System*, 32, 155-171.

Simard, D. y G. Jean (2011). "An exploration of L2 teachers' use of pedagogical interventions devised to draw L2 learners' attention to form", *Language Learning*, 60, 263-308.

Skehan, P. (1998). *A Cognitive Approach to Language Learning*. Oxford: Oxford University Press.

Spada, N. (1990a). "Observing classroom behaviours and learning outcomes in different second language programs", en J. C. Richards y D. Nunan (eds.), 293-310.

Spada, N. (1990b). "A look at the research process in classroom observation: a case study", en C. Brumfit y R. Mitchell (eds.), 81-93.

Spada, N. (1997). "Form-Focussed Instruction and Second Language Acquisition: A Review of Classroom and Laboratory Research", *Language Teaching*, 30, 73-87.

Spada, N. y M. Fröhlich (1995). *COLT-Communicative Orientation of Language*

Teaching Observation Scheme: Coding Conventions and Applications. Sydney: National Centre for English Language Centre and Research.
Spada, N. y P. M. Lightbown (1989). "Intensive ESL programs in Quebec primary schools", TESL *Canada Journal*, 7, 11-32.
Spada, N. y Y. Tomita (2010). "Interactions between type of instruction and type of language feature: A meta-analysis", *Language Learning*, 60, 263-308.
Spolsky, B. y F. Hult (eds.) (2008). *The Handbook of Educational Linguistics*. Oxford: Blackwell.
Svalberg, A. (2007). "Language awareness and language teaching", *Language Teaching*, 40, 287-308.
Swain, M. (1985). "Communicative competence: Some rules of comprehensible input and comprehensible output in its development", en S. Gass y C. Madden (eds.), 235-253.
Swain, M. (1993). "The output hypothesis: Just speaking and writing are not enough", *The Canadian Modern Language Review*, 50, 158-164.
Swain, M. (1995). "Three functions of output in second language learning", en G. Cook y B. Seidlhofer (eds.), 125-154.
Swain, M. (1998). "Focus on form through conscious reflection", en C. Doughty y J. Williams (eds.), 64-82.
Swain, M. (2005). "The Output Hypothesis: Theory and Research", en E. Hinkel (ed.), 471-484.
Swain, M. y S. Lapkin (1982). *Evaluating bilingual education. A canadian case study*. Clevedon: Multilingual Matters.
Swain, M. y S. Lapkin (1995). "Problems in output and the cognitive processes they generate: A step toward second language learning", *Applied Linguistics*, 16, 370-391.
Swain, M. y S. Lapkin (2001). "Focus on form through collaborative dialogue: Exploring task effects", en M. Bygate et ál. (eds.), 99-118.
Swain, M. y W. Suzuki (2008). "Interaction, Output and Communicative Language Teaching", en B. Spolsky y F. Hult (eds.), 557-569.
Swan, M. (1994). "Design Criteria for Pedagogic Language Rules", en M. Bygate et ál. (eds.), 45-55.
Taylor, J. R. (1993). "Some pedagogical implications of cognitive linguistics", en R. A. Geiger y B. Rudzka-Ostyn (eds.), 201-221.
Tedick, D. (ed.) (2005). *Language Teacher Education: International Perspectives on Research and Practice*. Mahwah (N. J.): L. Erlbaum Associates.
Tikoo, M. L. (ed.) (1997). *Simplification: Theory and Application*. Singapur: SEAMEO, Regional Language Center.
Thornbury, S. (1997), "Reformulation and reconstruction: tasks that promote "noticing"", ELT *Journal*, 51-14; pp. 326-335.
Thornbury, S. (1999), *How to teach grammar*. Harlow: Pearson Education.
Tomlin, R. S. (1994). "Functional grammars, pedagogical grammars, and communicative language teaching", en T. Odlin (ed.), 140-178.

Toth, P. (2006). "Processing instruction and the role for output in second language learning", *Language Learning*, 56-2, 319-395.

Tsui, A. B. M. (2005). "Teacher Education and Teacher Development", en E. Hinkel (ed.), 21-39.

Tyler, A. (2012). *Cognitive Linguistics and Second Language Learning: Theoretical Basics and Experimental Evidence*. Nueva York: Routledge.

Tyler, A. y V. Evans (2004). "Applying Cognitive Linguistics to Pedagogical Grammar: The Case of *Over*", en M. Achard y S. Niemeier (eds.), 257-280.

Ur, P. (1988). *Grammar Practice Activities. A practical guide for teachers*. Cambridge: Cambridge University Press.

Ur, P. (2011). "Grammar Teaching: Theory, and Practice", en E. Hinkel (ed.), 507-522.

Van Lier, L. (1988). *The Classroom and the Language Learner*. London: Longman.

Van Lier, L (1996). *Interaction in the Language Curriculum: Awareness, Autonomy and Authenticity*. Londres: Longman.

VanPatten, B. (1985). "Communicative value and information processing in second language acquisition", en P. Larson et ál. (eds.), 89-100.

VanPatten, B. (1990). "Attending to form and content in the input: An experiment in consciousness", *Studies in Second Language Acquisition*, 12, 287-301.

VanPatten, B. (1993). "Grammar teaching for the acquisition-rich classroom", *Foreign Language Annals*, 26, 435-450.

VanPatten, B. (1994). "Evaluating the role of consciousness in second language acquisition: terms, linguistic features and research methodology", *AILA Review*, 11, 27-36.

VanPatten, B. (1995), "Input processing and SLA: on the relation between form and meaning", en P. Hashemipour et ál. (eds.), 170-183.

VanPatten, B. (1996). *Input Processing and Grammar Instruction: Theory and Research*. Norwood (N. J.): Ablex.

VanPatten, B. (2002). "Processing instruction: an update", *Language Learning*, 52, 755-803.

VanPatten, B. (2002). *From Input to Output. A Teacher's Guide to Second Language Acquisition*. Nueva York: McGraw Hill.

VanPatten, B. (2004a). "Input Processing and Second Language Acquisition", en B. VanPatten (ed.), 5-31.

VanPatten, B. (2004b). "Input and output in establishing form-meaning connections", en B. VanPatten et ál. (eds.), 31-50.

VanPatten, B. (ed.) (2004). *Processing Instruction. Theory, Research, and Commentary*. Mahwah (N. J.): L. Erlbaum Associates.

VanPatten, B. (2007). "Input Processing in Adult Second Language Acquisition", en B. VanPatten y J. Williams (eds.), 115-136.

VanPatten, B. y C. Sanz (1995). "From input to output: Processing instruction and communicative tasks", en F. Eckman et ál. (eds.), 169-185.

VanPatten, B. y S. Oikkenon (1996). "Explanation versus structured input in processing instruction", *Studies in Second Language Acquisition*, 18, 495-510.

VanPatten, B. y T. Cadierno (1993a). "Explicit instruction and input processing", *Studies in Second Language Acquisition*, 15, 225-241.

VanPatten, B. y T. Cadierno (1993b). "Input processing and second language acquisition: a role for instruction", *The Modern Language Journal*, 77, 45-57.

VanPatten, B., J. Williams, S. Rott y M. Overstreet (eds.) (2004). *Form-meaning connections in second language acquisition*. Mahwah (N. J.): L. Erlbaum Associates.

VanPatten, B. y J. Williams (eds.) (2007). *Theories in Second Language Acquisition: An Introduction*. Mahwah (N. J.): L. Erlbaum Associates.

Varonis, E. y S. Gass (1985). "Non-native/non-native conversations: A model for negociation of meaning", *Applied Linguistics*, 6, 71-90.

Wajnryb, R. (1990). *Grammar dictation*. Oxford: Oxford University Press.

Westney, P. (1994). "Rules and pedagogical grammar", en T. Odlin (ed.), 72-96.

White, L. (1991). "Adverb placement in second language acquisition: Some effects of positive and negative evidence in the classroom", *Second Language Research*, 7, 133-161.

Widdowson, H. G. (1990). *Aspects of Language Teaching*. Oxford: Oxford University Press.

Widdowson, H. G. (1997). "The use of grammar, the grammar of use", *Functions of Language*, 4, 145-168.

Williams, G. (2004). "Ontogenesis and grammatics: Functions of metalanguage in pedagogical discourse", en G. Williams y A. Lukin (eds.), 241-287.

Williams, G. y A. Lukin (eds.) (2004). *The Development of Language: Functional Perspectives in Species and Individuals*. Londres: Continuum.

Williams, J. (1995). "Focus on form y communicative language teaching: Research findings and the classroom teacher", TESOL *Journal*, 4, 12-16.

Williams, J. (2005). "Form-Focused Instruction", en E. Hinkel (ed.), 671- 692.

Willis, D. (1990). *The Lexical Syllabus. A New Approach to Language Teaching*. Londres: Collins.

Willis, J. (1996). *A Framework for Task-Based Learning*. Harlow: Longman.

Winitz, H. (ed.) (1981). *Native Language and Foreign Language Acquisition*. Annals of the New York Academy of Sciences, 379.

Wong, W. (2004). "The Nature of Processing Instruction", en B. VanPatten (ed.), 33-63.

Woods, D. (1996). *Teacher Cognition in Language Teaching: Beliefs, Decision-making and Classroom Practice*. Cambridge: Cambridge University Press.

Yano, Y., M. H. Long y S. Ross (1994). "The effects of simplified and elaborated texts on foreign language reading comprehension", *Language Learning*, 44, 189-302.

CAPÍTULO IV

DETERMINANTES Y CUANTIFICADORES DEL NOMBRE
Problemas descriptivos y propuestas didácticas

ALEJANDRO CASTAÑEDA CASTRO
Departamento de Lingüística General
y Teoría de la Literatura
Universidad de Granada

MARÍA DOLORES CHAMORRO GUERRERO
Centro de Lenguas Modernas
Universidad de Granada

Resumen

Hay en la enseñanza de la gramática del español a extranjeros una recurrente tendencia a abundar en ciertos temas estrella (indicativo/subjuntivo, tiempos de pasado, *ser/estar*, usos del *se*, contrastes preposicionales, etc.) en detrimento de otros que pueden resultar tan relevantes y, por lo demás, tan necesitados de atención por su dificultad intrínseca como los más populares. Es evidente que los materiales didácticos existentes adolecen de este monocultivo de ciertos aspectos y del descuido de otros. Indudablemente, los reconocidos como aspectos recalcitrantes de la gramática del español siguen requiriendo de atención. En este volumen no dejan de atenderse algunos de ellos en mayor o menor medida, pero es necesario tomar conciencia de que muchos otros aspectos de la gramática no tan reconocidos pueden suponer una dificultad notable para los estudiantes extranjeros y plantear retos de adaptación pedagógica importantes.

Un ejemplo de esos temas relegados a un segundo plano son sin duda los relativos a la construcción del sintagma nominal, en particular los relacionados con la determinación del nombre y con la posición del adjetivo. Queremos aportar aquí algunas reflexiones descriptivas y algunas sugerencias didácticas sobre ellos. En este capítulo, presentaremos una introducción al tema en general y abordaremos la cuestión de los artículos y los cuantificadores en particular. En el siguiente, trataremos lo relacionado con la posición del adjetivo.

1. Introducción a las funciones de la determinación

En este capítulo y en el siguiente abordaremos algunas cuestiones relacionadas con los recursos implicados en la construcción del sintagma nominal. En los aspectos que trataremos tendremos oportunidad de reflexionar sobre diversas facetas de las distintas clases de determinantes y de modificadores (sobre todo adjetivales) que resulten relevantes para la clase de ELE y que permitirán ejemplificar criterios y estrategias generales para describir y practicar estos mecanismos gramaticales usados en la construcción del sintagma.

Para hacernos una idea general sobre las funciones de determinación del nombre, queremos remitirnos en primer lugar a la concepción que Coseriu (1962), en gran parte coincidente con la de Langacker (1991), tenía de las diferentes funciones que pueden reconocerse en torno a la determinación del nombre.

1.1 Tipos y ejemplares o casos

Una distinción fundamental para comprender las diferentes clases de componentes tanto del sintagma nominal como del verbal es la que establece Langacker (1991, cap. 2) entre designación de tipos o clases y designación de ejemplares.

Los sintagmas nominales y verbales, en efecto, tienen la capacidad de designar bien **tipos** de cosas (sustantivos) o situaciones (verbos), bien **ejemplares** o casos específicos de esos tipos de cosas y situaciones (sintagmas nominales determinados y verbos finitos). En la tabla siguiente se muestran algunos ejemplos en relación con los términos *perro* y *ladrar*:

	TIPOS	EJEMPLARES
COSA U OBJETO	*animal, perro, perro callejero, perro pastor alemán*, etc.	*un animal, el perro, tus perros, ese perro pastor alemán*, etc.
PROCESO O SITUACIÓN	*actuar, ladrar, ladrar mucho, ladrar mucho un perro*, etc.	*un perro pastor alemán ladra mucho, ese animal está ladrando*, etc.

Adviértase que los tipos pueden ser más genéricos o más específicos (*animal, perro, perro callejero*; *actuar, ladrar, ladrar mucho*) y que la mayor especificación puede lograrse mediante la creación de sintagmas cada vez más complejos: *perro callejero, perro pastor callejero*; *ladrar poco, ladrar un perro callejero*, etc. Adviértase también que los ejemplares son designados con el uso de instrumentos de determinación como los artículos, demostrativos, posesivos, cuantificadores e indefinidos, que se asocian a los sustantivos, o como los morfemas de tiempo, persona y modo, que se asocian a los verbos[1].

[1] Los adjetivos y los adverbios, que designan propiedades de cosas o propiedades de procesos, por su propia naturaleza, no pueden referirse directamente a ejemplares. Pueden expandirse mediante

1.2 Determinantes y modificadores

En relación con el sintagma nominal, podríamos establecer una primera distinción importante entre componentes **determinantes** y componentes **modificadores**, considerando si (1) esos componentes permiten que el sustantivo designe un tipo más específico que el tipo genérico que designaría el sustantivo solo, como hacen *callejero* o *pastor* en *perro callejero* o *perro pastor* respectivamente o (2) si esos componentes permiten que el sintagma en conjunto designe no tanto a un tipo sino a uno o a varios ejemplares pertenecientes al tipo designado por el sustantivo y sus modificadores, como hacen *un*, *algún*, *el*, *este* o *mi* en *un/algún/el/este/mi perro pastor.*

En los cuadros 1 y 2, se resumen las características fundamentales de cada una de esas operaciones y de sus principales tipos. Hemos escogido el término *papel* porque es uno de esos sustantivos que permite ser interpretado como nombre no contable (tipo de sustancia o materia) y como nombre contable (porción delimitada e individualizada de esa materia: una hoja o un trozo de papel). De esa manera, pueden ilustrarse formas de cuantificación propias de nombres no contables (*papel, algo de papel, un poco de papel,* etc.) y contables (*papeles, varios papeles, tres papeles*, etc.).

<table>
<tr><td colspan="3">MODIFICACIÓN</td></tr>
<tr><td colspan="3">Limita o precisa las posibilidades designativas de un signo u orienta la referencia a partes o aspectos de la cosa denotada.</td></tr>
<tr><td>EXPLICACIÓN</td><td>ESPECIALIZACIÓN</td><td>ESPECIFICACIÓN</td></tr>
<tr><td>Acentúa una característica inherente de lo nombrado.</td><td>Orienta la referencia a una parte o a un aspecto de la cosa denotada.</td><td>Añade notas no inherentes al significado de un signo y restringe sus posibilidades designativas.</td></tr>
<tr><td>– El blanco y suave papel de esos libros...
– Este papel, que es muy caro, debe usarse con moderación...</td><td>– El papel como tabula rasa...
– El papel, en tanto que producto de la civilización,...</td><td>– No hay papeles timbrados.
– El papel de esta libreta es muy bueno.
– Dame el papel que hay ahí.</td></tr>
<tr><td colspan="3">Todas estas operaciones son llevadas a cabo por modificadores (adjetivos, sintagmas preposicionales, oraciones de relativo, sustantivos en aposición).</td></tr>
</table>

Cuadro 1

En esta presentación recogemos la clasificación de Coseriu, aunque más adelante tendremos oportunidad de comprobar que los modificadores explica-

modificación (*harto de trabajar, azul cielo, lejos de aquí*, etc.) para obtener una mayor especificación del tipo de propiedad a la que se quiere aludir, pero la única determinación que reciben es la de la cuantificación (*un poco harto, muy lentamente, bastante lejos*, etc.).

tivos (en español, los adjetivos antepuestos y las oraciones de relativo explicativas) podrían considerarse como una clase aparte, en el sentido de que, aunque añaden notas de significado a las que ya constituyen el sustantivo, pueden compartir ciertas características con los determinantes.

Una manera de caracterizar a los modificadores frente a los determinantes es indicar que afectan a la *intensión* de un signo, es decir, modifican la capacidad designativa de un sustantivo añadiendo rasgos al conjunto de los que definen al sustantivo para aludir a una categoría más específica (especificación), subrayando rasgos inherentes a lo nombrado (explicación) u orientando la referencia del signo a un aspecto o a una parte de la cosa denotada (especialización).

Las operaciones de determinación (cuantificación, selección y situación) no modifican las posibilidades designativas del signo, es decir, no afectan a su intensión, no añaden rasgos al conjunto de los que definen la clase (o subclase) de objetos a la que queremos hacer referencia ni subrayan otros inherentes a dicha clase (ver cuadro 2). La determinación afecta a la *extensión* de un signo, es decir, actúa permitiendo identificar qué objeto (o conjunto de objetos), de todos los que pueden designarse con un signo, o qué porción de la extensión de una sustancia, es aquello a lo que tenemos intención de hacer referencia.

DETERMINACIÓN

Permite que los sustantivos pasen de significar tipos o rasgos abstractos (*¿Es esto papel?*) a denotar cosas en el discurso, informando, además, de qué o de cuántas cosas, pertenecientes a la clase representada por el sustantivo, son denotadas.

CUANTIFICACIÓN	SELECCIÓN	SITUACIÓN
Establece la numerabilidad, de forma definida o indefinida, de los objetos denotados por un signo.	Referencia a un objeto o grupo de objetos en oposición al resto de los miembros del conjunto a que pertenecen.	Referencia a uno o más objetos situándolos en relación con las personas y los espacios del discurso.
– *Hay ø papel.* – *Hay ø papeles.* – *Hay varios papeles.* – *Hay pocos papeles.* – *Hay tres papeles.*	– *Algunos papeles se han perdido.* – *Otros papeles no se han perdido.* – *El segundo papel está manchado.*	– *Esos papeles no me interesan.* – *Tus papeles están encima de la mesa.* – *Los papeles no están firmados.*

Todas estas operaciones son llevadas a cabo por la clase gramatical de los determinantes (artículos, demostrativos, posesivos, cuantificadores e indefinidos).
Por otro lado, las cosas a las que se hace referencia pueden situarse en el plano de lo particular o en el plano de lo genérico:

- *Un médico se ha puesto en huelga.*
- *Un médico no debe negar la asistencia a un enfermo.*
- *El papel es un gran invento.*
- *El papel no está firmado.*

Cuadro 2

En esta clasificación de las distintas clases de determinación, hemos decidido considerar la determinación del artículo definido como de tipo localizador o situador, porque comparte con demostrativos y posesivos la propiedad fundamental de remitir de una u otra manera a los participantes del discurso, pues permite designar y localizar un objeto como el único identificable para los interlocutores entre todos los demás por pertenecer a la clase descrita por el sustantivo[2].

A diferencia de un sustantivo acompañado de modificador, un sustantivo acompañado de determinante se reviste de una nueva condición referencial: ya no se comporta como un término que denota una categoría abstracta ni como un predicado constituido por un conjunto de propiedades, como hace *soldado* en *Armando es soldado*, sino como una expresión capaz de hacer referencia a un objeto o un conjunto de objetos que podemos cuantificar (*Necesitamos tres soldados*), oponer al resto de miembros del conjunto del que forma parte (*Desertaron algunos soldados*) o identificar en relación a los distintos espacios accesibles a los interlocutores (*Esos soldados no nos traicionarán*). En efecto, el determinante impone una nueva condición al sintagma en el que se inserta. Cuando uso *amigos míos* en frases como *Esos chicos son amigos míos*, este sustantivo modificado designa la condición de "amigo mío" atribuible a *Esos chicos*. Mientras que cuando digo *Tres amigos míos vendrán con nosotros*, con *tres amigos míos* ya no hago referencia a la condición de amigo como tal sino a tres individuos que caracterizo como amigos míos. En algunas teorías sintácticas actuales de corte generativista (ver, por ejemplo, Fernández Leborans 2003), esta capacidad del determinante de modificar el modo de significación del sintagma en el que se inserta se corresponde con su consideración como el núcleo del sintagma, y en casos como *Ese/El/Tu amigo* no se habla de un sintagma nominal sino de un *sintagma determinante*. Curiosamente, en esta apreciación, aunque desde distintos presupuestos, coinciden la Gramática Cognitiva (en adelante GC) y la teoría sintáctica formal, ya que la GC considera que los determinantes son como nombres con capacidad referencial que designan cosas, aunque con un grado de abstracción tal que requieren de la especificación del sustantivo o el adjetivo con los que se combinan. También para la GC el determinante es el núcleo de la combinación DETERMINANTE + SUSTANTIVO, pues impone su perfil al conjunto (para la distinción perfil-base, ver el capítulo 2 de este mismo volumen). Uno de los argumentos a favor de que los determinantes se comportan como núcleo cuando se combinan con un sustantivo es que son ellos los que conceden capacidad referencial a un adjetivo en casos como *los marrones, las viejas, el elegido*, etc.

Desde el punto de vista funcional, las operaciones de modificación son previas a las de determinación, es decir, los determinantes afectan al conjunto formado por el sustantivo y los modificadores que inciden en él. Así, en *Esas*

[2] Aunque aquí usamos *determinante* como término general, en ciertas concepciones este término se reserva para los que hemos recogido bajo el término de *situadores*: demostrativos, posesivos y artículo definido.

servilletas sucias, *esas* no incide solo en el sustantivo *servilletas* sino en el grupo formado por sustantivo más adjetivo, esto es, en *servilletas sucias*. *Esas* ayuda a identificar tres ejemplares situados en un espacio distinto pero próximo al hablante pertenecientes al conjunto de la clase "servilleta sucia". Por otro lado, en la aplicación de los determinantes, los cuantificadores preceden a los situadores: en *Esas tres mesas grandes*, *grandes* se aplica a *mesas*, *tres* se aplica a *mesas grandes* y, por último, *esas* se aplica a *tres mesas grandes*. Representando el alcance de cada elemento mediante corchetes, la estructura de ese sintagma correspondería al siguiente esquema:

$[_4$ esas $[_3$ tres $[_2$ $[_1$ mesas $]_{1\ \text{Sustantivo}}$ grandes $]_{2\ \text{Sustantivo modificado}}$ $]_{3\ \text{Sustantivo modificado cuantificado}}$ $]_{4\ \text{Sustantivo modificado, cuantificado y situado}}$

Los diagramas arbóreos que se usan en el análisis sintáctico pueden servir también para mostrar estas diferentes capas u órbitas de componentes del sintagma nominal, como se hace en la figura 1[3].

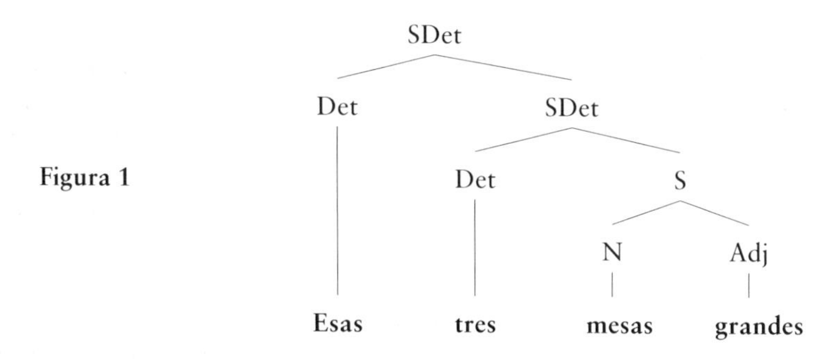

Figura 1

Por otra parte, las operaciones de determinación se presuponen unas a otras: la situación presupone la selección y la selección presupone la cuantificación. Por ejemplo, el demostrativo *este* en *Este chico* sitúa a chico en el espacio del hablante y, al hacerlo, implica su selección, frente a los que no están en el espacio del hablante, a la vez que presupone su cuantificación singular. En coherencia

[3] No hemos tenido en cuenta en la clasificación de los modificadores del cuadro 1 una distinción muy importante entre distintos modificadores del sustantivo en la teoría gramatical moderna, la que se establece entre modificadores *argumentales* y modificadores *adjuntos* y que es paralela a la distinción entre complementos argumentales del verbo y complementos circunstanciales. En este caso, encontramos razones para establecer de nuevo órbitas funcionales diferentes en el ámbito de la modificación. Esa sería la diferencia entre los modificadores de la frase *El representante parlamentario gallego*. *Parlamentario* completa el significado de *representante* de un modo que resulta esencial para entender este término. En la misma medida en que *al parlamento* resulta necesario para completar el sentido del verbo *representa* en *La comisión representó al parlamento dignamente*. Sin embargo, *gallego* parece ser una caracterización opcional, añadida, de la que no depende el significado relacional de *representante* para tener sentido cabal, de igual manera que el adverbio *dignamente* no resulta intrínsicamente exigido por el verbo *representar*.

con esa implicación es posible encontrar en un mismo sintagma cuantificadores o seleccionadores junto a situadores o determinantes definidos, como en *Esos otros problemas* o *Las dos maletas,* de manera que los cuantificadores o seleccionadores preceden a los situadores en su integración en el sintagma.

También debemos anotar aquí que las operaciones de determinación permiten que los signos hagan referencia a cosas que se sitúan en el plano de lo particular o en el plano de lo genérico, como muestran los contrastes *Un médico se ha puesto en huelga / Un médico no puede negar la asistencia a ningún paciente; El papel es un gran invento / El papel no está firmado.*

1.3 Paralelismos con la construcción del sintagma verbal

Como hemos visto para el sustantivo, también el contenido propio de una raíz verbal, que podemos describir como una clase de proceso o situación, puede recibir determinaciones y modificaciones de distintos tipos. Pueden considerarse operaciones equivalentes a las de la determinación nominal la "cuantificación" expresada por las indicaciones aspectuales (las que permiten distinguir procesos incoativos, terminativos, reiterativos, progresivos, puntuales, etc.) o las especificaciones situacionales o locativas asociadas al tiempo verbal (que sitúa un proceso en relación con el aquí y ahora del acto de habla), al modo (que sitúa el proceso en relación con los distintos espacios epistémicos accesibles al hablante) o a la persona gramatical (que sitúa el proceso en relación con los interlocutores). También podemos reconocer en la especificación de argumentos (sujeto, complemento directo, complemento indirecto, etc.) y complementos circunstanciales del verbo (de tiempo, de causa, de finalidad, de lugar, etc.) funciones equivalentes a las de la modificación nominal.

En el modelo de la GC desarrollada por Langacker[4], la determinación y la modificación se abordan como la aplicación sucesiva, en distintos espacios conceptuales, de distintas clases de funciones con las que se convierte a un sustantivo en un sintagma con capacidad referencial y a un verbo en un sintagma con capacidad predicativa proposicional.

En esta concepción, en primer lugar, se aplican las operaciones de modificación a los términos generales que designan categorías o tipos para que pasen a designar, ya modificados, subtipos. En segundo lugar, se aplican las operaciones de determinación a los términos modificados para que pasen a designar ejemplares pertenecientes a esos tipos y subtipos. La diferencia fundamental entre la relación de tipos y subtipos y la relación de tipos y ejemplares consiste en que el espacio de extensión referencial en el caso de los ejemplares se corresponde con el espacio de actualización proposicional, aquel sobre el cual los interlocutores intercambian y valoran información. Esto puede observarse gráficamente en la figura 2.

[4] Ver Langacker 1987, 1991 y 2008.

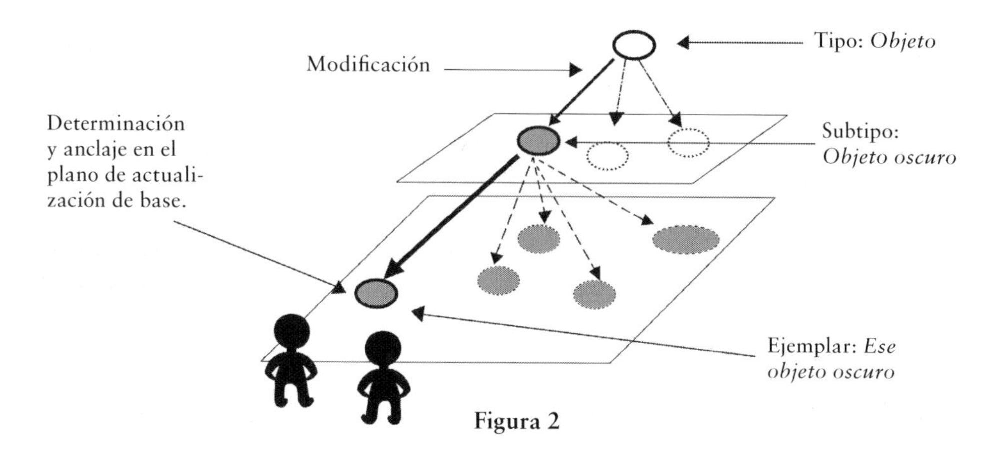

Figura 2

En la figura anterior, los planos representan los espacios en los que se localizan todos los casos que constituyen la extensión de una expresión. Los círculos en líneas punteadas representan objetos a los que un signo podría designar (flechas discontinuas), pero que no son designados. Los círculos en línea continua y más gruesa, los objetos que son designados (flecha más gruesa continua), entre todos los que conforman la extensión del signo, gracias a la función de los elementos determinantes y modificadores: así, por ejemplo, el adjetivo *oscuro* restringe la designación del término genérico *objeto* y, en el siguiente plano, el demostrativo *ese* identifica, entre todos los ejemplares a los que podríamos designar con la expresión *objeto oscuro*, aquel que señala el interlocutor como presente en un espacio distinto pero próximo tanto al hablante como al oyente.

Igualmente, de forma equivalente a como se ha representado gráficamente la determinación nominal en distintos planos de especificación, podemos representar ahora la del verbo en la figura 3. Reducimos esquemáticamente la configuración semántica de un verbo a la línea ondulada zigzagueante.

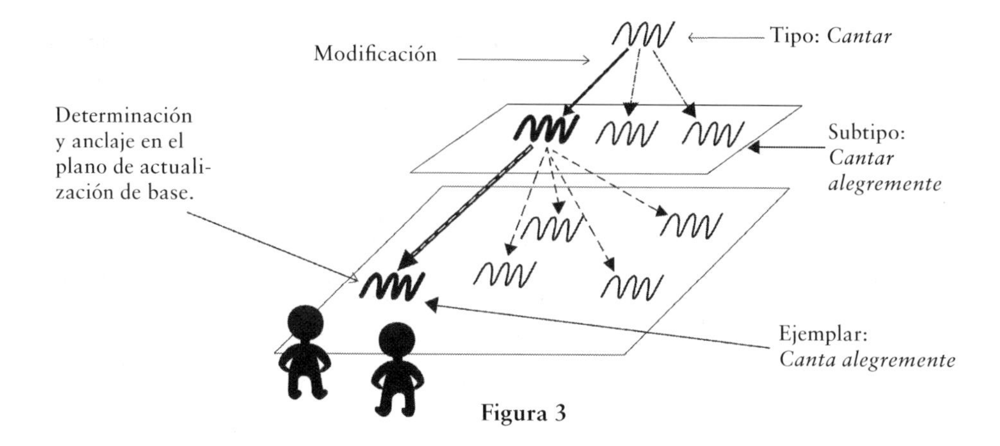

Figura 3

Adviértase que, en el ejemplo de la figura 3, *alegremente*, al combinarse con *cantar*, permite especificar el tipo de proceso al que se refiere *cantar*, de manera equivalente a como el adjetivo *oscuro* lo hacía con *objeto*, haciendo posible, así, designar un subtipo, entre otros posibles (*cantar melancólicamente*, *cantar dramáticamente*, etc.), en el primer plano de actualización. A su vez, la terminación de presente de indicativo de tercera persona de singular de la forma *cant-a* funciona como anclaje con el que se localiza un caso o ejemplar, entre muchos otros posibles, de ese tipo de proceso que se designa con *cantar alegremente*[5].

2. Tratamiento didáctico de los determinantes en niveles avanzados

Frente al adjetivo, que es una categoría gramatical abierta, los determinantes son una categoría con un número cerrado de elementos, y, si bien no todos se comportan de una manera homogénea –en cuanto a su combinatoria o a su función en la construcción del sintagma nominal (en adelante SN)–, tienen en común el hecho de que son elementos que preceden al nombre, que suelen concordar en género y número con él y que lo actualizan en el discurso. Además, pueden en la mayor parte de los casos actuar como pronombres.

Recordemos lo que decíamos en el apartado 1.2 a propósito de la construcción del SN: el nivel en el que se constituye el vínculo entre el nombre y el adjetivo es el que crea un predicado o una propiedad. La combinación NOMBRE + ADJETIVO no designa a ninguna entidad concreta hasta que recibe la especificación del determinante.

Así:

Det + [NOMBRE + ADJETIVO]	*Esos [zapatos marrones]*
	Los [zapatos marrones]
	Dos [zapatos marrones]

De esta manera, es el determinante el que hace posible interpretar de un modo y no de otro el segmento abstracto, el predicado o la propiedad, *zapatos marrones*, integrando el contenido conceptual del SN en la información

[5] Al igual que se ha considerado razonable concebir el determinante como núcleo de un sintagma en el que se combina con un sustantivo (modificado o no), se han encontrado razones, tanto en la gramática generativa como en la GC, para entender que los morfemas flexivos de los verbos conjugados se erigen en núcleo de la oración, puesto que son ellos los que modifican las posibilidades referenciales del predicado verbal al permitir que con ellos se pueda designar un caso, una ocurrencia localizada en relación al tiempo de la enunciación, del tipo de proceso al que alude el lexema verbal con todos sus complementos y modificadores. Esa es la razón última de que en la teoría sintáctica se hable de Sintagma FLEX y no de Oración o Sintagma Verbal, como se hace en otras escuelas de corte funcional.

que proporciona el contexto. Esta actualización en el discurso puede adoptar distintas formas. Entre las operaciones a las que asociamos la clase gramatical de los determinantes, recordamos que están la de situar, la de cuantificar y la de seleccionar. Esto es, algunos determinantes permiten al hablante identificar al referente de una expresión de acuerdo con la información dada en el contexto y situarlo con respecto a las personas y espacios del discurso (*la calle, tu coche, ese café*); otros permiten conocer, de manera definida o indefinida, de cuántas entidades se habla (*dos calles, pocos coches, varios cafés*); y, por último, otros permiten seleccionar un grupo de elementos en oposición al resto de los miembros del conjunto al que pertenecen (*algunas calles, el primer coche, otro café*).

En un sentido amplio, en lingüística suele hablarse de determinantes para aludir a todos estos elementos que actualizan el SN. Sin embargo, en esta categoría pueden distinguirse, a tenor de las dos operaciones básicas que llevan a cabo –la de referencia y la de cuantificación (aquí se incluye asimismo la selección)–, dos subclases: los *determinantes* propiamente dichos y los *cuantificadores*[6]. Al hablar de determinantes en sentido restringido, nos referimos al artículo definido (*el, la...*), a los demostrativos y a los posesivos; mientras que en la serie de los cuantificadores se agrupan numerales cardinales, indefinidos, comparativos, etc.

Es importante señalar que ambas clases se diferencian en función de un rasgo esencial: la definitud, es decir, la posibilidad de identificar claramente al referente en la situación de habla. Ante un SN definido, es decir, la secuencia Det + SN, el oyente tiene información suficiente –proporcionada por el contexto inmediato, por el discurso previo o por su conocimiento del mundo– para identificar sin ningún tipo de ambigüedad el referente al que se alude:

1. *Alfredo estudió en esa/tu universidad.*
2. *Esta es la universidad de la que me has hablado, ¿no?*
3. *Mi hija va a ir a la universidad el año que viene.*

Eso es lo que ocurre con *esa/tu/la universidad* en (1)-(3). En cambio, los cuantificadores no poseen la capacidad de designar a un referente identificable. Tan solo hacen mención a cierta cantidad de elementos de una clase, como en (4) y (5).

4. *Me he comprado tres pares de/muchos/varios zapatos.*
5. *Algunos de sus amigos le han dado la espalda.*

[6] En la lingüística actual (ver, por ejemplo, Leonetti, 1999a y 1999b), se consideran los cuantificadores como una clase semántica y no como una categoría sintáctica. Ello quiere decir que pertenecen a esta clase todas aquellas palabras que, con independencia de su función en la oración, expresan cantidad: por ejemplo, *nada, nadie, algo, alguien, solo, siempre*, entre otras. Aquí vamos a referirnos con este término estrictamente a los cuantificadores que actúan junto al nombre.

Una posición intermedia entre determinantes y cuantificadores la ocupan los términos *todos, cada* y *ambos*. Estos elementos expresan, sin duda, cantidad de entidades tomadas de un conjunto, pero comparten con el artículo definido, los demostrativos y los posesivos el rasgo de definitud. Los tres se refieren a una entidad definida, pues aluden a la totalidad de los elementos del conjunto designado por el SN. De ahí que reciban el nombre de "cuantificadores universales". Entre los cuantificadores no universales hay que considerar *mucho, bastante, poco, varios, algún, ningún, otro, cierto* y *cualquier(a)*.

En las páginas que siguen, nos vamos a centrar en el artículo –definido e indefinido– y en algunos cuantificadores, sin entrar en el estudio de demostrativos y posesivos, dado que, según nuestra experiencia en clases de ELE del nivel que nos ocupa, su adquisición no presenta excesivas complicaciones.

Para intentar ofrecer algunas directrices sobre el uso de los determinantes en español, tenemos que tener en cuenta que la mayor parte de los problemas que los estudiantes extranjeros tienen en relación con este tema es la presencia o ausencia del artículo, ya sea definido o no. Ello nos obliga a hacer referencia, en primer lugar, al valor del artículo en los SSNN que lo contienen frente a aquellos que se construyen sin él. En el apartado 3, nos dedicaremos a la descripción y el tratamiento didáctico de algunos cuantificadores que pueden ser problemáticos.

2.1 El artículo

2.1.1 *Ausencia de artículo*

En español el SN, salvo en casos excepcionales y marcados como en *Alcalde desobedece una sentencia* (ejemplo de RAE, 2011: 96), ha de estar determinado en la posición preverbal (*El/un...*). Sin embargo, en posición postverbal hay ciertos contextos que admiten que el SN no esté definido. En general, se trata de usos en los que interesa designar un tipo de cosas y no un ejemplar o caso específico de ese tipo, como en (6) y (7).

6. *Hoy hemos comido sopa sevillana.*
7. *Los Reyes me han traído carbón.*

Esta designación genérica es la responsable de que se prefieran nombres sin determinante en diferentes clases de predicados:

a) Cuando se hace referencia a una actividad o situación estereotipada, en la que no interesa señalar ningún ejemplar concreto. Frente a otras lenguas que sí introducen el sustantivo con el artículo indefinido:

8a *¿Tienes novio?*	8b *Do you have a boyfriend? / Avez-vous un petit ami? / Hai un ragazzo?*

9a *Tengo coche.*	9b *I have a car. / J'ai une voiture.*
10a *Solo lleva traje en ocasiones especiales.*	10b *He only wears a suit on special occasions... / Il ne porte pas un costume que dans des occasions spéciales.*
11a *Me quedé en casa.*	11b *Je suis resté à la maison.*
12a *No tengo pasaporte.*	12b *I don't have a passport.*

De hecho, parece habitual que los sustantivos sin determinante en función de OD pasen a integrarse en un predicado complejo junto al verbo que los introduce, con una lectura genérica: *tomar café, freír pescado, comprar lotería,* especialmente con verbos muy desemantizados o con un significado vago o abstracto: *tener gracia/razón, dar miedo/vergüenza.* Y así ocurre cuando el sustantivo se usa como término de una preposición: a *mano, por correo, en avión, con gas; hablar de política, ir sin cinturón de seguridad,* etc.

b) Cuando hablamos de cierto tipo de cosas que concebimos como cuantificadas, pero de las que no interesa determinar la cantidad. En estos casos, si el nombre es no contable, va en singular, y, si es contable, en plural:

13. *¿Te queda café?*
14. *No hay luz.*
15. *Ya no tienen habitaciones para el fin de semana.*
16. *Se alquilan apartamentos.*

c) En las construcciones atributivas, con verbos copulativos, en que se identifica la clase o categoría a la que pertenece un individuo, sobre todo para hablar de la profesión, la relación o el cargo:

17. *Luis es profesor de kárate.*
18. *Este chico es amigo de mi novio.*
19. *Javier y Carlos son primos.*
20. *Es presidente de un club de fútbol.*

Este contexto es especialmente conflictivo por varias razones: de un lado, la influencia de las lenguas maternas de muchos estudiantes, en las que, como hemos visto, la construcción de partida para expresar estos significados incluye el artículo indefinido; de otro, la presión que ejerce la construcción valorativa o evaluativa en español, que requiere la presencia del indefinido (*Luis es un profesor de karate excepcional*); y, por último, la posibilidad de alternar oraciones como *Este chico es amigo de mi novio / Este chico es un amigo de mi novio,* en las que se expresa simplemente la relación (sin determinante) o en las que se presenta el nombre cuantificado como uno de los ejemplares del grupo designado (con determinante).

El hecho de que confluyan estas tres razones hace más opaca la función del determinante frente al valor que introduce su ausencia. De ahí que un error frecuente, que no se reduce a los primeros estadios de aprendizaje, se produzca al hablar de la profesión o en contextos en los que se identifica algo o a alguien: **Mi hermano es un profesor de kárate* / **Cortázar es escritor argentino.*

2.1.2 *Presencia del artículo definido*

Como comentábamos anteriormente, el artículo definido *el* (*la, los, las*) permite localizar una entidad como la única identificable para los interlocutores entre todas las que pertenecen a la clase denotada por el nombre. El oyente accede a esa información por varias razones:

a) Porque tiene en cuenta los datos que le proporciona la situación de comunicación (valor deíctico) y que le permiten reconocer al ejemplar del que se habla o al que se señala de alguna manera:

 21. *Pásame la jarra.*

b) Porque recupera el referente que se ha mencionado previamente en el discurso (valor anafórico):

 22. *Aquí está la jarra que han pedido ustedes.*

c) Porque identifica como única la entidad por su conocimiento general del mundo:

 23. *Parece que la ONU ha emitido una resolución sobre el conflicto en el Sahara.*

d) Porque la información contenida en el modificador del nombre limita las posibles interpretaciones:

 24. *¿Has encontrado la jarra que te regaló tu tía? Viene mañana.*

e) Porque el referente del SN definido es un componente constitutivo de un concepto aparecido previamente:

 25. *La casa tiene el tejado en mal estado.*
 26. *Este ordenador tiene el botón de encendido a la derecha.*

Una consecuencia de este valor de unicidad que se transmite con el artículo definido es que los SSNN en plural encabezados por él se refieren a la totalidad de los objetos de un conjunto, ya que solo el conjunto completo aporta el referente único entre todos los demás exigido por el artículo definido. Así, cuando decimos *Las obras de Velázquez se reconocen por la luz,* nos estamos refiriendo a todas las obras de Velázquez, entendidas como el conjunto descrito, dado que esa es la interpretación que garantiza la identificabilidad única e inequívoca.

El artículo definido plural, pues, alude a un conjunto y por ello tiene la facultad de designar no solo a los ejemplares de ese conjunto –a todos ellos individualmente–, sino al tipo o a la clase de objetos o elementos, es decir, introduce enunciados con valor genérico. Este valor es el que actúa en contextos como los siguientes:

27. *Me gustan más las fresas que las cerezas.*
28. *Las comedias románticas son muy aburridas.*
29. *Los bebés reconocen a sus madres por el olor.*
30. *Los dinosaurios se extinguieron hace millones de años.*

En otras lenguas, basta con el sustantivo plural no definido para conferirle esta interpretación genérica a un enunciado:

31a *Los perros son amigos fieles.*
31b *Dogs are faithful friends.*
31c *Hunde sind treue Freunde.*

32a *Me encantan las flores.*
32b *I love flowers.*
32c *Ich mag Blumen.*

Por eso, en los contextos de este tipo, suelen producirse errores por interferencia de la lengua materna en la que estos enunciados se construyen de otro modo, o bien por tratarse de lenguas que carecen de artículo:

33. **Me gustan perros.*
34. **Perros son los mejores amigos de las personas.*

Al igual que la forma en plural, el artículo definido singular puede usarse en enunciados con valor genérico:

35. *El hombre es un mamífero.*
36. *La paloma es el símbolo de la paz.*

En español, el artículo definido tiene la posibilidad de aparecer sin sustantivo explícito en SSNN en los que hay una expresión modificadora: *el azul, la de la derecha, el que tiene el pelo blanco.* En otras lenguas, en cambio, esta función requiere de otro término que actúa como núcleo del SN o bien es cumplida por los demostrativos:

37. *The blue one.*
38. *The one on the right.*

39. *Celui-là avec les cheveux blancs.*

Se trata de una construcción muy frecuente en español, que, aunque se suele presentar en niveles bajos, no se adquiere hasta tener un nivel avanzado de lengua. Son errores habituales por interferencia de la L1 expresiones como **ella en el vestido azul* o **ella con la falda roja*.

2.1.3 *Presencia del artículo indefinido*

Como su nombre indica, la semántica básica del artículo indefinido *un* (*una, unos, unas*), por contraste con la del artículo definido *el* (*la, los, las*), es la de su indefinitud. Esto es, no permite identificar ninguna entidad que se halle en la situación de habla o en el universo de conocimiento compartido por los interlocutores:

40. *Al entrar he visto un perro. ¿Es tuyo?*

El oyente no puede identificar qué perro, pero sí que su interlocutor ha visto un ejemplar del tipo o clase *perro* frente a entidades de otros tipos: un gato, un erizo o un coche. Este valor (la imposibilidad de designar un referente inequívocamente identificable entre todos los demás) constituye la base del uso habitual del artículo indefinido: con él se alude a un tipo o clase (*Una bicicleta te da más libertad para moverte*), o bien a un ejemplar cualquiera de ese tipo o clase (*Quiero comprarme una bicicleta para este verano*) o a un ejemplar específico pero no identificable (*Ahí han dejado una bicicleta sin cadena*).

El hecho de que el artículo indefinido no designe objetos o entidades que el oyente pueda identificar habilita a este artículo para presentar dichas entidades en el discurso por primera vez. Una vez mencionadas, y en la medida en que designen ejemplares concretos y específicos, los SSNN deben ir acompañados por el artículo definido:

41. *Me han regalado una lámpara y un espejo para el salón. La lámpara me gusta, pero el espejo quizá lo descambie.*

De ahí que sea la estructura ARTÍCULO INDEFINIDO + SN la que encaje en contextos presentativos, como en las construcciones con el verbo *haber*, en las que se habla de la existencia de las entidades designadas por el nombre. En estos predicados, hay restricciones para determinantes que implican definitud, puesto que los referentes no están establecidos previamente:

42. *En mi ciudad hay un edificio de Gaudí.*
43. *En la fachada hay una ventana grande con una reja.*

Si bien no en nivel avanzado, es habitual que se den errores en el contexto de las expresiones existenciales, precisamente por no atender a estas restricciones[7]:

44. **En mi ciudad hay la universidad más antigua de España.*
    [En lugar de *En mi ciudad está la universidad más antigua de España*].

La forma en plural *unos* no se comporta del mismo modo que la forma en singular, equiparándose al cuantificador *algunos* y alternando con él en diferentes contextos. Haremos referencia a ello en el apartado 3, dedicado a los cuantificadores.

2.1.4 *Presencia y ausencia de artículos en contextos genéricos*

Este es uno de los contextos más problemáticos en relación al uso adecuado del artículo. Si tanto el artículo definido en singular y en plural (*el, la, los, las*), como el indefinido en singular (*un, una*) o la ausencia de artículo tienen valor genérico, ¿son intercambiables? O, si no lo son, ¿qué matices incorpora cada uno de ellos a la expresión de ese valor genérico?

Hasta el momento, en la descripción de los usos de los distintos determinantes (o del valor de su ausencia), hemos aludido a varios contextos que tienen una lectura genérica. Son los siguientes:

45. *¿Tienes perro?*
46. *El perro es un animal.*
47. *Los perros son animales de compañía.*
48. *Un perro es un animal.*

Si obviamos el primer ejemplo, que claramente se interpreta como un predicado complejo –*tener perro*–, los otros enunciados pueden tener menos claros los límites de uso entre las distintas formas para un estudiante que no dispone de un equivalente en su lengua o que accede a esos significados mediante otros medios gramaticales. Veamos algunas situaciones en las que los anteriores enunciados están contextualizados:

49. • *Y entonces, Miguelito, ¿el perro es un animal, un vegetal o un mineral?*
    ○ *El perro es un animal.*

En (49) se usa ***el*** para señalar que está hablando de la clase o tipo *perro* en su conjunto. No habla de un individuo o ejemplar en particular identificable por

[7] No obstante, hay ocasiones en las que dichas restricciones se ven salvadas por otros factores, y a las que se puede atender en niveles avanzados. Ejemplos del tipo *Antes había la costumbre de que...; Hay la idea de que...*

el interlocutor. Habla de una categoría identificable entre todas las demás por el interlocutor.

50. • *No sé si comprarle a mi hija un perrillo... o un conejo...*
 ❍ *¡Hombre! Los perros son animales de compañía. Un conejo no te acompaña lo mismo que un perro.*

En (50) se usa ***los*** para referirse a todos los perros, al conjunto completo, de los que va a mencionar una característica que toda la clase posee.

51. *No pongas al perro a comer en la mesa, Javi. Los perros no comen en las mesas.* ***Un*** *perro es un animal, no una persona.*

En (51) se dice ***un*** para aludir a un individuo cualquiera de la clase *perro*. En este tipo de contextos, además, hablando de entidades que se suponen suficientemente conocidas, al indicar la categoría a la que pertenecen, se insiste en lo evidente e indiscutible para que el interlocutor desestime implicaciones contrarias a esa evidencia: "Un perro es solo un animal, no una persona y, por tanto, no comparte mesa con las personas".

En (51) vemos el uso contrastado de *el perro/los perros/un perro*. En este caso, con *el perro* no se habla en general, se está hablando del perro de la familia, de un perro específico, determinado e identificable. Los otros dos sí son contextos genéricos: se habla en general de la clase *perro*, bien poniendo el énfasis en el conjunto de individuos (*los perros*), bien haciendo mención de un ejemplar, de cualquiera de ellos como representante de la clase –*un perro*–.

Tenemos, pues, la respuesta a la pregunta sobre los matices que cada uno de los determinantes aporta en la expresión de la generalización, pero cabe aún preguntarse en qué medida son intercambiables.

En (49) se podría contestar a la pregunta *¿el perro es un animal...?* indistintamente con *el perro es un animal* o *los perros son animales*; e incluso, con *un perro es un animal*, si en la pregunta se hubiera elegido el indefinido *¿un perro es un animal...?*

En (50) se podría decir tanto *los perros/un perro/el perro son (es) (un) animal(es) de compañía.*

En (51), sin embargo, no se pueden alternar las tres formas. En lugar de *los perros no comen en la mesa,* sería aceptable, aunque menos frecuente, *un perro no come en la mesa,* pero no es posible decir *el perro no come en la mesa*. Con el sintagma *el perro,* se menciona la clase, por lo que encabeza enunciados más definitorios o descriptivos, en contextos teóricos (p.e. de biología) y con propiedades acotadas a la anatomía del perro y a sus comportamientos más habituales:

52. *El perro tiene cuatro patas.*
53. *El perro es un animal doméstico.*

54. *El perro pertenece a la clase de los cánidos.*
55. *El perro corre a unos 40 km/h.*

En tanto que mención a la clase, el sintagma *el perro* no puede ir seguido de propiedades que no estén ya incluidas en el concepto *perro*. Mientras que los enunciados generalizadores con *un* y *los* sí permiten aludir a cualquier otra propiedad, al no referirse directamente a la clase. Ahora bien, suelen hacerlo en entornos negativos:

56. **El perro no come en la mesa.*
57. **El perro no puede llevar sombrero.*
58. *Un perro/los perros no puede(n) llevar sombrero.*

Estos enunciados aparecen en situaciones en las que, como ocurre en la de (51), el segundo interlocutor no admite el comportamiento del primero y acude a una caracterización categórica para rechazarlo o desestimarlo. En esta ocasión, negando que comer en la mesa sea una acción propia o aceptable para los individuos de la clase *perro*.

En definitiva, podemos obtener una lectura genérica de SSNN encabezados por *el/la, los/las, un/una*, si bien cada uno de estos determinantes posibilita una forma de generalización diferente: el artículo definido singular *el/la* hace mención a la clase en sí, el artículo definido plural *los/las* hace referencia al conjunto de individuos de una clase y el artículo indefinido singular *un/una* alude a un ejemplar cualquiera de una clase en tanto que representante típico de ella. *Los* + nombre *y un* + nombre son intercambiables en la mayoría de los contextos; sin embargo, *el* + nombre queda restringido a enunciados, generalmente de polaridad positiva, en los que la predicación que se hace del SN sea un rasgo constitutivo de la clase[8].

2.1.5 *Didáctica del artículo*

En el cuadro 3 presentamos los valores básicos de cada una de las formas *el/un/Ø*, en una síntesis que puede resultar útil para organizar la secuencia didáctica.

[8] Para una profundización en el tema de la presencia/ausencia de los artículos definido e indefinido, véanse Bosque, 1996; Leonetti, 1999a, 1999b y 1999c; Laca, 1999; y RAE/AALE, 2009 y 2011. Para una presentación muy útil con vistas a la enseñanza de estos elementos, consúltese Morimoto, 2011 y Molina Redondo, 2011. Una presentación didáctica inicial con actividades complementarias a las que se expondrán a continuación se puede encontrar en Alonso et ál., 2005. La cuestión de la adquisición del artículo en una segunda lengua se aborda en García Mayo y Hawkins, 2009.

1. UN/EL

UN: Hablamos de algo que **no podemos** o **no queremos identificar como único** en el contexto:

- *¿Me das **un** vaso?*
  Se habla de un vaso cualquiera, no importa cuál. El hablante no quiere identificarlo.

- *Viene **un** autobús.*
  Se habla de un autobús que no se puede identificar, p. ej., porque está demasiado lejos.

EL: Hablamos de algo que **podemos identificar como único** en el contexto:

- *¿Me das **el** vaso?*
  Se habla de un vaso en particular, identificable, p. ej., el único vaso que hay en la mesa, uno al que se señala o del que hemos hablado antes.

- *Viene **el** autobús.*
  Se habla de un autobús en particular, identificable, p. ej., porque es el único que pasa por allí, porque vemos que es el que esperamos, etc.

2. EL/LOS/UN: CONTEXTOS GENÉRICOS

EL: Hablamos en general de una **clase o un tipo.** Identificamos una categoría entre todas las demás:

- ***El** perro es un animal doméstico.*
  Se habla de la clase *perro*. No visualizamos ni nos referimos a ningún ejemplar de perro.

LOS: Hablamos en general del **conjunto de individuos de una clase o un tipo**:

- ***Los** dinosaurios se extinguieron en la prehistoria.*
  Se habla del conjunto de los ejemplares de dinosaurio.

- ***Los** adolescentes suelen ser muy rebeldes.*
  Los individuos que puedan ser considerados miembros de la clase *adolescente* comparten la característica de ser rebeldes.

UN: Hablamos en general de **un individuo cualquiera como representante típico de una clase**:

- ***Un** ordenador moderno tiene conexión* bluetooth.
  Si no la tiene, no se considera moderno.

- ***Un** delantero tiene que tener gol.*
  Nos referimos a cualquier jugador de fútbol que tenga esta posición en el campo.

3. Ø

Hablamos de **un tipo o una clase de cosa** (en singular para nombres no contables y en plural para nombres contables):

– *Hoy hemos comido* ***sopa sevillana.***
– *Todo el viaje ha estado haciendo* ***crucigramas.***

A. Detrás de un verbo

a) Formando predicados complejos, con frecuencia para hablar de actividades estereotipadas:

– *Aquí no* ***tengo móvil.***
– *Me* ***dan miedo*** *los aviones.*

b) Para hablar de tipos de cosas que concebimos como cuantificadas, pero de las que no interesa determinar la cantidad:

– ***¿Hay café?***
– *Se* ***venden cerezas.***

c) Con verbos copulativos, para hablar de la profesión o de la relación entre personas que están identificadas en la conversación:

– *Lucía* ***es profesora*** *de música.*
– *Juan y Pablo* ***son hermanos.***

B. Detrás de una preposición

Cuando hablamos de la forma en que se hace algo o del estado de algo:

– *He mandado el paquete* ***por correo*** *urgente.*
– *Yo tomo el té* ***con limón*** *y* ***sin azúcar.***
– *¿Vas* ***en coche****? Está* ***sin gasolina.***

Cuadro 3

La presentación en clase de los determinantes tiene que partir de estos valores básicos. Aunque en un nivel avanzado los estudiantes ya tienen asumidas ciertas nociones sobre la relación entre la forma y la función de cada artículo, conviene insistir en las diferencias de significado que implica su uso, pues la mayoría de los errores son fosilizaciones de interferencias de la L1 asociadas a ellos. Por otra parte, en los niveles inferiores no suele haber una presentación explícita de la oposición de ambas formas más allá de la presentación del paradigma de los artículos en los primeros momentos del nivel A1, siendo objeto de una atención solo ocasional cuando el profesor señala errores frecuentes: por ejemplo, **Soy un estudiante* en lugar de *Soy estudiante*, como respuesta a la pregunta *¿A qué te dedicas?* Por ello, muchos de los errores persisten en niveles avanzados.

Siguiendo el cuadro 3, el primer aspecto que debemos tratar es la diferencia entre identificable como único o no identificable como único (Punto 1). A continuación, presentamos algunos ejercicios con los que se pretende que los estudiantes tomen conciencia de las consecuencias significativas del uso de cada forma (*el/un*) y de la importancia del contexto en la elección de una u otra.

1. Aquí tienes varios trozos de conversaciones entre dos amigas. Une cada conversación con su contexto.

▶ a. María: "En la foto estoy yo en bañador". — a. Solo hay una foto.
b. María: "En una foto estoy yo en bañador". — b. Hay más de una foto.

1. a. Clara: "He dejado los papeles aquí". a. María no sabe qué papeles son.
b. Clara: "He dejado unos papeles aquí". b. María sabe qué papeles son.

2. a. María: "Coge el taxi, llegarás antes". a. Clara puede coger cualquier taxi.
b. María: "Coge un taxi, llegarás antes". b. Hay un taxi en la parada.

3. a. Clara: "Han traído las flores". a. Esperaban esas flores.
b. Clara: "Han traído unas flores". b. No esperaban las flores.

4. a. María: "La calle está cortada". a. No saben de qué calle se trata.
b. María: "Una calle está cortada". b. Hablan de una calle que ya han mencionado.

5. a. Clara: "El hermano de mi novio es actor". a. El novio de Clara solo tiene un hermano.
b. Clara: "Un hermano de mi novio es actor". b. El novio de Clara tiene varios hermanos.

2. Continúa las frases de forma adecuada.

▶ a. He visto un coche delante de la puerta... — a. ¿Ha venido alguien?
b. He visto el coche delante de la puerta... — b. ¿Por qué no está en el garaje?

1. a. Si sales, cómprame el periódico. a. Uno nacional, pero no uno deportivo.
b. Si sales, cómprame un periódico. b. Ya sabes, *El diario del sur.*

2. a. ¿Me pasas el vino? a. Blanco, mejor.
b. ¿Me pasas un vino? b. Está muy bueno. ¿Es un Rioja?

3.	a. Le he pedido un libro de kárate a Luis. b. Le he pedido el libro de kárate a Luis.	a. Tiene algunos muy interesantes. b. Creo que él no lo necesita ahora y yo sí.
4.	a. Ha venido a verte la profesora de tu hijo. b. Ha venido a verte una profesora de tu hijo.	a. ¿Cuál? ¿La de matemáticas? b. ¿Sí? ¿Y qué ha dicho?
5.	a. ¿Tienes tú un boli? b. ¿Tienes tú el boli?	a. Yo no tengo. b. No sé dónde lo he puesto.
6.	a. Te ha llamado una chica... b. Te ha llamado la chica...	a. para decirte que a las tres en su casa. b. pero no ha dicho quién es.

3. ¿A qué profesión se refiere cada frase?[9]

1.	a. ... llevaba puesto el delantal b. ... llevaba puesto un delantal	a. cocinero b. jardinero
2.	a. ... lleva la raqueta en la mano b. ... lleva una raqueta en la mano	a. político b. tenista
3.	a. ... ha sacado una pistola b. ... ha sacado la pistola	a. policía b. presentador
4.	a. ... se subió a la ambulancia b. ... se subió a una ambulancia	a. enfermero b. taxista
5.	a. ... lleva el mono de color azul b. ... lleva un mono de color azul	a. mecánico b. médico

Una vez que se ha trabajado con el valor básico definido / no definido, parece conveniente familiarizar a los alumnos con los predicados que no requieren determinante (punto 3 del cuadro), antes de tratar contextos en que pueden alternar las tres formas: artículo definido, indefinido y ausencia de artículo.

Los ejercicios 4 y 5 presentan contextos conflictivos: un contexto de descripción, en el que el estudiante tiene que elegir entre la presencia y ausencia de determinante, y un contexto genérico, en el que debe decidir qué forma de generalización es la adecuada al entorno discursivo.

[9] Este ejercicio es una variante de otro incluido en Chamorro y Martínez, 2012.

4. En la televisión han organizado un *casting* para buscar un presentador para un programa de música. Estas son sus descripciones. Escoge la solución correcta[10].

Remigio Pardo
Tengo unos/los ojos marrones, un/el/∅ pelo castaño y llevo una/la/∅ barba y unas/las/∅ gafas. Soy un/el/∅ calvo. Soy un/el/periodista, pero un/el/∅ periodista sin mucha experiencia.

Ángela Galán
Tengo unos/los ojos azules y un/el pelo rubio y largo. Tengo la/∅ nariz un poco grande, dicen.... Soy una/la/∅ telefonista. Ah, todo el mundo dice que tengo una/∅ voz preciosa.

José María Botella
Tengo unos/los ojos negros y un/el pelo negro. Llevo un/el/pelo bastante corto y no llevo una/la/∅ barba ni un/el/∅ bigote. Soy miope pero llevo unas/las/∅ lentillas. Soy un/el/∅ estudiante de empresariales.

La empresa ha escogido a su preferido. Este es el informe. Complétalo.

Nuestro favorito es un/el/∅ estudiante de empresariales, José Mª Botella, porque tiene unos/los ojos negros y tiene una/∅ mirada muy interesante y un/el/∅ pelo lacio muy bonito. Como no lleva una/la/∅ barba ni un/el/∅ bigote, su aspecto es muy agradable. En este momento, lleva el/∅ pelo demasiado corto, pero eso no es problema... Es un/el/∅ estudiante, un/el/∅ estudiante muy bueno. Y, además, nos interesa porque es un/el/∅ sobrino del Director, un/el/∅ sobrino mayor.

5. Varios amigos hablan en general de cosas curiosas del comportamiento de los animales. Decide en cada enunciado qué formas de generalización puedes usar: *el, los* o *un* (a veces puedes usar más de una). Cambia la concordancia con el verbo si es necesario.

–Dicen que _____ elefante(s) lo recuerda(n) todo. Si tú le haces daño a _____ elefante(s), muchos años después _____ elefante(s) se vengará(n).
–Sí, y parece que _____ elefante(s) domesticado(s) nunca olvida(n) a su dueño. _____ elefante(s) de la India solo obedece(n) a quien considera(n) su dueño.
–Y ¿no es sorprendente que _____ elefante(s), cuando va(n) a morir, haga(n) cientos de kilómetros hasta llegar a un "cementerio de elefantes"?
–Bueno, eso parece que lo hacen otros animales: _____ ballena(s), por ejemplo, pero, es verdad, _____ elefante(s) es/son de los más curiosos.

[10] Ejercicio cedido por Lourdes Miquel. Escuela Oficial de Idiomas Barcelona-Drassanes.

Solo después de una presentación sistemática de los valores básicos, especialmente en entornos problemáticos, podemos buscar otros contextos en los que estos valores puedan tener repercusiones nuevas o no tratadas: por ejemplo, los contextos valorativos (*es un egoísta*); el uso enfático del artículo definido en construcciones con oraciones de relativo como *No sabes las casas que tiene* (= "No sabes cuántas casas tiene") o *Es increíble los tacones que lleva* (="Es increíble la altura de sus tacones"); las restricciones en posición preverbal y posverbal (*faltan voluntarios/*voluntarios faltan*); usos con sustantivos frecuentes (*en casa, en la casa*); o cuestiones estilísticas asociadas a la presencia o no de artículos, entre otros. Otro ejercicio sobre el uso de artículos, o su ausencia, apropiado para nivel avanzado, se presenta y comenta en el capítulo 3 (actividad 3.2.1.1 *El genio Articulino*) de este mismo volumen.

3. Otros determinantes: los cuantificadores

En sentido general, se entiende por *cuantificadores* (en adelante CC) todas aquellas palabras que expresan cuantificación. A esta categoría de palabras pertenecen pronombres (*nada, algo*), adjetivos (*varios, demasiados*) o adverbios (*más, menos, siempre*), por lo que no se puede hablar de una clase homogénea, con una distribución sintáctica fija, sino que más bien ha de entenderse como una clase semántica o funcional, con ciertos rasgos de significado que justifican que se les agrupe conjuntamente.

Aquí aludiremos a los cuantificadores de un modo restrictivo. Nos interesan los cuantificadores que cumplen una función de determinación, es decir, los llamados "cuantificadores adnominales", que forman parte de la clase de los determinantes[11]. Entre estos CC, están los *cuantificadores universales*, que se refieren a la totalidad de los miembros del conjunto sobre que el que se hace la cuantificación (*todos, cada, ambos*); y los *cuantificadores existenciales*, que hacen referencia a una parte de los elementos del conjunto designado. Estos últimos son los numerales, los tradicionales indefinidos (*algún, muchos, varios...*), los comparativos (*más, menos, tanto*) y los interrogativos, exclamativos y relativos (*qué, cuánto, cuál*). Dada la extensión de este artículo, nos centraremos en aquellas unidades que puedan presentar algún aspecto difícil para los aprendices de ELE en niveles avanzados y estableceremos algunas conexiones entre unidades que pueden exigir reparar en ciertos matices para conseguir un uso adecuado de ellas.

[11] Para dar cuenta de las distintas funciones que las palabras consideradas en la clase semántica de los cuantificadores pueden llevar a cabo, se suele distinguir entre CC adnominales y CC adverbiales, siendo los primeros unidades que modifican al sintagma nominal (*Han venido todos tus amigos*) y los segundos unidades que tienen su ámbito de acción en el sintagma verbal (*Este chico siempre llega tarde*). En muchos casos, una misma forma puede actuar como cuantificador adnominal o como cuantificador adverbial: *Tiene demasiados problemas / Fuma demasiado*.

3.1 Los cuantificadores en contextos genéricos

Comentábamos con respecto a los determinantes *el/los/un* que pueden ser usados en contextos en los que designan a un tipo o clase de elementos. Pero no son los únicos. Otras unidades pueden cumplir la misma función, dando lugar su presencia a interpretaciones genéricas:

a) Los CC universales *todos* y *cada,* puesto que denotan la totalidad de los elementos del conjunto que constituye el ámbito de la cuantificación.

b) El indefinido *ningún* en frases negativas, en tanto que alude igualmente a la totalidad de los elementos sobre los que se predica.

c) El indefinido *cualquier(a),* dado que en su semántica está el rasgo de libre elección entre los elementos del conjunto denotado por el sustantivo al que acompaña. La posibilidad de elegir indiferenciadamente entre todos los elementos permite la lectura totalizadora y, por extensión, genérica, de los contextos en que aparece.

Todos ellos pueden usarse para hacer generalizaciones, si bien con ciertos matices, que no permiten que sean intercambiables en todos los casos y que requieran de una explicación detallada. Veamos los siguientes ejemplos:

59. *Los chicos a esta edad saben leer.*
60. *Todos los chicos a esta edad saben leer.*
61. *Todo chico a esta edad sabe leer.*
62. *Cualquier chico a esta edad sabe leer.*
63. *Ningún chico a esta edad sabe leer.*

Las diferencias entre los anteriores enunciados vienen dadas por los valores propios de cada determinante: con el artículo definido se señala directamente a la clase de *los chicos de una determinada edad,* de la que se predica que sabe leer; con el cuantificador *todos los chicos* se insiste en que la totalidad de los individuos del conjunto designado sabe leer, y la lectura genérica viene dada por la identificación de la totalidad con la clase; el uso en singular *todo chico* pone el énfasis en cada uno de los ejemplares de ese conjunto, al que también designa exhaustivamente; lo mismo sucede con el cuantificador *cualquier* en *cualquier chico,* si bien la diferencia en el uso entre uno y otro se debe más a una cuestión de registro; en (63) el enunciado introducido por *ningún chico* expresa la negación, también de alcance universal, de lo transmitido por (59)-(62)

3.2 Características morfosintácticas y uso de algunos cuantificadores

En este epígrafe vamos a centrarnos en algunos cuantificadores, en su sintaxis y en las oposiciones que mantienen con otras formas de significado próximo que pueden ser motivo de error en el uso que hagan de ellos los estudiantes. Tras cada apartado, incluimos ejercicios que pueden usarse para facilitar la reflexión sobre la relación entre la forma y la función de cada cuantificador.

Con ese objetivo, parece rentable presentar los CC, de un lado, en oposición al artículo definido, y, de otro, en la relación gradual que mantienen entre ellos. Como puede verse en la figura 4, con el artículo definido no se prefigura un conjunto previo del que se seleccionan ejemplares, mientras es evidente que cuando usamos los indefinidos sí aparece como fondo el conjunto en tanto que ámbito de la selección que hacemos.

Cuando queremos referirnos a un conjunto de objetos identificable entre todos los demás, usamos el artículo *los/las* u otro determinante definido (*mis/tus...*; *estos/esas...*) con un sustantivo:

– *Los peces están con las estrellas y los caballitos de mar en la pecera.*

Usamos los indefinidos cuando queremos hablar de los elementos que seleccionamos de un conjunto:

Ninguno/-a/-os/-as, si el número de elementos es nada [0]:

– *No han sacado ningún pez.*

Alguno/-a/-os/-as, si el número de elementos es uno o más de uno, sin especificar cuáles ni cuántos:

– *Han sacado algunos peces.*

Todos/-as, si seleccionamos el conjunto completo:

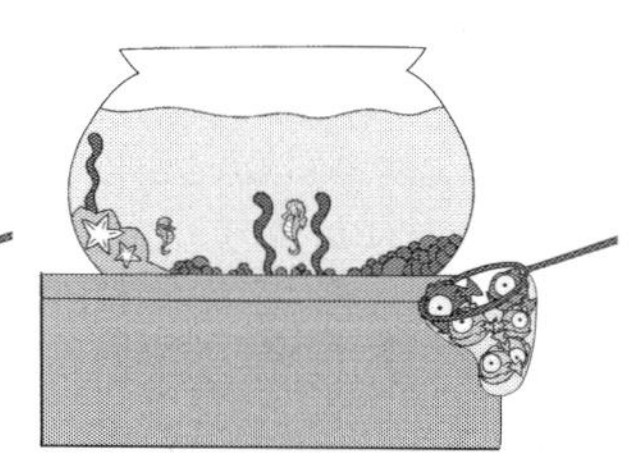

– *Han sacado todos los peces.*

Figura 4

Como mencionábamos al hablar del artículo definido plural *los/las* (o el singular con nombres colectivos, por ejemplo), el valor de definitud que le es propio –la posibilidad de identificar a un referente como único– hace que este determinante remita a la totalidad del conjunto que se designa, por lo que en ocasiones está muy próximo al significado que introduce el cuantificador *todos/-as*. El siguiente ejercicio puede ayudar a separar el uso de ambas formas, ya que la referencia a la totalidad es explícita e inequívoca con *todo/a(s)* pero solo implícita en el caso del artículo definido. Este último permite lecturas metonímicas que no son posibles con aquel: *Los niños tienen hambre* es una afirmación hecha del conjunto de los niños que puede entenderse en un sentido "débil", sobre la base de que algunos o la mayoría de los niños tienen hambre. Esa interpretación laxa no es admisible con *Todos los niños tienen hambre.*

6. Añade *todos/todas* donde lo creas necesario.

▶ ___*Todas*___ las noches hay una actuación en vivo.
1. Aquí ____________ las noches son más fresquitas que ____________ los días.
2. ____________ los padres han empezado a matricular a sus hijos, pero por ahora no han venido muchos.
3. ____________ los padres han empezado a matricular a sus hijos a la vez. En la secretaría somos pocos y es imposible atenderlos.
4. Han llegado ____________ los invitados menos uno. Tenemos que esperar.
5. ____________ los hombres sois iguales. No tenéis remedio.
6. ____________ los vecinos quieren que arreglemos el ascensor, pero no hay unanimidad.
7. Se han quejado del ruido que haces ____________ los vecinos excepto el del cuarto.

3.2.1 *Todo/-a/-os/-as*

TODAS LAS CASAS frente a TODA CASA frente a TODA LA CASA

Este cuantificador puede aparecer en las estructuras TODOS/AS + LOS/LAS + SUSTANTIVO PLURAL o bien en TODO/A + SUSTANTIVO SINGULAR para designar en ambos casos, como hemos visto en los ejemplos de más arriba, una clase de elementos, refiriéndose al conjunto completo de los ejemplares que la conforman. La segunda estructura es propia del estilo formal y por ello aparece en contextos más restringidos –carteles, documentos normativos, textos académicos o expresiones con un carácter sentencioso–:

64. *Toda motocicleta mal aparcada será recogida por la grúa.*
65. *Prohibido el paso a toda persona ajena a esta obra.*
66. *Los agentes de aduanas retirarán todo artículo cortante y todo bote de líquido con más de 100ml.*
67. *Todo buen lector es un escritor en potencia.*
68. *En toda novela de este período se trata el ideal del amor romántico.*

Por otro lado, se usa en singular en la construcción TODO/-A + EL/LA + SUSTANTIVO para hacer referencia a toda la extensión o a todas las partes de un solo objeto:

69. *He limpiado toda la casa.*
70. *Se ha ensuciado todo el traje.*

La diferencia entre las dos opciones en singular, una con artículo definido (*toda casa*) y otra sin ella (*toda la casa*) pasa desapercibida a los aprendices, por lo que requiere una llamada de atención[12]. Un ejercicio como el siguiente puede ayudarles a tomar conciencia de la diferencia.

7. Pon el artículo *el/la* donde sea necesario.

▶ a. Toda ____________ casa digna debe tener agua corriente.
   b. Hay enchufes por toda ___*la*___ casa.

1. a. Han puesto anuncios de la película en toda ____________ ciudad.
   b. Toda ____________ ciudad que desee estar limpia tiene que contar con sus ciudadanos.
2. a. Tiene anotaciones a lo largo de todo ____________ libro.
   b. Para mí, todo ____________ libro bien escrito es un placer. No importa el tema.
3. a. Toda ____________ playa con bandera azul posee duchas para los bañistas.
   b. No he visto una ducha en toda ____________ playa. ¿Y tú?
4. a. Toda ____________ llamada internacional debe ser registrada automáticamente.
   b. Hubo interferencias durante toda ____________ llamada.

[12] Otro tanto ocurre con muchas construcciones de las que forma parte este cuantificador, construcciones de gran interés para alumnos de nivel avanzado, que requieren un tratamiento especial, pero que exceden al contenido de este artículo. Nos referimos, entre otras, a estructuras como *todo + lo + adjetivo* para indicar que la característica expresada por el adjetivo se presenta en su grado máximo (*Ven todo lo rápido que puedas*); o al uso de *todo/a* delante de adjetivos o sustantivos en plural con el sentido de "muy" o "completamente" (*He visto a Carmen. Es toda huesos*).

TODOS LOS ESTUDIANTES frente a NINGÚN ESTUDIANTE

Ambos CC se oponen al artículo definido, en tanto que hacen referencia a la totalidad del conjunto al que designa el sustantivo, si bien acudimos a TODOS/-AS LOS/LAS + SUSTANTIVO cuando la oración es positiva y a NINGÚN(NINGUNO)/A + SUSTANTIVO cuando la oración es negativa:

	REFERENCIA A UNA CLASE DE ELEMENTOS	REFERENCIA AL CONJUNTO COMPLETO DE LOS ELEMENTOS DE UNA CLASE
ORACIONES POSITIVAS	– ***Los* reptiles** *tienen la sangre fría.* – ***Las* camisetas** *de esta marca llevan el logotipo en la manga.*	– ***Todos los*** *reptiles tienen la sangre fría.* – ***Todas las* camisetas** *de esta marca llevan el logotipo en la manga.*
ORACIONES NEGATIVAS	– ***Los* bancos** *en España* ***no*** *abren por la tarde.* – ***Las* legumbres *no*** *me sientan bien.*	– ***Ningún* banco** *en España abre por la tarde.* – ***Ninguna* legumbre** *me sienta bien.*

Conviene insistir en este punto, al margen de cuestiones morfológicas más propias de niveles inferiores (*ningún/ninguno*), en la sintaxis de la oración en que aparece *ningún*, ya que si el SN precede al verbo la doble negación es agramatical, mientras que si está pospuesto se requiere la presencia del adverbio *no*:

71. **Ninguna legumbre no me sienta bien.*
72. *No me sienta bien ninguna legumbre.*

Una salvedad al uso de *ningún* en frases negativas es el contexto en el que usamos *todos/as* con frases negativas para corregir la generalización positiva correspondiente:

73. • *A ti las frutas te gustan mucho, ¿verdad?*
    ❍ *Todas las frutas no me gustan. La sandía, por ejemplo, no la soporto.*
74. • *Como tú sales a correr por las mañanas, he pensado que estabas fuera.*
    ❍ *Pero no todas las mañanas voy a correr. Algunos días corro por la tarde.*
75. • *Han cerrado los aeropuertos europeos internacionales por la nube volcánica.*
    ❍ *No creas. Todos, no. Algunos del sur están abiertos.*

El siguiente ejercicio ofrece práctica para interpretar la adecuación pragmática de cada cuantificador.

8. Completa las frases como en el ejemplo, usando *todos/as o ningún(ninguno)/ninguna* según los casos.

▶ • He pensado dar las cosas que no me pongo.
  ○ ¿ Todas ________? ¿También los pantalones de Cachanel?
1. • Los niños no quieren comer sopa.
  ○ ¿De verdad? ¿ ____________?
  • Pues sí, quieren comer verduras.
  ○ ¿En serio? ¿ ____________?
2. • Todos tus empleados son licenciados, ¿no?
  ○ No creas. ____________, no. Algunos no tienen estudios universitarios.
3. • Papá, los peces no pueden respirar fuera del agua, ¿verdad?
  ○ Es cierto. ____________ puede respirar fuera del agua.
4. • ¿Has probado los embutidos?
  ○ Sí, ____________ excepto el chorizo. No me gusta.
5. • Los sindicatos han convocado una huelga general.
  ○ Es cierto, pero no ____________. El nuestro, al menos, no.

3.2.2 *Cada*

Con este cuantificador nos referimos a todos los elementos de un conjunto, pero considerados individualmente –o en grupos de igual número–:

76. *Cada jugador tiene cinco cartas.*
77. *Me sé cada canción del disco de memoria.*
78. *El director habló sobre el accidente con cada alumno.*
79. *Cada diez niños tienen un monitor.*
80. *Estaba atento a cada palabra y a cada gesto de aquel extraño individuo.*

Por ello, pese a ser un cuantificador universal, no suele usarse en contextos genéricos o de generalización, puesto que no designa a la clase denotada por el sustantivo, o, mejor dicho, puede aludir al conjunto completo pero presuponiendo algo diferente de cada individuo en particular:

81. **Cada chico a esta edad sabe leer.*

Un rasgo característico de *cada* es hacer referencia a la relación de todos los elementos de un conjunto, bien considerados de uno en uno o en grupos de igual número, con otro conjunto en una lectura distributiva de la propiedad que se menciona. Así pues, en la representación cognitiva que crea *cada* se presuponen dos conjuntos, conectados entidad a entidad –o entre grupos de entidades–:

82. *Cada ciudad tiene su encanto: Roma, Florencia...*
83. *Cada libro lleva un CD y un DVD con imágenes de la serie de TV.*
84. *Cabemos cinco en cada coche.*
85. *Hay un ordenador por cada dos niños.*
86. *¡Cada uno a su sitio!*

Esta condición distributiva de *cada* está relacionada con una diferencia importante entre ejemplos como *Todos los niños del barrio cuidan de un perro* y *Cada niño del barrio cuida de un perro*. En el primer caso, puede tratarse de un solo perro para todos los niños, mientras que en el segundo necesariamente se trata de un perro distinto en cada caso.

En ocasiones, el sentido distributivo queda refrendado por algún otro elemento de la frase, como el posesivo *su*, como vemos en alguno de los ejemplos. Este mismo sentido distributivo se halla en contextos en los que queremos expresar con qué frecuencia –en tiempo o en distancia– o en qué proporción sucede algo:

87. *En el mundo nace un niño cada tres segundos.*
88. *Pablo y Paula se ven cada dos semanas.*
89. *Le dolía mucho. Tenía que pararse cada veinte metros.*
90. *Dos de cada cinco matrimonios acaban en divorcio.*

Desde el punto de vista formal, *cada* tiene algunas particularidades que conviene tratar. Es una forma invariable, que solo se usa con sustantivos en singular, o bien con valor pronominal junto al pronombre *uno/una*. Con *cada uno / cada una* nos referimos a cada persona de un grupo o bien a un objeto que ya se ha mencionado y no queremos repetir:

91. *Nos vamos de excursión. Prepara dos bocadillos para cada uno.*
92. *¡Venga, chicas! Que cada una se haga cargo de su equipaje.*
93. *Los sellos valen 20 céntimos cada uno, y las postales, 60 cada una.*

Este cuantificador nunca puede ir solo, excepto si significa "cada tipo o clase". En este caso requiere ser introducido por la preposición *de*:

94. *Deme dos de cada.*
    [De cada clase de bombones, postales, etc.]
95. *¿Puede hacerme una fotocopia de cada?*
    [De cada uno de los diferentes documentos, etc.]

Los ejemplos del ejercicio 9 pueden servir para tomar conciencia de esas peculiaridades formales.

9. Los Oliver están de compras por México. Elige entre *cada uno / cada una / cada*.

- ¡Qué pisapapeles tan bonitos! Con las pirámides aztecas. Podemos llevarnos uno para (▶) *cada uno* de tus hermanos. O mejor compramos una estatuilla para (1) ____________ familia.
- ○ Y para los niños, ¿qué te parece un llavero para (2) ____________? ¿Estos con un cactus en (3) ____________ cara? Las niñas preferirán unas camisetas. Cómprales una a (4) ____________.
- Perdone, ¿cuánto vale (5) ____________ de estos? ¿Y las gorras? ¿10 pesos por (6) ____________? Ah, pues entonces me envuelve 3 de (7) ____________. Por favor, ponga las figuritas de cristal (8) ____________ en una caja. Ramón, mete tú una en (9) ____________ bolsillo de la mochila y yo llevaré una bolsa en (10) ____________ mano.

Cada día frente a todos los días

El valor distributivo de *cada* se hace patente en expresiones de frecuencia en las que, frente a otras lenguas, en español se prefiere el segmento *todos los días/lunes...*, tomados en su conjunto, al segmento *cada día/lunes*, tomados de uno en uno. En este contexto, son habituales los errores provocados por la interferencia de otras lenguas. Conviene llamar la atención sobre el hecho de que, en estos contextos, el cuantificador *cada* solo es pertinente si está presente el sentido distributivo y hablamos de una acción que varía en cada ocasión:

96. *Viene todos los días a verme / Viene cada día con un traje distinto.*
97. *Todos los veranos nos encontramos en Marbella / ?¿Cada verano nos encontramos en Marbella.*
98. *Cada verano voy de vacaciones a un sitio diferente.*

Cuando hacemos una lectura distributiva, se nos perfilan dos conjuntos. Así, en los ejemplos anteriores relacionamos días y trajes o veranos y sitios de vacaciones, de forma que a cada día le corresponde un traje distinto, o a cada verano, un sitio diferente de vacaciones. El objetivo del ejercicio 10 es descubrir cuándo se debe hacer una lectura distributiva y cuándo no para adecuar el cuantificador a cada interpretación.

10. Un chico se ha enamorado de una chica de su instituto y la ha seguido para saber qué hace durante el día. Sustituye la expresión con *cada* por *todos/as los/las* cuando sea necesario.

1. Está cada día en la puerta del instituto.
2. Cada noche va a un bar distinto.
3. No sé por qué cada día llega a la escuela por un camino diferente.
4. Me mira cada vez pero no me dice nada.
5. Sé que cada mañana saca a pasear al perro.
6. Cada lunes tiene clase de inglés en una academia.
7. Sale con un chico diferente cada fin de semana.

3.2.3 *Cualquier(a)*

El rasgo propio de este cuantificador es el de "libre elección". Hace referencia a un elemento del conjunto denotado por el sustantivo al que acompaña sin importar cuál, enfatizando precisamente la indiferencia de seleccionar uno u otro ejemplar de entre todos los que componen el grupo. Así se muestra en (99)-101).

99. *Su marido podía llegar en cualquier momento.*
100. *Ponlo en una copa cualquiera. No soy caprichoso.*
101. *Cogió un libro cualquiera y se sentó a esperar.*

Dada la sutileza del significado y lo particular de la sintaxis de *cualquier(a)*, es de utilidad familiarizar al alumno con ambos aspectos del uso de este cuantificador antes de tratar su funcionamiento en distintos contextos o las interferencias con otros cuantificadores. Con el ejercicio 11, que incluimos a continuación, pretendemos que el estudiante perfile el significado de la forma y vea las implicaciones lógicas de su presencia en un enunciado.

11 Manuela habla sobre un amigo suyo, Valerio. Identifica cuáles de sus afirmaciones no son lógicas, porque la segunda parte no va bien con la primera.

▶ Bebe <u>cualquier cosa</u>. Solo le gustan el café y el champán. <u>NO</u>
1 Se acuesta a cualquier hora. En cuanto dan las 12 está en la cama. ______
2. Se viste de cualquier manera. Solo se pone ropa de marca. ______
3. Se duerme en cualquier sitio. Tiene una enfermedad del sueño. ______
4. Se pone a pintar a cualquier hora, así que de 1 a 3 nadie puede molestarle. ______

5. Cualquiera puede engañarle. Cree todo lo que le dicen. ______
6. Come cualquier cosa. Una manzana, unos espaguetis fríos, lo que haya en la nevera. ______
7. Sale con cualquiera. Antes de decidir, investiga su profesión, su familia, sus amigos. ______
8. Puede ver cualquier cosa en la tele, desde programas de cocina hasta las noticias. ______
9. Cree saber sobre cualquier tema. No entiende nada de política ni de historia o literatura. ______

Por otra parte, también la especificidad de su morfología y de la estructura sintáctica de los sintagmas en que aparece –en posición prenominal *cualquier* + SUSTANTIVO, en posición posnominal *un/una* SUSTANTIVO + *cualquiera*, junto con la restricción de la concordancia del plural a los contextos formales–, aconsejan el uso de ejercicios que pongan el foco en el orden de los elementos en el enunciado y en la concordancia, como se pretende con el ejercicio 12.

12. Escribe una frase ordenando las palabras adecuadamente.

▶ vaso / Coge / armario / del / cualquier *Coge cualquier vaso del armario.*
1. noche / Llámame / y / nos / cualquier / vemos
2. eso / cualquiera / Para / te / libro / un / sirve
3. cualquier / una / cosa / limonada / y / Pídeme / comer / de
4. para / Dame / cualquiera, / es / una / taparme / chaqueta / solo
5. a / cualquiera / o / cualquier / Pregúntale / estudiantes / a / conserje / unos
6. unas / en / cualquiera / el / notas / piano / Tocó
7. Tienes / cuatro / cualquiera / contraseña / poner / que / letras / como

Cualquiera admite un uso pronominal en la forma no apocopada, pudiendo ir sola o después del pronombre indefinido *uno/una/unos/unas*, sin que haya diferencias sustanciales entre ambas opciones:

102. • *¿Qué autobús tengo que coger?*
 ○ *(Uno) cualquiera. Todos van al centro.*

103. • *¿Quiere algún modelo de zapatillas en especial?*
 ○ *No, enséñeme (unas) cualquiera. Es solo para estar en casa.*

En este uso pronominal, siempre que la situación no indique ningún tipo de objeto mencionado antes, *cualquiera* hace referencia a una persona, sin importar qué persona ni cuáles sean sus características:

104. *Para este trabajo sirve cualquiera.*
105. *En el pueblo todo el mundo los conoce. Pregúntale a cualquiera.*
106. *Eso lo hace cualquiera. No hace falta ser un genio.*
107. *En estos momentos le gana cualquiera.*

CUALQUIER ORDENADOR frente a TODOS LOS ORDENADORES

Como mencionamos más arriba, el valor indiferenciador con el que *cualquier(a)* señala a cada uno de los elementos de un conjunto permite darle una lectura totalizadora a este cuantificador y que pueda aparecer en enunciados generalizadores, en alternancia con TODOS/-AS LOS/LAS + SUSTANTIVO y TODO/-A + SUSTANTIVO:

108. *Ahora cualquier ordenador tiene lector de DVD.*
109. *"Cualquier momento es bueno para tomarse un Bon-bon, el nuevo caramelo sin azúcar".*
110. *Cualquier persona haría lo mismo en tu caso.*

No obstante, este valor genérico solo es posible cuando el cuantificador antecede al nombre. No podemos generalizar con *un/a* + sustantivo + *cualquiera*:

111. **Una persona cualquiera haría lo mismo en tu caso.*

¿CUALQUIER PERSONA frente a CADA PERSONA?

Pese a referirse a las entidades de un conjunto de forma individual, los cuantificadores *cada* y *cualquier(a)* no presentan puntos de contacto que provoquen interferencias entre ellos, al designar el primero entidades específicas (*todas, una a una*) y el segundo entidades indiferenciadas dentro del conjunto (*todas, no importa cuál*). No obstante, suelen compartir ciertos contextos, por ejemplo, los relacionados con instrucciones, y este puede ser un buen ámbito de trabajo para los ejercicios de reflexión sobre las relaciones de forma y función, en combinación con *todos los/las*. Con ese sentido se plantea el ejercicio 13.

13. Estas son las instrucciones de un juego. Léelas con atención y contesta después a las preguntas de verdadero o falso.

PARA JUGAR necesitamos un papel y un lápiz para cada jugador y un dado. Cada jugador dibuja en su papel cinco líneas verticales para crear 6 columnas y en cada una de ellas escribe el nombre de una categoría. Algunos ejemplos pueden ser animales, países, nombres de persona, comidas, juegos o deportes y profesiones, pero puede incluirse cualquiera. Antes de empezar la partida, se decide entre todos con qué categorías se quiere jugar.

El objetivo del juego es completar todas las categorías con una palabra lo más rápido posible. ¡Cuidado! No vale cualquier palabra. Cada jugador tira el dado por turno y gana el que saque el número más alto. Este jugador decide la letra por la que van a empezar las palabras de cada categoría. No hay un tiempo determinado, cada jugada termina cuando cualquier jugador que haya escrito una palabra en cada columna diga "ya". A partir de este momento, ningún jugador puede seguir escribiendo, solo puede terminar de escribir la palabra que tenía a medias. Para empezar otra jugada, hay que volver a tirar el dado a fin de decidir la letra con la que vamos a jugar en esta ocasión.

Si jugamos en equipos, cada equipo puede tener dos jugadores. Cualquiera de ellos puede escribir, pero por turnos: en cada jugada solo uno.

Puntuación: cada jugador recibe 10 puntos por cada palabra original, 5 puntos si la palabra la ha repetido cualquiera de los otros jugadores y 0 puntos si la palabra la han escrito más de dos. Gana la partida el jugador que antes llegue a 500 puntos.

¿Has comprendido las reglas del juego?

		V	F
▶	Cada jugador debe tener un dado.	☑	☐
1.	Las categorías no son fijas. Cambian en cada partida.	☐	☐
2.	Se pueden escribir 2 palabras en cada columna.	☐	☐
3.	Se pueden escribir todas las palabras que queramos en cada columna hasta que termine el tiempo.	☐	☐
4.	Cualquier jugador puede decidir la letra por la que empiezan las palabras.	☐	☐
5.	Cualquier jugador puede interrumpir el juego si ha escrito 6 palabras.	☐	☐
6.	El jugador que tiró el dado debe decir "ya" si termina primero.	☐	☐
7.	No todos los jugadores pueden elegir la letra, depende de la suerte.	☐	☐
8.	Cada jugador recibe 10 puntos si ha escrito una palabra diferente a la de los otros jugadores.	☐	☐
9.	Cualquier jugador puede decir "ya" si ha terminado de escribir en todas las categorías.	☐	☐

CUALQUIER HOTEL frente a ALGÚN HOTEL

En ocasiones, la interpretación que se hace de este cuantificador está próxima a la de *algún,* por cuanto comparte con este una interpretación indefinida del sustantivo al que acompaña:

112. • *¿Vais a hacer el viaje de un tirón?*
 ○ *No, pararemos en cualquier gasolinera del camino.*
113. *En ese lado puedes poner cualquier árbol de hoja perenne.*

Sin embargo, hay que llamar la atención de los estudiantes sobre la imposibilidad de usar *cualquier* en contextos existenciales:

114. **Había cualquier libro en la biblioteca.*

Ello se debe a que son incompatibles con el valor de indiferencia de esta forma aquellos contextos, como el existencial, en los que se hace referencia a un hecho:

115. **Aquel día vi a cualquier amigo.*
116. **Me informé de cualquier cosa.*

Hay que hacer una salvedad en ejemplos como el siguiente:

117. *El whisky era malo, pero aquella noche estaba dispuesto a tomar cualquier cosa.*

Se trata de un relato, con la acción orientada al pasado, en el que sabemos lo que el hablante tomó, pero como lectores se nos pone en el punto de vista de su predisposición a tomar no importa qué cosa, de ahí la adecuación de *cualquier* en ese enunciado. Lo habitual es que este cuantificador aparezca en contextos no factuales, condicionales o virtuales:

118. *Hoy me comería cualquier cosa y me vería cualquier programa basura de la tele.*

3.2.4 *Algún/-a/-os/-as*

Este cuantificador selecciona una cantidad indeterminada de entidades de un conjunto y, como mostrábamos más arriba, se encuentra en relación lógica con otros CC: *todos/-as los/las ...* y *ningún/ninguna.*

ALGUNOS AMIGOS frente a UNOS AMIGOS

Como avanzamos en el apartado referente al artículo indefinido, estos dos CC pueden alternar en ciertos contextos.

Frente al uso de *algunos/-as* con valor partitivo –como parte de un conjunto–, el artículo indefinido plural no prefigura un conjunto previo del que designa a varias entidades, sino que señala a varios elementos sin que el interlocutor pueda localizarlos inequívocamente en la situación discursiva dada. Con *unos/unas* se alude a ejemplares no identificables de un tipo o clase. En ocasiones en las que se neutraliza la especificidad de cada cuantificador, ambos pueden ocupar el mismo contexto sin diferencias de significado relevantes:

119. *Han venido algunos/unos amigos a verte.*
120. *He preparado algunas/unas actividades para este tema.*

Ahora bien, en otras ocasiones no son aceptables las dos formas; se restringe el uso cuando es patente el valor partitivo del SN, o bien cuando no tiene sentido hacer referencia a entidades o individuos de un conjunto previamente establecido:

121. **Unos niños tienen problemas para relacionarse / Algunos niños...*
122. **Algunos científicos han descubierto el gen responsable de la caída del cabello / Unos científicos...*

Parece que *unos* no puede usarse en contextos genéricos como los de (121) y remite siempre a individuos o entidades específicas –excepto en oraciones distributivas (*Unas personas son de una manera y otras son de otra*)–. Además, por la semántica de cada una de las formas, *algunos* transmite una idea de cuantificación de la que están exentos los enunciados con *unos*, en los que claramente solo se señala la existencia de ejemplares de una clase:

123. *Hay unos niños en el patio jugando a la pelota.*
124. *Hay algunos niños en el patio jugando a la pelota.*

Por otra parte, *unos* permite interpretar colectivamente el SN, mientras que en el caso de *algunos*, junto a esta valoración colectiva, puede darse una lectura distributiva:

125. *En esta zona les han robado a unos/algunos turistas.*
126. *Tengo que hablar con unos/algunos estudiantes del curso.*

En (125), en el primer uso (con *unos*) interpretamos que ha habido un robo, cuyas víctimas han sido unos turistas; en el segundo (con *algunos*), que ha habido varios robos a turistas. En (126) se entiende que el hablante tiene una reunión con un grupo de estudiantes en la versión con *unos estudiantes*, en tanto que el enunciado con *algunos estudiantes* lleva a interpretar que tiene varias citas. En función de cuál sea la lectura apropiada deberemos recurrir a una u otra forma. Estos contrastes se trabajan en el ejercicio 14.

14. Completa con *unos* o *algunos*. En algunas ocasiones puedes usar los dos.

1. Unos/algunos hombres han preguntado por ti. Uno era extranjero.
2. Vamos a hacer unos/algunos ejercicios para practicar estas formas.
3. He oído que unas/algunas personas tienen problemas de alergia al cambio de temperatura. ¿Lo sabías?
4. Mi médico me ha recetado unas/algunas pastillas para mejorar la digestión.
5. Han descubierto unos/algunos restos humanos en el sótano de la casa.
6. ¿Sabías que unos/algunos animales cambian de color según la estación del año?
7. No me gustan unas/algunas frutas: no tomo nunca ni melón, ni sandía, ni mandarinas...
8. Este verano me voy a hacer *camping* con unos/algunos amigos de la universidad.

3.2.5 Varios/-as

VARIAS VECES frente a ALGUNAS VECES

Varios es un cuantificador que hace referencia a un grupo de individuos sin importar cuántos son. En este caso es intercambiable con *algunos/-as*:

127. *Los domingos nos reunimos varios/algunos amigos y salimos con las bicicletas.*
128. *No nos vemos mucho, pero nos hemos llamado varias/algunas veces en estos años.*
129. *Varios/algunos periodistas han protestado por la emisión del programa.*

Asimismo usamos *varios/-as* cuando queremos dar importancia a la cantidad de elementos. En estos contextos no es intercambiable con *algunos/-as*, puesto que con esta forma se atenúa la relevancia de la cantidad mientras que con la forma *varios* se enfatiza:

130. • *Ya ha ocurrido varias veces que su perro se ha comido las flores.* [Un número de veces excesivo]
  ○ *Bueno, no tanto, ha ocurrido algunas veces*
131. *¡Qué pesado es! Me ha mandado varios correos ya hoy.* [Más correos de lo aceptable]

En los ejercicios 15 y 16, se proponen situaciones que obligan al estudiante a decidir qué forma conviene a la necesidad pragmática de enfatizar o atenuar la cantidad de entidades que se mencionan.

15. Elige entre *algunos/-as* o *varios/-as*. En algunas ocasiones pueden funcionar los dos.

▶ He visto a ___algunos/varios___ amigos tuyos en la cafetería de la Universidad.
1. No hay prisa. En la tienda quedan ________ modelos para elegir.
2. Pusieron solo una canción de Sinatra, pero de Elvis pusieron ________.
3. ________ estudiantes han pedido que les adelanten el examen.
4. Dame ________ etiquetas, por si se me rompe alguna.
5. Puede haber un conflicto serio. Anoche ________ aviones atravesaron el espacio aéreo ruso.
6. ________ individuos enmascarados entraron en el establecimiento y amenazaron al dueño con una pistola.
7. Tengo ________ razones para no querer que tu madre venga con nosotros.
8. Somos ________ los que no estamos de acuerdo con las explicaciones del Gobierno.

16. ¿Por qué se usa *varios/-as* o *algunos/-as* en cada situación? Señala cuál de las dos frases refleja mejor lo que está pensando la persona que habla:

1. • ¿Has terminado el jersey?
   ○ No me sale. Lo he deshecho varias veces.
   a. Estoy cansada de deshacerlo.
   b. Lo he deshecho en más de una ocasión.
2. • Tengo que sacar dinero. ¿Hay cajeros de Bancocaja por aquí?
   ○ Hay varios, uno al final de la calle y otros dos bastante cerca.
   a. Hay más de uno, así que no tienes que preocuparte.
   b. De todos los que hay en la ciudad, aquí hay más de uno.
3. • ¿Tienen tortas?
   ○ Me quedan algunas. ¿Cuántas necesita?
   a. Sí, tengo más de una.
   b. Sí, tengo más de una, pero no sé si serán suficientes.
4. • ¿Cómo llevas la mudanza?
   ○ Bueno, me he traído algunos muebles.
   a. He empezado, pero todavía me queda bastante.
   b. Estoy contento. He traído ya parte de lo más necesario.

No hemos agotado en estas páginas la descripción de los determinantes y cuantificadores adnominales. Ni tan siquiera hemos presentado los usos prototípicos de todos ellos: *otro, cierto, ambos, los demás, sendos, diferentes,* o la serie de cuantificadores evaluativos: *muchos, pocos, bastantes, demasiados,* etc. Todos exigen un tratamiento detallado en sus características morfológicas, sintácticas, semánticas y pragmáticas, que emprenderemos en otra ocasión. En cualquier caso, hemos querido poner de manifiesto la necesidad que señalábamos al principio de que la gramática abarque en los niveles avanzados otros dominios de la lengua menos recorridos que los habituales para que los alumnos puedan alcanzar un grado de adecuación cada vez más próximo al uso nativo. Es evidente que conforme se avanza o se profundiza en la reflexión formal crece la impresión de que la gramática se dispersa, que aumenta la casuística y que la conexión entre los distintos usos se hace más tenue. De ahí que se haga necesaria una descripción operativa, con la que reconocer denominadores comunes, junto a propuestas de presentación didáctica que incidan en la relación entre los diferentes contextos en que pueden aparecer y las diferencias semánticas y pragmáticas que llevan aparejadas. En el siguiente capítulo abordaremos otra cuestión poco tratada: las consecuencias significativas de la posición del adjetivo con respecto del nombre al que modifica.

Soluciones a las actividades

1. 1. a-b, b-a. 2. a-b, b-a. 3. a-a, b-b. 4. a-b, b-a. 5. a-a, b-b.

2. 1. a-b, b-a. 2. a-b, b-a. 3. a-a, b-b. 4. a-b, b-a. 5. a-a, b-b. 6. a-b, b-a.

3. 1. a-a, b-b. 2. a-b, b-a. 3. a-b, b-a. 4. a-a, b-b. 5. a-a, b-b.

4. *1ª parte*
Remigio: los ojos, el pelo, llevo barba y gafas, soy calvo, soy periodista, un periodista.
Ángela: los ojos, el pelo, la nariz, soy telefonista, una voz preciosa.
José María: los ojos, el pelo, no llevo barba, ni bigote, llevo lentillas, soy estudiante.
2ª parte
Nuestro favorito es **el** estudiante de empresariales, José Mª Botella, porque tiene **los** ojos negros y tiene **una** mirada muy interesante y **un** pelo lacio muy bonito. Como no lleva ∅ barba ni ∅ bigote, su aspecto es muy agradable. En este momento, lleva **el** pelo demasiado corto, pero eso no es problema... Es ∅ estudiante, **un** estudiante muy bueno. Y, además, nos interesa porque es ∅ sobrino del Director, **el** sobrino mayor.

5. - Dicen que los/el elefante lo recuerda todo. Si tú le haces daño a un elefante, muchos años después el elefante(s) se vengará(n).
- Sí, y parece que los/un elefante(s) domesticado(s) nunca olvida(n) a su dueño. Un/Los elefante(s) de la India solo obedece(n) a quien consideran su dueño.
- Y ¿no es sorprendente que un/los/el elefante(s), cuando va(n) a morir, haga(n) cientos de kilómetros hasta llegar a un "cementerio de elefantes"?
- Bueno, eso parece que lo hacen otros animales: la/las ballena(s), por ejemplo, pero, es verdad el/los elefante(s) es/son de los más curiosos.

6. 1. ∅/∅. 2. ∅. 3. Todos. 4. Todos. 5. Todos. 6. ∅. 7. Todos.

7. 1a. la, 1b. ∅; 2a. el, 2b. ∅; 3a. ∅, 3b. la; 4a. ∅, 4b. la.

8. 1. Todas. 2. Todos. 3. Ninguno [o "Ningún pez"]. 4. Todos. 5. Todos.

9. 1. cada. 2. cada uno. 3. cada. 4. cada una. 5. cada uno. 6. cada una. 7. cada. 8. cada una. 9. cada. 10. cada.

10.1. todos los días. 2. [No cambia]. 3. [No cambia]. 4. todas las veces. 5. todas las mañanas. 6. Todos los lunes. 7. [No cambia].

11.1. No. 2. No. 3. Sí. 4. No. 5. Sí. 6. Sí. 7. No. 8. Sí. 9. No.

12. 1. Llámame y nos vemos cualquier noche.
2. Para eso te sirve un libro cualquiera.
3. Pídeme una limonada y cualquier cosa de comer.
4. Dame una chaqueta cualquiera, es solo para taparme.
5. Pregúntale a cualquier conserje o a unos estudiantes cualquiera.
6. Tocó unas notas cualquiera en el piano.
7. Tienes que poner cuatro letras cualquiera como contraseña.

13. 1. Verdadero. 2. Falso. 3. Falso. 4. Falso 5. Verdadero. 6. Verdadero. 7. Verdadero. 8. Verdadero. 9. Verdadero.

14.1. Unos. 2. Unos / algunos [insistiendo en la cantidad]. 3. Algunas. 4. Unas [de un tipo] / algunas [de distinto tipo]. 5. Unos. 6. Algunos. 7. Algunas. 8. Unos / algunos [no todos].

15.1. Varios. 2. Varias. 3. Algunos/varios. 4. Varias. 5. Varios. 6. Varios. 7. Algunas [más de una] / varias [un número significativo]. 8. Varios

16. 1. a. [con "varios" se insiste en la cantidad de veces que se ha deshecho el

jersey y por eso se ajusta a "estoy cansada"]
2. a. [con "varios" se insiste en la cantidad de cajeros y por eso encaja con que el interlocutor diga que no hay motivo de preocupación por encontrar alguno]
3. b. [con "algunas" se habla de la existencia de más de dos unidades sin enfatizar la cantidad, por eso encaja con la duda del vendedor de que haya bastantes tortas para las necesidades del cliente].
4. a. [con "algunos" no se enfatiza la cantidad de muebles, por lo que se ajusta mejor al comentario de que al segundo hablante le queda bastante de la mudanza].

Referencias bibliográficas

Alonso Raya, R., Castañeda Castro, A., Martínez Gila, P., Miquel, L., Ortega Olivares, J., Ruiz Campillo, J.P. (2005). *Gramática Básica del Estudiante de Español*. Barcelona: Difusión (Edición para EE UU: Upper Saddle River NJ: Pearson/Prentice Hall, 2008).

Bosque, I. (ed.) (1996). *El sustantivo sin determinación. La ausencia de determinante en la lengua española*. Madrid: Visor.

Bosque, I. y V. Demonte (eds.) (1999). *Gramática descriptiva de la lengua española I*. Madrid: RAE / Espasa Calpe.

Chamorro, M.D. y P. Martínez Gila (2012). *Bitácora 2. Libro de ejercicios*. Barcelona: Difusión.

Coseriu, E. (1962). "Determinación y entorno", en *Teoría del lenguaje y lingüística general. Cinco estudios*. Madrid: Gredos.

Fernández Leborans, Mª J. (2003). *Los sintagmas del español I. El sintagma nominal*. Madrid: Arco libros.

García Mayo, M. P. y R. Hawkins (eds.) (2009). *Second Language Acquisition of Articles*. Ámsterdam/Filadelfia: John Benjamins.

Laca, B. (1999). "La presencia y ausencia de determinante", en I. Bosque y V. Demonte (eds.) 1999, vol 1, capítulo 13, págs. 891-928.

Langacker, R. W. (1987). *Foundations of Cognitive Grammar. Volume I: Theoretical Prerequisites*. Stanford: Stanford University Press.

Langacker, R. W. (1991). *Foundations of Cognitive Grammar. Volume II: Descriptive Application*. Stanford: Stanford University Press.

Langacker, R. W. (2008). *Cognitive Grammar: A Basic Introduction*. Nueva York: Oxford University Press.

Leonetti, M. (1999a). "El artículo", en I. Bosque y V. Demonte (eds.) 1999, vol 1, capítulo 12, págs. 787-890.

Leonetti, M. (1999b). *Los determinantes*. Madrid: Arco libros.

Leonetti, M. (1999c). *Los cuantificadores*. Madrid: Arco libros.

Molina Redondo, J. A. de (2011). *Gramática avanzada para la enseñanza del español*. Granada: Universidad de Granada.

Morimoto, Y. (2011). *El artículo en español*. Madrid: Castalia.

RAE / AALE (2009). *Nueva gramática de la lengua española*. (2 volúmenes). Madrid: Espasa.

RAE / AALE (2011). Nueva gramática básica de la lengua española. Madrid: Espasa.

CAPÍTULO V

ADJETIVOS ANTEPUESTOS Y POSPUESTOS AL SUSTANTIVO. Problemas descriptivos y propuestas didácticas[1].

ALEJANDRO CASTAÑEDA CASTRO
Departamento de Lingüística General
y Teoría de la Literatura
Universidad de Granada

MARÍA DOLORES CHAMORRO GUERRERO
Centro de Lenguas Modernas
Universidad de Granada

Resumen

En este capítulo se revisan los aspectos más relevantes en la cuestión de la posición del adjetivo en español, un tema que no ha recibido mucha atención en los manuales y materiales didácticos de ELE, pero que conlleva no pocas dificultades de descripción y, por tanto, numerosos escollos para su tratamiento en clase. El punto de vista descriptivo que presentamos aquí se plasma en una propuesta didáctica consistente en una secuencia de ejercicios para nivel avanzado relativos a la posición y combinación de adjetivos.

1. El valor de la posición del adjetivo. Una propuesta de descripción.

1.1 Constataciones de partida

Para poder formular una explicación satisfactoria del valor de la posición del adjetivo en español como recurso gramatical, debemos tener en cuenta las siguientes constataciones:

[1] Agradecemos a Rosario Alonso, Beatriz Caruana, Jordi Casellas, Pablo Martínez, Lourdes Miquel, Jenaro Ortega y José Plácido Ruiz las ideas y reflexiones sobre este tema, que, de una manera u otra, están presentes tanto en la revisión de los problemas descriptivos como en la propuesta didáctica que aquí se presenta.

A. En español, los adjetivos normalmente van después del sustantivo. En el **lenguaje cotidiano** solo pueden ponerse antes del sustantivo adjetivos de cierta clase de significado:

a. Los que tienen significado adverbial, como los de orden (*primero*, *segundo*, etc.), posibilidad (*posible*, *probable*, *necesario*, etc.), certeza (*verdadero*, *auténtico*, etc.), duda (*supuesto*, *falso*, etc.), frecuencia (*frecuente*, *constante*, *reiterada*, *etc.*), valoración (*buena*, *maravillosa*, *espantosa*, *horrible*, *etc.*) y otros de esta naturaleza:

Es el ***último*** *viaje que hago en barco.*
La ***verdadera*** *razón es que no tengo ganas de ir.*

b. Los que se comportan como determinantes del sustantivo:

Lo dice con ***cierto*** *recelo.*
Usa ***diferentes*** *tarjetas.*

B. En el resto de los casos, la posición antes del sustantivo es una opción formal o literaria:

Se ha comprado unos pendientes dorados preciosos. [LENGUAJE COTIDIANO]
Adquirió unos preciosos pendientes dorados. [LENGUAJE FORMAL]
Sus dorados pendientes brillaban a la suave luz de la luna. [LENGUAJE POÉTICO]

C. En el **lenguaje escrito formal,** los adjetivos que se pueden anteponer sin resultar marcados son los que tienen carácter graduable, los que sitúan al objeto respecto de una dimensión (*ancho-estrecho*, *grande-pequeño*, *largo-corto*, *brillante-oscuro*, *tierno-duro*, *bueno-malo*, *lejano-cercano*, etc.) y pueden cuantificarse[2]:

[2] Los adjetivos que se anteponen son los que se refieren al grado intrínsecamente comparativo en que una cosa se sitúa en una escala. Por ejemplo, todas las cosas tienen un peso pero se consideran pesadas o ligeras solo en relación al peso de otras. Sin embargo, que una cosa sea cuadrada no depende de su comparación con nada, sino de la relación intrínseca de algunos de sus componentes con otros de sus componentes (que sean todos los lados iguales, que formen ángulos rectos entre sí, etc.). Podemos tener dudas de hasta qué punto una cosa es cuadrada o no, pero esta decisión no depende de su comparación con otros ejemplares (aunque dependa de su comparación con un cuadrado ideal). Para decir que una cosa es larga o corta, necesariamente tenemos que hacerlo en relación con una referencia, respecto de la que es corta o larga. No obstante, podemos concebir una dimensión en forma de escala o compartimentarla en categorías discretas mutuamente excluyentes. Por ejemplo, si la blancura se concibe como luminosidad, entonces se comportará como

*Pasamos por un **largo y estrecho** pasillo que parecía no terminar nunca.*
*Esa es una **excelente** razón para hacerlo.*

Sin embargo, los adjetivos que clasifican de forma objetiva y absoluta normalmente solo van después del sustantivo. Estos son adjetivos como los de las siguientes categorías:

De color: *blanco/a, negro/a, rojo/a, azul, verde, amarillo/a, naranja, violeta, gris, etc.*
De forma: *redondo/a, cuadrado/a, rectangular, esférico/a, alargado/a, plano/a, etc.*
Expresan estados: *abierto/a, cerrado/a, lleno/a, vacío/a, limpio/a, sucio/a, seco/a, mojado/a, roto/a, quemado/a, contaminado/a, etc.*
Expresan relaciones (origen, tipo, finalidad, etc.): *español/a, universitario/a, familiar, internacional, comercial, policíaco/a, popular, móvil, comestible, etc.*

Estos adjetivos de significado absoluto solo se anticipan en contextos de tipo poético, donde resultan muy marcados:

*Las **rojas** amapolas moteaban aquí y allá la extensión de la **verde** hierba.*

D. Por otro lado, se da el caso de que algunos adjetivos se interpretan de forma distinta cuando se usan antes o cuando se usan después:

¡Dichosa pareja! ¡Siempre discutiendo! / Espero que seáis una pareja dichosa.
Su diplomática respuesta suavizó las cosas. / La respuesta diplomática de nuestro país no se hizo esperar.
Una gran jugadora. / Una jugadora grande.
Acudieron numerosas familias. / Las familias numerosas tienen descuento.
Etc.

E. Por último, ciertas asociaciones de ADJETIVO ANTEPUESTO + SUSTANTIVO o de SUSTANTIVO + ADJETIVO POSPUESTO adquieren condición de unidades lexicalizadas:

bellas artes, craso error, presunto asesino, finas hierbas, alto cargo, pura sangre, a corto plazo, fatal desenlace, etc.

---

un adjetivo relativo; si se concibe como uno de los siete colores del arco iris, se comportará como un adjetivo absoluto.

sentido común, peligro inminente, ideas fijas, jugada perfecta, cámara digital, silencio sepulcral, raíz cuadrada, giro copernicano, etc.

Curiosamente, en estas lexicalizaciones o cuasi lexicalizaciones podemos observar que ciertos adjetivos pospuestos asumen la misma función que tendrían si fueran antepuestos, es decir, como se explicará más adelante, con sentido intensificativo o valorativo (*silencio sepulcral, giro copernicano*); y los antepuestos como si fueran pospuestos, es decir, como veremos más adelante que es propio de los pospuestos, con valor restrictivo (*finas hierbas, pura sangre, alta velocidad*).

Ante estas constataciones, podemos hacernos varias preguntas: ¿qué tienen en común los casos de anticipación no marcada?, ¿hay alguna pauta compartida por los adjetivos que cambian de significado?, ¿podemos reconocer algún valor gramatical asociable a la posición anticipada del adjetivo, en contraposición a su posposición?, ¿de qué forma podríamos presentar este panorama a los estudiantes de español? Intentaremos contestarlas en los párrafos que siguen.

1.2 Una hipótesis de carácter funcional

En numerosas ocasiones se ha indicado que los adjetivos antepuestos acentúan una característica que se presenta como inherente a la clase de cosas que designa el sustantivo, como en el recurrente ejemplo de *la **blanca** nieve*. Esa es la descripción que se da de ellos en el cuadro 1 del apartado *Introducción a las funciones de la determinación* del capítulo IV en este volumen y donde se resumen en parte las ideas de Coseriu (1962) sobre las distintas clases de modificadores. Por muy atractiva que resulte esta descripción para muchos casos, no parece ser plenamente satisfactoria: en primer lugar, porque no da cuenta de la anticipación normal de los adjetivos con sentido adverbial o modal, ni de los adjetivos con valor de determinantes, como los que se asimilan a los indefinidos (*varios*, *ciertos*, etc.); en segundo lugar, porque no siempre los adjetivos antepuestos acentúan una propiedad presente o ya consabida, como en *La señora llevaba un **enorme** bolso de mano.*

También se ha podido reconocer una función restrictiva o especificativa en los adjetivos pospuestos –*Cogió al gato pequeño* (no a otro)– y explicativa o no restrictiva en los adjetivos antepuestos –*Cogió al pequeño gato entre sus brazos* (un gato que no se opone a otros)–.

En otros casos, se ha establecido una relación entre la posición del adjetivo y los conceptos de *intensión* y *extensión* de los sustantivos a los que modifican, aunque no siempre de forma clarificadora por la propia naturaleza compleja de la relación *intensión / extensión.*

Conviene que dediquemos unas líneas a explicar estas dos nociones. La ***intensión*** se define como el conjunto de rasgos semánticos que constituyen el significado de un sustantivo, aquellos en que consiste la categoría abstracta a la que asociamos el sustantivo. La ***extensión*** es el conjunto de objetos del mundo que pueden ser designados por un sustantivo porque se reconocen en cada uno de ellos los rasgos que definen a la categoría. En otras palabras, la extensión de un sustantivo es el conjunto de objetos que pueden considerase miembros de la categoría definida por la intensión o significado de un sustantivo. Cuanto mayor sea la intensión de una palabra (es decir, cuantas más propiedades conformen su definición), más específico será su significado y, por tanto, menor será su extensión, y viceversa: cuanto menor sea la intensión de una palabra, menos específico será su significado y, por tanto, mayor será su extensión. *Vehículo* ('medio de transporte de personas o cosas') tiene una intensión más reducida que *todoterreno* ('vehículo que sirve para circular por zonas escarpadas e irregulares') y por ello su extensión es más amplia que la de este último (ver figura 1).

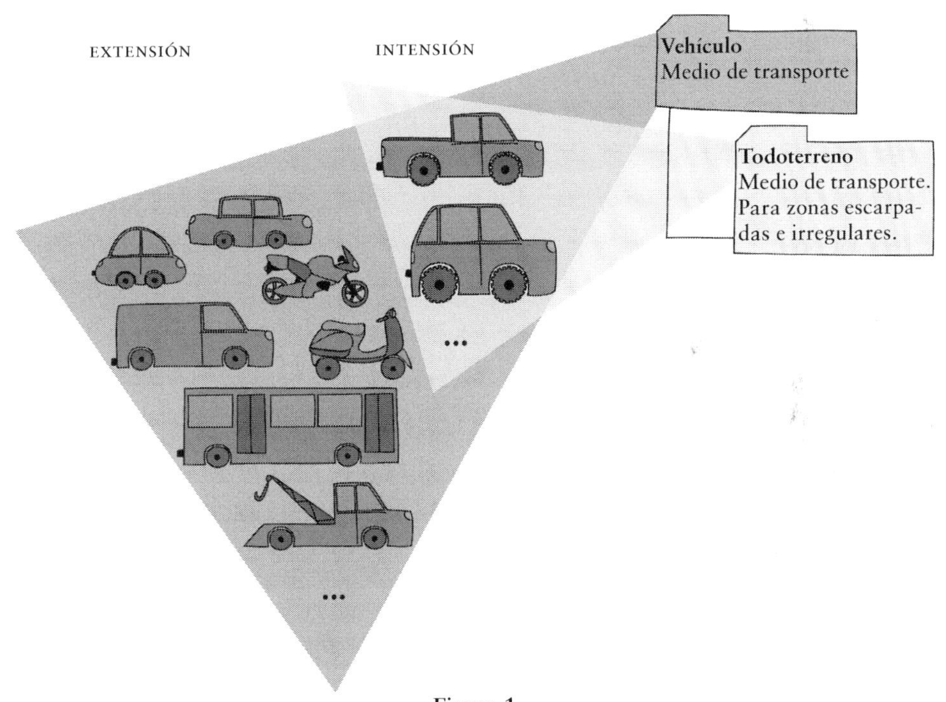

Figura 1

Adviértase que la intensión de un término se puede ampliar si especificamos su significado al combinarlo con otras palabras: la paráfrasis *vehículo que sirve para circular por zonas escarpadas e irregulares* es un ejemplo de ello, pues, al combinar la oración de relativo *que... irregulares* con el sustantivo *vehículo*, añadimos propiedades a la intensión de este y reducimos, por consiguiente, su extensión. La construcción de sintagmas tiene, por tanto, la consecuencia semántica de ampliar la intensión de su núcleo y reducir su extensión. En la figura 2, se muestra esa relación entre expansión del sintagma y reducción de su extensión para el ejemplo *hojas verdes alargadas*.

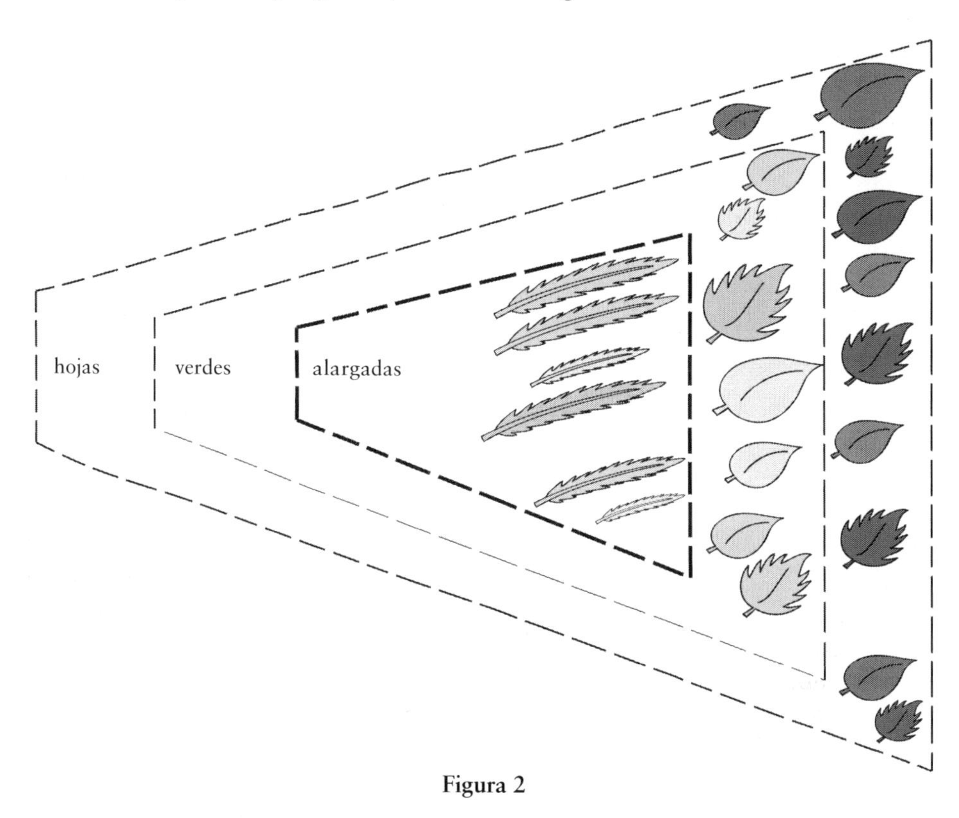

Figura 2

Volviendo a las explicaciones ofrecidas sobre el valor de la posición del adjetivo, Demonte (1999), por ejemplo, en su exhaustivo trabajo sobre los adjetivos, indica que los pospuestos afectan a la extensión del sustantivo y los antepuestos a su intensión, en el sentido de que los pospuestos reducen la extensión del sustantivo porque se interpretan con sentido restrictivo, como hace *rojo* en *Tráeme el libro rojo*, ya que *rojo* limita el alcance referencial de libro al subtipo de los libros rojos, mientras que los antepuestos solo añaden rasgos semánticos o intensionales sin afectar a la extensión del sustantivo, como *famosa* en *la famosa actriz*, ya que *famosa* no limita o restringe el alcance de *actriz*.

Esta implicación de los conceptos de extensión e intensión nos parece clave para entender el valor de la anteposición y la posposición del adjetivo, pero entendemos que requiere de una reconsideración que trataremos de exponer en las líneas que siguen.

En esencia, la forma en que creemos que los conceptos de intensión y extensión pueden estar implicados en la posición del adjetivo se puede formular en los siguientes términos: los adjetivos pospuestos son una clase de modificación que afecta a la intensión del sustantivo, es decir, que afecta al significado categorial del sustantivo añadiendo rasgos semánticos (los del adjetivo) a los que configuran el significado del sustantivo; mientras que los antepuestos actúan en el ámbito extensional del sintagma nominal en conjunto, en el sentido de que se predican del ejemplar o ejemplares que son identificables mediante la combinación formada por [DETERMINANTES + [SUSTANTIVO + MODIFICADORES POSPUESTOS]].

Es cierto, como se subraya en la explicación puesta en evidencia por Demonte, que los adjetivos pospuestos, aunque indirectamente, inciden en la extensión del sustantivo, puesto que, al aumentar su intensión, reducen su extensión, es decir, porque tienen un efecto restrictivo: *mesa* puede referirse a un conjunto de objetos mucho más amplio que *mesa isabelina* porque el conjunto de rasgos que define *mesa* es más reducido, y menos restrictivo, que el de *mesa isabelina*, ya que *isabelina* añade a las condiciones de *mesa* las condiciones de ese estilo decorativo en particular (recuérdese también el ejemplo de *hojas verdes alargadas* de la figura 2). Sin embargo, el sentido en el que nosotros defendemos que los antepuestos actúan en el ámbito extensional es otro distinto al comentado. En nuestra opinión, los adjetivos antepuestos actúan en el ámbito extensional del significado de un sustantivo en la medida en que se predican de la extensión del sintagma nominal una vez que esta ha sido reducida o delimitada al referente de dicho sintagma mediante los modificadores pospuestos (que cambian la intensión del sustantivo restringiendo su alcance al de un subtipo) y mediante los determinantes (que informan sobre cuántos y/o cuáles son los objetos, de entre todos los que forman parte de la extensión del sustantivo modificado, a los que se quiere hacer referencia)[3].

Esta idea se entiende mejor en relación con las nociones de *tipo* y *ejemplar* que comentábamos en el apartado 1 (*Introducción a las funciones de la determinación*) del capítulo IV de este volumen, en el sentido de que **los modificadores pospuestos especifican el tipo de cosa de la que hablamos y los antepuestos caracterizan al ejemplar o ejemplares concretos a los que hacemos referencia.** Esto confiere a los adjetivos antepuestos una condición que podríamos llamar "postreferencial". Precisamente por ser postreferenciales, toda vez que se predican de un ejemplar ya identificado entre los demás (mediante el sustantivo, los modificadores pospuestos y los determinantes), los antepuestos no se usan para distinguir este ejemplar de otros, no tienen carácter restrictivo.

Usando el tipo de ilustración de la figura 1, en las figuras 3 y 4 intentamos representar la función de los adjetivos pospuestos y antepuestos que venimos comentando para los ejemplos *Tres hojas alargadas* y *Tres bonitas hojas alargadas*.

[3] Delbecque (1990) también tiene en cuenta la distinción extensión/intensión en la cuestión de la posición del adjetivo tanto en español como en francés, aunque su trabajo, que revisa multitud de ejemplos en las dos lenguas, también difiere de la propuesta que aquí presentamos.

Tres hojas alargadas.

[Son tres objetos pertenecientes a la categoría "hoja" y, dentro de la categoría "hoja", al tipo "alargada".]

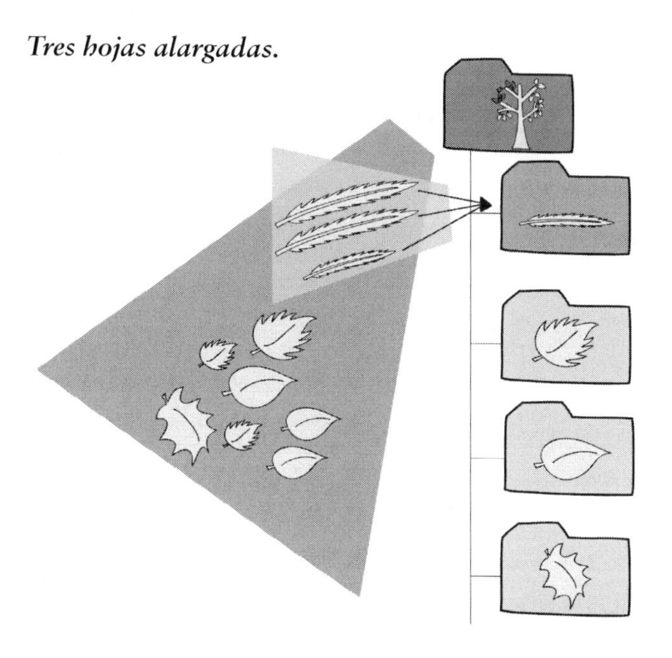

Figura 3

Tres bonitas hojas alargadas.

[He encontrado tres hojas alargadas. Esas tres hojas alargadas son bonitas.]

Figura 4

Desde este punto de vista, se puede entender también el diferente valor que adquieren los adjetivos graduables y de significado relativo (*largo-corto*; *ancho-estrecho*, *gordo-delgado*, *grande-pequeño*, etc.) que, como dijimos páginas atrás, pueden usarse, en el lenguaje formal, tanto pospuestos como antepuestos al sustantivo, revistiéndose respectivamente de valor "especificativo de tipo" o "explicativo de ejemplar". Así se muestra en la figura 5.

Tres hojas largas.

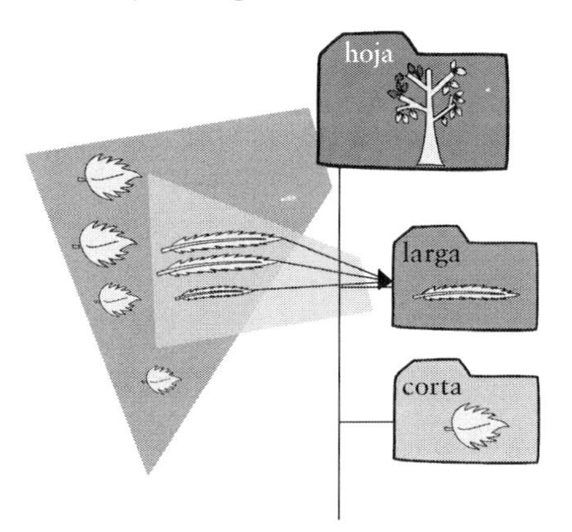

Tres largas hojas.

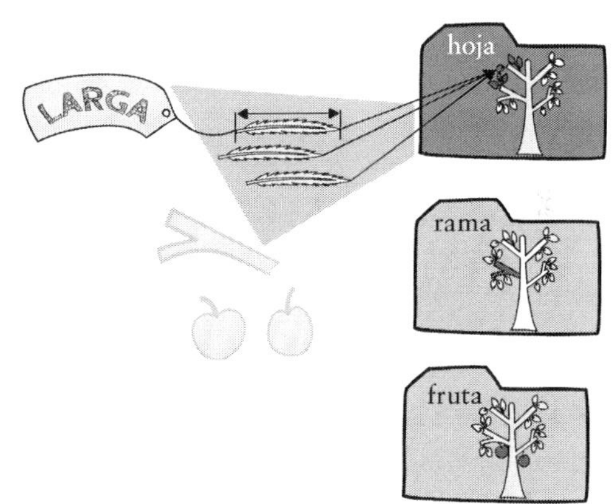

Figura 5

Contrastes parecidos pueden observarse en los siguientes ejemplos:

DESPUÉS PARA ESPECIFICAR EL TIPO	ANTES PARA COMENTAR O DESTACAR UNA CARACTERÍSTICA DEL EJEMPLAR
– *Las hojas* ***secas y frágiles*** *se rompen cuando las pisas.*	–*En otoño, el suelo del parque se cubría con una alfombra de* ***frágiles*** *y* ***secas*** *hojas.*
• *Entonces, ¿qué prefiere?, ¿la casa, el apartamento grande o el apartamento pequeño?*	• *¿Sabes? Ahora vivo en una casa con jardín. Es estupenda.*
❍ *Mejor, el apartamento* ***pequeño.***	❍ *Pues yo prefiero mi* ***pequeño*** *apartamento. Es más confortable y fácil de limpiar.*

El carácter prereferencial de los modificadores pospuestos y postreferencial de los antepuestos tiene un correlato mucho más fácilmente reconocible en la oposición de oraciones de relativo especificativas y oraciones de relativo explicativas:

ORACIÓN DE RELATIVO ESPECIFICATIVA	ORACIÓN DE RELATIVO EXPLICATIVA
– *La comida que he hecho yo hoy no le gusta a nadie.* [El objeto identificable entre todos los demás por pertenecer al tipo "comida que he hecho yo hoy" no gusta a nadie.]	– *La comida, que he hecho yo hoy, no le gusta a nadie.* [El objeto identificable entre todos los demás por pertenecer al tipo "comida" no gusta a nadie. Ese objeto lo he hecho yo hoy.]

Los adjetivos antepuestos tienen un funcionamiento equivalente a las relativas explicativas en el sentido de que parecen incidir no en el sustantivo (o en el sustantivo modificado por otros modificadores pospuestos) sino en el sintagma nominal en conjunto. Por ejemplo, al igual que en (a) la oración de relativo especificativa se refiere a *casa colonial* mientras que en (b) la oración de relativo explicativa se refiere a *la casa colonial*, en (c) *vieja* se refiere o se aplica (para crear un tipo más específico) a *casa colonial* y en (d) se refiere a *la casa colonial*. Es decir, en (a) y (c) (con relativa especificativa y adjetivo pospuesto) se especifica el tipo, que es designado con el sustantivo modificado; y en (b) y (d) (con relativa explicativa y adjetivo antepuesto) se predica o destaca una propiedad del ejemplar, que es designado con el sintagma determinado[4].

[4] Langacker (2008: 328-329), en relación con los ejemplos a) y b) de más abajo, propone un análisis en el que muestra que el artículo definido hace referencia a un ejemplar perteneciente al tipo "tiny mouse" [pequeño ratón] en la versión restrictiva del adjetivo *tiny* en (a); mientras que hace referencia a un ejemplar del tipo "mouse" en la versión (b):

a. *In the cage she saw a big mouse and a tiny mouse. The tiny mouse was shaking.*
b. *In the cage she saw a mouse. The tiny mouse was shaking.*

En inglés, esta diferencia semántica no halla un correlato formal, pero en español, lengua en la que el adjetivo antepuesto impone una lectura del adjetivo no restrictiva, sí. Langacker señala respecto al inglés que esa diferencia es equivalente a la que se da entre oraciones de relativo restrictivas (sin pausas) y oraciones de relativo explicativas, separadas por pausas, o comas en la lengua escrita. En los dos casos, el autor entiende que se reconocen modificadores que no desempeñan ningún papel en la identificación del referente del sintagma nominal:

A well-known case [of modifiers that play no role in identifying the nominal referent] is the contrast between "restrictive" and "non-restrictive" relative clauses. A restrictive relative clause serves to limit the pool of eligible candidates, restricting it to a subset of the basic type's maximal extension. In (12a) –where the candidates really are candidates– the specified property (really deserving to win) limits the pool to a single candidate, as required by the definite article:

12a. The candidate who really deserves to win ran a positive campaign.
12b. The candidate, who really deserves to win, ran a positive campaign.

a. *Compró **la casa colonial que estaba vieja** por dos perras gordas.*
b. *Compró **la casa colonial, que estaba vieja,** por 2 perras gordas.*
c. *Compró **la casa colonial vieja** por dos perras gordas.*
d. *Compró **la vieja casa colonial** por dos perras gordas.*

La peculiaridad del adjetivo antepuesto frente a la oración de relativo explicativa es que, en el caso del adjetivo, se da una llamativa incongruencia entre orden y estructura gramatical. Esa incongruencia quizá quede representada más claramente con los diagramas arbóreos de las figuras 6-9[5].

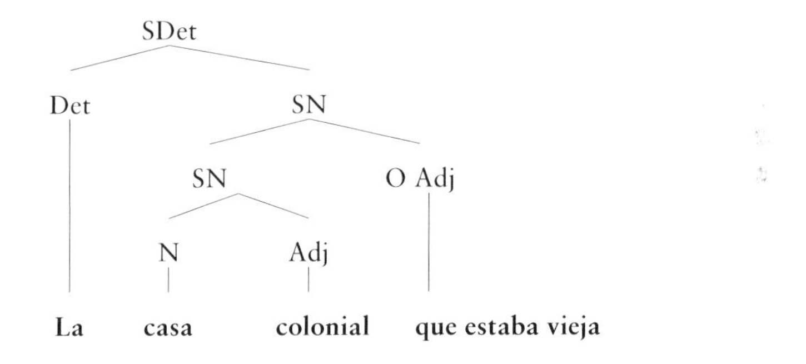

Figura 6. Modificación especificativa con oración de relativo

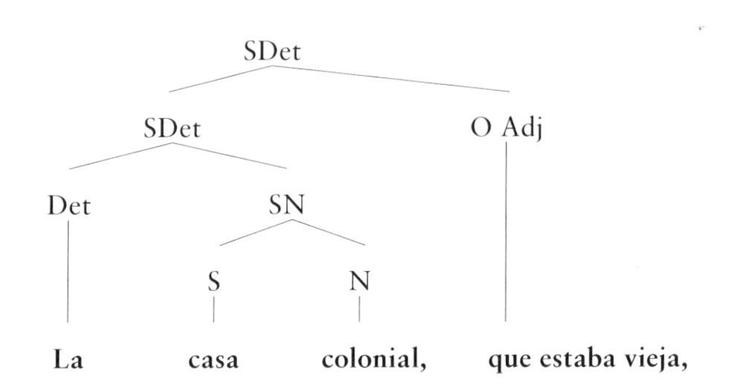

Figura 7. Modificación explicativa con oración de relativo

The information supplied by a non restrictive clause fails to be exploited in this manner. In (12b) the profiled instance of candidate is contextually identified independently of deserving to win (rather than on the basis of that property).

[5] La incongruencia entre orden de palabras y estructura sintáctica es sabido que resulta problemática para una sintaxis basada en las relaciones de constitucionalidad como la gramática generativa pero no para la gramática cognitiva (ver Langacker, 2008).

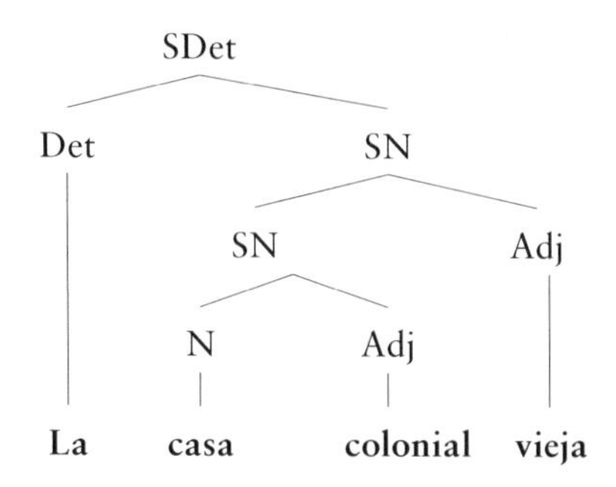

Figura 8. Modificación especificativa con adjetivo pospuesto

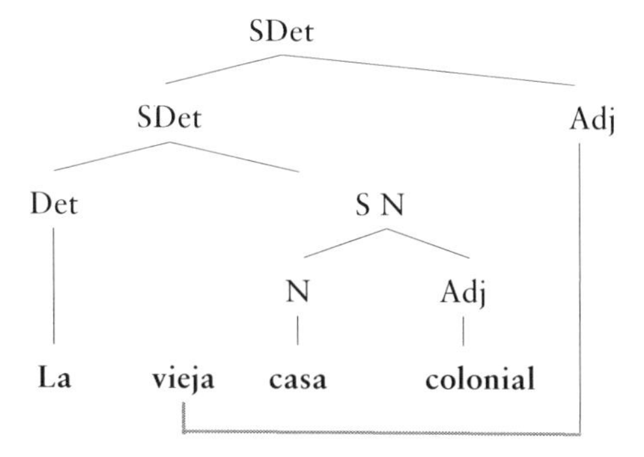

Figura 9. Modificación explicativa con adjetivo antepuesto

1.3 Carácter postreferencial de adjetivos adverbiales, modales y determinantes antepuestos

Atribuir carácter postreferencial a los adjetivos antepuestos permite entender por qué es normal la anticipación de ciertas clases especiales de adjetivos, como los de sentido adverbial que expresan frecuencia (*repetido/a*, *reiterado/a*, *frecuente*, *continuo/a*, *raro/a*, etc.) o tiempo (*anterior*, *antiguo/a*, *posterior*, *nuevo/a*, etc.), los que expresan algún tipo de valoración positiva o negativa (*falso/a*, *simple*, *mero/a*, *sencillo/a*, *bueno/a*, *malo/a*, *estupendo/a*, etc.), los que indican duda (*dudoso/a*, *supuesto/a*), probabilidad (*posible*, *probable*, *necesario/a*) o certeza (*verdadero/a*, seguro/a *auténtico/a*, *puro/a*, etc.), así como los que pueden asimilarse a los valores propios de los determinantes (*diferente*, *escaso/a*, *cierto/a*, *propio/a*, *numerosos/as*, *primer/a*, *segundo/a*, *último/a*, etc.).

Todos estos adjetivos presuponen tanto la referencia a un ejemplar como la relación entre ese ejemplar y el tipo o categoría significado por el sustantivo. Esa doble presuposición se constata de distintas maneras según los casos:

En algunos casos, usamos el adjetivo para expresar si estamos seguros o no de que el sustantivo es el más adecuado para nombrar el objeto del que hablamos, si ese objeto es un buen o mal ejemplo de la categoría a la que se refiere el sustantivo. Expresan en qué grado el sustantivo que usamos es adecuado para referirnos al objeto del que hablamos:

*Es una **verdadera** revolución.* [No tenemos duda de que hablamos de una revolución.]
*Una **posible** solución es llamar a la embajada.* [No sabemos si llamar es una solución.]

En otros casos, los adjetivos antepuestos se refieren a la relación entre el objeto identificado y otros objetos de la misma categoría que nombramos con el sustantivo. Son adjetivos como *primero/a, segundo/a, tercero/a..., principal, antiguo/a, viejo/a, nuevo/a, anterior, posterior, próximo/a, siguiente, futuro/a, propio/a, mismo/a, diferente*, etc., que pueden referirse a la posición o el orden que ocupa un objeto en relación con otros con los que forma un conjunto:

*La **única** amiga que me entiende.*
*Es la **segunda** vez que me lo dices.*
*Tu **nuevo** coche es maravilloso.*
*La **reciente** visita del presidente ha sorprendido a todos.*

El carácter extensional de los adjetivos asimilados a la determinación es evidente, pues se indica la cantidad de objetos a los que hacemos referencia (*frecuentes visitas, numerosas ocasiones, rara vez, continuas excusas etc.*), a su identidad (*el propio autor*), a su carácter indefinido (*cierta actitud, diferentes personas*, etc.) o a su localización temporal (*anterior visita, antigua novia*, etc.).

Por último, los adjetivos que indican valoración no pueden concebirse en relación con el tipo o la categoría, sino con el ejemplar: *una bonita manera de decirlo, la magnífica propuesta de Antonio, el triste espectáculo que se nos ofreció*, etc.

Ciertas paráfrasis relativas a interpretaciones de adjetivos antepuestos muestran explícitamente ese carácter postreferencial de los antepuestos. Con ejemplos de la Nueva Gramática de la Lengua Española (en adelante NGLE) (capítulo 13, pág. 998):

Un viejo amigo. [Que lo es desde hace tiempo.]
Una falsa alarma. [Que no lo es en realidad.]
Un simple negocio. [Que no es más que eso.]

1.4 Orden de las distintas clases de adjetivos pospuestos al sustantivo

Es importante subrayar que la posición marcada, y restringida a una lectura postreferencial, es la anteposición. Los adjetivos que pueden anteponerse pueden usarse pospuestos al sustantivo con valores equivalentes a los que poseen anticipados. Los adjetivos de orden, frecuencia o valoración, por ejemplo, sin variar apenas su interpretación; los adjetivos calificativos graduables, con una clara tendencia a la interpretación restrictiva como opción por defecto pero con la posibilidad de entenderse de forma no restrictiva si el contexto lo sugiere:

- *Mi coche es más grande que el tuyo.*
- ○ *¡Ah!, ¿sí? Pues usa tu coche grande para llevar hoy a los niños al cole.*

Ese sería el caso también de *dura* en el siguiente fragmento de Bomarzo (Mújica Laínez), citado en NGLE (vol I, capítulo 13, pág. 996):

Sobre la verde hierba, sobre las áureas hojas, sobre la ***tierra dura****, sobre la nieve [...] se levantó el muro misterioso de los exorbitantes fantasmas.*

Los adjetivos que pueden anticiparse también pueden posponerse, por tanto, pero, en ese caso, si no se reinterpretan como clasificativos, van en las últimas posiciones, después de los clasificativos, ateniéndose también esa posición a los distintos valores funcionales que expresan unos y otros y a la jerarquía que se establece entre ellos y respecto del sustantivo.

En este caso, las distintas órbitas funcionales se expresan mediante la disposición ordenada en una sola dirección, como ocurre en otras lenguas, como el inglés:

A beautiful red racing car. / Un coche de carreras rojo precioso.
A delicious spicy double burger. / Una hamburguesa doble picante deliciosa.

Cuando se posponen al sustantivo, los adjetivos calificativos y valorativos van después de los modificadores argumentales y de los de carácter clasificativo (*decisión presidencial* ***importante****; camisa de vestir azul* ***carísima****; ordenador portátil* ***pequeño***) y cada adjetivo añadido afecta al conjunto formado por el sustantivo y los adjetivos pospuestos con anterioridad, lo cual indica que actúan con funciones sintácticas y semánticas distintas en estratos distintos. En ese sentido, se expresa con distinta estructura formal la misma clase de relación funcional que se indica mediante la anteposición, aunque la anteposición, desde ese punto de vista, es inequívoca, a diferencia de la posposición, que puede dar lugar a ambigüedades. Así, al igual que *azul* incide sobre *ordenador portátil* en [[*ordenador portátil*] *azul*], *triste* incide sobre *pájaro azul* en *un* [*triste* [*pájaro azul*]]. La anteposición coloca al adjetivo en una posición sintagmática superior, desde el punto de vista lógico, a la combinación del adjetivo pospuesto con el sustantivo. Sin embargo, en *un triste pájaro azul*, *triste* nunca se puede referir a *azul* en el sentido de que el pájaro era de un color *azul triste*. Si *triste* estuviera pospuesto sí podría darse esa posibilidad: *un pájaro azul triste* podría entenderse en el sentido de "un pájaro de color [azul triste]".

En el apartado E de la propuesta didáctica que se ofrece más adelante, se incluye una tabla con una visión sintética de la posición que ocupan las distintas clases del adjetivo cuando van pospuestas al sustantivo.

1.5 Algunos argumentos a favor de la distinción funcional asociada a la posición del adjetivo

Revisaremos a continuación algunas razones más a favor de una explicación funcional de la posición del adjetivo basada en la idea de que el antepuesto califica al ejemplar o referente designado por el sintagma mientras que el pospuesto se suma al sustantivo para designar un subtipo.

a. En primer lugar, a diferencia de los adjetivos pospuestos, **los adjetivos antepuestos no se pueden nominalizar** con elipsis del sustantivo aunque se hayan mencionado previamente:

   Me he comprado un moderno ordenador portátil y un bonito ordenador de sobremesa.
   *¿Dónde tienes el portátil / *el moderno?*

   *El nuevo lote, procedente de una colección privada, se compone de tres piezas: una preciosa vasija china de la dinastía Ming, una rarísima corona persa del siglo II y una antigua urna funeraria etrusca. De estas tres piezas empezaremos por la [pieza] china/*la [pieza] preciosa.*

   En nuestra opinión, este hecho se debe a que los antepuestos no forman parte de la unidad formada por el sustantivo y los modificadores pospuestos, sino que constituyen una atribución referida a esa unidad en conjunto. Al no formar parte de ese segmento, no puede usarse el antepuesto como representante, en su uso anafórico, del segmento en conjunto. Tampoco pueden hacerlo los antepuestos que constituyen unidades léxicas: **la cruda* (por *la cruda realidad*), **un pura* (por *un pura sangre*), **el presunto* (por *el presunto culpable*), **las bellas* (por *las bellas artes*), etc. De hecho, este comportamiento mostraría que, en realidad, el adjetivo antepuesto está al margen de la unidad formada por [DETERMINANTE + (SUSTANTIVO + MODIFICADORES POSPUESTOS)].

b. En línea con el punto anterior, la concepción aquí defendida también explica que **los nombres propios no admitan adjetivos pospuestos** a no ser que esos adjetivos (1) resulten valorativos: *Ana querida* (aunque la opción menos marcada es *Querida Ana*); (2) fuercen la reinterpretación del nombre propio como nombre común: *El Einstein genial* (frente al Einstein machista, por ejemplo, y a diferencia de *El genial Einstein*, que no presupone distintos Einsteins), o (3) formen parte del nombre (Napoleón II). Sin embargo, los nombres propios sí admiten adjetivos antepuestos: *El prometedor Obama, La dulce María, etc.*

   El nombre propio se refiere a un individuo específico, a un espécimen, a un ejemplar y no a un tipo o a una clase que pueda ser especificada con adjetivos pospuestos añadidos. El antepuesto, que se refiere al ejemplar, el cual categorizamos con el nombre y los modificadores pospuestos o directamente nombramos con un nombre propio, sí se combina con el nombre propio sin forzar su reinterpretación como común.

c. También parece apuntar en la misma dirección el hecho de que los adjetivos calificativos antepuestos combinados con artículos indefinidos en frases que incluyen cuantificadores solo se interpreten como específicos (según el ejemplo recogido de NGLE, capítulo 13, pág. 999):

   Todos los estudiantes habían leído una novela famosa. [Interpretación inespecífica o específica: una distinta en cada caso o la misma para todos.]
   Todos los estudiantes habían leído una famosa novela. [Interpretación exclusivamente específica: la misma para todos.]

   El adjetivo antepuesto atribuye una propiedad al ejemplar referido y presupone necesariamente el carácter específico de este.

   Asimismo, tampoco es compatible el adjetivo antepuesto con el valor intrínsecamente inespecífico de indefinidos como *cualquier*:

   *Quiero regalarle cualquier novela interesante /*cualquier interesante novela.*

   La hipótesis funcional que venimos sosteniendo (el adjetivo antepuesto se predica del ejemplar, del referente, y no se atribuye al tipo designado por el sustantivo para subclasificarlo; mientras que el pospuesto afecta al tipo que designa el sustantivo para crear un sustantivo eventual que designa un subtipo) es directamente congruente con esta correlación.

d. El estrato funcional propio del adjetivo antepuesto puede explicar que sea posible anteponer algunos de estos adjetivos a los cuantificadores:

   Esos bonitos tres gatos negros.

e. Los epítetos propiamente dichos, es decir, los adjetivos antepuestos que subrayan una noción presente en el significado del sustantivo, inherente al tipo de objeto que designamos con ese sustantivo, como en *la gran ballena / la blanca nieve / el libre albedrío / las bellas artes / la cruda realidad*, etc., no serían un caso diferente de los que venimos hablando: también aquí se trata de adjetivación del referente (propia de los antepuestos) pero con la peculiaridad de que, en este caso, el referente es un objeto arquetípico, es decir, se trata de una predicación postreferencial en la que el referente que designamos es el propio tipo. No hablamos de particulares, sino de tipos, como en las oraciones genéricas:

   El habilidoso homo sapiens.
   La trabajadora hormiga.

f. La incrustación sucesiva de adjetivos para crear jerarquías categoriales como en *animal vertebrado mamífero cánido*; *llamada teléfonica internacional a cobro revertido*, etc. no puede darse antes del sustantivo sino solo después, porque la categorización subclasificadora es propia de los adjetivos pospuestos.

g. Con esta concepción se explica que el adjetivo pospuesto tenga carácter no marcado, puesto que en esa función de subclasificación restrictiva es aplicable para contribuir a la identificación del referente, para distinguir o discriminar a unos objetos de otros de forma sistemática, una función comunicativa básica.

   Por su parte, el carácter marcado del antepuesto es consecuencia de su función no prioritaria como predicado secundario inserto en el sintagma, semejante a la atribución secundaria que expresan las oraciones de relativo explicativas, y se entiende así que se inserte en una posición marginal respecto del resto de los modificadores especificadores junto a los otros elementos que actúan en el ámbito de la extensión: los determinantes y los adjetivos modales, adverbiales o asimilados a los determinantes indefinidos y a los cuantificadores.

h. La explicación funcional se correlaciona también con el hecho de que los adjetivos graduables se avengan mejor a la anticipación, mientras que los clasificativos y relacionales no graduables se avengan menos a la anticipación. Hasta el punto de que la anticipación de los clasificativos fuerza su interpretación calificativa cuantificable (adjetivo postpuesto: relativo a o perteneciente a; adjetivo antepuesto: típico de o propio de):

   Dioses olímpicos / Olímpica actitud
   Respuesta diplomática / Diplomática respuesta

Revisión histórica / Histórica victoria
Vía férrea / Férrea disciplina

La mayoría de los cambios de significado constatables en ciertos adjetivos cuando se anteponen tienen que ver con esta reinterpretación gradual de adjetivos inicialmente no graduables. Los adjetivos relacionales pasan de significar 'perteneciente o relativo a X' a significar 'típico o propio de'. Por ejemplo, las *respuestas diplomáticas* son las que dan los diplomáticos. *Diplomático* aquí caracteriza una respuesta como relativa o perteneciente a la diplomacia o a los diplomáticos. Sin embargo, cuando se anticipa, *diplomático* se interpreta como 'cortés', una propiedad graduable que designa una característica propia o típica de las actuaciones de los diplomáticos. Igualmente, *férreo* significa 'perteneciente o relativo al hierro' cuando va pospuesto (en el caso concreto de vía férrea, 'hecho con hierro'); sin embargo, anticipado, como en *férrea disciplina*, significa 'disciplina con la dureza o inflexibilidad propia del hierro'. La reinterpretación cuantificable de los adjetivos implica, como puede advertirse en los casos anteriores, adaptaciones metonímicas o metafóricas.

Los otros cambios de significado tienen que ver con asimilaciones a valores de determinación (ver ejemplos en el apartado C de la propuesta didáctica más adelante).

Precisamente los adjetivos que pueden anteponerse sin resultar marcados son los relativos, porque estos son los cuantificables o graduables. Los relacionales y clasificativos se corresponden con una concepción absoluta: las propiedades a las que se refieren o están presentes o no lo están. Sin embargo, la insistencia expresada por los graduables antepuestos presupone la propiedad (que en un grado u otro siempre puede reconocerse en el objeto). Si se insiste en tal propiedad es porque son destacables por el grado en el que se dan.

i. La concepción defendida aquí se aviene igualmente con el frecuente carácter temático de los adjetivos antepuestos. Es lógico que en la mayoría de las ocasiones el antepuesto se refiera a rasgos que tienen carácter de información conocida en la que se insiste (*El famoso actor no quiso firmar ningún autógrafo; Su fiel perro le esperaba todos los días en la puerta*). Puesto que usamos un adjetivo para señalar una cualidad que no se usa con objetivos referenciales y, en la medida en que tampoco es objeto de la predicación principal, debe tener carácter secundario, prescindible o redundante. Dadas esas circunstancias, la razón discursiva más recurrente es la de que se trata de una propiedad que se da por consabida y en cuya presencia se insiste por alguna razón, entre otras posibles, por el grado en que se da.

   El carácter cuantificativo o intensificativo de los adjetivos graduables antepuestos se comprueba al buscar paráfrasis con pospuestos, que requieren de cuantificadores o intensificadores explícitos:

Transportaban pesadas bandejas.
Transportaban bandejas muy pesadas.

No se trata de informar de que las bandejas son pesadas, de clasificarlas en esa categoría, sino de insistir en qué grado lo eran.

Para que el adjetivo se use por motivos referenciales, se aplica pospuesto con intención clasificadora, y, si dicha clasificación ha de presuponerse como máximamente discriminativa, se interpretará preferentemente como cualitativa y excluyente en lugar de meramente cuantitativa. El adjetivo pospuesto afirma la categorización cualitativa del objeto en relación con cierta propiedad. Con el adjetivo pospuesto constatamos el reconocimiento de la propiedad en sí misma más que el grado en que se da la propiedad.

Sin embargo, esta asociación entre adjetivo antepuesto e información temática y pospuesto e información remática no es más que una correlación habitual pero no necesaria, ya que no parece ser su valor gramatical primario o esencial: el adjetivo antepuesto no tiene por qué limitarse a información de carácter temático:

Entré en una sala repleta de invitados. La mayoría de ellos con ganas de llevarse algo a la boca. Entonces empezaron a desfilar camareros que transportaban ***pesadas*** *bandejas.*

Me atendió una ***preciosa*** *dependienta de rasgos eslavos.*

2. Presentación didáctica. Descripciones y ejercicios.

Teniendo en cuenta las razones aportadas en los apartados anteriores, y habida cuenta de ciertos criterios pedagógicos que expondremos al final de este apartado, proponemos la siguiente secuencia de presentación y práctica sobre la posición y la combinación del adjetivo en español.

2.1 Secuencia didáctica

A. Posición del adjetivo en el uso normal. Adjetivos después y antes del sustantivo: ***Una interesante novela policíaca.***

En español, la posición normal del adjetivo es **después** del sustantivo:

– *Lleva un* <u>*bolso*</u> ***cuadrado amarillo muy grande.***
– *Lo que más me gusta es la* <u>*novela*</u> ***policíaca sueca.***
– *Buscan a un* <u>*candidato*</u> ***joven pero experimentado.***

Sin embargo, en ciertos casos los adjetivos se ponen **antes** del sustantivo:

Los adjetivos indefinidos y los adjetivos que indican cantidad se ponen siempre antes:

- *Tiene* ***pocos*** *amigos. Con ese carácter...*
- ***Algunas*** *personas no piensan como tú.*
- *Con* ***ciertos*** *temas hay que tener cuidado.*

Los adjetivos de **orden** se ponen normalmente antes del sustantivo:

- *Es el* **último** *viaje que hago en barco.*
- *Perdona, pero es la* **quinta** *llamada telefónica que me haces en cinco minutos.*
- *Me enamoré de ella la* **primera** *vez que la vi.*

Solo si los adjetivos de orden forman parte del nombre de algo se ponen después:

- *El* primer *capítulo que leí no fue el Capítulo* **Primero.**
- *Eso está en la biblia, en el Nuevo Testamento, en el evangelio de San Mateo, Capítulo* I, *versículos 6 al 15.*
- *El cuarto rey Borbón que tuvimos en España fue Carlos* III. [Al hablar: "Carlos Tercero"].
- *Vivo en el nº 4, planta* ***primera****, puerta A.*

Los adjetivos ***mejor, peor, mayor*** y ***menor*** pueden ponerse **antes o después** del sustantivo. Se ponen **antes** cuando se usan con sentido comparativo superlativo (con artículos definidos o posesivos):

- *Su* ***peor*** *defecto es la mala educación.* [No tiene un defecto peor.]
- *Rusia es el país con la* ***mayor*** *extensión de territorio del mundo.*

Se ponen **después** cuando se usan con sentido comparativo no superlativo y con determinantes indefinidos o cuantificadores:

- *Tiene un defecto* ***peor*** *que la envidia: la soberbia.* [Pero puede tener un defecto peor que la soberbia.]
- *Ese es un problema* ***menor****. No debemos preocuparnos.*

Pueden ponerse **antes o después** cuando se usan sin determinantes:

- *Es cierto. Habla muy fuerte pero hay* ***peores*** *defectos /* *defectos* ***peores.***

– *Necesita una cama de **mayor** tamaño / tamaño **mayor**.*

Mayor y ***menor*** se ponen después cuando significan 'persona de más edad o de menos edad':

– *Mi hermana **menor** se llama Amalia y mi hermano **mayor**, Alberto.*
– *Tengo dos primos **mayores** y otro menor que yo.*

Los adjetivos de posibilidad *(posible, probable*, etc.); certeza (*verdadero/a, auténtico/a*, etc.); duda (*hipotético/a, supuesto/a, falso/a*, etc.); valoración (*bueno/a, malo/a, interesante, extraordinario/a, enorme*, etc.) y tiempo (*antiguo/a, viejo/a, anterior, pasado/a, presente, actual, futuro/a*, etc.) pueden ponerse **antes o después** del sustantivo, pero, habitualmente, se ponen **antes**, sobre todo si hay otros adjetivos después del sustantivo:

– *Una **posible** solución es llamar a la embajada.*
– *La **verdadera** razón es que no tengo ganas de ir.*
– *El **supuesto** culpable ha sido detenido.*
– *En mi **antigua** escuela no había comedor. En la de ahora, sí.*
– *Aquello sí fue una **auténtica** tormenta tropical.*
– *Conozco ese restaurante. Fui una vez con mi **anterior** novia española.*
– *Tengo una **buena** noticia económica que darte.*

1. Pon uno de los adjetivos antes y el otro después del sustantivo, como en el ejemplo.

▶ Ha sido un verdadero descubrimiento científico. — a. científico b. verdadero

1. Estuvimos recordando ___________ historias ___________. — a. pasadas b. familiares

2. Está trabajando en ___________ campaña ___________. — a. humanitaria b. otra

3. Él es el responsable de la ___________ situación ___________. — a. actual b. política

4. Es solo una ___________ herida ___________. — a. simple b. superficial

5. Lo vacunaron en la ___________ revisión ___________. — a. médica b. anterior

6. Firmaron ese ___________ acuerdo ___________ ayer.
   a. ilegal
   b. hipotético

7. Usarán su ___________ ordenador ___________.
   a. propio
   b. portátil

8. El ___________ jefe ___________ ocupará tu despacho.
   a. comercial
   b. nuevo

9. Es el ___________ viaje ___________ que hago.
   a. tercer
   b. transoceánico

10. La ___________ cena ___________ será en mi casa.
    a. familiar
    b. próxima

11. Esa es su ___________ película ___________.
    a. romántica
    b. última

12. La ___________ visita ___________ ha sorprendido a todos.
    a. reciente
    b. presidencial

13. Te presento a nuestra ___________ directora ___________.
    a. artística
    b. futura

14. Ese ___________ resultado ___________ no le conviene al Gobierno.
    a. electoral
    b. posible

15. El paro es la consecuencia de la ___________ crisis ___________.
    a. económica
    b. grave

2. Pon los adjetivos *mayor, peor, menor* y *mejor* donde corresponda.

1. Es un récord histórico. El ______________ salto de altura ______________ de la historia.
2. Limpiarlo está bien, pero tengo una ______________ solución ______________: pintarlo.
3. Hay más televisiones de este tipo más baratas, pero de ______________ calidad ______________.
4. No tengo la ______________ duda ______________. Hay que contratarla ya.
5. ¿Te he hablado de mi ______________ hermana ______________? Como es la más pequeña, es la más mimada.

B. Adjetivos antes del sustantivo en la lengua escrita o formal: *Aquella larga noche, los valientes soldados durmieron sobre el frío suelo.*

En los estilos más formales, los adjetivos que se refieren a la **frecuencia** de algo se pueden poner **antes** para expresar mayor énfasis o intensidad:

- *Ahora se explican sus **frecuentes** visitas al médico.* [Ahora se explican sus visitas tan frecuentes al médico.]
- *Estoy harto de tus **repetidas** excusas.* [Estoy harto de tus excusas tan repetidas.]

Son adjetivos como *frecuente, infrecuente, raro, constante, reiterado, repetido, escaso/a, continuo/a*, etc.

En la lengua formal (lengua escrita cuidada, textos periodísticos, novela, discursos, etc.), también pueden ponerse **antes** del sustantivo **adjetivos que se pueden graduar o cuantificar**, como *largo/a-corto/a, frío/a-caliente, pequeño/a-grande, fuerte-débil, lejano/a-cercano/a, ligero/a-pesado/a, rápido/a-lento/a, ancho/a-estrecho/a, claro/a-oscuro/a, viejo/a-joven, alegre-triste, blando/a-duro/a, áspero/a-suave, bonito/a-feo/a, dulce-salado/a*, etc. Son adjetivos de significado relativo: por ejemplo, una cosa siempre tiene una longitud y se considera larga o corta según con qué la comparemos:

- *Llevaba unos **preciosos** pendientes dorados.*
- *El **célebre** científico se emocionó al recibir tan **importante** premio.*
- *En estos momentos el público responde con un **largo** aplauso.*
- *El **intenso** aroma a limón me trasladó a la **lejana** infancia.*

Queridos padres:
Volveré a casa la semana que viene. Espero que estéis bien.
Tengo muchas ganas de veros.
*Un **fuerte** abrazo.*
Emilio

Los adjetivos de color (*verde, rojo/a, dorado/a*, etc.), forma (*alargado/a, redondo/a*, etc.) y estado (*lleno/a, roto/a, vacío/a*, etc.) solo se ponen antes del sustantivo en el lenguaje poético muy marcado:

- *Sus **dorados** pendientes brillaban a la suave luz de la luna.*
- *Y entre la **verde** yerba, las **rojas** amapolas.*
- *En la **vacía** habitación apenas quedaba el recuerdo de la **pasada** vida.*

Los adjetivos que indican clase, finalidad, procedencia o relación con algo (*histórico/a*, *bélico/a*, *portátil*, *telefónico/a*, *nacional*, *educativo/a*, *automovilístico/a*, *deportivo/a*, *internacional*, *político/a*, *económico/a*, *informático/a*, *europeo/a*, *asiático/a*, *estudiantil*, *oficial*, *comestible*, etc.), estado (*abierto/a*, *cerrado/a*, *roto/a*, *manchado/a*, *mojado/a*) y los que significan 'de una clase particular' (*distinto*, *diferente*) se ponen después del sustantivo siempre. Solo se pueden poner antes en lengua literaria o formal si cambian de significado y se reinterpretan como adjetivos calificativos, que sí se refieren a dimensiones graduables (ver apartado D).

3. Decide cuál de estos textos está escrito en (a) lenguaje cotidiano, cuál en (b) lenguaje formal o literario y cuál en (c) lenguaje poético. ¿Puedes distinguirlos? Fíjate en la posición de los adjetivos. Después relaciona cada uno con los contextos de abajo.

He abierto mi armario y me he dado cuenta de que no tengo ropa para este invierno: solo tengo cuatro camisetas, todas muy estrechas, por cierto; dos pantalones ***viejos****, un vestido* ***largo*** *de fiesta y una chaqueta* ***ligera****. Tengo que salir ya a comprarme algo.*

1. Lenguaje ____________

La verdad es que ha habido una subida ***muy importante*** *de precios.*

2. Lenguaje ____________

Los sindicatos denuncian una ***importante*** *subida de precios en abril.*

3. Lenguaje ____________

Aquí, cuando hace viento ***fuerte*** *del sur, tenemos temperaturas* ***altas****. Seguro que hoy va a ser un día* ***caluroso****. ¡Qué agosto* ***tan largo****!*

4. Lenguaje ____________

El mar, ***metálico*** *espejo, protege su* ***oscuro*** *fondo de la* ***blanca*** *y* ***fría*** *luz de la luna.*

5. Lenguaje ____________

*Hoy tendremos **fuertes** vientos del sur y **altas** temperaturas. Prepárense para otro **caluroso** día de este **largo** mes de agosto.*

6. Lenguaje ______________

*Lo que pasa es que la luz de la luna se refleja en el mar, que es como un espejo **metálico**, y no llega al fondo.*

8. Lenguaje ______________

*En el armario de la abuela Brígida encontró **intensos** olores que le recordaron su infancia, las **estrechas** camisetas del tío Federico, los **viejos** pantalones del abuelo, el **largo** vestido de novia de la abuela y los **ligeros** camisones de la tía Amalia. "¡Qué lejos parece todo ahora!" –pensó–.*

7. Lenguaje ______________

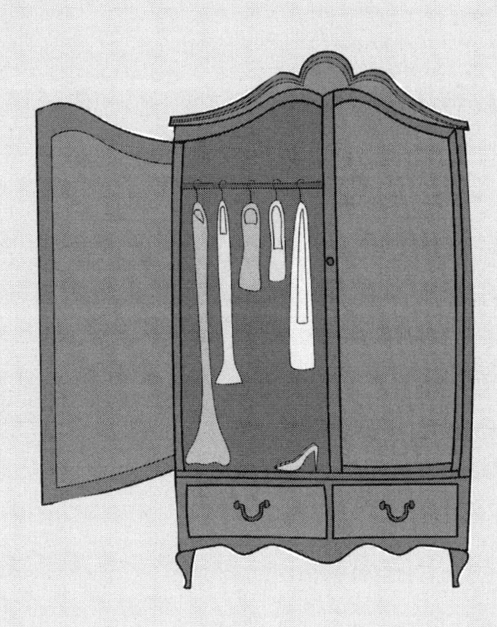

¿De dónde es cada texto?

a. Un parte metereológico. ____
b. Una novela. ____
c. Un poema. ____
d. Una noticia escrita. ____
e. Un comentario hablado de un periodista. ____
f. Un hablante de un pueblo de la costa habla con un veraneante. ____
g. Un padre habla con su hijo. ____
h. Dos amigas hablan por teléfono. ____

4. Clasifica todos estos adjetivos en las distintas categorías. Fíjate en los ejemplos.

~~largo~~, ~~corto~~, ~~alargado~~, caro, ~~verde~~, ~~telefónico~~, deportivo, marrón, tierno, ~~francés~~, esférico, catalán, ligero, educativo, argentino, rectangular, internacional, africano, agrícola, azul, duro, pesado, nuevo, universitario, morado, pequeño, naranja, tecnológico, ~~rojo~~, claro, comestible, dulce, económico, hospitalario, áspero, agujereado, cuadrado, andaluz, europeo, amarillo, salado, ancho, sevillano, barato, asturiano, bajo, ~~industrial~~, estrecho, policial, ~~triangular~~, suave, cilíndrico, oscuro, ~~asiático~~, alto, gubernamental, viejo, oficial, periodístico, rápido, grande, informático, lento, estampado, plano.

Dimensión
largo, corto

Forma
alargado, triangular

Tipo/clase
telefónico, industrial

Color
verde, rojo

Procedencia
francés, asiático

C. Posición del adjetivo para clasificar o para destacar cualidades de los objetos de los que hablamos: *Contrataron al actor guapo / guapo actor por un millón.*

Por regla general, cuando los adjetivos se usan para clasificar o para especificar de qué tipo de cosa o persona hablamos, se ponen después del sustantivo:

- *Entonces, ¿qué prefieres?, ¿la música **barroca** o la música **romántica**?*
- *Al final encargué el papel **pintado verde** y las cortinas **estampadas blancas**.*
- *Tienes que probar los pasteles **redondos**.*

Por esa razón, usamos adjetivos después del sustantivo (*pasteles redondos*) para **distinguir** el objeto del que hablamos de otros objetos que no tienen la característica expresada por el adjetivo: hablamos de *pasteles redondos*, no de *pasteles cuadrados o rectangulares*:

Figura 10

Cuando, en el estilo propio de la lengua cuidada, usamos un **adjetivo** graduable **antes** del sustantivo, no lo hacemos para especificar el tipo de objeto del que hablamos, sino para destacar alguna característica que se da en un grado importante en ese objeto y que queremos comentar a la vez que lo nombramos:

Figura 11

ADJETIVOS DESPUÉS DEL SUSTANTIVO PARA CLASIFICAR O ESPECIFICAR EL TIPO DE OBJETO	ADJETIVOS ANTES DEL SUSTANTIVO PARA COMENTAR O DESTACAR UNA CARACTERÍSTICA DEL OBJETO (ESTILO FORMAL)
– *Para encender el fuego, tienes que coger hojas* ***secas****.*	– *Aquel sonido le recordaba el de* ***las secas y frágiles*** *hojas del otoño crujiendo bajo sus pies.*
• *Entonces, ¿qué prefiere?, ¿la casa, el apartamento* ***grande*** *o el apartamento* ***pequeño****?* ❍ *Mejor el apartamento* ***pequeño****.*	– *El crimen se cometió en un* ***pequeño*** *apartamento de Baker Street.*

5. **Añade los adjetivos del recuadro a los siguientes fragmentos de texto. Fíjate en el contexto para saber si sirven para especificar el tipo de objeto del que se habla o solo para comentar algo de ese objeto, y decide dónde ponerlos, antes o después del sustantivo.**

joven, podrido/a, pequeño/a, célebre, amable, atractivo/a, estrecho/a, rico/a, tierno/a, ~~desagradable~~

1.En el restaurante había un camarero simpático y uno antipático.

Como tenía tan mala suerte, a él le atendía siempre el ▶ __________ *camarero* desagradable.

2. Una mujer de edad avanzada que tiene a un único vecino pero que es muy atento.

La señora se puso mala estando sola en el campo. Afortunadamente, pudo llamar a su (1) __________ *vecino* __________, *que le salvó la vida.*

3. Se ha celebrado un concierto de una estrella del rock.

El (2) __________ *cantante* __________ *interpretó todas las canciones de su último disco.*

4. En el frutero quedaba una manzana todavía verde y otra que ya no se podía comer.

El príncipe no se dio cuenta y cogió la (3) __________ *manzana* __________.

5. El hijo de un banquero multimillonario está recién casado con una mujer muy guapa de solo 22 años.

El (4) __________ *heredero* __________ *acudirá a una fiesta benéfica con su* (5) __________ *y* __________ *esposa* __________ *y* __________.

6. Una niña encuentra una caja con un gatito siamés dentro.

La niña cogió al (6) __________ *gato* __________ *y le dio calor entre sus* (7) __________ *brazos* __________.

7. En un laberinto, el héroe tiene que decidir si sigue por el camino más ancho o por el camino menos ancho.

Finalmente, Roberto se decidió por el (8) __________ *camino* __________.

En el estilo formal, los adjetivos antes del sustantivo sirven para expresar que una cualidad se da en un grado importante. Cuando queremos hacer eso mismo en un estilo informal usamos oraciones con *que* entre pausas o comas, o adjetivos después del sustantivo con cuantificadores como *tan* o *muy*:

DESTACAR EL GRADO EN QUE SE DA UNA CUALIDAD

ESTILO FORMAL	ESTILO INFORMAL
– *La* ***tranquila*** *voz de su amo hizo que el perro se calmara.*	– *La voz de su amo,* ***que era tan tranquila****, hizo que el perro se calmara.*
– *La estrella de cine se vio sorprendida por la* ***calurosa*** *bienvenida que recibió de sus seguidores españoles.*	– *La estrella de cine se sorprendió por la bienvenida* ***tan calurosa*** *que le dieron sus seguidores españoles.*
– *Las tierras se han inundado debido a la* ***intensa*** *lluvia de los últimos días.*	– *Las tierras se han inundado debido a la lluvia de los últimos días,* ***que ha sido muy intensa****.*

6. Sustituye los adjetivos cuantificados y las oraciones con "que" que acompañan a los sustantivos señalados por adjetivos antepuestos del recuadro. Como en el ejemplo.

sorprendente, multitudinario/a, agujereado/a, inútil, superpoblado/a, grato/a, tormentoso/a, buen(o)/a, precioso/a, diminuto/a, largo/a, minúsculo, travieso/a

Ayer tuve un (0) ***encuentro muy agradable e inesperado****. Coincidí en una cafetería con una antigua novia de la universidad. Los dos nos alegramos mucho de vernos. Estuvimos recordando viejos tiempos, como la vez que nos quedamos encerrados en la facultad, o (1) el* ***día tan lluvioso*** *en que nos conocimos. Los dos perdimos el autobús al salir de clase y solo teníamos (2) su* ***paraguas, uno muy pequeño y roto por todos sitios****. Nos pusimos empapados. También recordamos las (3)* ***sesiones de estudio verdaderamente interminables y nada fructíferas*** *en su (4)* ***apartamento, muy pequeño y que compartía con cinco chicas más****. Y hablamos de (5)* ***las fiestas*** *que se organizaban en el campus* ***con cientos de estudiantes****. En fin, hablamos de todo. También me dijo que estaba casada con (6)* ***un hombre muy honrado*** *y que tenía (7)* ***dos niños*** *gemelos de cinco años* ***muy lindos pero muy inquietos****. No pude acordarme de por qué cortamos...*

Ayer tuve un ▶ grato y sorprendente encuentro. *Coincidí en una cafetería con una antigua novia de la universidad. Los dos nos alegramos mucho de vernos. Estuvimos recordando viejos tiempos, como la vez que nos quedamos encerrados en la facultad, o (1) el ________ en que nos conocimos: los dos habíamos perdido el autobús al salir de clase y sólo teníamos (2) su ________. Nos pusimos empapados. También recordamos las (3) ________ en su (4) ________. Y hablamos de las (5) ________ que se organizaban en el campus. En fin, hablamos de todo. Al final, también me dijo que estaba casada con un (6) ________ y que tenía dos (7) ________ gemelos de cinco años. Todavía no he podido recordar por qué cortamos...*

D. Posición del adjetivo y cambio de significado: *Un pobre hombre rico.*

Los adjetivos que clasifican o que se refieren a tipos o características no graduables (*histórico, nacional, terrestre, popular, comestible, nacional, televisivo*, etc.) nunca se anteponen, excepto cuando se reinterpretan como adjetivos calificativos, que sí se refieren a dimensiones graduables:

CLASIFICAN. PERTENECIENTE O RELATIVO A ALGO (SOLO DESPUÉS)	CALIFICAN. TÍPICO O PROPIO DE ALGO (DESPUÉS Y ANTES)
– <u>*Novela*</u> ***histórica*** [Que trata de historia.] – <u>*Respuesta*</u> ***diplomática*** [Oficial, de la embajada.] – <u>*Línea*</u> ***férrea*** [Línea del tren.] – <u>*Vivienda*</u> ***familiar*** [Para una familia.] – <u>*Juegos*</u> ***olímpicos*** [Los de esa competición deportiva internacional.] – <u>*Cultura*</u> ***teatral*** [Relativa al teatro.]	– <u>*Decisión*</u> ***histórica / Histórica*** <u>*decisión*</u> [Muy importante, decisiva.] – <u>*Respuesta*</u> ***muy diplomática / Diplomática*** <u>*respuesta*</u> [Muy cortés, muy educada, típica de los diplomáticos.] – <u>*Disciplina*</u> ***férrea / Férrea*** <u>*disciplina*</u> [Estricta y dura como el hierro.] – <u>*Camaradería*</u> ***familiar / Familiar*** <u>*camaradería*</u> [Relajada, afectuosa, propia de familiares o conocida.] – <u>*Indiferencia*</u> ***olímpica / Olímpica*** <u>*indiferencia*</u> [Indiferencia a los demás propia de los dioses del Olimpo.] – <u>*Gesto*</u> ***teatral / Teatral*** <u>*gesto*</u> [Dramático, exagerado, propio o típico de los actores.]

Algunos adjetivos pueden interpretarse de forma distinta según el contexto y pueden usarse según los casos para clasificar, para calificar y valorar o para determinar el sustantivo. Estos adjetivos se pueden poner antes solo cuando no se usan para clasificar:

Se pueden poner antes si se usan para:

1. Valorar un objeto de forma subjetiva y relativa:

   – *Es un pobre chico.*
   [Desgraciado, que da pena.]
   – *Nos atendió un triste lingüista.*
   [Que provoca tristeza porque es lingüista.]
   – *Su diplomática respuesta calmó a los padres.*
   [Educada, cortés.]
   – *Es una simple hamburguesa.*
   [Es solo una hamburguesa.]

2. Referirnos al grado en que un objeto es un buen ejemplo de un tipo:

   – *Una gran jugadora.*
   [Grande o buena como jugadora.]
   – *Pura amistad.*
   [Exactamente amistad y solo amistad, incondicional.]

3. Relacionar el objeto con otros del mismo conjunto:

   – *Un nuevo coche.*
   [Distinto al anterior.]
   – *La vieja profesora.*
   [La de hace tiempo. No la actual.]

4. Cuantificar de forma indefinida o para determinar:

   – *Llamaron distintas personas.*
   [Varias personas.]
   – *Vienen de diferentes países.*
   [De más de un país.]
   – *Sabe ciertos hechos.*
   [Unos hechos particulares.]
   – *Hay numerosas familias.*
   [Muchas familias.]
   – *Escuchó por primera vez su propia voz.*
   [La suya.]
   – *Esa es su única idea.*
   [No tiene otras.]
   – *Raras visitas.*
   [Infrecuentes.]

Cuando se usan para clasificar, o especificar objetivamente el tipo al que corresponde el objeto del que hablamos, se ponen después:

- *Es un chico pobre.* [Sin dinero.]
- *Nos atendió un lingüista triste.* [Que era o que estaba triste.]
- *La respuesta diplomática oficial no se hizo esperar.* [Por ejemplo, del embajador.]
- *Yo solo quiero una hamburguesa simple.* [No doble. Por ejemplo, que solo tiene una capa.]
- *Una jugadora grande.* [De tamaño mayor que el normal.]
- *Es una amistad pura.* [Noble, inocente, etc.]
- *Un coche nuevo.* [Recién hecho.]
- *La profesora vieja.* [Que tiene muchos años.]
- *Son personas muy distintas.* [Con características diferentes.]
- *Son países diferentes.* [Con características distintas.]
- *Son hechos ciertos.* [Hechos verdaderos, no inventados.]
- *Somos familia numerosa.* [Con más de dos hijos.]
- *Habla con voz propia.* [Con voz especial, personal.]
- *Se trata de una idea única.* [Especial, excepcional.]
- *Visitas raras.* [Que son extrañas. De personas desconocidas, por ejemplo.]

7. ¿Cómo crees que deben interpretarse estas frases? Relaciona como en el ejemplo.

▶ I. Es una simple canción. ¿Por qué te molesta tanto?
II. Es una canción simple y, además, aburrida.

a. Solo una canción.
b. Una canción sencilla.

1. I Pobrecito. Le esperan dos buenas sorpresas.
II. Solo me gustan las sorpresas buenas.

a. Positivas.
b. Grandes, intensas.

2. I. Un seguro escenario del mundial será China, pero aún no está confirmado.
II. Claro que es un escenario seguro, a prueba de conciertos de *rock*.

a. Que ofrece seguridad.
b. Que seguramente será escenario.

3. I. Es un viejo empleado. Conoce la empresa muy bien.
   II. Él es un empleado viejo. No puede hacer ese tipo de trabajos físicos.

   a. Es empleado desde hace tiempo.
   b. Es mayor, tiene mucha edad.

4 I. Esta histórica novela trata sobre un futuro imaginario.
   II. La novela histórica está de moda, sobre todo la que se refiere a la Edad Media.

   a. Una novela que hace historia, importante.
   b. Que trata de historia.

5. I. Descubrieron que era un falso informe oficial.
   II. El informe oficial es falso.

   a. No era el informe del Gobierno.
   b. Era el informe del Gobierno pero no decía la verdad.

6. I. Hoy en día la educación es una rara cualidad.
   II. Es un metal con una cualidad rara: está frío en estado líquido.

   a. Extraña, que produce extrañeza.
   b. Es raro encontrarla. Es infrecuente.

7. I. Su antigua casa era alquilada.
   II. Tiene una casa antigua.

   a. Ya no vive en ella.
   b. Que tiene muchos años.

8. I. Es un hombre elegante, pero un vulgar ladrón, en realidad.
   II. Compartía celda con un ladrón vulgar e insoportable.

   a. Un ladrón sin educación.
   b. No es más que un ladrón.

9. I. Dichas expresiones se usan solo en ocasiones muy íntimas.
   II. Fueron expresiones dichas inconscientemente.

   a. Las expresiones pronunciadas por alguien.
   b. Las expresiones sobre las que estamos hablando.

10. I. Trabaja media jornada y, por tanto, cobra medio salario.
    II. Cobra el salario medio de un camarero en España.

    a. Cobra la mitad del salario.
    b. Cobra el salario normal de un camarero.

11. I. Son gestos determinados por el nerviosismo.
    II. No me gustan determinados gestos que hace y que ahora no sé describir.

    a. Ciertos gestos en particular.
    b. Gestos causados por esa razón.

E Combinación de adjetivos: *Un ordenador portátil japonés ultraligero muy barato.*

Cuando varios adjetivos se combinan junto a un sustantivo el orden normal es el siguiente:

	+ INTRÍNSECO < < < < < < < <		> > > > > > > >		- INTRÍNSECO
	I TIPO	II CARACTERÍSTICAS Y CIRCUNSTANCIAS			III VALORACIÓN
SUSTANTIVO	CLASE / FINALIDAD / RELACIONADO CON ALGO O PROPIO DE ALGO / PROCEDENCIA	COLOR/FORMA	DIMENSIÓN	POSIBILIDAD/ FRECUENCIA/ TIEMPO/ IDENTIDAD/ ESTADO	GRADO O MEDIDA EN QUE ALGO ES BUENO O MALO PARA ALGO
Un aparato	*portátil*	*rojo/a*	*grande-pequeño/a*	*posible*	*muy bonito/a*
Ese paquete	*telefónico/a*	*verde*	*ancho/a-estrecho/a*	*probable*	*bastante feo/a*
Las chicas	*deportivo/a*	*azul*	*largo/a-corto/a*	*necesario/a*	*poco simpático/a*
Este proble-	*político/a*	*amarillo/a*	*claro/a-oscuro/a*	...	*precioso/a*
ma...	*escolar*	...	*alto/a-bajo/a*	*frecuente*	*estupendo/a*
	nacional	*redondo/a*	*pesado/a-ligero/a*	*infrecuente*	*horrible*
	familiar	*cuadrado/a*	*serio/a-alegre*	*diario/a*	*terrible*
	oficial	*triangular*	*duro/a-blando/a*	*semanal*	*dramático/a*
	comestible	*esférico/a*	*suave-áspero/a*	*mensual*	*espantoso/a*
	...	*alargado/a*	*nuevo/a-viejo/a*	...	*perfecto/a*
	automovilís-	*puntiagudo/a*	*moderno/a-antiguo/a*	*actual*	*genial*
	tico/a	*cilíndrico/a*	*caro/a-barato/a*	*futuro/a*	...
	agrícola	*estampado/a*	*rápido/a-lento/a*	*pasado/a*	
	textil	*plano/a*	*dulce-salado/a*	*reciente*	
	textual	...	...	*próximo/a*	
	...			...	
	cinemato-			*nuevo/a*	
	gráfico/a			*idéntico/a*	
	ocular			*diferente*	
	...			*distinto/a*	
	europeo/a			...	
	español/a			*abierto/a*	
	andaluz/a			*cerrado/a*	
	sevillano/a			*limpio/a*	
	...			*sucio/a*	
				mojado/a	
				seco	
				completo	
				parcial	
				...	

Normalmente no combinamos más de dos o tres adjetivos.

8. Observa estos ejemplos y comprueba cómo se ordenan según los grupos I-III. ¿Puedes completar la tabla como en el ejemplo?

*Se ha comprado unos pendientes **metálicos dorados carísimos**.*
*Tenía un ordenador **negro pequeñito estupendo**.*
*La campaña **electoral francesa pasada** estuvo muy disputada.*
*Estoy buscando una fuente **verde alargada, buenísima para la ensalada**, ¿la has visto?*
*Le harán un examen **médico ocular completo muy preciso**.*
*El motor **económico español actual** es el turismo.*

	I	II	III
SUSTANTIVO	TIPO	COLOR/FORMA/DIMENSIÓN/CIRCUNSTANCIAS	VALORACIÓN
pendientes	metálicos	dorados	carísimos
ordenador		negro pequeñito	estupendo
campaña			
fuente			
examen			
motor			

Si se combinan adjetivos del grupo o la categoría I, primero se ponen los que indican clase y después los que se refieren al origen, al lugar, a la persona que ha hecho algo o a su propietario:

- *Regalan una colección de cuentos **infantiles europeos**.* [Cuentos para niños hechos en Europa.]
- *¿Has leído los poemas **amorosos lorquianos**?* [Poemas sobre amor escritos por Lorca o con su estilo típico.]
- *La producción **automovilística alemana** descendió el último año.* [Producción de automóviles hechos por los alemanes.]
- *No está de acuerdo con la teoría **filosófica kantiana**.* [Teoría de filosofía desarrollada por Kant.]
- *La política **educativa municipal** pasada ha sido muy discutida.* [Política para la educación de la ciudad.]
- *Es un proyecto **publicitario internacional**.* [Proyecto de anuncios en muchos países.]
- *Le harán un examen **médico ocular** completo.* [Un examen de tipo médico de los ojos.]

– *Tenía un ordenador* ***portátil japonés*** *negro pequeñito estupendo.* [Un ordenador que puede transportarse de origen japonés.]

Si se combinan varios adjetivos que indican clases y subclases, se unen sin pausas, poniendo antes los que significan un tipo general y después los que significan un subtipo dentro del tipo general:

– *Te regalan 50 llamadas* ***telefónicas internacionales nocturnas.***
– *Solo come hamburguesas* ***vegetarianas ecológicas.***
– *Ya tenemos televisión* ***digital terrestre*** *en casa.*
– *El gato es un animal* ***vertebrado mamífero felino doméstico.***

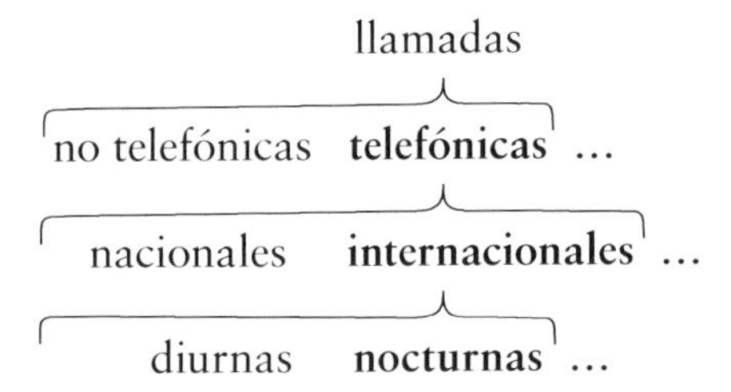

Normalmente no se combinan más de dos o tres adjetivos. Si es necesario combinar más, es preferible poner antes del sustantivo alguno de los adjetivos que no clasifican (posibilidad, tiempo, valoración, etc.):

Paseaba con un perro pastor alemán negro enorme muy agresivo > *Paseaba con un* ***enorme y agresivo*** *perro pastor alemán negro.*

Si los adjetivos que se combinan no expresan subclasificación, se unen con pausas (o comas al escribir) y conjunciones, tanto antes como después del sustantivo:

– *Esta noche hay una luna brillante, grande y gris.*
– *Le gusta el chocolate amargo pero dulce.*
– *Es un empleado puntual, eficiente y honrado.*
– *Para este papel necesitamos un chico atractivo y sensible.*
– *Clara es mi hija mayor. Es una niña muy trabajadora e inteligente, la verdad.*
– *La vieja y débil señora no superó la crisis.*
– *El atractivo, afortunado y famoso actor estuvo firmando autógrafos toda la tarde.*

– ~~*La vieja débil señora; La famosa simpática actriz...*~~

9. Ramón Cotilla trabaja para una revista del corazón. Ha investigado a una actriz famosa y ha tomado notas. Completa con ellas el texto de abajo.

pastor
negro
perro
alemán

personal
entrenador
nuevo
sueco

precioso
vestido
muy corto
estampado

bajita
chica
delgada
madrileña
morena

doble
enorme
hamburguesa
vegetariana

mineral
agua
francesa

plegable
bicicleta
amarilla

verde
mini
Upod
carísimo

inteligente
mujer
encantadora
guapa

muy lujoso
apartamento
alquilado

barrio
céntrico
residencial

vino
español
tinto

Vive en ▶ *un apartamento alquilado muy lujoso*, (1) en un ____________. Su mejor amiga es su profesora de español, (2) una ____________________.Todas las mañanas sale a pasear (3) en una ____________________, con su mascota, (4) un ____________________. Cuando sale por las noches, siempre va acompañada de (5) su ____________________. Nunca se separa de su teléfono, (6) un ____________________. Hoy llevaba puesto (7) un ____________________. Ha entrado en un restaurante y ha pedido (8) una ____________________. Ha bebido (9) ____________________ y (10) ____________________. Es (11) una ____________________.

2.2 Algunos criterios aplicados en la elaboración de la propuesta pedagógica

La secuencia se organiza en relación con dos cuestiones básicas: la primera relativa a qué adjetivos, cuándo y con qué valor se anticipan y la segunda relativa a cómo combinar adjetivos en un mismo sintagma.

Para la primera cuestión, la más escurridiza, se priman criterios de rentabilidad comunicativa o funcional. Se presenta, por un lado, una distinción básica entre tipos de textos, empezando por los géneros más neutros en los que la anticipación es normal para cierta clase de adjetivos y siguiendo después con la asimilación de la regla que permita reconocer qué otros adjetivos se pueden anticipar en los estilos más formales. Por último, se aborda la cuestión de los cambios de significado intentando relacionar dichos cambios con los criterios generales expuestos en los apartados precedentes.

Por otro lado, los usos en los que se insiste para reconocer el valor diferencial de adjetivos antepuestos y pospuestos son los que se identifican con funciones comunicativas muy concretas: (1) adjetivos pospuestos para distinguir unos objetos de otros, (2) adjetivos antepuestos para destacar una propiedad de un objeto ya identificado por otros medios y/o (3) adjetivo anticipado para indicar cuantificación o intensificación de la propiedad destacada. La distinción funcional más abstracta, la relativa a la especificación del tipo propia de los pospuestos y a la caracterización del ejemplar propia de los antepuestos, se implica en las descripciones, pero se mantiene en un segundo plano solo como recurso aplicable (con los esquemas de las figuras presentadas en el apartado 1.2 *El valor de la posición del adjetivo. Una propuesta de descripción*) en caso de que se requiera para ciertos alumnos y contextos. La coherencia de la presentación usada, sin embargo, será mayor si el profesor tiene presente la explicación funcional básica aquí expuesta, pues es la que proporciona un hilo conductor a todos los casos.

En la propuesta, igualmente, se procura tratar explícitamente ciertos aspectos siempre que haya posibilidad de transformarlos en algún tipo de práctica a la que aplicar criterios lo más objetivos posibles.

En esta secuencia se han excluido las lexicalizaciones, por considerar que en raras ocasiones no se atienen a las pautas generales y que deben asimilarse como elementos del vocabulario en su especificidad semántica de construcciones particulares, al margen del tratamiento gramatical sistemático.

La clasificación de los adjetivos que se propone en la actividad 4 puede parecer que exija un esfuerzo metalingüístico injustificado, pero no lo es tanto si se piensa que puede servir no solo para saber si se anteponen ciertos adjetivos, sino también para saber si se usan con *ser* y *estar* y cómo se usan con determinantes en otras estructuras. Algunos de estos otros comportamientos condicionados por la clase de adjetivo que esté implicado son, por ejemplo, que los adjetivos relacionales no pueden cuantificarse y no pueden combinarse con *estar*, a no ser que se reinterpreten como graduables:

*¿*La conexión está inalámbrica?*

**Mi ordenador está portátil.*
**Ese amigo tuyo está español, ¿no?*
*Tenemos un profesor *muy extranjero.*
etc.

Por otro lado, como se recuerda en Lozano Zahonero (2010: 50), la combinación SUSTANTIVO + CALIFICATIVOS no constituye atributo sin determinante; mientras que la combinación SUSTANTIVO + CLASIFICATIVOS sí:

*Pedro es ciudadano europeo / un ciudadano ejemplar / *ciudadano ejemplar.*
*Isabel es médico pediatra / una médico buena / *médico buena.*
*Tenemos cámara digital / una cámara cara / * cámara cara.*

Es una reflexión que puede resultar rentable, por tanto.

3. Conclusiones sobre las propuestas descriptiva y pedagógica dadas

En conclusión, el problema de la posición del adjetivo y el valor de esta resulta ser un tema con muchas facetas no fáciles de abordar descriptivamente y que requieren de una aproximación didáctica bien meditada. Es un aspecto de la gramática que ilustra muy bien la dificultad de encontrar adaptaciones pedagógicas para niveles avanzados. Hay varios aspectos destacables en este sentido:

La posibilidad de identificar un valor sistemático general, reconocible en todos los casos, no conlleva automáticamente su traslación a la versión pedagógica porque ese valor puede resultar excesivamente abstracto. En la propuesta que se ha defendido aquí hemos encontrado razones relevantes para apoyar una explicación basada en la distinción del nivel referencial al que se aplica el adjetivo, el del tipo para los adjetivos pospuestos y el del ejemplar para los antepuestos. Hemos hecho un esfuerzo por encontrar representaciones figurativas o esquemáticas que ayuden a reconocer esa distinción de forma más intuitiva, pero eso no significa que, aunque esas aclaraciones pueden servir para el profesor, tengan que servir también para los alumnos. Aunque el profesor tenga presente esa descripción abstracta para tomar decisiones sobre ejemplos, descripciones, secuenciación y ejercicios, puede que no sea rentable trasladarla directamente al estudiante. A este pueden resultarle más útiles y accesibles aproximaciones que se sitúen en un nivel funcional directamente relacionado con funciones comunicativas más específicas y más evidentes, como las de usar adjetivos con valor restrictivo o no restrictivo.

Otro aspecto importante es la necesidad de reconocer la forma compleja en que las estructuras gramaticales interaccionan con el léxico. En el caso de la posición del adjetivo, parece evidente que una forma eficaz de abordar el problema no puede prescindir de la aplicación de alguna forma de clasificación semántica de los adjetivos, cuando no de la asimilación, incluso, de combinaciones SUSTANTIVO + ADJETIVO / ADJETIVO + SUSTANTIVO lexicalizadas particulares, o de los cambios de significado que afectan a ciertos adjetivos en particular según la posición en la que se usen. Por lo demás, algunos criterios de clasificación del vocabulario pueden tener un efecto positivo transversal en la asimilación de problemas gramaticales muy diversos. Como ocurre con la distinción entre interpretaciones calificativas o clasificativas de los adjetivos, que, además de relacionarse con la posición, lo hacen con el uso de *ser* y *estar*[6].

Algunos aspectos de la gramática, por su propia naturaleza, conviene abordarlos desde un punto de vista receptivo o interpretativo más que productivo. En este caso, es evidente que las variedades de lengua (formal e informal, escrita y hablada, coloquial o literaria) que están implicadas en la posición de las distintas clases de adjetivos aconsejan usar más ejercicios y estrategias de reconocimiento que de producción. Como puede observarse fácilmente, la mayoría de los empleados en la secuencia propuesta aquí son de ese tipo.

Soluciones a las actividades

1. ▶ Ha sido un verdadero descubrimiento científico; 1. Estuvimos recordando pasadas historias familiares; 2. Está trabajando en otra campaña humanitaria; 3. Él es el responsable de la actual situación política; 4. Es solo una simple herida superficial; 5. Lo vacunaron en la anterior revisión médica; 6. Firmaron ese hipotético acuerdo ilegal ayer; 7. Usarán su propio ordenador portátil; 8. El nuevo jefe comercial usará tu despacho; 9. Es el tercer viaje transoceánico que hago; 10. La próxima cena familiar será en mi casa; 11. Esa es su última película romántica; 12. La reciente visita presidencial ha sorprendido a todos; 13. Te presento a nuestra futura directora artística; 14. Ese posible resultado electoral no le conviene al Gobierno; 15. El paro es la consecuencia de la grave crisis económica.

[6] Otro ejemplo de la eficacia de distinciones o clasificaciones léxicas para entender el funcionamiento de ciertos recursos gramaticales lo constituye la clasificación de los verbos según su tipo aspectual (actividades, acciones, estados, etc.) especialmente útil en relación con oposiciones como la de imperfecto/indefinido o el rendimiento de ciertas perífrasis (ver capítulo I y VI en este mismo volumen).

2. 1. El mayor salto de altura de la historia; 2. pero tengo una solución mejor/ mejor solución: pintarlo; 3. pero de peor calidad; 4. No tengo la menor duda; 5. mi hermana menor.

3. 1. Lenguaje cotidiano (h. Dos amigas hablan por teléfono); 2. Lenguaje cotidiano (e. Un comentario hablado de un periodista); 3. Lenguaje formal o literario (d. Una noticia escrita); 4. Lenguaje cotidiano (f. Un hablante de un pueblo de la costa habla con un veraneante); 5. Lenguaje poético (c. Un poema); 6. Lenguaje formal o literario (a. Un parte meteorológico); 7. Lenguaje formal o literario (b. Una novela); 8. Lenguaje cotidiano (g. Un padre habla con su hijo).

4. Dimensión:
largo, corto; caro, barato; tierno, duro; ligero, pesado; pequeño, grande; nuevo, viejo; claro, oscuro; dulce, salado; áspero, suave; ancho, estrecho; bajo, alto; rápido, lento.

Forma:
alargado, triangular, esférico, rectangular, agujereado, cuadrado, cilíndrico, plano, estampado.

Tipo/clase:
telefónico, industrial, deportivo, educativo, internacional, agrícola, universitario, tecnológico, comestible, económico, hospitalario, policial, gubernamental, oficial, periodístico, informático.

Color:
verde, rojo, marrón, azul, morado, naranja, amarillo.

Procedencia:
francés, catalán, asiático, argentino, africano, andaluz, europeo, sevillano, asturiano.

5. ▶ el camarero desagradable; 1. a su amable vecino; 2. El célebre cantante; 3. la manzana podrida; 4. El rico heredero; 5. su joven y atractiva esposa; 6. al pequeño gatito; 7. entre sus tiernos brazos; 8. el camino estrecho.

6. ▶ grato y sorprendente encuentro
1. tormentoso día
2. diminuto y agujereado paraguas
3. largas e inútiles sesiones de estudio
4. minúsculo y superpoblado apartamento
5. multitudinarias fiestas

6. Buen hombre
7. preciosos y traviesos gemelos

7. ▶, Ia, IIb; 1. Ib, IIa; 2. Ib, IIa; 3. Ia, IIb; 4. Ia, IIb; 5. Ia, IIb; 6. Ib, IIa; 7. Ia, IIb; 8. Ib, IIa; 9. Ib, IIa; 10. Ia, IIb; 11. Ib, IIa..

8.

	I	II	III
SUSTANTIVO	TIPO	COLOR/FORMA/DIMENSIÓN/ CIRCUNSTANCIAS	VALORACIÓN
pendientes	*metálicos*	*dorados*	*carísimos*
ordenador		*negro, pequeñito*	*estupendo*
campaña	*electoral, francesa*	*pasada*	
fuente		*verde, alargada*	*buenísima*
examen	*médico, ocular*	*completo*	*muy preciso*
motor	*económico, español*	*actual*	

9. ▶ un apartamento alquilado muy lujoso / un lujoso apartamento alquilado; 1. un céntrico barrio residencial; 2. una chica madrileña, morena, bajita y delgada; 3. una bicicleta plegable amarilla; 4. un perro pastor alemán negro; 5. nuevo entrenador personal sueco; 6. un Upod mini verde carísimo; 7. un precioso vestido estampado muy corto; 8. una hamburguesa vegetariana doble enorme / una enorme hamburguesa vegetariana doble; 9. agua mineral francesa; 10. vino tinto español; 11 una mujer inteligente, guapa y encantadora.

Referencias bibliográficas

Bosque, I. y V. Demonte (eds.) (1999). *Gramática descriptiva de la lengua española I*, Madrid: RAE / Espasa Calpe.

Coseriu, E. (1962). "Determinación y entorno", en *Teoría del lenguaje y lingüística general. Cinco estudios*. Madrid: Gredos.

Delbecque, N. (1990). "Word order as a reflection of alternate conceptual construals in French and Spanish: similarities in adjective position". *Cognitive Lingusitics*, 1.4, 349-416.

Demonte, V. (1999). "El adjetivo. Clases y usos. La posición del adjetivo en el sintagma nominal", en I. Bosque y V. Demonte (eds.) 1999, vol 1, capítulo 3, págs. 129-216.

Langacker, R. W. (2008). *Cognitive Grammar: A Basic Introduction*. Nueva York: Oxford University Press.

RAE / AALE (2009). *Nueva gramática de la lengua española*. (2 volúmenes). Madrid: Espasa.

Lozano Zahonero, M. (2010). *Gramática de referencia de la lengua española (Niveles A1-B2)*. Milán: Hoepli.

CAPÍTULO VI

UNA APROXIMACIÓN AL SISTEMA VERBAL APLICABLE A LA ENSEÑANZA DE ELE

ALEJANDRO CASTAÑEDA CASTRO
ZEINA ALHMOUD
Departamento de Lingüística General
y Teoría de la Literatura
Universidad de Granada

Resumen

En este capítulo se presenta una aproximación descriptiva del sistema verbal del español aplicable a la enseñanza de ELE en niveles avanzados e inspirada en gran parte, aunque no exclusivamente, en el instrumental conceptual que ofrece la gramática cognitiva (en adelante CG)[1].

1. Una visión de conjunto del sistema verbal

Equipados con el instrumental conceptual que ofrece la CG es posible aventurar una visión coherente del conjunto del sistema verbal.

A diferencia del caso de las preposiciones comentado en el capítulo II, quizás en el sistema verbal podemos situarnos en un nivel de abstracción que trascienda el de los valores prototípicos.

Los usos prototípicos de las oposiciones temporales del sistema verbal tienen, como precisamente ese apelativo indica, carácter temporal. Como hemos visto en el capítulo II para el IMPERFECTO, el valor prototípico de este signo es el de referencia a un hecho pasado que se presenta como no terminado (*Cuando pasábamos el túnel todo estaba oscuro*), sin embargo, puede ser usado, por ejemplo, para situar un proceso en un ámbito hipotético, contrafactual o ficticio (*Si me invitaran a la fiesta, yo iba*; *¿Vale que yo era un pirata bueno y tú una princesa y yo te rescataba?*). No obstante, hemos comentado en el capítulo

[1] Varios apartados de este capítulo son versiones actualizadas y ampliadas de contenidos presentes en Castañeda 2004a, 2004b y 2006. Allí pueden encontrarse argumentos añadidos a los expuestos aquí a favor de la aproximación defendida.

II que un valor abarcador de todos sus usos (pasados y no pasados) podría ser el de 'presente de entonces', donde *entonces* remite al momento en curso de un ámbito que puede ser pasado pero también hipotético, imaginado o ficticio.

Pues bien, si nos planteamos la búsqueda de valores generales de ese tipo para cada uno de los tiempos del sistema verbal, encontramos una opción muy ventajosa en la visión ofrecida por Alarcos Llorach (1994) y en la propuesta, en gran parte coincidente con la de Alarcos, que ha desarrollado Ruiz Campillo (2004), sobre todo con vistas a su aplicación en clase de ELE, y que se aplica en gran medida en Alonso et ál. (2005).

Alarcos Llorach (1994: 152-155), dejando aparte el IMPERATIVO, establece dos dimensiones básicas para la organización de este sistema: el modo, en relación con el cual distingue INDICATIVO (*cantas*, *cantabas*, *cantaste*, *has cantado*, *habías cantado*), CONDICIONADO (*cantarás*, *cantarías*, *habrás cantado* y *habrías cantado*) y SUBJUNTIVO (*cantes*, *cantaras/ses*, *hayas cantado* y *hubieras/ses cantado*); y el tiempo o perspectiva, en relación con el cual distingue perspectiva de presente (*cantas*, *has cantado*, *cantarás*, *habrás cantado*, *cantes*, *hayas cantado*) y perspectiva de pasado (*cantabas*, *cantaste*, *cantarías*, *habrías cantado*, *cantaras/ses*, *hubieras/ses cantado*). Aborda la distinción IMPERFECTO / INDEFINIDO como una distinción aspectual no terminativa / terminativa y agrupa los tiempos compuestos como formas especializadas en la expresión de la anterioridad respecto de las formas simples correspondientes (*has cantado* respecto de *cantas*, *habrás cantado* respecto de *cantarás*, *habías cantado* respecto de *cantabas*, *habrías cantado* respecto de *cantarías*, *hayas cantado* respecto de *cantes* y *hubieras cantado* respecto de *cantaras*). La matriz que se deriva del cruce entre los tres modos, los dos espacios temporales y la relación de anterioridad con el centro deíctico nos permite localizar las trece formas del sistema verbal español, como se ve en la figura 1.

	INDICATIVO	CONDICIONADO	SUBJUNTIVO
PRESENTE	*cantas*	*cantarás*	*cantes*
ANTERIORIDAD	*has cantado*	*habrás cantado*	*hayas cantado*
PASADO	*cantabas/cantaste*	*cantarías*	*cantaras*
ANTERIORIDAD	*habías cantado*	*habrías cantado*	*hubieras/ses cantado*

Figura 1

Por su parte, Ruiz Campillo (2004, capítulo 2) argumenta a favor del carácter declarativo del INDICATIVO y CONDICIONADO, frente al no declarativo del SUBJUNTIVO, y propone sacar del sistema de correlaciones actual / no actual al INDEFINIDO que, como tal, se opondría al resto de los tiempos puesto que se trata del único tiempo no compuesto que representa un proceso como realizado completamente. Por otro lado, en términos generales, entiende los tiempos compuestos como anclajes, según los distintos modos, en el espacio no actual o en el espacio actual, de la relación expresada por *haber cantado*. Véase la figura 2.

	MODOS DECLARATIVOS		MODO NO DECLARATIVO
	INDICATIVO	CONDICIONADO	SUBJUNTIVO
ESPACIO ACTUAL	*cantas*	*cantarás*	*cantes*
REALIZADO EN EL ESPACIO ACTUAL	*has cantado*	*habrás cantado*	*hayas cantado*
ESPACIO NO ACTUAL	*cantabas*	*cantarías*	*cantaras*
REALIZADO EN EL ESPACIO NO ACTUAL	*habías cantado*	*habrías cantado*	*hubieras/ses cantado*

Figura 2

En este modelo, compartido en gran parte por Alarcos y Ruiz Campillo, merecen especial atención cuatro aspectos:

1. la consideración de la noción de tiempo gramatical más como una noción epistémica que propiamente cronológica;
2. el establecimiento de tres modos;
3. el valor de las formas compuestas frente a las simples, y
4. el valor del INDEFINIDO; en particular, la relación de este con el IMPERFECTO.

En relación con la reinterpretación del **tiempo verbal como una noción epistémica**, lo considerado más arriba respecto del IMPERFECTO se extiende al resto de las formas simples: unas se asocian a la perspectiva de lo actual o lo inmediato y otras a la perspectiva de lo no actual o distante. La perspectiva no actual se emplea preferentemente para hablar del pasado, pero esta no es la única circunstancia que induce a aplicarla, pues también puede emplearse en contextos hipotéticos o contrafactuales, ficticios, etc.

DISTINCIÓN MODAL

En cuanto a la **distinción modal**, lo más llamativo es que las llamadas formas de FUTURO y CONDICIONAL, simples y compuestas, se consideran un modo: se trata de formas que permiten declarar situaciones que localizamos en un ámbito de la realidad a la que no podemos acceder directamente o de las que solo tenemos datos o evidencias indirectas, que solo podemos suponer o prever. Esta caracterización genérica, más epistémica que temporal, permitiría dar cuenta no solo del valor de 'futuro respecto de ahora' de la forma *cantará* o del de 'futuro respecto de entonces' de la forma *cantaría*, sino también de los usos de una forma u otra para hacer suposiciones de hechos no directamente observables simultáneos a ahora o simultáneos a entonces. Así pues, el FUTURO, respecto del punto de vista anclado en el presente, y el CONDICIONAL, respecto del pasado o de un espacio no actual, se aplicarían a la localización en el ámbito epistémico de la realidad supuesta, tanto coetánea al punto de referencia como proyectada en estados posteriores previstos. Así se observa en (1)-(4)[2]:

1. *Supongo que María cantará muy bien porque todos sus hermanos también lo hacen.*
2. *Supongo que esta niña cantará muy bien cuando sea mayor.*
3. *Supongo que María cantaría muy bien porque todos sus hermanos también lo hacían.*
4. *Supongo que aquella niña cantaría muy bien cuando fuera mayor.*

La otra faceta crucial de la concepción de los modos es la oposición establecida entre, por una parte, INDICATIVO y CONDICIONADO como modos declarativos y, por otra, SUBJUNTIVO como modo no declarativo. Con INDICATIVO o CONDICIONADO declaramos una idea, hacemos constar que la sabemos o la suponemos; con uno y otro modo localizamos procesos en los distintos ámbitos accesibles a hablante y oyente, tanto epistémicos (el de la realidad conocida o directamente accesible o el de la realidad no directamente accesible, supuesta o prevista) como temporales (pasado, presente o futuro). Lo que tienen en común las formas de estos dos modos es que con ellas contribuimos con datos al conjunto proposicional discursivo que compartimos y construimos con el interlocutor. Eso es lo que logran expresar las distintas opciones de los ejemplos de la figura 3. En ellos, el ámbito de la realidad inmediatamente accesible de la que tenemos experiencia directa y sobre la que podemos declarar con la certeza propia del INDICATIVO se representa con *la clase en la que estamos*, mientras que el ámbito propio del CONDICIONADO, aquel del que no tenemos experiencia directa y del que solo podemos hacer suposiciones o predicciones, se hace corresponder con dos espacios: uno, coetáneo al momento de habla, es l*a clase de al lado*, en la que no estamos pero de la que podemos declarar hechos sobre la base de evidencias indirectas o indicios, y otro, *el de la clase donde estamos ahora*

[2] La consideración de los tiempo de FUTURO y CONDICIONAL como formas que expresan una actitud modal en contraste con las de INDICATIVO se aborda en las actividades *De pocas palabras* y *El policía y la testigo*, comentadas respectivamente en el capítulo III y en el capítulo VII de este volumen.

pero imaginada en un momento posterior al presente, del que también solo podemos declarar de forma condicionada, en este caso por el paso del tiempo. Esa correlación de espacios y modos se reproduce no solo para la esfera de lo actual o de lo que vislumbramos a partir de los datos presentes, sino también para la esfera de lo no actual. En este caso, trasladándonos al pasado o a un ámbito que se distingue del actual, también usamos las formas de los dos modos para declarar hechos referidos a *esta clase en la que estábamos*, *la clase de al lado a la que estábamos* o *la clase en la que estábamos después de entonces* (al día siguiente). La correlación se mantiene, tanto para el ámbito actual como para el no actual, en el caso de las formas compuestas, con las que declaramos, afirmándolos o solo suponiéndolos, hechos terminados antes de ahora o antes de entonces.

DECLARANDO			SIN DECLARAR
AFIRMANDO CON INDICATIVO	SUPONIENDO CON CONDICIONADO		MENCIONANDO CON SUBJUNTIVO
– *En esta clase...*	– *En la clase de al lado...*	– *En esta clase mañana...*	– *Es posible que en esta clase/en la de al lado/mañana...*
*... **hace** calor sin ventilador. Estoy sudando.*	*... **hará** calor. Tienen puesto el ventilador.*	*... **hará calor** si no arreglan el ventilador.*	*... **haga** calor...*
*... **ha hecho** calor. Tengo la ropa mojada de sudor.*	*... **habrá hecho** calor, porque salen con la ropa mojada de sudor.*	*... cuando terminemos tendremos mucha sed porque **habrá hecho** calor.*	*... **haya hecho** calor...*
– *En esta clase aquel día...*	– *En la clase de al lado aquel día...*	– *En esta clase al día siguiente...*	– *Es posible que en esta clase / en la de al lado aquel día / al día siguiente...*
*... **hacía/hizo** calor. Estábamos sudando.*	*... **haría** calor. Tenían encendido el ventilador.*	*... **haría** calor. No arreglaban el aire acondicionado hasta la semana siguiente.*	*... **hiciera** calor...*
*... al final teníamos la ropa mojada de sudor. **Había hecho** calor.*	*... **habría hecho** calor. Los alumnos salían con la ropa mojada de sudor.*	*... cuando termináramos, **habría hecho** calor y tendríamos mucha sed.*	*... **hubiera hecho** calor...*

Figura 3

Por su lado, con SUBJUNTIVO no declaramos, solo mencionamos una idea, pero no la hacemos constar como algo que sabemos o pensamos. Mencionamos una situación (incluyendo su localización temporal virtual) para decir algo sobre ella, pero sin actualizarla, es decir, sin anclarla en ningún ámbito temporal o epistémico, sin aportarla como dato que se incorpora al conjunto proposicional discursivo que construyen y comparten los interlocutores. La distinción entre realidad afirmada (INDICATIVO) y realidad supuesta o predicha (CONDICIONADO) no tiene sentido en el caso de la mera mención, por lo que la localización en los distintos ámbitos epistémicos queda reducida en SUBJUNTIVO al cruce de la distinciones actual / no actual no terminado / terminado. *Que haga calor*, por ejemplo, puede referirse a *ahora en esta clase*, a *ahora en la clase de al lado*, a *mañana en esta clase* o a *mañana en la clase de al lado*.

La aproximación esbozada permite dar cuenta de los valores concretos de los que se reviste el SUBJUNTIVO. El contenido proposicional que se presenta en SUBJUNTIVO queda en suspenso desde el punto de vista discursivo. Si INDICATIVO y CONDICIONADO realizan una actualización efectiva, poniendo, si aplicamos la metáfora del ajedrez, fichas en las distintas regiones del tablero epistémico que comparten los interlocutores, el SUBJUNTIVO permite apuntar a una región o una posición y manejar el contenido proposicional como un contenido virtual, pero no cuenta como un movimiento, como una posición asumida por el interlocutor. Es como si cogiéramos una ficha (la idea de un proceso especificado en ciertos aspectos) y probáramos a colocarla en alguna nueva posición, por ejemplo, para representarnos mejor sus eventuales consecuencias, pero sin llegar a soltarla y sin pulsar el cronómetro. Ello nos permite mencionar o aludir a contenidos proposicionales sin hacernos responsables de su actualización. De ahí que el SUBJUNTIVO aparezca en contextos que tienen en común, como señala Ruiz Campillo (2004: 62), la falta de asunción declarativa por parte del hablante. Precisamente la capacidad declarativa es lo que permite que los modos INDICATIVO y CONDICIONADO sean distinguidos del SUBJUNTIVO.

Es importante aclarar dos aspectos en relación con esta aproximación al SUBJUNTIVO. En primer lugar, el SUBJUNTIVO no debe confundirse con la negación de realidad. El carácter de irreal o virtual del modo SUBJUNTIVO es aceptable solo en la medida en que se entienda como ausencia de compromiso sobre la correspondencia con la realidad del contenido predicativo, lo cual no significa negación de esa correspondencia. Simplemente el SUBJUNTIVO no tiene en cuenta el valor de verdad de los contenidos predicativos a los que se adjunta. Eso explica la posibilidad de que usemos SUBJUNTIVO para hacer mención de contenidos predicativos que damos por supuestos y sobre los que queremos hacer algún tipo de valoración (*Me gusta que me haga cumplidos*) pero también para los que son objeto de nuestra voluntad (*Prefiero que te quedes*), los que planteamos como posibilidades sin confirmar (*Aunque me despidan voy a decírselo*), etc. El hecho de que en contextos como los de (5)-(6) el SUBJUNTIVO se interprete como signo de irrealidad o incertidumbre es consecuencia de procesos inferenciales.

5. *Las niñas, ya porque tuvieran prisa ya porque no me conocían, no se despidieron de mí.*
6. *El locutor, bien porque le diera vergüenza estar ante las cámaras bien porque no se sabía el guión, se levantó de su sillón.*
7. *Aunque se enfade voy a decírselo. Creo que es mejor.*
8. *Como esté durmiendo, no nos va a abrir.*

En todos estos casos la idea de ausencia de correspondencia con la realidad de los procesos conjugados en SUBJUNTIVO se deriva de una implicatura generalizada de cantidad (Grice, 1975: 528-529) que adopta la siguiente forma: si se diera el caso de que algo pudiera afirmarse lo afirmaríamos con el INDICATIVO, forma con la que, específicamente y explícitamente, se declara el valor de verdad de algo. Si, disponiendo de esa forma más explícita, acudimos a una más vaga, menos comprometida, menos informativa, damos a entender que no se dan las condiciones para usar el INDICATIVO y, por tanto, que el hecho al que aludimos no es más que una proposición meramente concebida no coincidente con la realidad, una representación meramente virtual de un hecho. Esto es lo que sucede en las oraciones (5)-(8). Sin embargo, la falta de correspondencia con la realidad no es más que una implicatura, un producto de procesos inferenciales que dependen de la información contextual. Obsérvense, en relación con ello, los ejemplos (9a)-(11a).

9a *Que compartáis intereses será una ventaja.*
10a *No me importa que no me llamen.*
11a *Aunque me despidan, voy a decirlo.*

Las expresiones *que compartáis intereses*, *que no me llamen*, *me despidan* son compatibles tanto con la irrealidad como con la realidad de las situaciones a las que se refieren, tal y como se observa, respectivamente, en los contextos 9(b)-11(b) y 9(c)-11(c):

9b *Que compartáis intereses, si finalmente los compartís, será una ventaja.*
10b *No me importa que no me llamen. Además, todavía pueden llamarme.*
11b *Aunque me despidan, que no tiene por qué pasar, voy a decirlo.*
9c *Que compartáis intereses, y eso es lo que tú me has confirmado ahora, será una ventaja.*
10c *No me importa que no me llamen. En realidad ya me han dicho que no me van a llamar y estoy tan tranquilo.*
11c *Aunque me despidan ahora —ya me lo han comunicado—, voy a decirlo.*

Una posible forma de representar pedagógicamente los valores opuestos de modos declarativos y no declarativos podría ser usar la que se refleja en la figura 4. A esta figura corresponde la presentación en *PowerPoint 6.1* incluida en el disco adjunto de esta publicación. En la versión animada de esta representación se muestra cómo el verbo conjugado de cada frase pronunciada por una amiga u otra trae al espacio proposicional que se va construyendo en la conversación los distintos hechos, ideas o posibilidades sobre los que hablan de una forma distinta según el modo usado en cada caso.

Con INDICATIVO (o CONDICIONADO), los hechos referidos aumentan el espacio proposicional compartido por las hablantes, cada idea expresada en INDICATIVO se sitúa en el plano de base proposicional del discurso (representado por la nube de pensamiento compartida por las dos interlocutoras). Son hechos con los que el hablante se compromete y que se proponen para quedar registrados como contenido proposicional que, una vez asumido por los interlocutores, condicionará la coherencia lógica del discurso subsiguiente. Cada verbo en INDICATIVO (o CONDICIONADO) aumenta ese espacio.

Con SUBJUNTIVO, los hechos mencionados no ocupan una posición en ese espacio básico, son traídos a colación como ideas virtuales sobre las que queremos comentar algo pero que no constituyen un movimiento en sí mismas, no quedan registradas, no se presentan para ser asumidas como contenido proposicional compartido y quedan suspendidas en un plano virtual, sin llegar a ser actualizadas o ancladas con un valor de verdad, son mencionadas como objetos abstractos sobre los que hacemos comentarios y valoraciones, que cuestionamos o que planteamos como meras posibilidades u objetos de nuestros deseos e intenciones.

Adviértase que, como se muestra en los ejemplos de la figura 4, en cada movimiento discursivo o turno, en cada enunciado con forma oracional aportado por cada una de las hablantes, debe haber un verbo en INDICATIVO (o en CONDICIONADO), a veces como el único verbo de una oración simple (*Marisa* ***es*** *una niña muy lista.* ***Toca*** *la guitarra y* ***habla*** *inglés muy bien*) y a veces como el verbo principal de una oración compleja del que depende una proposición subordinada (***Sabe*** *tocar muy bien, pero no* ***creo*** *que hable tan bien inglés; Su padre* ***quiere*** *que aprenda francés; A su madre le* ***encanta*** *que toque la guitarra*). El INDICATIVO (o CONDICIONADO) también puede ser usado en una proposición subordinada si el significado del verbo es compatible o exige el carácter declarativo de la oración subordinada que introduce (como en *Sé que* ***toca*** *muy bien...*). Este contenido declarado en cada enunciado es el que permite dar un paso adelante en la conversación: la chica que cree o no cree algo, el padre que quiere algo y la madre a la que le encanta algo son representados en el espacio proposicional básico. Sin embargo, el SUBJUNTIVO no puede usarse como único verbo de una oración independiente, debe ser siempre subordinado puesto que no tiene la capacidad declarativa que permita actualizar o anclar un predicado. Lo que

decimos en SUBJUNTIVO queda recluido en ese plano o ámbito virtual en el que es traído a colación solo como mera posibilidad, como objeto de deseo, de valoración o de negación.

Figura 4

Por otra parte, en las figuras 5a, 5b, 6a y 6b se intenta abordar mediante una descripción explícita, y también pictóricamente, la forma en que la oposición INDICATIVO / SUBJUNTIVO se reviste de valores referenciales diferentes cuando se inserta en oraciones de relativo y se combina con distintas clases de determinantes, definidos o indefinidos[3].

Cuando usamos una frase de relativo, con el verbo en modo INDICATIVO declaramos las características de personas, cosas y lugares específicos. Con el modo SUBJUNTIVO solo mencionamos características virtuales de personas, cosas o lugares que el hablante no quiere o no puede identificar.

Si usamos estas frases con artículos y otros determinantes indefinidos (*un, algún, tres...*) e INDICATIVO, nos referimos a objetos específicos pero que no son identificables para el oyente entre todos los demás:

[3] Un ejemplo de actividad que aborda la oposición INDICATIVO / SUBJUNTIVO en oraciones de relativo es la titulada *Vacaciones bestiales* comentada en el capítulo III de este volumen. Otras actividades relativas a la oposición modal son *Mi jefe no hace nada* y *Yo no he dicho eso*, comentadas, respectivamente, en los capítulos III y VII de este volumen. Ver también la presentación *PowerPoint* 6.2 en el CD que acompaña a este volumen.

Figura 5a

Si usamos estas frases de relativo con determinantes indefinidos y SUBJUNTIVO, hablamos de objetos no específicos, no identificados ni por el hablante ni por el oyente. Nos referimos a cualquier objeto con la característica que se expresa en la frase:

Figura 5b

Si usamos estas frases de relativo con artículos definidos (*el, la, los, las*) e INDICATIVO, nos referimos a objetos específicos e identificables por el oyente entre todos los demás:

Figura 6a

Si usamos las frases de relativo con artículos definidos y SUBJUNTIVO, nos referimos a objetos que pueden identificarse entre todos los demás por la característica que se expresa en la frase pero que todavía no se han identificado:

Figura 6b

FORMAS COMPUESTAS

Sobre las **formas compuestas** diremos que muestran dos facetas: por un lado, aluden a procesos terminados, y, por otro, a la vigencia o relevancia de esa terminación en un ámbito epistémico determinado: presente o actual en el caso de las formas *has / habrás / hayas cantado* y pasado o no actual en el caso de las formas *habías cantado / habrías cantado / hubieras cantado*. Es una forma semi-perifrástica de expresar conjuntamente nociones aspectuales y temporales. Se trata de una construcción gramatical que enriquece las posibilidades funcionales del sistema al permitir desvincular la relación temporal de anterioridad, que logra expresarse mediante el carácter terminativo de la forma de participio, de la noción epistémica de realidad pasada o no actual (frente a la de realidad presente o actual). En efecto, el PRETÉRITO PERFECTO COMPUESTO, por ejemplo, permite localizar un evento concluido en el ámbito de la realidad presente. Igualmente, el PLUSCUAMPERFECTO permite aludir a hechos terminados en relación con una época pasada. Como consecuencia, se ve facilitada la reconstrucción de mundos narrados independientes del presente, puesto que las relaciones temporales expresadas, por una parte, a través de las formas compuestas en relación con las simples (anterioridad) y, por otra, mediante las formas condicionadas en relación con las de INDICATIVO (posterioridad), permiten representar mundos complejos configurados en torno no solo a espacios epistémicos (realidad conocida / realidad supuesta), sino también respecto a una dimensión temporal propia (anterioridad / posterioridad).

PERFECTO COMPUESTO / INDEFINIDO

En relación con la anterior caracterización general de las formas compuestas, podemos plantear la forma en que se relacionan PERFECTO COMPUESTO y PERFECTO SIMPLE O INDEFINIDO en aquellas zonas hispanohablantes donde su distinción es plenamente productiva[4]. En relación con el PERFECTO COMPUESTO, el INDEFINIDO plantea un hecho como terminado pero en términos absolutos, es decir, sin vincular ese hecho terminado al presente o a ningún otro tiempo de referencia. En cambio, eso es precisamente lo que hace el PERFECTO COMPUESTO, presentar un hecho explícitamente como 'terminado ahora'. El PERFECTO COMPUESTO, por tanto, es un tiempo que sitúa en el ámbito del presente o lo actual.

Debemos tener en cuenta, para entender esta localización del PERFECTO COMPUESTO en el ámbito del presente o de lo actual, que la noción de actualidad o presente se dilata o contrae de forma flexible en cuanto a la extensión

[4] Aunque podría resultar más coherente la denominación PRETÉRITO PERFECTO SIMPLE para la forma *cantaste*, en adelante usaremos aquí, por comodidad, el término INDEFINIDO. Para la forma *has cantado*, usaremos en adelante la expresión abreviada PERFECTO COMPUESTO.

cronológica que pueda abarcar en cada contexto. En rigor, la noción que resulta relevante para la caracterización del PERFECTO COMPUESTO es la de un período de tiempo que incluye el momento en que se habla (ahora). Ese período puede coincidir con la actualidad inmediata (ahora mismo), con la parte del día (mañana, mediodía, tarde, noche) en la que nos encontramos, con el día de hoy, con la presente semana, el mes en el que nos encontramos, el verano, el año, el decenio, el siglo en el que todavía estamos o el período completo que abarca nuestra vida. Así se muestra en los ejemplos (12)-(19):

12. *Ya he hecho los deberes. ¿Puedo coger la bicicleta?*
13. *Esta mañana no tengo ganas de hacer muchas cosas: me he levantado con jaqueca.*
14. *Hoy no ha llamado ningún cliente.*
15. *Esta semana hemos tenido cuatro exámenes.*
16. *Este verano hemos decidido venirnos a la montaña. Estamos contentísimos.*
17. *Este año se ha registrado la mayor subida de paro.*
18. *Este decenio solo tiene tres años y ya se han desencadenado varias crisis mundiales.*
19. *Yo no he salido de España en mi vida.*

Ahora bien, en los ejemplos (12)-(19), las expresiones temporales que acompañan al PERFECTO COMPUESTO parecen solaparse con el período denotado por este tiempo, es decir, delimitan explícitamente el alcance del presente o período actual al que el PERFECTO COMPUESTO apunta solo de forma inespecífica. Sin embargo, podemos encontrar otras combinaciones entre expresiones temporales y PERFECTO COMPUESTO, como las que se ejemplifican en los casos de (20)-(22):

20. *Este jueves he estado en Madrid.*
21. *Esta mañana he ido al mercado y hemos podido almorzar pescado fresco.*
22. *Estas Navidades hemos estado fuera.*

En estos otros ejemplos, las expresiones temporales *este jueves*, *esta mañana*, *estas Navidades* identifican una parte dentro del período actual al que apunta el PERFECTO COMPUESTO pero que, por lo demás, queda inespecificado en más detalle: la semana en la que estamos para (20), hoy para (21) o el año en el que nos encontramos para (22). Esta circunstancia nos remite a una noción recursiva de la localización temporal. Un evento puede localizarse en un período temporal actual, más o menos extenso, que abarca el momento en el que hablamos, pero, además, dentro de ese período puede ser localizado en un segmento que forme parte de él y, a su vez, dentro de ese segmento, en alguna fracción o punto concreto. Así se muestra en el ejemplo (23) y la figura 7:

23. *Esta mañana de 9.00 a 10.00 he estudiado.*

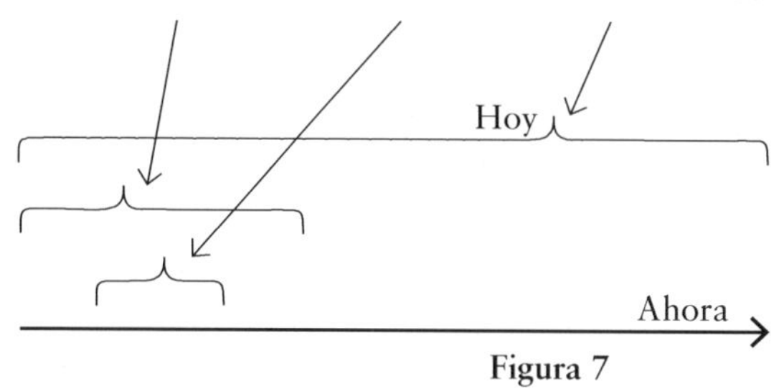

Figura 7

En (23) *Esta mañana* y *de 9.00 a 10.00* localizan "telescópicamente", por así decirlo, el evento referido dentro del período actual no especificado pero implícito (hoy) al que apunta el PERFECTO COMPUESTO.

El carácter más o menos abarcador, progesivamente más preciso, de las expresiones de tiempo que pueden acompañar al morfema temporal nos permite dar explicación a la alternancia de INDEFINIDO / PERFECTO COMPUESTO, para la variedad peninsular estándar, en casos como los de (24)-(27):

24. *Esta mañana me he encontrado / me encontré con Adela.*
25. *Este lunes he ido / fui al oculista.*
26. *Este verano hemos ido / fuimos a la Sierra de Gredos.*
27. *Esta Semana Santa hemos estado / estuvimos en Granada.*

Dicha alternancia no parece posible con expresiones como *hoy*, *esta semana*, *este mes*, *este año*, donde nos vemos impelidos a usar PERFECTO COMPUESTO. Por otra parte, tampoco podemos usar PERFECTO COMPUESTO, siempre en relación con la variedad peninsular estándar, en oraciones en las que aparezcan expresiones como *ayer*, *la semana pasada*, *el lunes pasado*, *el fin de semana pasado*, *el año pasado*, *las Navidades pasadas*, *en 1998*, etc. La respuesta distribucional inmediata de que las expresiones temporales que expresan distancia o término se asocian al INDEFINIDO, mientras que las que expresan cercanía (sobre todo mediante el deíctico *este*) se asocian al PERFECTO COMPUESTO, no es suficiente para dar cuenta de (24)-(27).

Para abordar esta cuestión, retomemos la caracterización de la oposición INDEFINIDO / PERFECTO COMPUESTO apuntada unas líneas más arriba. Si el PERFECTO COMPUESTO implica una noción flexible de la idea de período presente, también, por ende, debemos reconocer esa misma flexibilidad referencial para el INDEFINIDO: el INDEFINIDO representa un proceso terminado fuera del período presente, pero, puesto que ese período presente puede concebirse con mayor o menor alcance, también la distancia temporal expresada por el INDEFINIDO es relativa. Podemos situar un hecho como distante incluso cuando hablamos de lo ocurrido hace unas horas siempre que el período presente se circunscriba mínimamente. Así ocurre con (24), donde el período actual de referencia es la tarde en la que nos encontramos y el período concluido no abarcado o excluido por ese período actual es la mañana anterior. Así mismo, y en períodos progresivamente más amplios, *este lunes, esta Semana Santa* y *este verano* aluden necesariamente a períodos terminados o pasados cuando se combinan con INDEFINIDO. Ahora bien, también pueden aludir a períodos terminados cuando se combinan con PERFECTO COMPUESTO, pero en ese caso tenemos en mente el período más abarcador que incluye tanto dichos segmentos de tiempo como el momento en el que hablamos. En (24) el PERFECTO COMPUESTO nos remite a 'hoy', en (25) a 'esta semana en la que me encuentro', y en (26) y (27), a 'este año en el que estamos'. No se mencionan pero se concretan contextualmente a partir de la instrucción deíctica aportada por el PERFECTO COMPUESTO.

En estos casos, cuando se usa INDEFINIDO, la localización temporal objetiva puede ser la misma que se efectúa con el PERFECTO COMPUESTO pero se elude la referencia a ese período abarcador actual al que sí nos remite este último tiempo.

Con los casos de *hoy, esta semana, este mes, este año,* etc., la elección de INDEFINIDO se descarta, sin embargo, porque estas otras expresiones no se pueden interpretar más que como períodos actuales que incluyen el momento en el que hablamos[5]. La elección de INDEFINIDO apuntaría contradictoriamente a un período excluido del presente. La elección del INDEFINIDO no está descartada en el caso de expresiones como *este lunes, este fin de semana, estas navidades, este verano* porque en estos casos la expresión temporal puede remitir a un período terminado en el que no nos encontramos, y, aunque puede estar incluido en un período actual más amplio que también contiene el momento en el que hablamos, no incurrimos en contradicción en la medida en que ese período no se hace explícito. El INDEFINIDO, sencillamente, no alude al período actual más abarcador en el que se localiza el evento, se hace abstracción de él. Solo interesa destacar el carácter terminado del proceso referido y su ubicación en un segmento temporal pasado pero, como vemos, en (24)-(27) no incurre en contradicción con la presuposición del período presente más abarcador.

En definitiva, podemos extraer de los hechos comentados la siguiente caracterización: tanto INDEFINIDO como PERFECTO COMPUESTO aluden a procesos terminados, pero mientras que el PERFECTO COMPUESTO expresa el término o

[5] *Esta semana*, por ejemplo, no puede ser simplemente una semana próxima al momento en el que se encuentra el hablante, sino la semana en la que nos encontramos. Siempre nos encontramos en un día, en una semana, en un mes, en un año, en un decenio, en un siglo, etc., por lo que la combinación del deíctico (*este, esta...*) con estas expresiones da lugar a la interpretación por defecto de que nos referimos al período de tiempo en el que todavía nos hallamos. Sin embargo, podemos encontrarnos en Semana Santa o no, en Navidades o no, en verano o no, en lunes o no, en el fin de semana o no, de ahí que la combinación del deíctico (*este, esta...*) con estas expresiones pueda interpretarse tanto como alusivo al período de tiempo en el que estamos como al que se encuentra más próximo a nosotros en la línea del tiempo.

carácter pasado de esos procesos en relación con un período actual que incluye el momento en el que hablamos, el INDEFINIDO expresa el término de los hechos sin prestar atención explícita ni a su ubicación en un período actual ni a su relación con ningún otro punto de referencia. Estas consideraciones se intentan representar en ilustraciones contrastadas como las de las figuras 8 y 9 para la oposición *Esta mañana fui al dentista / Esta mañana he ido al dentista*. En ellas, la elección del PERFECTO COMPUESTO, que acerca o vincula al presente la acción realizada, se justifica contextualmente realzando las consecuencias de tal acción en el presente: 'Porque esta mañana he ido al dentista luzco ahora esta hermosa prótesis dental'.

Figura 8

Figura 9

PLUSCUAMPERFECTO en oposición a INDEFINIDO y PERFECTO COMPUESTO

Fijémonos ahora en la elección de PLUSCUAMPERFECTO frente a INDEFINIDO o PERFECTO COMPUESTO. Considérense los siguientes ejemplos. ¿Cuál consideraríamos que es la elección más adecuada en cada caso? ¿PLUSCUAMPERFECTO, INDEFINIDO O PERFECTO COMPUESTO?

28a *Nunca lo había visto / he visto perder el control de esa manera. Esto no puede ser obra suya.*
28b *Nunca lo había visto / he visto perder el control de esa manera. Ha cambiado mucho.*
29a *Paco no sabía que ese día era su cumpleaños. Lo había olvidado / olvidó. La fiesta que preparamos fue una sorpresa para él.*
29b *Paco no sabía que ese día era su cumpleaños. Lo había olvidado / olvidó y nos quedamos sin fiesta.*
30a *Cuando volvieron a verse, se habían casado / casaron. Ahí termina la historia. Un final triste.*
30b *Cuando volvieron a verse, se habían casado / casaron. Ahí termina la historia. Un final feliz.*
31 *Cuando los alumnos habían hecho / hicieron el experimento, prepararon el informe.*

Veamos cada caso. En (28a) la elección más apropiada parece ser *he visto* y en (28b) *había visto*. Cada uno de los dos tiempos en su oración respectiva contribuye a expresar en un caso (28a) que no lo ha visto perder el control y en otro (28b) que sí lo ha visto. Pero el PLUSCUAMPERFECTO en (28b) contribuye a esa interpretación de forma implícita. En efecto, en (28b), con el PLUSCUAMPERFECTO, explícitamente se indica que, con anterioridad a cierto momento no actual, algo no había ocurrido, pero, implícitamente, ello da a entender, por el principio pragmático por el que esperamos toda la información relevante, que sí ha ocurrido después de ese momento. Es decir, se entiende que la negación del hecho no abarca hasta el presente, puesto que si la negación abarcara hasta el presente, esperaríamos el tiempo que sí expresa ese alcance, esto es, el PERFECTO COMPUESTO.

Para entender de qué manera las inferencias pragmáticas, como la aludida en el párrafo anterior, enriquecen regularmente el significado de las formas temporales de pasado, se requiere la siguiente aclaración: cuando usamos los tiempos de pasado, podemos hacerlo reconstruyendo un mundo narrado que no tiene por qué estar relacionado con el presente de la enunciación; es decir, podemos construir un mundo ficticio, imaginado, mítico, etc., que no concebimos como conectado con el presente en la dimensión continua del tiempo histórico. En ese caso, el presente de la enunciación no está latente como ámbito informativo pertinente. Lo que no se dice del presente no se interpreta informativamente como un silencio significativo: *En su sueño no podía leer porque un niño le había quitado sus gafas...* Sin embargo, podemos usar los tiempos del pasado para aludir a hechos históricos conectados sin solución de continuidad con el presente de la enunciación: *Ayer no le pagué al casero porque mis padres no me habían ingresado en el banco. Lo haré hoy.* En este otro caso, por el contrario, limitar el alcance de nuestras declaraciones a cierto tramo temporal pasado, aunque en rigor no suponga invalidarlas para el presente (podemos decir *No me habían ingresado ayer y no me han ingresado hoy* o *No lo había visto antes y no lo he visto ahora* sin que eso suponga contradicción semántica), lo da a entender, puesto que si la negación fuera absoluta, en el sentido de abarcar todo el recorrido temporal hasta la actualidad, se esperaría una forma temporal que así lo expresara de forma inequívoca: *Ayer no le pagué al casero porque mis padres no me han ingresado en el banco. Lo haré cuando tenga el dinero.* El PERFECTO COMPUESTO, un tiempo de presente de hecho, sería en ese caso más informativo. Y esto es lo que ocurre en (28b). El PLUSCUAMPERFECTO indica explícitamente que antes de cierto momento anterior al presente no lo había visto e, implícitamente, que después de ese momento, sí.

Una situación parecida la encontramos en (29a) y (29b), pero en este caso para la oposición PLUSCUAMPERFECTO / INDEFINIDO. Parece que en (29a) la opción más adecuada es *había olvidado* y en (29b) *olvidó*. En estos ejemplos, al contrario que en los anteriores, la relación con el presente de los hechos narrados, aunque históricos, no parece relevante. La distinción entre PLUSCUAMPERFECTO / INDEFINIDO se circunscribe al tiempo no actual. De hecho, se trata de dos tiempos que nos sitúan en un espacio no actual. El PLUSCUAMPERFECTO en (29a) se aviene mejor con el hecho de que finalmente Paco tuvo que recordar que era su cumpleaños puesto que tuvo una fiesta sorpresa. Con ese tiempo se nos indica que, hasta cierto momento, Paco había olvidado que era su cumpleaños, y eso se hace compatible con la información obtenida después de que, sin embargo, a partir de cierto momento, tuvo que recordarlo. Con el PLUSCUAMPERFECTO, al limitar el alcance de nuestra declaración a cierto punto del pasado, damos a entender que, a partir de entonces, la situación pudo cambiar. Con el INDEFINIDO de (29b), en cambio, no limitamos la declaración en relación con ningún ámbito o punto de referencia del universo evocado. Es decir, con el INDEFINIDO se transmite la idea de que, si no hay restricción de su alcance por otros medios (como, por ejemplo, podría ocurrir en la variante *Paco se olvidó hasta ese momento*), el olvido es definitivo. Ahora bien, conviene llamar la atención hacia el hecho de que PLUSCUAMPERFECTO e INDEFINIDO pueden intercambiarse en estas dos frases sin provocar contradicción o variación de significado, lo que demuestra que es el contexto lo que valida la interpretación limitada del PLUSCUAMPERFECTO.

El engranaje de significados y procesos inferenciales surgidos de la combinación de los primeros con supuestos contextuales y lógico-conversacionales da lugar a una casuística compleja en la distribución de las formas opuestas. Si nos fijamos en (30a) y (30b), la alternancia no contradictoria de (29) no es posible aquí. En (30a) se entiende que el final es triste si suponemos que se trata de dos enamorados que después de cierto tiempo separados vuelven a encontrarse cuando ya han contraído matrimonio. Debemos entender que con otra persona, por lo que su relación amorosa se verá frustrada. En (30b) asistimos al típico final feliz del cuento de hadas con la culminación de la historia de amor en un prometedor matrimonio. La clave está en expresar anterioridad del predicado de la principal respecto al de la subordinada con PLUSCUAMPERFECTO o posterioridad con INDEFINIDO. La diferencia está en que en (30a) la anterioridad se expresa explícitamente con el PLUSCUAMPERFECTO, mientras que en (30b) la posterioridad se deduce pragmáticamente, ya que el INDEFINIDO no aporta esa idea explícitamente.

En (30b), el proceso inferencial se desata a partir de la interpretación prototípica del relativo temporal *cuando*, por el que interpretamos que la acción principal de esas oraciones, que se enuncia al final, es posterior a la acción de la subordinada, que se enuncia al principio, y porque entendemos que las acciones que se relacionan temporalmente en el discurso están causalmente relacionadas. De hecho, cuando queremos expresar coincidencia temporal no causal, lo hacemos explícitamente con frases como *en ese preciso momento*, *simultáneamente*, etc. De manera que, para invertir la relación temporal / causal de las acciones de principal y subordinada debemos llamar la atención explícitamente sobre la anterioridad de la principal con el PLUSCUAMPERFECTO. Por el contrario, en frases como (31) la alternancia PLUSCUAMPERFECTO / INDEFINIDO parece neutralizada puesto que se da en la subordinada, donde la interpretación por defecto es la anterioridad. En este contexto, la anterioridad expresada por el PLUSCUAMPERFECTO es en cierto modo redundante. El INDEFINIDO se basta para expresarla por la posición que ocupa en la oración compleja y por su carácter terminativo. Obsérvese que, por el contrario, no sería ese el caso con el IMPERFECTO, que daría lugar a la implicatura generalizada de acción no terminada:

32. *Cuando los alumnos hacían el experimento,*
 prepararon el informe.

Si consideramos la relación de los tres tiempos terminativos de INDICATIVO, observamos la siguiente asimetría: para localizar una acción terminada en relación con ahora, consideramos si es actual (PERFECTO COMPUESTO) o no (INDEFINIDO). Sin embargo, cuando queremos localizar una acción 'antes de entonces' usamos PLUSCUAMPERFECTO sin considerar si era relevante o no para aquel momento pasado. Compárense (33a) y (34a) con (33b) y (34b):

	EN RELACIÓN CON AHORA		EN RELACIÓN CON ENTONCES
33a	*Estoy fatal. Hoy me han despedido del trabajo.*	33b	*Estaba fatal. Ese día me habían despedido del trabajo*
34a	*Ayer fuimos a jugar al tenis. Hoy estamos en casa viendo una película.*	34b	*El día anterior habíamos ido a jugar al tenis. Ese día estábamos en casa viendo una película.*

Esta correlación es relevante, por ejemplo, para el discurso referido, como muestran los ejemplos (35)-(37):

35. *¿Me has llamado esta mañana?* ⟶ *(37) Me preguntó si lo había llamado.*
36. *¿Me llamaste ayer?*

Así pues, con el PLUSCUAMPERFECTO podemos referirnos a la situación actual de manera indirecta, describiendo cómo había sido la situación hasta un momento anterior a ahora. Damos a entender que, después de ese momento la situación ha cambiado, porque, en caso contrario, no habríamos limitado nuestra declaración con una forma no actual, como se muestra en (38)-(40):

38. *No había pensado en eso, pero, ahora que lo dices, me parece razonable.*
39. *¿Habías visto algo parecido en tu vida?* [¿Habías visto algo así antes de verlo hoy?]
40. *Había subido en la montaña rusa dos veces. Con hoy ya son tres.*

Por otro lado, tanto el INDEFINIDO como el PLUSCUAMPERFECTO se refieren a hechos terminados. Por eso podemos hablar del pasado del pasado o del pasado de entonces tanto con uno como con otro, pero con una diferencia: el PLUSCUAMPERFECTO siempre expresa anterioridad y el INDEFINIDO se refiere a un hecho anterior a entonces solo si el contexto lo aclara[6]:

	LA ANTERIORIDAD DEPENDE DEL CONTEXTO:		LA ANTERIORIDAD LA EXPRESA EL PLUSCUAMPERFECTO:
41a	*Contesté la carta que mi secretaria envió.* [No sabemos si la carta se envió antes o después.]	41b	*Contesté la carta que mi secretaria había enviado.* [Primero recibí la carta y después la contesté.]
42a	*Me bebí las cervezas que mi amigo pagó.* [No sabemos si el amigo pagó antes o después.]	42b	*Me bebí las cervezas que mi amigo había pagado.* [Primero mi amigó pagó y después me bebí las cervezas.]

[6] Un ejemplo de ejercicio centrado en la oposición PLUSCUAMPERFECTO / INDEFINIDO es la actividad *Un extraño día en la vida de Maruchi y Chema*, comentada en el capítulo III de este volumen.

INDEFINIDO / IMPERFECTO

En relación con la oposición INDEFINIDO / IMPERFECTO, debe aclararse que aquí se entiende que la distinción es aspectual siempre que aceptemos que el término marcado como 'terminativo' es el INDEFINIDO. El IMPERFECTO, como el resto de los tiempos simples, a excepción del INDEFINIDO, no está marcado ni como terminativo ni como no terminativo. La interpretación no terminativa del IMPERFECTO puede ser prototípica, pero es derivada o inferencial en los contextos recurrentes donde se da. Tengamos en cuenta que hacer abstracción del término de un proceso, no designarlo explícitamente, no supone necesariamente negarlo. De igual manera, si digo *La puerta se ha cerrado*, puedo dar a entender que ha sido sin la intervención de nadie, pero no hacer referencia a un agente no significa, estrictamente hablando, que descarte su presencia. Esto también puede ocurrir con el IMPERFECTO: no confirmar explícitamente el término no significa que el IMPERFECTO no sea compatible con la referencia a hechos que damos por terminados. Así ocurre en el llamado *imperfecto periodístico* que se ilustra en (43) y (44).

43. *En ese momento el atleta cruzaba victorioso la meta.*
44. *A las tres en punto llamaban al presidente por teléfono.*

¿De dónde procede entonces la habitual interpretación no terminativa? La respuesta tiene que ver con la concepción implícita en el sistema esbozado hasta ahora. El IMPERFECTO, en esencia, es el equivalente al PRESENTE pero en un espacio no actual (al igual que el CONDICIONAL *cantaría* lo es respecto del FUTURO *cantará*). Esta idea se resume con la fórmula usada antes de 'presente de entonces'.

El IMPERFECTO puede entenderse como el equivalente del PRESENTE en un espacio pasado o no actual. Si con el PRESENTE nos referimos a hechos que ocurren en el momento en el que hablamos, con el IMPERFECTO nos referimos a hechos que ocurren (ocurrían) en el momento de la historia en el que nos encontramos cuando la estamos contando. La noción de 'presente de entonces' exige la presunción de un tiempo subjetivo, el correspondiente al recorrido mental de la historia que reconstruimos secuencialmente y que nos permite entender los hechos expresados en IMPERFECTO como simultáneos al 'presente de la historia', es decir, simultáneos al momento en curso de su rememoración (ver apartado 2.4 en el capítulo II de este volumen). Así las cosas, el carácter no terminativo prototípico del IMPERFECTO es equivalente al carácter no terminativo prototípico del PRESENTE, pero en la esfera del pasado o lo no actual. Los hechos que se representan como presentes (de ahora o de entonces) se conciben prototípicamente como en curso o vigentes ahora (o entonces) y, por tanto, no terminados en este / ese-aquel momento.

Hay una restricción pragmática que explica la relación prototípica entre las ideas de 'presente' y 'no terminado': no podemos contar un hecho con principio y final (*llevar*, *llegar*, *saltar*, *disparar*, etc.) a la vez que ocurre, puesto que, para que contemos su realización completa, debemos esperar a que termine de ocurrir y, en ese caso, ya no puede ser presente. Sin embargo, existe la posibilidad de que nos refiramos a un hecho que presentamos a la vez como presente y terminado usando el PRESENTE. Es el caso de los llamados *performativos* (*Te prometo…*, *Juro solemnemente…*, etc.), porque en ellos la acción (un acto de habla) se cumple precisamente al enunciarla. De hecho, no son los únicos casos en que podemos usar el PRESENTE para referirnos a acciones que presentamos como cumplidas o realizadas completamente. También ocurre en géneros de discurso especiales, como el de las retransmisiones periodísticas en directo, en las que en cierto modo se reconstruyen los hechos como si ocurrieran en el mismo instante en que se dicen, como se muestra en (45)[7].

45. *El delantero coge la pelota, recorre 100 metros a toda velocidad y dispara a la escuadra de la portería contraria…*

Pues bien, con el IMPERFECTO también podemos contar un suceso captado y enunciado en el mismo momento en que se cumple en la secuencia de nuestra reconstrucción narrativa. En esto consiste el *imperfecto periodístico*. De hecho, en la narración contamos incluso con más libertad que en la descripción de lo que ocurre en el presente, puesto que los hechos pueden reconstruirse, ralentizarse o acelerarse a gusto del narrador. Ahora bien, solo la búsqueda del efecto estilístico justifica, en este caso, la elección de IMPERFECTO frente al INDEFINIDO, pues si la acción se cumplió y nosotros ya lo sabemos, es más eficaz e informativo darla por consumada explícitamente con el INDEFINIDO, que nos sitúa al término de ella. No obstante, constatamos que la lengua en este caso también nos ofrece dos perspectivas de representación que dependen del alcance de la designación de dos morfemas temporales (incluyendo explícitamente el término de un proceso o no) y de su localización en relación con

[7] En relación con estos hechos, Langacker (2001), que observa estas mismas posibilidades para el PRESENTE del inglés, constata que solo los verbos imperfectivos (*ser*, *estar*, *saber*, *poder*, etc.), es decir, los que expresan estados, sin fases internas diferenciadas, sin puntos culminantes de realización o consumación, que pueden extenderse o comprimirse elásticamente en el tiempo, aparecen en presente con el sentido estricto de estado de cosas vigente en el mismo momento en el que hablamos (*Tiene fiebre; Está enfermo; No puede hablar; No sabemos lo que le pasa*). Los verbos con sentido perfectivo tienen que usarse con la perífrasis de *estar* + GERUNDIO para expresar situación simultánea al momento de la enunciación. Según Langacker, solo aludiendo a alguna fase intermedia e indeterminada de una acción (cosa que conseguimos con la perífrasis) es posible referirnos a este tipo de procesos como estrictamente simultáneos al presente. Pues bien, en español también se da esa correlación, como veíamos más arriba, para el IMPERFECTO: perífrasis para verbos perfectivos: *estaba estudiando*; y forma simple para verbos imperfectivos: *no sabía nada*.

un momento de referencia subjetivo: el momento en curso de la narración. Así concebidas, la alternativa IMPERFECTO / INDEFINIDO, y la correlación IMPERFECTO / PRESENTE se representan en las figuras 10, 11 y 12. En esas figuras, la línea ondulada representa un proceso que empieza y termina en sus extremos horizontales; la flecha representa la percepción secuencial a través del tiempo del proceso; las líneas discontinuas verticales, la coincidencia del tiempo de enunciación con el tiempo en el que ocurre el proceso; la nube representa el desplazamiento a un tiempo pasado o a un espacio no actual; el homúnculo situado en el espacio no actual, el hablante como conceptualizador que se encuentra en el momento en curso de su reconstrucción mental de lo narrado, es decir, que se sitúa en el momento de entonces:

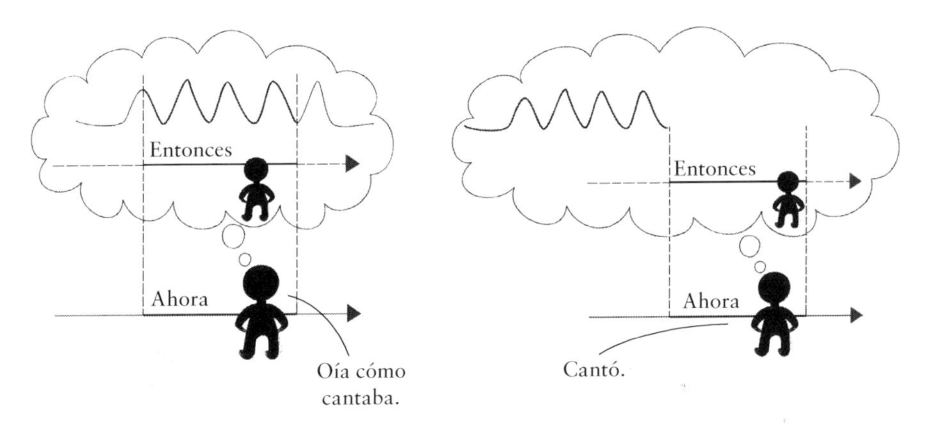

Figura 10. Imperfecto no terminativo

Figura 11. Indefinido

En las figuras 10 y 12, se muestran los valores prototípicos no terminativos de IMPERFECTO y PRESENTE. Otros posibles tipos de procesos o estados a los que podemos aludir tanto con PRESENTE como con IMPERFECTO se muestran en las figuras 13-18.

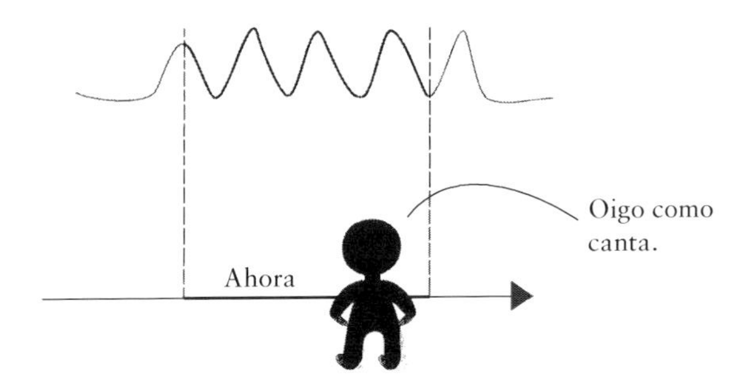

Figura 12. Presente no terminativo

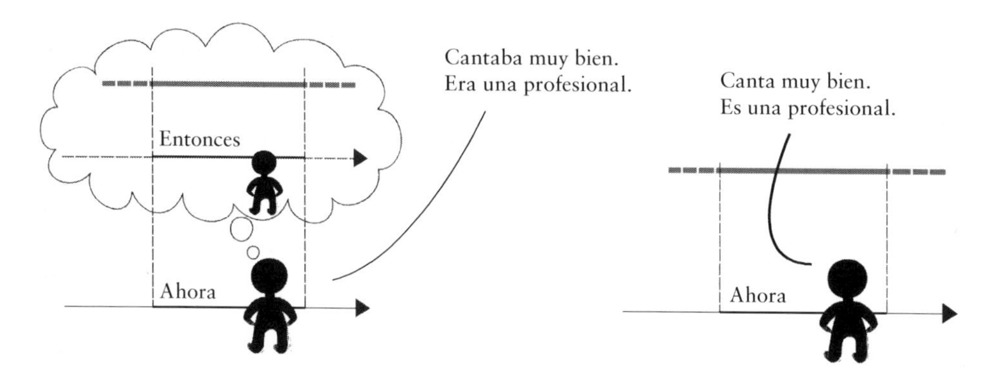

Figura 13. Imperfecto estativo.

Figura 14. Presente estativo

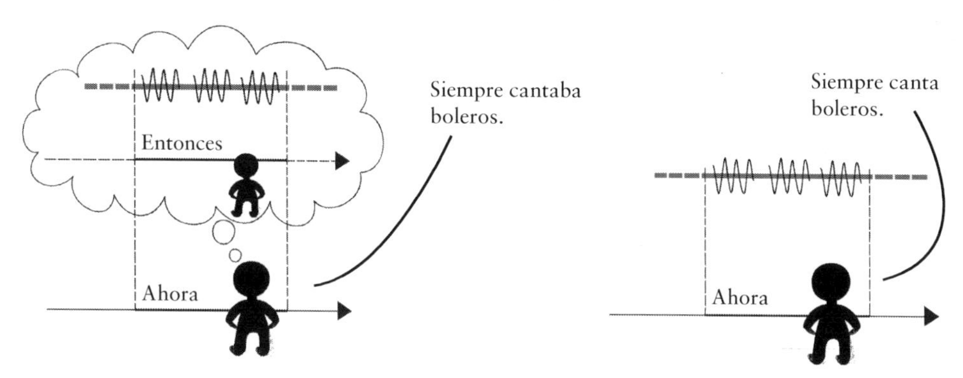

Figura 15. Imperfecto habitual

Figura 16. Presente habitual

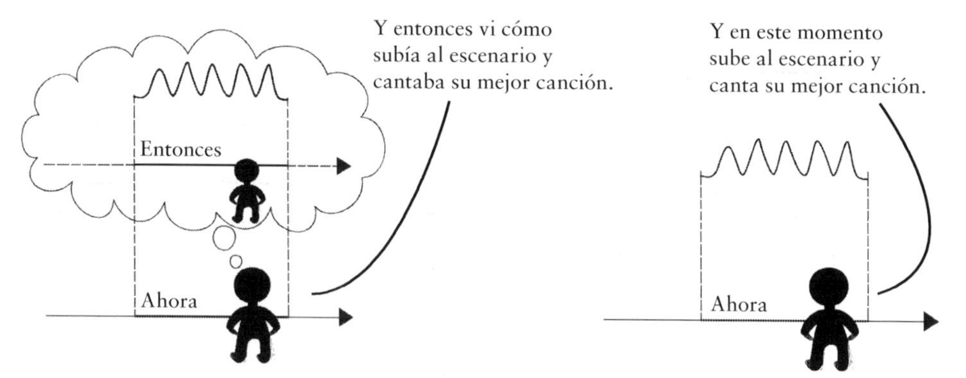

Figura 17. Imperfecto terminativo

Figura 18. Presente terminativo

Los contextos en que se presentan *canta* y *cantaba* en las figuras 13-18 dan lugar a representaciones de los hechos referidos muy distintas a la no terminativa. Cada contexto obliga a reinterpretar aspectualmente el evento de cantar de forma diferente según los casos, pero siempre generados por la misma instrucción gramatical: los hechos deben concebirse como 'vigentes ahora' o 'vigentes entonces'. La restricción temporal de simultaneidad respecto de ahora o respecto de entonces es la que da lugar, según los contextos, a concebir el evento como un rasgo caracterizador de tipo estativo en las figuras 13 y 16; como una serie no delimitada de hechos repetidos en 14 y 16, que dan a lugar a un hábito, es decir, a un macroevento caracterizador, o, finalmente, a una percepción terminativa del evento de *cantar,* al modo ficticio de las retransmisiones deportivas, en 15 y 18.

No podemos profundizar ahora en argumentos añadidos y en las consecuencias descriptivas de la visión aquí esbozada de las oposiciones del sistema verbal, pero sí ejemplificar de qué manera la correlación sistemática entre oposiciones en el ámbito actual y en el no actual puede ayudar al estudiante a construir una concepción coherente del sistema. Un ejercicio interesante en este sentido es mostrar cómo lo que se hace con la oposición PRESENTE / PERFECTO COMPUESTO para el 'ámbito de ahora' se hace con la oposición IMPERFECTO / INDEFINIDO para el 'ámbito de entonces' con ejemplos como los de la figura 19[8].

Cuando contamos historias, hablamos de hechos terminados y de hechos no terminados en cada punto de la historia en el que nos encontramos. Para hacer eso cuando contamos hechos que ocurren ahora, combinamos PRESENTE y PERFECTO COMPUESTO. Para hacer eso cuando contamos hechos que recordamos o imaginamos de entonces combinamos IMPERFECTO e INDEFINIDO.

DOS MODOS DE CONTAR UNA CARRERA

EN DIRECTO	EN DIFERIDO
Están todos los corredores preparados. *Y empieza la carrera.* *Han salido a la vez.* *Por ahora, van todos juntos.* *Sin embargo, algunos se han adelantado.* *Estamos a mitad de la carrera y por ahora gana el corredor de negro.* *Pero, atención, porque el de negro parece que se ha hundido, y, en este momento quien cruza la meta es otro.* *Al final ha ganado el de blanco.* *¡No puede creerlo! ¡Tiene la copa en sus manos!*	*Estaban todos los corredores preparados.* *Y empezó la carrera.* *Salieron a la vez.* *Al principio iban todos juntos.* *Sin embargo, al poco tiempo algunos se adelantaron y a mitad de la carrera ganaba el de negro.* *Pero, más tarde el de negro se hundió y en el último momento quien cruzaba la meta era otro.* *¡Al final ganó el de blanco!* *¡No podía creerlo! ¡Tenía la copa en sus manos!*

Figura 19

[8] En los PowerPoints 6.4, 6.5, 6.6, 6.7 y 6.8, incluidos en el CD que acompaña este volumen, se presentan ejercicios que abordan algunos contrastes entre IMPERFECTO e INDEFINIDO (y otros tiempos de pasado) relacionados con distintos contextos léxico-discursivos. Ver también la actividad *El café de las matrices* en el capítulo VII de este volumen.

La correlación textual puede aclararse y hacerse corresponder con las ilustraciones de las figuras 20-23. (Ver también la presentación en PowerPoint 6.3 en el CD que acompaña a este volumen.)

Figura 20

Figura 21

Figura 22

Figura 23

Referencias bibliográficas

Alarcos Llorach, E. (1994). *Gramática de la lengua española*. Madrid: Espasa Calpe.

Alonso Raya, R., A. Castañeda Castro, P. Martínez Gila, L. Miquel López, J. Ortega Olivares y J. P. Ruiz Campillo (2005). *Gramática básica del estudiante de español*. Barcelona: Difusión. (2ª edición, 2011).

Castañeda Castro, A. (2004a). "Una visión cognitiva del sistema temporal y modal del verbo en español", en J. L. Cifuentes Honrubia y C. Marimón Llorca, 55-71.

Castañeda Castro (2004b). "Implicaturas generalizadas de cantidad en el rendimiento de algunas formas y oposiciones del sistema verbal del español", *Language Design*, 5, 79-103. [En línea] <http://elies.rediris.es/Language-Design/LD5/indice_vol5.html>

Castañeda Castro (2006). "Aspecto, perspectiva y tiempo de procesamiento en la oposición Imperfecto/Indefinido del español. Ventajas explicativas y aplicaciones pedagógicas". RAEL (*Revista electrónica de Lingüística Aplicada*), 5, 107-140. [En línea] <dialnet.unirioja.es/servlet/extrev?codigo=6978>

Cifuentes Honrubia, J. L. y C. Marimón Llorca (eds.) (2004). *Estudios de Lingüística: el verbo*. Número monográfico de ELUA (*Estudios de Lingüística de la Universidad de Alicante*).

Cole, P. y J. L. Morgan (eds.) (1975). *Syntax and Semantics. 3. Speech Acts*. Nueva York: Academic Press.

Grice, H. P. (1975). "Logic and conversation", en P. Cole y J. L. Morgan, 41-58. (Trad. esp.: "Lógica y conversación", en L. M. Valdés Villanueva, 511-529).

Langacker, R. W. (2001). "Cognitive Linguistics, Language Pedagogy and the English Present Tense", en M. Pütz, S. Niemeier y R. Dirven, 3-40.

Pütz, M., S. Niemeier y R. Dirven (eds.) (2001). *Applied Cognitive Linguistics. Volume (I): Theory and Acquisition*. Berlín, Nueva York: Mouton De Gruyter.

Ruiz Campillo, J. P. (2004). *La enseñanza significativa del sistema verbal: un modelo operativo. Biblioteca* RedElE 2004 (Primer semestre). [En línea] <http://www.sgci.mec.es/redele/biblioteca>

Valdés Villanueva, L. M. (ed.) (1991). *La búsqueda del significado*. Madrid, Murcia: Tecnos, Universidad de Murcia.

CAPÍTULO VII

PRINCIPIOS COGNITIVO-OPERACIONALES EN EL AULA DE NIVELES AVANZADOS

JORDI CASELLAS GUITART
Escuela Oficial de Idiomas
Barcelona-Drassanes

Resumen

En este capítulo pretendemos hacer acopio, en primer lugar, de los nuevos conceptos que han surgido o han cobrado relevancia en los últimos años, tanto en la teoría lingüística como en la enseñanza de ELE, y que han permitido ensayar perspectivas de enseñanza diferentes a las que aún en la actualidad siguen siendo en buena medida mayoritarias. Tras esta selección de conceptos clave que configurarían el perfil de profesor por el que abogamos, se proponen actividades que han nacido de nuestra práctica docente, de la insatisfacción por los resultados insuficientes que a menudo provocaban los enfoques y materiales existentes, o de su inexistencia para abordar adecuadamente algunos temas hasta ahora desatendidos[1]. Nos hemos centrado especialmente en la destreza de la comprensión auditiva para mostrar el potencial de análisis de la lengua que permite y a la vez señalar la necesidad de incluir esos conceptos en la práctica de esta destreza en el aula. Para cada actividad se describen su motivación y su funcionamiento. Con ellas se pretende también mostrar en acción los conceptos definidos en la primera parte de este capítulo.

1. El factor cognitivo

Cuando a finales del siglo pasado se gestaba el *Marco Común Europeo de Referencia* (en adelante MCER), se manejaba la noción de factor cognitivo como componente del proceso comunicativo. Sin embargo, por aquel entonces, aparecían a un mismo nivel "los recursos cognitivos, emocionales y volitivos". La

[1] Para un examen preciso de creencias y prácticas, sus consecuencias y las alternativas, véase, además de los artículos de esta misma monografía, la primera parte del volumen de Llopis-García et ál., 2012: 9-69.

mención implicaba el reconocimiento de su existencia en el acto comunicativo y a la vez su presencia en otras actividades humanas más allá de las operaciones de comunicación, igual que los demás que lo acompañan en la cita. Sin embargo, el MCER no lo contemplaba en absoluto como algo situado en la base del sistema lingüístico, sino más bien como recursos de los que se echaba mano durante el aprendizaje, al mismo nivel que los factores afectivos u otras competencias generales como, por ejemplo, "conocimiento del mundo, destrezas cognitivas" o la formación educativa del estudiante. Con todo ello se podía "planear y organizar un mensaje". El MCER incitaba a tomar en consideración este tipo de factores "a la hora de determinar la dificultad potencial de una determinada tarea para un alumno concreto"[2], tomando en consideración el tipo de tarea, el tema, el género del texto, las pautas de interacción, los esquemas mentales propios, los conocimientos básicos necesarios, los socioculturales, así como las destrezas organizativas e interpersonales, de aprendizaje e interculturales.

Los estudios de la época del MCER intuyeron así la presencia de un elemento, de orden no exclusivamente lingüístico o comunicativo, relacionado con lo cognitivo, pero que obviaba la esencia básica de ese componente, de mayor alcance, al no colocarlo en la base del sistema que permite la existencia del lenguaje humano y determina su funcionamiento, asociándolo tan solo a capacidades personales o de formación.

La aparición de estudios como los de Langacker[3] sobre lingüística cognitiva y su descubrimiento por parte de los lingüistas preocupados por la enseñanza de lenguas extranjera[4] llevaron a plantear el componente cognitivo como el elemento básico constituyente del sistema lingüístico compartido por todos los humanos hablantes de cualquier lengua, con concreciones específicas para cada una ellas, y no como una estrategia adherida a los procesos de aprendizaje y de comunicación. Los trabajos sobre la capacidad metafórica de la mente[5] permitieron encajar el funcionamiento del componente cognitivo propio del pensamiento humano con la corriente pedagógica de atención a la forma, que ayuda a revelar cómo cada lengua concreta lo reorganiza y cómo intenta un estudiante asimilar una lengua extranjera. Todo ello ha llevado a un modelo cognitivo-operacional para la enseñanza de lenguas que busca operar con la

[2] Consejo de Europa, 2002: 9, 28, 88 y 158 respectivamente.

[3] Puede consultarse, como visión general del desarrollo de las ideas de este autor, su obra *Cognitive Grammar. A Basic Introduction*, 2008.

[4] Castañeda Castro (2006): "Después de conocer la obra de R. W. Langacker, principalmente sus *Foundations of Cognitive Grammar*, dos intensos y densos volúmenes, sin duda los libros de lingüística más enriquecedores y estimulantes que he leído nunca, pensé que se trataba de una concepción con un enorme potencial en relación con la descripción y la explicación del lenguaje y también en relación con su aplicación a la enseñanza de lenguas extranjeras".

[5] Lakoff y Johnson (1980: 3) afirman lo siguiente: "We have found that metaphor is pervasive in everyday life, not just in language but in thought and action".

"relación indisoluble entre forma y significado (...), definido además en términos experienciales (perspectiva representacional) y visuales (imágenes esquemáticas), que considera las conceptualizaciones lingüísticas como un producto más de nuestras facultades cognitivas generales"[6].

Esta perspectiva ha generado modelos lingüísticos teóricos genéricos y descripciones científicas para algunas lenguas, amplias en algún caso, pero de aspectos parciales en la mayoría. Son aún pocas las descripciones cognitivas con enfoque pedagógico que puedan guiar la actividad docente y la producción de materiales pedagógicos[7]. No se ha plasmado aún de modo significativo en los programas y currículos o en las pruebas de evaluación, ni tampoco se ha publicado un manual de clase concebido completamente desde esa perspectiva. Sería de desear que todo ello ocurriera en los próximos años, ya que son estos últimos factores los que más repercusión tienen en la evolución de la práctica pedagógica.

El paso siguiente debería ir, pues, en la dirección de encontrar el modo de definir y secuenciar en la organización del proceso de aprendizaje de una lengua extranjera los contenidos que dieran cuenta de esa base cognitiva de la lengua y que deberían figurar junto a los epígrafes habituales de contenidos funcionales, lingüísticos, léxicos, fonéticos, discursivos, estratégicos, sociolingüísticos y culturales en una programación y en la descripción de actividades. Tomarlos en consideración debería llevar a una modificación sustancial de la secuenciación de contenidos y de los planes de clase, es decir, de qué componentes lingüísticos son apropiados en cada momento del aprendizaje, cuál es la conexión entre ellos, qué secuencias son mejores y cómo pueden cambiar las aproximaciones a la enseñanza de cada destreza. Así, las actividades de la segunda parte de este capítulo se han ensayado dentro de secuencias que no suelen ser las habituales en la progresión de administración de contenidos. En algunos casos porque intentan remediar los fracasos de las secuenciaciones habituales, y, en otros, porque la visión del sistema de la lengua española sobre la que se sustentan distribuye de modo diferente muchos valores.

La visión cognitiva del lenguaje parte de la constatación de que todos los seres humanos comparten una serie de mecanismos y conceptos mentales muy generales que ofrecen una capacidad, recursiva, para ser aplicados en contextos más elaborados de los que inicialmente parten y en los que se crean. Un ejemplo notable y rentable es el de las nociones de espacio. Las nociones, por ejemplo, de "aquí" o "allí", referidas al espacio físico son compartidas

[6] Llopis-García et ál., 2012: 22.

[7] El único ejemplo notable y exhaustivo de gramática pedagógica sistemática dirigida muy específicamente a estudiantes de una lengua extranjera de raíz cognitiva corresponde al español, Alonso et ál. (2005), *Gramática Básica del Estudiante de Español* (GBEE). Se pueden ver orientaciones para profesores de los aspectos gramaticales principales del español en Llopis-García et ál., 2012. En inglés podemos citar la de Radden y Dirven (2007), aunque propiamente no es pedagógica en el sentido de accesible para la mayoría de estudiantes de segundas lenguas.

universalmente por cualquier ser humano. Esas ideas, gracias a la capacidad metafórica del pensamiento humano, pueden ser usadas para explicar otras necesidades, como, por ejemplo, en español, hablar del tiempo como un espacio "aquí" (en el que se está o se ha estado) o del tiempo como un espacio "allí" (en el que se estaba, se estuvo o se había estado)[8]. Un nivel de elaboración metafórico superior permite concebir lo que está "aquí" o "allí" como lo que es "actual" o "no actual", según la perspectiva que necesita escoger el hablante, y dar cuenta de variaciones del tipo *Pedro ha dicho que nuestro nuevo jefe es / era muy estricto.*

En *Cognitive Grammar* (2008), Langacker muestra cómo el lenguaje recluta las nociones y procesos cognitivos de orden más general, que existen independientemente de él, cuando los precisa. Insiste, por este motivo, en que la gramática es significativa, puesto que es lo que nos permite construir y simbolizar los significados de las expresiones complejas, siendo parte esencial del sistema de conceptualización. Los esquemas representacionales[9] del significado se pueden explicar a partir de las actividades esquematizadas de la experiencia física más básica: conceptos relacionados con la visión, el espacio, el movimiento y la fuerza deberían bastar para dar cuenta de los fenómenos de significado prototípicos que el sistema formal de la gramática crea[10]. Las elaboraciones más abstractas o sofisticadas se consiguen gracias a la proyección metafórica, en el sentido propuesto por Lakoff y Johnson.

La gramática cognitiva tiene pues un enorme potencial pedagógico puesto que, por un lado, puede partir de conceptualizaciones universales, independientemente del origen del alumno y, por otro, establece conexiones lógicas entre esos mecanismos compartidos por cualquier mente humana y la realización en formas lingüísticas concretas que conllevan un proceso comunicativo[11]. La aproximación pedagógica de corte cognitivo lleva a explicaciones lógicas y accesibles para todo tipo de estudiantes y también puede ofrecer unos parámetros para comprender qué tipo de factores cognitivos, y a qué nivel metafórico, deben haberse activado con anterioridad para construir los esquemas propios de la nueva lengua en una secuencia de clase o de programación. O, para de-

[8] Igual distinción de base sirve para *estará/habrá estado* frente a *estaría/habría estado* y *esté/haya estado* frente a *estuviera/hubiera estado*. Los trabajos sobre este modelo del sistema verbal en su realización en español se pueden documentar en Ruiz Campillo, 1998; Castañeda Castro 2004a. La versión pedagógica más accesible para estudiantes y profesores se encuentra en Alonso et ál. (2005), *Gramática Básica del Estudiante de Español.*

[9] Véase Castañeda Castro y Alhmoud en este mismo volumen y Castañeda Castro, 2006 y 2012: 221-271.

[10] Langacker, R. W. (2008: 1) resume todo el contenido de su propuesta así: "Grammar is meaning, (...) it is not only an integral part of cognition but also a key to understanding it". Véase especialmente pág. 16 para los "independently existing cognitive processes"; pág. 30 para el concepto de "conceptualization", y pág. 32 para los "images schemas, described as schematized patterns of activity from everyday bodily experience".

[11] Se analizan más razones en Llopis-García et ál., 2012: 22.

cirlo de modo gráfico, nos acerca a intervenciones de neurocirugía en las que el cerebro consigue modificarse para adquirir una capacidad en una nueva lengua, reorganizando nociones cognitivas generales en un nuevo sistema semiautónomo alrededor de nuevas realizaciones lingüísticas. Las interferencias de L1, las limitaciones o inadecuaciones comunicativas, los errores persistentes y las fosilizaciones difícilmente rectificables que se observan a menudo en estudiantes son el síntoma de una operación quirúrgica no completada o llevada a cabo de modo insatisfactorio, con daños colaterales de diversa gravedad y pronóstico.

2. Un ejemplo de activación de un valor cognitivo

Pensando ahora en un plan de clase que se proponga que un estudiante comprenda, por ejemplo, los valores formales que expresan el pretérito perfecto y el indefinido en español, un profesor debería tener en cuenta que, antes de llegar a ese nivel de concreción lingüística, puede resultar muy útil activar la noción cognitiva básica que la sustenta, para aplicarla a la operación de procesar y producir significado con esas formas posteriormente. Además de facilitar la progresión de una sesión en el aula, hacerlo implica comprometerse con una noción sólida de referencia a la que se deberá volver en caso de extravío. Ello resulta clave para el éxito cuando abordamos la casuística del uso de las formas y dejará fuera de lugar coletillas, hasta hace poco habituales en la gramática, como la fatídica "es una excepción" o los azarosos "suele" o "generalmente". La incomprensión de las implicaciones que tienen los enfoques contrarios a este se encuentra en la base de las prácticas que dejan secuelas perjudiciales en lugar de capacidad de control sobre la lengua. Nos referimos al hecho de que "la gramática no establece reglas sobre las formas, sino sobre los significados que el hablante está otorgando en cada momento a esas formas que elige"[12].

Veamos un ejemplo práctico de cómo proceder a activar el concepto genérico "aquí" y "allí" antes de ver cómo se usa para diversas realizaciones formales en español.

ACTIVIDAD 0: "LOS LÁPICES MÁGICOS"

El profesor coge un lápiz o cualquier otro objeto de un cajón o de un lugar no visible para los estudiantes y lo muestra preguntando: *¿Qué es esto?* Los alumnos responderán: *un lápiz*. Se devuelve el lápiz al cajón y se vuelve a sacar otro exactamente igual (o el mismo) y se hace la misma pregunta: *¿Y esto?* Las

[12] Llopis-García et ál., 2012: 46.

respuestas de los alumnos suelen ser: *Es otro lápiz*; *Es el mismo lápiz*; *Un lápiz igual,* o similares. Son frases que contienen todas ellas un reconocimiento de segunda mención (*otro, mismo, igual*). Se provoca entonces la especulación sobre si hay un solo lápiz o dos lápices y de cómo explicar ese fenómeno: *¿Es el mismo lápiz que antes? ¿Es otro lápiz pero igual?* Se plantea entonces una reflexión de cómo referirse a ellos que incluya las siguientes frases: *El lápiz de antes y el de ahora*; *Este lápiz que tengo aquí y el lápiz que está allí en el cajón.* El profesor se habrá alejado algo del cajón para marcar la diferencia de espacios. Se provoca así que el profesor o los alumnos se refieran al lápiz del cajón como *ese/aquel lápiz de antes que está allí* y *este lápiz de ahora que tengo en la mano.* Admitir al final que se trataba de un sólo lápiz pero que necesitamos dos maneras de referirnos a él encierra una lección sobre el valor de las representaciones de las imágenes lingüísticas por encima de los espejismos de las correspondencias entre lengua y realidad, cuestión que volveremos a encontrar más adelante. Este pequeño número de prestidigitación permite convertir el tiempo (*el primer lápiz y el que apareció a continuación*) en espacio (*el lápiz aquí y el lápiz allí*).

Se proyecta entonces la imagen de la figura 1:

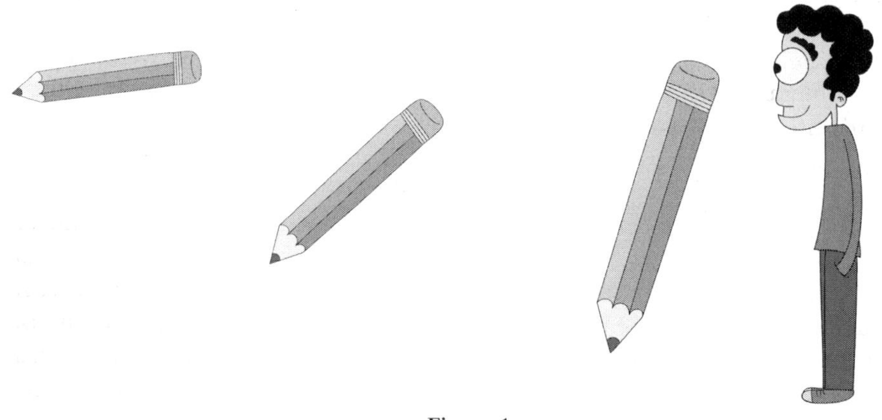

Figura 1

Se pide a los alumnos que digan entonces cuántos lápices hay en la imagen; si creen que es posible que sea el mismo lápiz en tres imágenes distintas; si tal vez lo vemos más cerca o más lejos; o el mismo lápiz el día que se compró o al cabo de unos meses de uso. Se trata pues de establecer la conexión entre una idea de espacio físico y otra de espacio mental equivalente en el que podemos representar el concepto de tiempo. Se muestra entonces la misma imagen, pero creando dos espacios con unos óvalos que la dividen visualmente en "aquí" y "allí"; los espacios contienen formas lingüísticas que nos sirven para referirnos a ellos (figura 2):

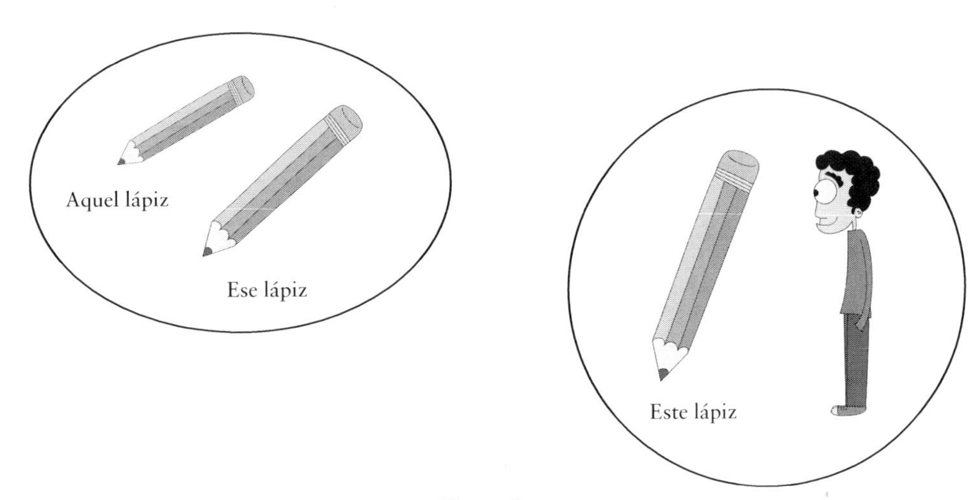

Figura 2

Se reflexiona a continuación sobre el hecho de que el español tiene dos deícticos para el espacio que no está aquí. Puede resultar útil que comparen con su lengua, lo cual debe llevarlos a la conclusión de que la noción cognitiva es la misma pero su realización lingüística no siempre es así. Son muchas las lenguas en las que solo hay dos demostrativos; por ejemplo, en inglés, *this/that.*

Este ejercicio prepara a los alumnos para dos cosas: para trabajar con la noción cognitiva general independizada de otras formas lingüísticas y para comprobar que puede tener una proyección distinta en otro sistema formal a la de su lengua materna u otras lenguas que conozcan. Es sin duda un momento crucial en el aula, puesto que cuando poseemos el dominio de una lengua, especialmente la materna, la mente usa como una convicción lo que en realidad es la ilusión de que las formas lingüísticas expresan la realidad y de que no cabe otra reorganización representacional del sistema de valores cognitivos. Ahí radica la mayor diferencia entre adquirir una lengua de adulto y de niño. Si comparamos ambos aprendizajes, parece lógico afirmar que los conceptos cognitivos y las lenguas maternas se aprenden con una interrelación que acaba haciéndolas parecer indisolubles.

El primer paso para operar pedagógicamente, consecuente con este razonamiento, es el de volver a desgajar un concepto cognitivo de cualquier dependencia de un sistema lingüístico, para poder atribuirle luego formas de la lengua objeto de aprendizaje.

En la actividad anterior, lo que se ha activado, y se debe dejar claro en la explicación del ejercicio a los alumnos, es la idea cognitiva básica de que existe un "aquí" y un "allí" en nuestra mente que se usan para dar cuenta de la realidad de varios modos; y, en una segunda fase, se han relacionado con unas formas lingüísticas, en este caso los demostrativos, que en español presentan unas peculiaridades probablemente distintas de otras lenguas.

Lo que ha ocurrido también es que, partiendo de una necesidad de organizar un significado para hablar de un fenómeno experimentado (las apariciones del lápiz), se ha representado primero en la realidad física y luego, de forma muy próxima a las imágenes mentales o representaciones, en el dibujo que se les ha mostrado.

Están ahora preparados los estudiantes para aplicar esa noción cognitiva a la comprensión del sistema verbal español e iniciar una secuencia de actividades de contraste entre pretérito perfecto e indefinido (*he comido*="*aquí*"; *comí*="*allí*"), por ejemplo. Es en este sentido en el que abogamos por la explicitación de los contenidos cognitivos en los planes curriculares, programaciones o planes de clase.

3. Actividades "Barrio Sésamo"

La base de la actividad anterior no está tan alejada –y es muy útil hacer esta reflexión con los alumnos– del aprendizaje que hacemos de niños para entender conceptos de espacio y movimiento. La actividad física frenética que a veces desarrollan los niños es un aprendizaje de estas nociones que a los humanos nos lleva varios años de nuestras vidas, precisamente porque la mente va a usarlas luego en toda su capacidad metafórica recursiva, especialmente con el lenguaje.

Su fundamento es el mismo que esos entrenamientos que tanto entretienen a los niños, incluida su casi eterna repetición, de los *sketches* de Barrio Sésamo. Los más recordados por todo el mundo son aquellos en los que se repite *cerca, lejos, cerca, lejos* o el de Coco acarreando ladrillos que debe colocar "allí" sin conseguirlo nunca porque no acierta a comprender del todo cómo, al llegar al espacio "allí", no puede ya decir *estoy allí* y soltarlos. Su deseo de estar allí no se cumple porque esa deixis lo confunde y acaba soltando derrotado los ladrillos en cualquier parte.

Una vez se ha establecido la noción base con esta clase de actividades de cognición pura de tipo Barrio Sésamo, como la del lápiz que acabamos de presentar, y está en la mente de los estudiantes ese criterio, se puede pasar a explorar su realización lingüística.

La noción de un espacio diferente al que estoy es fundamental para comprender otras más complejas. Por ejemplo, se puede relacionar el movimiento en el espacio para alcanzar un objeto con el uso de formas en modo subjuntivo en español para expresiones que implican objetivos que no se han realizado aún, como las matrices de deseo, las oraciones finales con *para que*, los momentos virtuales futuros con marcadores temporales como *cuando, hasta que*, etc., o las oraciones relativas con antecedente no identificado aún. Parecían fenómenos tradicionalmente no agrupables más que de manera intuitiva, pero que responden al mismo uso prototípico explicable a partir de una noción cognitiva básica cercana a lo experiencial.

Volviendo a la distinción "aquí-allí", se puede esbozar una secuenciación que permita una construcción sólida del sistema verbal español y que partiría del contraste entre indefinido y pretérito perfecto hasta llegar a explicar fenómenos del discurso referido. Para iniciar la secuencia, se debería proponer a los estudiantes que situaran en el espacio "aquí" o "allí" producciones de este tipo: *He ido/Fui dos veces al cine* (con pretérito perfecto me puedo referir a *hoy, este año, esta semana, últimamente, en toda mi vida...*; pero no puedo estar pensando en *el sábado, el año pasado, alguna vez cuando vivía en París...*).

Con este simple criterio en mente, *¿Estoy aquí o estoy allí?*, se puede discernir cuál es la forma que debe producirse en el español peninsular en su uso habitual según lo que queramos decir: en *Viví en París de 2002 a 2004 pero nunca subí/he subido a la Torre Eiffel*, la elección dependerá de si nuestro contexto incluye una posible continuación como *subí unos años más tarde, cuando pasé una semana en Disneyland París con mi hijo*. Si esa fuera la continuación, el indefinido es obligatorio. Si el sentido de la frase fuera *nunca hasta ahora*, la opción con pretérito perfecto sería la preferida.

Esa misma actividad física de "estar aquí" proporciona a la mente la base cognitiva que usará para crear la idea que le permite explicar frases como *me dijo que eras tonto* frente a *me dijo que eres tonto*, trasladando la misma noción del sistema verbal "aquí-allí" a "información en un espacio actual o no actual" mediante un salto metafórico que determina que quien escuche esa frase se pueda sentir más o menos ofendido, según el lugar en el que el hablante sitúe el discurso referido (ver también comentarios al ejemplo 38 en el capítulo II de este volumen).

4. Reglas operativas y valor prototípico

Un aspecto que debe ser tenido en cuenta para diseñar y administrar secuencias de actividades es no solo conseguir buenas descripciones cognitivas del significado de las formas, sino también hacerlo de modo que se obtengan reglas operativas para los alumnos y que provoquen la reflexión gramatical necesaria que los lleve a entender con facilidad cómo opera su mente en relación con esos significados y sus posibilidades de expresión lingüística. Daremos en la segunda parte de este capítulo ejemplos de ello, especialmente en la destreza de la comprensión oral, donde el componente gramatical se ha desatendido a menudo y donde no se ha valorado suficientemente el potencial de instrucción que puede tener observar los fenómenos de significado ligado a la forma desde el punto de vista de esa destreza.

Los valores gramaticales permiten unas posibilidades discursivas y pragmáticas que se desprenden de un valor básico, valor al que se suele llamar prototípico. Entre los valores lingüísticos hay uno básico y central que es el más productivo de aprender y que debe determinar el orden en una programación. Suele tener un alcance grande, y esto hace que, si un alumno lo aprende, este haya conseguido asimilar una parte extensa de la lengua y pueda comprender luego "juegos" o usos especiales con ese valor prototípico. El ejemplo citado de "aquí-allí" para el contraste de formas verbales sería un ejemplo de valor prototípico de la forma verbal. Su traslado a la idea de espacio actual o no actual sería una extensión de ese valor y se requiere haber comprendido que *es/era* están "aquí" o "allí" como metáfora espacial del tiempo antes de poder dar cuenta de por qué decimos *Me dijo que se llamaba María y vivía en la calle Mayor*, si la chica no ha cambiado ni de nombre ni de domicilio y nos resulta irrelevante si esa información sigue siendo actual o no ahora que hablamos de ello. Es por ello por lo que frases que se han dejado como excepciones en muchos manuales, o que quedan fuera de descripciones imprecisas del tipo "suele usarse normalmente con...", se pueden convertir en ejemplos perfectos que hay que ofrecer a los alumnos sin miedo alguno desde un buen principio, como *input* que revela, de forma mucho más poderosa que otro en apariencia más domesticado, el valor prototípico de una forma. La frase *¿Alguna vez fue usted a una corrida de toros, cuando vivía en España?* es un *input* del que un alumno sacará información más certera sobre el sistema verbal español que de las habituales frases con *alguna vez* como marcador típicamente asociado al pretérito perfecto compuesto de la mayoría de manuales. Aprenderá más un alumno de una frase que contenga un indefinido sin marcador alguno, sabiendo que estamos hablando de *ayer*, por ejemplo, que si el marcador mismo figura ahí, ofreciendo un apoyo léxico que en realidad la forma verbal se basta para expresar por sí sola.

Esta aproximación tiene otra razón muy poderosa, no ya de análisis de la lengua, sino procedente de los estudios sobre procesamiento del *input* y la distorsión que se crea cuando se prima el léxico sobre la morfología (en este caso, adverbios por encima de las marcas de indefinido o perfecto) (ver capítulo III en este volumen).

5. Atención a la forma, formas opacas y procesamiento

Para valorar las actividades que se presentarán a continuación, tanto su creación y motivación como el modo de administrarlas, debemos traer a colación aquí dos aportaciones más a la enseñanza de lenguas extrajeras: el *Focus on form*, o atención a la forma[13], y los trabajos de VanPatten sobre procesamiento de *input* y formas opacas[14]:

P1. *Los estudiantes procesan las palabras con contenido léxico antes que el resto de elementos.*

[13] Long, 1998. Véase una exhaustiva revisión en Castañeda Castro y Ortega Olivares, 2001, así como en el capítulo III de este volumen.

[14] VanPatten, 1996: 14. Traducción propia.

P1(a). *Procesan elementos léxicos del* input *antes que el resto.*
P1(b). *Prefieren procesar elementos léxicos a elementos gramaticales (es decir, marcas morfológicas) para encontrar la información semántica.*
P1(c). *Prefieren procesar morfología "con más significado" a morfología con "menos" o "sin" significado.*

P2. *Para que los estudiantes procesen formas sin significado, deben poder procesar información o contenido comunicativo con coste nulo (o bajo) para la atención.*

Durante el trabajo en el aula con los alumnos se comprueba constantemente en sus reacciones la validez de estos principios así formulados. Tenerlos en mente en todos los momentos de una secuencia didáctica resulta de gran efectividad para penetrar en sus procesos mentales. El análisis de estos principios y de su operatividad en el aula nos ha llevado a proponer el siguiente principio de actuación didáctica, tanto en la creación, selección y secuenciación de actividades, como en su administración (presentación, procesamiento de *input*, reflexión, práctica y corrección): es necesario asignar el máximo de significado a las formas más opacas.

6. Asignar significado a las formas opacas

Resulta fundamental intervenir en el modo en que los estudiantes procesen el *input* para que las formas con poco o ningún significado para los estudiantes, las formas opacas, cobren en la mente del alumno el valor que el sistema lingüístico prevé para ellas.

Contemplemos dos posturas de operación en el aula: fijación máxima de la atención en una forma en frases cortas y simples durante un período de actividad de clase, en un extremo; en otro, trabajar con materiales reales complejos en los que las tendencias comunicativas o interpretativas se vean desviadas por factores léxicos, sintácticos, entonativos, etc. que causen dificultad para procesar correctamente una forma que sea esencial para vehicular correctamente el sentido.

El principio P2 de VanPatten mencionado, según el cual, para procesar fenómenos formales que pasan inadvertidos, la atención no puede concentrarse en decodificar contenido comunicativo, parece tan de sentido común que no es raro olvidarlo. Es frecuente encontrarse con una actividad que se acaba complicando innecesariamente en un momento clave por un problema léxico, por ejemplo, con el que los alumnos están poco familiarizados, pudiendo bloquearse todo el procesamiento. Daremos un ejemplo de ello en la actividad dedicada a los pronombres en la segunda parte de este capítulo.

Es importante convencerse de que se puede y se debe manipular el *input* al que un alumno es expuesto, esto es, alterarlo, resaltarlo o focalizarlo, para conseguir que el *intake* sea formalmente y comunicativamente fijado de manera apropiada dentro del nuevo sistema lingüístico que el estudiante está creando. Es decir, que la intervención sea quirúrgicamente precisa en su área de intervención y que sea lo menos invasiva posible, evitando así la pérdida del flujo de la atención.

Una idea que se instaló definitivamente, de forma casi obsesiva, con el despegue del enfoque comunicativo fue la necesidad de usar material real en las aulas. Tenía lógica esa reacción, ciertamente, ante las muestras de lengua de las décadas anteriores que, o bien tendían a ser rígidas y en muchas ocasiones raramente factibles en situaciones reales de hablantes nativos, o bien eran tan auténticas que resultaban un modelo de lengua difícilmente asumible por hablantes no nativos. Sin embargo, el remedio del material real resultó peor que la enfermedad. Para salvaguardarse de muestras de lengua o muy literarias o artificiales o tendenciosas, se inundó al alumno con un *input* en realidad *improcesable*, de modo que se provocaba que los estudiantes (al igual que las personas que aprendían una lengua por inmersión sin ninguna instrucción formal) sobrevivieran como pudieran, a base de estrategias que suplían el conocimiento. Ante ese tipo de muestras de lengua, y no pudiendo superar los impedimentos que supone el primer principio de VanPatten, se terminaba con una lengua de supervivencia fosilizada. Esta fosilización conlleva una dificultad de reparación con instrucción formal *a posteriori* geométricamente proporcional al tiempo de exposición a ese tipo de adquisición, llegando incluso a hacer inviable cualquier intervención quirúrgico-didáctica. Muchos profesores reconocerán la sensación, ante este tipo de casos, de que "sería mejor empezar de cero". Todo profesor que se haya encontrado con el caso conoce la frustración de luchar por reparar defectos de cuestiones mal aprendidas en niveles anteriores, por no mencionar el caso extremo de tener que enfrentarse al descompensado español de un alumno que aterriza de repente en un aula después de haber vivido varios años en inmersión sin instrucción formal.

Manipular el *input* con habilidad se puede llevar a cabo cuando existe un buen análisis de los valores prototípicos que subyacen a los usos reales de la lengua y se tienen en cuenta los presupuestos teóricos anteriormente mencionados. Eso puede significar encontrar material real adecuado, adaptarlo o crearlo. El criterio de validez de este material pedagógico creado o adaptado para generar el correcto procesamiento y las producciones, además de tener un mínimo de dosis de creatividad, viveza o expresividad, es el de ser material *autentificable*[15], es decir, aquel que es real en sus efectos precisamente porque

[15] Ruiz Campillo, 2007a: "La clave del balance entre material auténtico y material manipulado está en ese otro concepto: *autentificable*. Un material *autentificable* puede ser definido como aquel que, sin ser auténtico, produce efectos que son pedagógicamente validables en relación con los hechos lingüísticos auténticos que pretende poner de relieve".

contiene una disposición que nos permite trabajar con la dinámica de los principios de VanPatten mencionados más arriba y que, a menudo, cualquier experto hablante o profesor aceptaría como procedente de fuente real. En ocasiones, estos visos de realidad se pueden conseguir contando con un mecanismo de *suspension of disbelief* parecido al de la ficción, con estilizaciones de tipos de textos, parodias o la recurrencia a cierto sentido del humor, que funcionan como un guiño que establece un contacto con el material real virtualmente equivalente.

La gran diferencia de los mecanismos naturales que utiliza un nativo, en relación con los utilizados por un no nativo, para procesar una información, estriba en que nuestra mente confía en que los valores formales y gramaticales de la lengua nativa están enraizados y ejercerán automáticamente el control del significado que conlleven, pudiéndose centrar en las piezas de mayor contenido léxico. Son precisamente las formas opacas las que un nativo no experto en docencia de lengua extranjera no puede explicar a un estudiante más que con frases similares a "porque se dice así" o "porque es así". Son esas piezas resistentes a la enseñanza del profesor y que incluso dentro de la profesión están etiquetadas a veces de endémicas o sin solución. Ejemplos de este tipo son la ausencia de *a* para complementos directos de persona que la requieren: *Marta conoció (a) Juan*, y los errores de género y concordancias. Otro ejemplo muy revelador es, en el caso de alumnos con mucha exposición a la lengua pero sin ninguna instrucción formal, la falta de percepción y uso de las formas de subjuntivo más allá de algunas expresiones lexicalizadas, sin importar la cantidad de años de contacto con la lengua. Es sistemático ver a hablantes de español como lengua extranjera que, con una aparente capacidad comunicativa adquirida por inmersión, no son capaces de percibir, ni en consecuencia producir, la diferencia de significado existente entre frases en las que ni los elementos léxicos ni el contexto proporcionan claves suficientes para percibir tales diferencias y la intención pragmática aparejada. Así, (1) *Cuando tienes problemas, me escribes y no te preocupas* puede significar para estos hablantes (2) *Cuando tengas problemas, me escribes y no te preocupes*; y, a la inversa, la frase (2) la puede interpretar con el sentido que para un nativo expresa (1), según cuál sea la anticipación de intenciones del oyente que no ve esa diferencia formal. Simplemente, no establece diferencias entre la sugerencia de qué deben hacer en el futuro y lo que hacen habitualmente, tomando una recriminación por un consejo o viceversa. Mencionamos estos casos para cuestionar otro mito de amplia circulación: la inmersión en la lengua lleva al aprendizaje, ya sea por vivir en el país en que se habla la lengua o por acumulación de horas de exposición a la lengua en un aula o en contacto con hablantes.

No solo existe el riesgo de expresar o comprender significados que no se desean, sino que, como hemos dicho, existe un gran riesgo de fosilización irremediable de esas formas no procesadas. A menudo, además, los mismos planes de estudio acercan algunos usos a la fosilización por no abordar en el momento correcto un aspecto determinado, bien sea por posponerlo o por avanzarlo en exceso cuando el sistema cognitivo del alumno no tiene dónde encajarlo, bien sea por hacerlo de manera tan parcial y temerosa que, en realidad, se dificulta la verdadera asimilación de ese valor. Es esta una cuestión que urge tratar en el futuro inmediato de los estudios de ELE, combinando los datos que se han recogido de aprendizaje de lenguas maternas y las secuencias de adquisición efectiva de una segunda lengua, con la lógica del sistema cognitivo que debe dar cuenta necesariamente de ambos factores.

Como en estos ejemplos últimos, vemos enseguida que, si en el aula hay una falta de trabajo intenso sobre la relación entre forma y significado, se producirá fosilización, incompetencia comunicativa e imposibilidad de que las personas que están adquiriendo un nuevo idioma superen, dados los desequilibrios enormes a que se ven sometidas, un deficiente nivel de supervivencia comunicativa.

En las actividades que se proponen a continuación, no debería ser difícil ver en acción todo lo comentado hasta ahora, aun cuando no se haga explícito de forma sistemática en cada una de ellas. Se observará también que la mayoría de actividades que se presentan dan pie a otras sesiones de clase en las que las actividades sean más de corte comunicativo, es decir, en las que los estudiantes deban producir algo por escrito u oralmente para ensayar y poner en práctica las formas en proceso de adquisición. Baste indicar que muchas de las ideas para ejercicios comunicativos que se han venido usando en las aulas son reutilizables desde la perspectiva propuesta, siempre y cuando se tengan en cuenta las alteraciones de secuenciación que los nuevos análisis imponen y la necesidad de precisar sus objetivos formales. Queda fuera del alcance de este capítulo el profundizar en estos aspectos y ofrecer muestras de este tipo de tareas.

7. Propuestas didácticas

La primera de las actividades propuestas está diseñada para abordar e intentar remediar los problemas con las concordancias, que no son infrecuentes en niveles avanzados y suelen estar camino de la fosilización. Son abundantes los estudiantes de español cuyo control de cuestiones gramaticales de nivel B2 (como, por ejemplo, el contraste entre los modos indicativo y subjuntivo) es adecuado, cuyo repertorio léxico es ya suficientemente preciso y cuya competencia general es alta[16], pero que, sin embargo, cometen errores sistemáticos en las concordancias de género.

[16] Castañeda Castro (2009: 61) detalla qué implica conocer la alternancia de modos en español para afirmar que, con ello, un alumno "sin duda tendrá, no sólo una enorme capacidad lingüística, sino una muy considerable competencia discursiva y comunicativa en español".

No se necesita mucha demostración para probar que algo grave ha fallado en un alumno capaz de producir frases como *Me dijo que si hubiera ido a comprar* **la** *microondas con el coche, no le habría caído* **tanto** *nieve encima*. El contraste entre los elementos de esta frase muestra que debería haberse abordado con más éxito la cuestión de las concordancias antes de superar el nivel de competencia B1. Pero si se examinan los manuales y materiales didácticos disponibles, se comprueba la baja proporción de actividades dedicadas a este contenido más allá de la necesidad de aprender de memoria los géneros de las palabras. A los estudiantes solo les queda lo que a menudo es percibido casi como una "acusación" por parte del profesor, quien parece tener poco más que ofrecer que un "hay que aprenderlos", confinándolos al estudio en solitario y con poco tratamiento en el aula. Las actividades, si llega a haberlas, suelen estar desconectadas de los fenómenos textuales asociados al género y las concordancias, con un tratamiento indeciso de sus repercusiones significativas y con una corrección que suele consistir en ofrecer la versión alternativa del error. Acaba asumiéndose que es un problema endémico e insoluble para un cierto perfil de alumnos, especialmente para hablantes cuya lengua materna tiene muy reducidas marcas de concordancias o de género, como el inglés o el chino. En ocasiones, el alumno realiza la parte de estudio memorístico de cada palabra y, aun así, el avance que pueda conseguir desaparece en cuanto inicia un discurso mínimamente complejo: en seguida pierde el control sobre las concordancias, lo que suele provocar graves interferencias en su fluidez comunicativa.

No pasan inadvertidos, para los hablantes nativos de español, los errores de concordancia que cometen los hablantes no nativos. Al contrario, probablemente sea este el principal tipo de error que un nativo suele querer corregir de modo bastante sistemático mientras tiende a pasar por alto otros muchos errores de otro tipo y que no interfieren tanto en la comunicación. Un nativo no puede apenas simular sus reacciones de desconcierto ante muchas frases con este tipo de error y dar muestras de agotamiento si se acumulan de manera sistemática. Analizaremos los siguientes ejemplos:

1. *Salió* **un mano** *de las ramas del árbol.*
2. *Los empleados de la tienda no tendrían informaciones* **adecuados** *o no querrían perder el tiempo conmigo.*
3. *Por las* calles **estrechos** *del barrio de Gracia encontrarás buenos restaurantes.*
4. *No forma parte de* **las interesas** *de China luchar contra este sector que apoya* **la crecimiento** *de la economía.*
5. *Me parece lógico que los dos tengan* **opiniones** *diferentes y que sean* **contrarios.**

Las muestras mencionadas son el repertorio básico del problema. En (1), el alumno equivoca el género de mano, aunque es posible que lo sepa y sea consciente de que a veces comete ese error, seguramente porque algún otro componente le ha absorbido su capacidad de atención y ha producido un artículo indeterminado en masculino llevado por la fuerza del morfema habitual del masculino. A no ser que estuviera pensando en un mono, error más improbable, aunque lo apuntamos aquí como ejemplo de posible pie para reaccionar a esa frase en la fase de corrección. En (2), una frase que demuestra un bonito control del uso del condicional para suponer en el pasado, muestra un problema de concordancia con el adjetivo. El ejemplo (3) muestra una confusión de un alumno que, aun conociendo claramente el género y habiéndolo marcado en el determinante antepuesto, abandona el control de la concordancia del elemento que aparece pospuesto al sustantivo, que resulta tratado como si quedara fuera del sintagma nominal. Probablemente está aplicando una concepción de su lengua que le indica que, una vez dicho el sustantivo, el sintagma nominal está completo, como suele ocurrir en algunos idiomas. La frase (4) corresponde a un alumno consciente de sus dificultades con los géneros y que se autocorrige y se excede en la aplicación de la corrección. No deja de ser este un buen síntoma. Suele darse en muchos aspectos de la lengua que se sobreutilizan cuando están en las primeras fases de adquisición. En general, los estudiantes que tienden a usar más el masculino cuando es necesario el femenino están en una fase más inmadura y son menos conscientes del problema que los que fuerzan concordancias al femenino. El masculino es percibido como el término no marcado, el más inocuo, por así decirlo, y más inclusivo, el que aparece por defecto. Perciben en él el significado léxico e ignoran la necesidad de controlar su marca de género y las concordancias que implique, aunque todo ello está condicionado por la fuerza de los patrones de los morfemas de géneros dominantes (-o, -a), como sería el caso de concordar en femenino palabras del tipo de *problema*. El ejemplo (5) es interesante por el hecho de la alta inversión en contenido lingüístico que se realiza en niveles avanzados; aparece aquí un elemento final que crea una duda de sentido provocada por, o a la que cuando menos colabora, la presencia del adjetivo *diferentes*, sin forma distinta para cada género, tras el sustantivo femenino *opiniones*. La aparición de contrarios parece, a oídos de un nativo, no poder tener relación con opiniones y parece relacionarse con los dos, pero entonces la selección léxica no es del todo pertinente si el sentido pretendido fuera "no están de acuerdo".

El aparente callejón sin salida en el que se encuentra el alumno ofrece en sí mismo el primer y más importante paso para solucionar el problema: diagnosticarlo, es decir, hacer explícito el fracaso de la comunicación que suponen los usos indebidos de las marcas de concordancia. Lo que pretendemos en este apartado es llamar la atención sobre la necesidad de dar relevancia a la cuestión, reflexionando con los alumnos sobre ella, dedicándole tiempo en clase y convirtiéndolo en un objetivo que figure explícitamente en las secuencias didácticas, incluso en los niveles avanzados.

Veamos cómo llevar a la práctica la concienciación del alcance de ese fenómeno con una secuencia de actividades que, administrada en niveles avanzados, pretende una acción reparadora, en el sentido de remediar las carencias e incongruencias que en estos aspectos pueda presentar el sistema lingüístico de los alumnos. Las actividades servirán para aportarles la necesidad de la monitorización constante de las concordancias a que obliga el español. Dedicar tiempo de clase a ello como objetivo central de una sesión transmite su importancia y la confianza en que es un problema abordable más allá del trabajo individual. La habitual corrección del error por señalización, reformulación o reparación de cada ocurrencia, sin que tal corrección sea el objetivo central de una actividad, no solo no transmite la importancia y confianza aludidas, sino que apunta en la dirección contraria, en la de una serie de molestas excepciones que parecen existir solo para suplicio de los estudiantes de español.

La última actividad de esta secuencia pretende llevar el fenómeno propiamente al nivel avanzado, expandiendo el alcance de esa lógica del sistema mostrado en la primera parte de la secuencia a las producciones que se esperan en ese nivel. Las concordancias son, obviamente, objetivo de aprendizaje desde los niveles iniciales. Sin embargo, su influencia en las producciones de nivel avanzado es aún más evidente, dado su papel determinante para cohesionar textos de mayor complejidad que aspiran a la expresión precisa de ideas complejas.

Reviste la mayor importancia el que estas actividades se administren correlacionadas y secuenciadas del modo propuesto, ya que uno y otro aspecto responden a la coherencia de una característica formal del español que deberá ir cobrando, a los ojos de los alumnos, relevancia como sistema. Administrarlas fragmentadamente no producirían el efecto deseado. Son actividades de procesamiento gramatical que apuntan a mecanismos de comprensión lectora trasladables a la comprensión auditiva. Son también una vía para meditar el diseño de actividades productivas de expresión oral y escrita que tengan como objetivo central este contenido.

Lo que se debe ofrecer al alumno es el máximo de argumentos cargados de futuro significado en su uso correcto y de fracaso comunicativo en su uso no adecuado. Explicitarles a los alumnos todos estos factores puede ayudar a esa concienciación, con tres observaciones: a) los errores de género son de los más percibidos por los hablantes nativos; b) no pueden confiar en que un mayor tiempo futuro de exposición a la lengua los solucione; c) no priorizar la solución de los problemas que plantean estos errores en este estadio de su aprendizaje conduce a un estado en que difícilmente pueden ser ya subsanados, muy próximo a la fosilización. Nuestra experiencia demuestra que comunicarles a los estudiantes esta urgencia, en un nivel avanzado, es efectivo y compromete tanto a ellos como al profesor con un objetivo común bajo el lema de "ahora o nunca".

Esta considerable inversión en la morfología del género y el número cobrará sentido para los alumnos si se les muestra la gran capacidad del español para mover elementos dentro de una oración. En lenguas como esta, las restricciones en cuanto al orden de palabras son bajas comparadas con las de muchos otros idiomas. La necesidad de usar las marcas de género y número para fijar relaciones con elementos debe llegar a resultar evidente para un estudiante de nivel avanzado cuyas producciones oracionales serán de una complejidad mayor que las de uno de intermedio, dado el aumento de su capacidad de subordinación y sofisticación en su sistema verbal y sintáctico general.

Si pretendemos que todas las actividades de clase, incluidas las de gramática y léxico, sean el máximo de significativas, las producciones de los estudiantes no se juzgarán por criterios de errores aislados en palabras que les presentan problemas. Tampoco se aceptará que el significado se pueda procesar de modo aproximado y a pesar de deficiencias formales, es decir, porque el estudiante comunique. Hay que exigir que el significado se vehicule con las formas correctas, única garantía, por otra parte, de que el significado llegue plenamente. Cuando esto no se cumple, provocar el "fracaso comunicativo"[17] es el mejor remedio, el más efectivo y aplicable en tanto que principio general de corrección, como veremos más adelante.

Así, ante una frase como la siguiente, los alumnos deben intentar explicarse qué están diciendo y hacerlo a partir de la reacción del profesor o de sus interlocutores. Además, esta reacción deberá consistir no en ofrecer la reparación del error sino en facilitar que el alumno se vea forzado a tomar conciencia de qué representación de significado está creando su producción.

- (Habla una chica): *Cuando era pequeño, mi padre era muy estricto y yo tenía miedo de él.*
- (Interlocutor): *¿Tu padre era pequeño y ya tenía una hija? Pero... ¿a qué edad te tuvo tu padre? ¿Cuántos años tenía él cuando tú naciste? ¿Tu padre te daba miedo porque de pequeño había sido muy estricto? ¿Y los demás no le tenían miedo?, ¿solo tú? Creo que no te entiendo.*

Se trata de provocar perplejidad en el alumno que ha producido el error. Suscitada esta perplejidad, la mejor reacción ante ella es seguir insistiendo para que el estudiante se vea impelido a sustituir el significado que tenía en mente y creía haber producido por el que en realidad ha transmitido, y analice al mismo tiempo qué forma ha causado el desajuste comunicativo. En este caso, la falta de concordancia de *pequeño* con un hablante femenino hace que este adjetivo se asocie a *mi padre*; además, la aparición del pronombre sujeto *yo*,

[17] "La técnica se puede llamar 'forzar el fracaso comunicativo'", en palabras de Ruiz Campillo (2007a: 14). Todos los profesores pueden suscribir la siguiente afirmación de Ruiz Campillo (2007a: 14), relacionada con la corrección tradicional de ciertos errores: "En mi experiencia, puedes corregir al estudiante veinte veces: seguirá cometiendo el mismo error en cuanto desconecte su "monitor de corrección" y se meta de lleno en el llamado "modo de comunicación".

que intenta remediar la falta de concordancia in extremis, puede suscitar, dado todo el contexto previo, una interpretación como esta: "Yo, sí tenía miedo; los demás, no, o no tanto".

Provocar el fracaso de la comunicación es la mejor forma de corrección que conocemos. Cuando a un estudiante no se le acepta un significado mal articulado, ni siquiera en el caso en que la colaboración del oyente pudiera repararlo, el efecto es positivo en su aprendizaje y evita ese bucle de corrección y repetición del error sin fin del que habla Ruiz Campillo en la nota al pie anterior y que todo profesor ha experimentado.

Es bueno que a los alumnos se les explicite este criterio de tratamiento de error a las pocas sesiones de clase y de la actitud que conlleva por parte del profesor. Asimismo se propondrá que ellos mismos lo adopten y reaccionen de ese modo ante las dudas de significado que creen sus compañeros. Nuestra experiencia indica que no solo son capaces de hacerlo, sino que incluso olvidan la noción de error y corrección y la sustituyen por una actividad de corte lúdico que facilita el aprendizaje a todos los que intervienen en la interacción. A menudo es el sentido del humor el que permite que las situaciones de colapso en clase sean percibidas como algo positivo y se evite frustración a los alumnos. En realidad, tan pronto como entienden el objetivo de este método de corrección, se sienten mucho menos bloqueados, ya que el mecanismo que se desencadena es el de buscar un sentido a lo que han dicho y compararlo con lo que en realidad querían decir, lo cual es más de la mitad del camino para encontrar la formulación lingüística que necesitan. Si no encuentra una interpretación "provocadora" clara, por absurda que sea, de la producción confusa del alumno, el profesor tiene que permitirse decir a menudo: *Perdona, pero no te entiendo*. Siempre será más efectivo, sin embargo, mostrar reacciones completamente contrarias a las que tenía en mente el alumno si sus intervenciones se desvían de su intención comunicativa.

7.1 El gramático explica la gramática

La primera actividad que sigue a continuación consiste en una comprensión auditiva. Para presentarla, se les dice a los estudiantes que van a oír un texto, un poema, en el que el autor cuenta dónde está y cómo se siente. Deben leer primero las preguntas que hay a continuación y escuchar luego el poema para responderlas. El texto lo puede leer el mismo profesor o usar la versión grabada por el autor[18].

[18] Lizano, 2009. En el DVD que acompaña al libro, publicado con licencia *creative commons*. El vídeo está también disponible en Internet.

ACTIVIDAD 1: "POEMO"

Lee estas preguntas, escucha el poema y, luego, intenta responderlas.

1. ¿Dónde está el poeta al principio del poema?
2. ¿Qué ve?
3. ¿Qué siente?
4. ¿Cómo reacciona a esta sensación?
5. ¿Cómo puedes describir sus pensamientos?
6. Por esos pensamientos, ¿qué está a punto de hacer?
7. ¿Adónde va entonces?
8. ¿Para qué?

POEMO
Jesús Lizano

Me asomé a la balcona
y contemplé la ciela
poblada por los estrellos.
Sentí fría en mi caro,
me froté los monos
y me puse la abriga
y pensé: qué ideo,
qué ideo tan negro.
Diosa mía, exclamé:
qué oscuro es el nocho
y qué solo mi almo.
Y perdido entre las vientas
y entre las fuegas,
entre los rejos.
El vido nos traiciona,
mi cabezo se pierde,
qué triste el aventuro
de vivir. Y estuve a punto
de tirarme a la vacía...
Qué poemo.
Y con lágrimas en las ojas
me metí en el camo.
A ver, pensé, si las sueñas
o los fantasmos
me centran la pensamienta
y olvido que la munda
no es como la vemos
y que todo es un farso
y que el vido es el muerto,
un tragedio.
Tras toda, nado.
Vivir. Morir:
qué mierdo.

Tras discutir las diferentes preguntas en el grupo clase o en pequeños grupos, se facilita el texto a los estudiantes y se les pide que confirmen definitivamente las respuestas. Finalmente, los estudiantes leerán en voz alta el poema, un verso cada uno, reparando los géneros a medida que leen. Se hará la observación de que esta reparación es a la que se ven obligados los interlocutores que escuchan producciones con deficiencias de género.

Tras el ejercicio debe insistirse en el factor positivo de la actividad, en el sentido de que permite percibir el efecto que pueden causar las producciones deficientes, insistiendo en que un buen diagnóstico es el principio del recorrido a la curación. Según nuestra experiencia de aula, activar la concienciación del grado de fracaso comunicativo que provocan los desaciertos de género de palabras provoca en ocasiones curaciones, o pasos en esa dirección, que parecen milagrosas, por seguir con el símil médico.

Para que ese camino iniciado con la actividad anterior surta mayor efecto, no basta con extender la conciencia del género a las marcas más inmediatas de determinantes de un sustantivo. Hay que extenderla también al hecho de que la marca de género responde a la necesidad de mantener las concordancias en el discurso para mantener su cohesión y de que es, por tanto, un instrumento esencial en manos del hablante para establecer correferencias entre elementos tanto dentro de las frases como fuera de ellas en el discurso. Ampliar esta conciencia también a las concordancias de número sirve para relacionar el mismo tipo de mecanismo de monitorización textual con el concepto de número. Esta noción, al contrario de la concerniente a la existencia de los géneros, mayormente percibida como arbitraria, resulta más accesible, pues con ella se puede establecer cierta correlación más lógica o natural entre el valor ideativo del plural y una marca textual. El ejercicio que se propone a continuación pretende mostrar a los alumnos cómo las características de la lengua española los obliga a controlar constantemente las concordancias, comprendiendo ahora las de género y número.

Se les pedirá a los alumnos que rellenen los huecos del siguiente poema lo más rápido posible. Crear una competición para ver quién termina primero puede ayudar a que lo hagan con la mayor urgencia posible. Se trata de hacerles experimentar la sensación de control en tiempo real que debemos efectuar sobre el fenómeno en la expresión oral. El propósito de la tarea es que se vean obligados a activar esa monitorización durante un período relativamente largo de tiempo. Si su mente lo hace una vez, es probable que sepa hacerlo una segunda. El texto es suficientemente sorprendente como para que los alumnos se sientan atraídos por su significado. No obstante, se creará interés por el texto, planteado como un ejercicio de lectura con un problema formal que hay que resolver al mismo tiempo, si se comenta la cita que precede al poema, discutiendo, antes de proceder a la lectura del texto, el sentido de "persona recta" y qué cosas suelen hacer este tipo de personas y también las que son lo contrario.

ACTIVIDAD 2: "LAS PERSONAS CURVAS"

Completa este poema con *"el, la, los, las"* y *"-a, -o, -as, -os"*.

LAS PERSONAS CURVAS
Jesús Lizano

Mi madre decía: "A mí me gustan las personas rectas".

A mí me gustan las personas curvas,
_____ ideas curv _____,
l _____ caminos curv _____,
porque _____ mundo es curv _____
y _____ tierra es curv _____
y _____ movimiento es curv _____;
y me gustan _____ curv _____
y _____ pechos curv _____
y _____ culos curv _____,
_____ sentimientos curv _____,
_____ ebriedad: es curv _____,
_____ palabras curv _____,
_____ amor es curv _____;
¡ _____ vientre es curv_____!;
lo diverso es curv_____.
A mí me gustan _____ mundos curv_____;
_____ mar es curv _____,
_____ risa es curv_____,
_____ alegría es curv_____,
_____ dolor es curv_____;
_____ uvas: curv_____;
_____ naranjas: curv_____;
_____ labios: curv_____;
y _____ sueños, curv_____;
_____ paraísos, curv_____
(no hay otr_____ paraísos);
a mí me gusta _____ anarquía curv_____;
_____ día es curv_____
y _____ noche es curv_____;
¡ _____ aventura es curv_____!
Y no me gustan _____ personas rect_____,
_____ mundo rect_____,
_____ ideas rect_____;
a mí me gustan _____ manos curv_____,
_____ poemas curv_____,
_____ horas curv_____.
¡Contemplar es curv_____!
_____ instrumentos curv _____,
no _____ cuchillos, no _____ leyes:
no me gustan _____ leyes porque son
[rect_____
no me gustan _____ cosas rect_____;
_____ suspiros: curv_____;
_____ besos: curv_____;
_____ caricias: curv_____.
Y _____ paciencia es curv_____,
_____ pan es curv_____
y _____ metralla rect_____.
No me gustan _____ cosas rect_____
ni _____ línea rect_____;
se pierden
tod_____ _____ líneas rect_____;
no me gusta _____ muerte porque es
[rect_____,
es _____ cosa más rect_____, lo escondido
dentro de _____ cosas rect_____;
ni _____ maestros rect_____
ni _____ maestras rect_____:
a mí me gustan _____ maestros curv_____
y _____ maestras rect_____.
¡No a _____ dioses rect_____!
¡Libérennos _____ dioses curv_____
de _____ dioses rect_____!
_____ baño es curv_____,
_____ verdad es curv_____,
yo no resisto _____ verdades rect_____.
Vivir es curv_____,
_____ poesía es curv_____,
_____ corazón es curv_____.
A mí me gustan _____ personas curv_____
y huyo, es _____ peste, de l_____ personas
[rect_____.

Resulta productivo, para la correcta asimilación del sistema lingüístico afrontar en otro ejercicio las palabras con modificación de sentido según el género, como, por ejemplo, *el bolso/la bolsa*. A menudo se ha evitado tratar este fenómeno de manera exhaustiva en niveles iniciales. Si bien es cierto que algunas palabras presentan acepciones que el estudiante no encontrará hasta que se enfrente a un vocabulario de cierta especificidad (*el parte/la parte*), muchas de estas palabras son de uso frecuente. Saber que existe este fenómeno ayuda a asimilar el hecho de que el género otorga significado léxico, bien sea porque no es lo mismo *el parte médico* que *la primera parte de algo* o bien porque *un mano* no se sabe qué animal podría ser. Es decir, el estudiante debe pensar que, al intentar resolver un problema relacionado con el género y no acertar con la solución, o bien está diciendo otra cosa que existe y ha confundido a su interlocutor, o bien lo ha confundido porque está diciendo una cosa que no existe. Creemos que es fundamental dedicar tiempo de clase a estas palabras para alcanzar el objetivo de establecer la fuerte relación entre el mecanismo textual de la marca de género y el significado. Asimismo, plantear este mecanismo en los momentos iniciales de la progresión curricular, y hacerlo de modo más sistemático, menos fragmentado y siempre en conexión con fenómenos textuales, podría remediar el esfuerzo de profesores y alumnos durante todos los años de aprendizaje, esfuerzo que acaba resultando en una repetición de errores y correcciones. Es igualmente sensato que el mencionado mecanismo no se omitiera o no se situara en un lugar marginal en los contenidos y las pruebas de evaluación en los niveles avanzados. El estudiante se ve condenado a menudo a la soledad de la memorización del género por la poca presencia de páginas dedicadas a este aspecto gramatical en los manuales (generalmente limitadas a presentar un listado de palabras) o por la falta de ejercicios que integren el uso de ese grupo de palabras con otros objetivos y sin que se vea minimizada su relevancia didáctica en la actividad. No contemplarlo como un fenómeno que obliga a los estudiantes a mantener la monitorización de género y número para establecer la coherencia textual condena ese esfuerzo solitario a un conocimiento sin un uso efectivo en todo su alcance.

El tiempo que se dedica a esta cuestión como objetivo central de una sesión de clase suele ser muy bajo. Además, los problemas se suelen ir abordando de modo puntual, conformen van apareciendo, aunque lo hagan sistemáticamente. Y los alumnos perciben que debe de ser mucho más grave entender otro tipo de contenidos que el propuesto, esos que sí se abordan directamente y como objetivo central en las clases, los programas y las pruebas de evaluación. No se necesita mucha demostración para probar que algo ha fallado gravemente en la progresión de aprendizaje de un alumno capaz de producir frases de este tipo: *Me dijo que si hubiera ido con* las *paraguas, no le habría caído* tanto *nieve en la cabeza.*

La actividad que se ofrece a continuación obliga a una elección léxica, según el contexto, entre palabras que se diferencian en sus significados por las marcas de género o por sus concordancias. Ha sido pensada, por el tipo de texto, para los niveles intermedio o avanzado. Se pedirá al alumno que, tras cada decisión, imagine qué representación gráfica obtendría si usara su contraparte.

ACTIVIDAD 3: "EL CAPITÁN TAN"

Coloca en el texto los sustantivos del recuadro (algunos dos veces), añade las terminaciones de las palabras que concuerdan con ellos y tacha el artículo incorrecto.

ramo - rama	bolso-bolsa	coma (2)	cura (2)
anillo-anilla	puerto-puerta	pendiente (2)	parte (2)
barco- barca	suelo-suela	policía (2)	capital (2)

Aquello no fue una noche de amor, fue un horror... Lo conocí de camino a mi casa, cuando todo lo que llevaba en la mano (un/~~una~~ bonit*o* _*bolso*_ de piel de cocodrilo y unos/unas (1) _________ del súper) se me cayó al/a la (2) _________. Él se acercó y lo recogió todo. Era un hombre muy elegante, de esos que salen en las revistas del corazón. Me dijo que era capitán de un/una (3) _________ que estaba atracad (4) _________ en el/la (5)_________, el/la (6)_________*Oseano of the Síes*. Se llamaba Tan y era de Hamilton, el/la (7) _________ de Bermudas. Me gustó saberlo porque allí es donde mi tío, que ahora está en la cárcel, tiene guardado tod (8) _________ el/la (9) _________. Me preguntó si quería tomar algo, acepté inmediatamente y fuimos andando hasta allá. Por el camino se me cayó de la oreja un/una (10) _________, una joya de la familia, que se quedó incrustad (11) _________ en el/la (12) _________ de su zapato. Me lo/la (13) _________ recogió. Empezaba a ser una costumbre ver a ese hombre agachado a mis pies. Al devolvérmelo/la (14) _________, me cogió tan fuerte la mano que de un dedo se me cayó un/una (15) _________, de la otra bisabuela, que empezó a rodar por el/la larg (16) _________ (17) _________ que iba a parar al mar. Ante mi desesperación, mi capitán Tan me regaló un/una inmens (18) _________ (19) _________ de flores. Al salir de la floristería se hizo daño en un ojo, con un/una (20) _________ de almendro, que sobresalía cerca de el/la (21) _________. Cenamos muy bien y bebimos abundantemente, tanto que mi capitán se mareó un poco, se agarró de la cortina, saltaron tod (22) _________ los/las (23) _________ y se partió la ceja. Como perdía mucha sangre, salí corriendo para buscar a un médico que le hiciera un/una (24) _________, pero al volver vimos que estaba en un/una profund (25) _________ (26) _________ etílic (27) _________, casi desangrado. Ya no necesitaba un médico sino un/una (28) _________ o un notario. O las dos cosas. Murió mientras llegaba el/la (29) _________. Y digo "el/la" (30) _________ y no "la (31) _________ " porque vino solo uno, viej (32) _________ y antipátic (33) _________. Cuando iba a huir saltando a un/una viej (34) _________ (35) _________ de pesca con remos que pasaba cerca sin nadie dentro, me obligaron a ir a la comisaría. Horas después me dijeron que el capitán había muerto envenenado. No podía creerlo y me hicieron leer el/la (36) _________ médic (37) _________. Empecé a leer el/la primer (38) _________ (39) _________ pero les dije que no entendía lo que ponía y era verdad: estaba todo escrito sin ni un/una (40) _________ y la letra era horrible. Ahora siempre intento que no se me caiga nada delante de desconocidos.

Resulta muy conveniente plantear, junto a la actividad anterior, y para reforzar la idea de necesidad de control de los géneros y su relación con el significado, actividades que contengan palabras como *víctima*, *persona*, *personaje*... Se trata, como se ve, de palabras que admiten referentes de sexo masculino o femenino, pero que mantienen las concordancias en un solo género El tratar palabras de esta índole tiene para el alumno un efecto positivo. Por un lado, este puede llegar a percibir la diferencia entre la realidad y la expresión lingüística que la representa; por otro, se da cuenta de la necesidad de ceñirse a restricciones lingüísticas para ofrecer la perspectiva correcta en relación con lo que se quiere decir, entre las que se hallan las que en español ejercen un control meramente textual sobre las concordancias de género. Se percata, en fin, de que la gramática es más importante que el sexo.

ACTIVIDAD 4: "RICARDO EPICENO"

Lee el resumen de la película, tacha lo que no funciona y di si son verdaderas o falsas las afirmaciones siguientes.

En este texto...
1. *Persona* es un hombre.
2. *Criatura* es un animal.
3. *Bestia* es una gata.
4. *Cadáver* es una mujer.
5. *Ejemplar* es una gata.
6. *Mascota* es una gata.
7. *Ser humano* es una mujer.
8. *Personaje* es un hombre.
9. *Protagonista* es una mujer.
10. *Víctima* es un hombre.
11. *Promesa* es una mujer.

Una noche, al llegar puntualmente a su casa, Ricardo Epiceno, un ciudadano modélico, un/una persona observador-observadora (1) por naturaleza, oye un extraño ruido en el jardín de su vecina. Se acerca y descubre un animal peludo, quizás un perro gigante o un lobo salvaje, un/una extraño-extraña criatura (2), que le muerde los pantalones y le impide moverse. Cuando trata de librarse de él/ella, el/la bestia (3) le agarra los tobillos con sus terribles dientes. Grita... Su mujer Belinda sale de casa despavorida pero tropieza con un bulto. En el suelo yace la vecina muerta. Probablemente asesinada. El/La cadáver, atado-atada a una silla, (4) presenta signos de violencia. Unos metros más allá, se encuentra malherida Cleopatra, la gata de su vecina, un/una curioso-curiosa ejemplar (5) procedente de Egipto, de extraña nariz. A Belinda, tras una cura de urgencia al/a la mascota (6), solo se le ocurre una solución: llamar a la detective Lola Lagunas, el/la único-única ser humano (7) capaz de resolver el enigma. La tensión que se establecerá entre Lola Lagunas, típico-típica personaje (8) de las obras del director Pietro Modorra, y Ricardo Epiceno, el/la verdadero-verdadera protagonista (9) de esta historia y el/la auténtico-auténtica víctima (10) final de la película, dejará al espectador sin aliento. El actor Homero Raya, con esta película, ha dejado de ser un/una joven promesa (11) del cine español para convertirse en una realidad.

La actividad 5 resume la problemática de la cuestión de las concordancias y ofrece una práctica de algo que se espera que un estudiante avanzado pueda conseguir: interpretar correctamente el sentido de un texto usando las concordancias de género y número en frases complejas y también controlar y corregir sus propias producciones escritas en el mismo sentido. Los textos que un alumno avanzado debe aspirar a escribir alcanzarán mayor complejidad sintáctica y, durante su producción, la necesidad de reelaboración hará necesario un control específico de esa cuestión en la fase de revisión de lo producido, como por otra parte ocurre con un nativo. Es un ejercicio de corrección de errores destinado a la complejidad propia del tipo de texto del nivel avanzado.

ACTIVIDAD 5: "TEATRO FEMINISTA RADICAL"

Subraya las palabras con errores de concordancias en este texto.

PARÍS, EL CAPITAL DEL TEATRO MÁS RADICAL

Crítica de la obra ganadora del Festival de teatro "La Ville"

Rita Louvre y Sophie Eiffel tuvieron que dividirse este domingo el premio a la mejor intérprete de teatro feministo en la festival celebrada en los teatros de París. Son dos actrices de Australia (aunque de origen francesa), famosos en su país porque suelen interpretar siempre una personaje femenina de fuerte carácter y personalidad violento. Durante esta fin de semana pasada se han visto quince obras de muchas países. La obra con la que han ganado el premio es un producción de tan solo tres actores. Los tres tienen un papel igual de importante. La protagonista masculina está interpretado por el inglés Brad Pitbull, un hombre de cuarenta años que durante el drama tiene un gran crisis emocional cuando descubre que sus dos cariñosas amantes han preparado una plan para envenenarlo. Las dos parecían seres asustadizos, apocados y aprensivos. Cuando ambas confiesan sin dudarlo que efectivamente su único intención es destruirlo, cae en un profundo depresión.

A partir de ese momento, la obra provoca sorprendentes carcajadas en un público que ríe mientras Brad Pittbull suelta una lagrimón tras otra. La habilidad de la autora, la estadounidense Maggie Sad, consiste en ridiculizar la dolor del hombre haciendo que ya no pueda pronunciar más que palabras incoherentes y unas pocas expresiones que repite sin cesar (como "¡Esto es un dramón y no lo que hacen en los teatros hoy en día!"). Durante esta caída por el pendiente hasta el fondo del mar más negra, Brad Pitbull hace una papelón y se confirma como un actorazo de primera fila. Más mérito tienen aún las dos actrices, puesto que permiten que brille la color más oscuro de los sentimientos del actor. El hombre es, al principio de la obra, un criatura que parece indestructible y, luego, la gran actuación de estos dos actrices hace que no le sirvan de nada los ruegos y los oraciones a su Dios. Una vez terminado la función, el espectador se da cuenta de que ha disfrutado enormemente riéndose de un pobre ser humano que ha vuelto al niñez y ha perdido todos sus virtudes. La obra termina de modo terrible. Las mujeres no le dejan beber casi nada durante muchas días, prisionero en su apartamento (al poco coca-cola que le dan le ponen sal marino), hasta que le traen un poco de leche. Él sabe que está envenenado, pero el sed puede más y bebe. Una gran obra, un golpe directo en el nariz de los espectadores. Si son ustedes turistos aburridos en París, dejen de mirar la mapa y vayan a verlo.

Tras la corrección del ejercicio, y con el texto sin problemas de significado que se encuentra en el CD que acompaña a este libro, se puede proponer una continuación que consista en reescribir ligeramente el texto. Para hacerlo, se propondrá a los estudiantes escoger algunas palabras y sustituirlas por otras próximas en su significado o casi sinónimas. Ello los llevaría a revisar las concordancias y a realizar los cambios necesarios, lo que simularía los procesos de reelaboración de la producción escrita. Al mismo tiempo, se les puede proponer que añadan adjetivos que modifiquen esas u otras palabras del texto siempre que esto enriquezca el sentido y no produzca un texto inverosímil.

Ofrecemos a continuación una serie de palabras entre las que puede elegir el profesor para llevar a cabo la labor de reescritura del texto. Siguiendo su orden de aparición, se presentan las palabras que aparecen en el texto junto a sus sinónimas, aunque es posible que en alguna ocasión se ofrezca primero la sinónima para que los alumnos reflexionen sobre dónde colocarla.

teatro: *drama;* ***festival:*** *muestra;* ***de origen:*** *con pasaporte;* ***personalidad:*** *temperamento;* ***fin de semana:*** *semana;* ***obra:*** *texto;* ***actores:*** *personas;* ***protagonista:*** *personaje;* ***seres:*** *criaturas;* ***intención:*** *objetivo;* ***lagrimón:*** *lágrima;* ***dolor:*** *angustia;* ***mar:*** *profundidades;* ***papelón:*** *interpretación;* ***fila:*** *nivel;* ***color:*** *cara;* ***criatura:*** *individuo;* ***actuación:*** *trabajo;* ***función:*** *espectáculo;* ***espectador:*** *platea;* ***ser humano:*** *persona;* ***virtudes:*** *honor;* ***leche:*** *agua;* ***obra:*** *drama;* ***golpe:*** *bofetada;* ***nariz:*** *frente;* ***mapa:*** *guía.*

7.2 Lo que menos ruido hace es lo que más dice

Los análisis gramaticales suelen hacerse preguntándose sobre cuándo usar unas formas gramaticales y no otras, sobre cómo y para qué usarlas o qué función pueden cumplir. Sin embargo, y dado que generalmente se presta más atención a las destrezas productivas, en pocas ocasiones se trasladan los hallazgos de estos análisis a su ejercitación en actividades de comprensión auditiva o se experimentan los efectos de tales hallazgos en el seno de las destrezas receptivas. Y más infrecuente aún es que se parta de la comprensión auditiva para encontrar y mostrar el funcionamiento de las formas escogidas para el análisis. Si bien es habitual ofrecer audios o vídeos destinados a presentar *input* para su posterior uso, pocas son las muestras de actividades existentes dedicadas a entrenar la asimilación de un significado y sus formas abordando de modo preferente la comprensión auditiva. El camino para ello, sin embargo, está más que abonado, puesto que las actividades de atención a la forma que han empezado a imponerse contemplan necesariamente los efectos de significado que la elección de una u otra forma producen. Es tan solo un ligero cambio de perspectiva que supone pasar de plantear las cosas como *¿Qué van a entender si digo x...?* a formularlo como *¿Qué puedo entender si me dicen x...?* Es esta segunda perspectiva, insertada en el marco de la destreza de la comprensión auditiva, la que puede aportar alguna novedad en la práctica pedagógica.

Queremos ilustrar a continuación este pequeño paso y mostrar la posibilidad de servirse de la comprensión auditiva como punto de partida para el análisis de formas y significados a la vez que dedicarle un entrenamiento real centrado en valores gramaticales que estructuren una audición. Ofreceremos dos ejemplos de ello.

Para mostrar el potencial de esta destreza para el aprendizaje de recursos gramaticales, el primero se centra en el análisis y, presentación a los estudiantes de los valores formales de los pronombres. El aprendizaje de estas formas lingüísticas se ve sumamente favorecido cuando la percepción que de su funcionamiento haga el estudiante se lleve a cabo a través del prisma de lo que tales formas significan para un receptor, es decir, de lo que gracias a ellas podemos entender o no podemos esperar entender.

La segunda actividad pretende ser una muestra de entrenamiento auditivo, basado en el contraste significativo entre las formas de la afirmación y la suposición en el pasado, especialmente el contraste entre imperfecto y condicional.

Cuando nos acercamos a la literatura sobre comprensión auditiva, lo que encontramos son muchas páginas dedicadas a términos como comprensión global o selectiva, estrategias, inferencias, anticipaciones, conocimiento del mundo y un etcétera que a menudo deja en último lugar y sin tratar lo que incluso se llega a denominar "los pormenores" de las unidades lingüísticas. Si la gramática es significado, parece lógico, para descubrir cómo funciona el sistema lingüístico, centrarse en qué entendemos cuando alguien dice algo de una manera o de otra, y resulta extraño que las actividades de comprensión auditiva no ocupen un lugar más relevante en este proceso. Es este un ámbito, el de la creación de actividades para la comprensión auditiva basada en principios cognitivos, en el que queda mucho por recorrer y en el que urge ensayar propuestas para que los alumnos ejerciten su capacidad de comprensión de significado. El principio por el que deberían guiarse es el procesamiento de las formas y el significado por encima de las formas con más contenido léxico o por deducciones contextuales, estratégicas o de informaciones entonativas. Cuando estos últimos factores son los que ocupan el esfuerzo auditivo de los alumnos, suele producirse una sensación de que no se ha tratado el verdadero núcleo del problema, dejando a menudo algo perplejo al alumno, que se queda sin saber cómo puede mejorar su nivel de comprensión auditiva[19].

Incluso cuando una cuestión formal está bien tratada desde el punto de

[19] "If students are not taught how to listen, listening activities become nothing more than disguised forms of testing learners' existing listening abilities, which only serves to increase anxiety about listening" (Vandergrift y Goh, 2009: 397).

vista productivo, ya sea oral o escrito, es a menudo desatendida su práctica en las destrezas receptivas, lo que provoca falsas interpretaciones cuando los alumnos escuchan o leen, incluso si son capaces de producir correctamente el mismo contenido porque, sencillamente, no han sido entrenados para oírlo.

El resultado de plantearse abordar un aspecto gramatical desde la perspectiva de la comprensión auditiva tiene un doble beneficio. Por un lado, revierte en un mejor control y comprensión del fenómeno en las destrezas productivas, puesto que se es consciente de los efectos que puede causar; por otro, provoca que tanto el profesor como el estudiante se acerquen a un contenido curricular desde otro punto de vista, permitiéndose así una variación pedagógica sobre contenidos que quizás el estudiante haya visto ya con anterioridad, proporcionándole una nueva motivación y una nueva vía para su asimilación.

La primera secuencia de actividades que presentamos a continuación está destinada a presentar con otro enfoque la enseñanza del sistema pronominal español. Se supone a los estudiantes ya familiarizados con el sistema, pero se recorre toda su casuística para que en un par de sesiones la revisen y adquieran de manera más consistente su funcionamiento[20].

El objetivo del primer ejercicio de la secuencia es establecer el significado de los pronombres personales sujeto (*yo, tú, él...*) en los términos de "NO otra persona" o "SÍ otra persona" y examinar su uso limitado necesariamente a la presencia de otro elemento de esa categoría en el contexto con el que poder contrastarlo para excluirlo. Es importante darse cuenta de que, al contrario de lo que ocurre en otras muchas lenguas, el uso de un pronombre personal sujeto no sirve para señalar directamente a la persona que realiza la acción, sino, como hemos dicho, para contrastar a esa persona con otra que no la realiza. ***Yo** vengo...* significa que otra persona no viene; ***Ellos** no comen patatas...* significa que otros sí comen. En cambio, para señalar que alguien realiza la acción, el español usa la desinencia verbal. *Habla**ste** francés...* significa que la persona a la que me dirijo realizó la acción.

Se trata, pues, de crear ejercicios que asignen significado al uso de las formas más opacas, tales como, en el caso del español, los pronombres sujeto. Los pares de frases que se ofrecen en el primer ejercicio que sigue a continuación, tras el ejemplo que visualiza en imágenes el significado, intentan centrar la atención del alumno en qué contextos puede activar o debe bloquear la interpretación contrastiva, tras escuchar una frase con o sin pronombre personal sujeto, teniendo en mente las preguntas *¿Qué me están diciendo?* y *¿Qué puedo esperar que me digan?*

[20] Este análisis parte del efectuado en Castañeda Castro et ál. (2008:15-26) y de las indicaciones bibliográficas allí contenidas. Es el que sustenta el material pedagógico de Alonso et ál. (2005). Ver también, en el capítulo I de este mismo volumen, las reflexiones en torno a los ejemplos 1-4.

ACTIVIDAD 6: "QUEREMOS IR A ÁFRICA"

1. ¿Qué me están diciendo?

A. Raúl y yo tenemos vacaciones en julio y estamos pensando en hacer un viaje con mi hermano y su amigo. **Nosotros** queremos ir a África.

Yo y Raúl.

Mi hermano y su amigo.

B. Raúl y yo tenemos vacaciones en julio y estamos pensando en hacer un viaje con mi hermano y su amigo. Quer**emos** ir a África.

Yo, Raúl, mi hermano y su amigo.

2. ¿Qué puedo esperar que me digan?
Relaciona las frases con los significados.

1. JUAN: Vale, quedamos en el aeropuerto.
   Tú llegas a las diez, ¿no?
   MANUEL: Sí, a las diez.
2. JUAN: Vale, quedamos en el aeropuerto.
   Llegas a las diez, ¿no?
   MANUEL: Sí, a las diez.

a. Solo Manuel viaja.
b. Juan viaja también.

3. Ya he revisado el texto. ¿**Hago yo** las copias? 4. Ya he revisado el texto. ¿**Hago** las copias?	a. No sé si hay que hacer algo más antes de imprimir. b. Sé que solo falta imprimir las copias.
5. ¿**Le has mandado tú** el poema a mi novia? 6. ¿**Le has mandado** el poema a mi novia?	a. Sé que mi novia ha recibido un poema de alguien, pero no sé de quién. b. No sé si mi novia ha recibido o no el poema que tenías que mandarle.
7. **Nosotros no cobramos** por llevar maletas si pesan menos de 20 kilos. 8. **No cobramos** por llevar maletas si pesan menos de 20 kilos.	a. Ofrecemos un servicio que otras compañías no ofrecen. b. No nos preocupa qué hace la competencia.
9. José habla siempre mucho pero **no decide** nada. 10. José habla siempre mucho pero **él no decide** nada.	a. José es un director poco práctico. b. José es un empleado sin poder.

El objetivo de la siguiente actividad es doble: por un lado, comprobar cómo el uso de los pronombres personales que incumple esta regla crea graves problemas de comprensión; por otro, mostrar el efecto que crea la ausencia de pronombres complemento cuando estos resultan obligatorios. La actividad será planteada como un ejercicio de comprensión auditiva, leyendo el texto el profesor mismo. El formato de la actividad pretende también señalar que no son imprescindibles grandes medios tecnológicos para poder abordar muchos aspectos de la comprensión auditiva. A veces, un pequeño texto leído por el profesor puede ser muy efectivo.

El texto muestra una serie de pronombres personales sujeto usados indebidamente y la ausencia de pronombres complemento. Al final de la lectura se les preguntará a los alumnos, simplemente, si lo han entendido. Las respuestas suelen ser próximas a *Sí, más o menos*, con alguna observación, en ocasiones, de que hay muchos *ellos*. Preguntará el profesor también si creen que un español lo puede entender, a lo que suelen dar respuestas en la línea de que los españoles fingen entenderlo todo aunque a veces parecen cansarse de hablar con uno. A menudo, los estudiantes se inclinan a creer que han entendido bastante el texto. La reacción más adecuada de un profesor tras la lectura del texto y las respuestas de los alumnos, y como conclusión final, debería ser: *Yo no he en-*

tendido nada. Verdaderamente el texto es bastante incomprensible o, cuando menos, agotador. Tras esta reflexión, y con el texto escrito a su disposición, los alumnos deberán repararlo, sabiendo que los problemas afectan a todo tipo de pronombres, sujeto y complemento.

ACTIVIDAD 7: "JUAN Y ELLOS"

Escucha este texto. ¿Puedes entenderlo? ¿Qué le ocurre?

Juan es un chico simpático y trabajador. Él ha alquilado un piso de 70 metros cuadrados y comparte con dos chicos que también se llaman Juan. Los amigos dicen, cuando ellos van a visitar, que ellos van a ver a los Juanes. Y no solo ellos se llaman igual; además ellos hacen muchas cosas juntos. Ellos desayunan, ellos almuerzan y ellos cenan juntos, por ejemplo. Ellos también tienen un perro y ellos sacan a pasear los tres juntos, siempre que ellos pueden. Cuando ellos van de vacaciones (juntos claro), dejan a la vecina, a la que le encantan los animales.

La realización de esta actividad debe conducir a que los alumnos deduzcan una regla cercana a la siguiente, regla que, además, debe ser examinada en relación con la ya mencionada del pronombre sujeto: la presencia de un pronombre de complemento directo (*lo, los, la, las*) significa que no habrá nada ni nadie nuevo que reciba la acción tras la aparición del verbo. Si no hay presencia de pronombre complemento directo, significa que sí podemos esperar que se atribuya un complemento directo con un referente que hasta ese momento no ha sido mencionado. Justo a la inversa, pues, de la regla de la presencia y ausencia del pronombre sujeto. Presentárselo así, relacionando ambas reglas, tiene una gran ventaja operativa: la de usar un mismo criterio para resolver dos problemas que a menudo no se interrelacionaban al abordarlos ni en la práctica ni en la mente del alumno. La diferencia entre pronombres sujeto y pronombres complemento directo es que los primeros sirven para anunciar la presencia de otro elemento con el mismo valor gramatical, con el que contrastan cuando se usan; los segundos, los de complemento directo, bloquean la posibilidad de que un segundo elemento se atribuya esa función de complemento directo.

Es importante que comprendan que hay una dinámica que relaciona ambos sistemas de pronombres, propia del sistema formal español, lengua que opera de modo inverso, o parcialmente inverso, al de muchas otras, que usan pronombres sujeto de modo obligatorio para señalar al actor de la acción, y al de algunas que no tienen ningún elemento que marque que el complemento directo es lo mismo de lo que se viene hablando.

ACTIVIDAD 8: "LA MALETA"

La ilustración anterior puede ayudar a que los alumnos fijen la representación del proceso anticipatorio que lleva a cabo un oyente aplicando la regla del uso de pronombres de complemento directo. Este ejemplo concreto les puede servir de referencia e indica el camino que conviene seguir en la corrección de las producciones de los alumnos en que se omite el pronombre de complemento directo. De nuevo, el propósito es no aceptar, aunque lo pudiéramos reparar, el significado que esperaría transmitir un alumno si produce frases de este tipo: *¿Las maletas? Hago por la mañana.* Si lo que esperaba era comunicar que las maletas las hace por la mañana, la reacción debe ser parecida a la que aparece en la ilustración, que claramente deja establecido que las maletas no pueden tener relación alguna con la primera actividad del día de la chica. Cabe, por tanto, ante el alumno que pone punto final a esa frase, reaccionar de este modo: *¿Qué haces por la mañana? Dímelo. ¿El desayuno, la cama, el amor...?* Cuantas más hipótesis sea posible ofrecer, mejor. Será patente así el abismo comunicativo que él mismo ha creado al obligar a abrir la posibilidad de incluir absolutamente cualquier otro elemento excepto las maletas, justamente aquel que esperaba que se comprendiera que era el complemento, por no haberlo marcado formalmente. Se puede proyectar la ilustración de la conversación de las chicas, sin mostrar el pensamiento del chico, y hacer que los alumnos hagan una lluvia de ideas sobre todo lo que puede estar pasándole por la cabeza al chico, antes de mostrar el dibujo completo (ver PowerPoint 7.1 en el CD que acompaña este volumen).

Otro componente clave del sistema pronominal español que debemos trabajar es el uso de la preposición *a* para marcar los complementos directos de persona identificados y específicos y los indirectos de cualquier condición. Estamos ante un elemento que, pese a ser esencial para establecer el significado, resulta sumamente opaco a los alumnos, que suelen tener graves problemas, incluso en niveles avanzados, para percibirlo y para producirlo correctamente. Esta circunstancia plantea la urgente necesidad de exponer a los alumnos a la contradicción que puede suponer procesar un mensaje obviando esta marca gramatical. Para empezar este proceso, debemos recordar a los estudiantes el funcionamiento de esta *a* con complementos directos e indirectos con vistas a una tarea final de audición. Unas frases sencillas servirán para, una vez establecido el foco en esta *a*, comprobar su efecto significativo en condiciones no tan obvias para los alumnos.

ACTIVIDAD 9: "EL NIÑO Y EL SEÑOR"

¿Qué cambia en estas frases?

A
1. Juan limpia los cristales.
2. Juan baña a su hijo Luisito.
3. Juan pinta un cuadro.
4. Juan pinta a María.
5. Juan escucha con atención la radio.
6. Juan escucha con atención a la chica rubia.

B
1. Juan le pone un sombrero a Rosa en la cabeza.
2. Juan le pone un sello de 3 euros a la carta.
3. Juan le lava la ropa a María.
4. Juan le limpia la cara a su hijo Luisito.
5. Juan les quita la suciedad a los platos.

La regla operacional que se debe activar es la de que en el primer grupo de frases encontramos *a* si el complemento directo es persona y que está siempre presente si es indirecto. Es decir, que operacionalmente podemos decir que si un verbo tiene un complemento que es persona[21] estará siempre marcado con

[21] Prescindimos en este momento, por la urgencia pedagógica de establecer sin demora el valor prototípico, de los casos en que la preposición *a* se comporta de manera más compleja. Este valor prototípico que se ofrece a los alumnos puede, sin embargo, dar también cuenta de ello. Nos

a. El objetivo es que esta *a* pueda llegar a ser vista como un aviso que exclama *Yo no soy sujeto* y deje, gracias a ello, de pasar inadvertida.

Es lógico que la gramática de la lengua española se preocupe mucho por evitar confusiones entre complementos de persona y sujetos y menos con complementos de cosa. Si un elemento es persona, tenderemos a querer procesarlo como el agente que realiza la acción, por encima de las cosas. Este conflicto podría aparecer fácilmente en español si no existiera el mecanismo resolutivo de la preposición *a*. Además de la tendencia a la asignación del papel de agente a personas, otro factor interfiere en el correcto procesamiento por parte de los estudiantes de los significados que involucran sujetos y complementos. No es otro que la asignación de valor gramatical al orden de palabras, cosa que en otros idiomas sí es posible establecer, pero que en español resulta en la práctica minimizado, por mucho que el orden Sujeto-Verbo-Objeto sea el orden no marcado esperable en español con las piezas léxicas no sustituidas por pronombres. La alteración del orden de palabras, sin embargo, puede darse en no pocas ocasiones de un modo generalmente opaco, sin que los desplazamientos ofrezcan marcas formales. Es un sistema diferente, por ejemplo, al de lenguas que usan mecanismos como la inversión Verbo-Sujeto para formular preguntas o a la obligatoriedad de desplazar el verbo al final de la frase en cuanto se introducen ciertos elementos en una frase, por citar dos ejemplos. Resulta fundamental ser consciente de la posible tendencia de los alumnos a seguir cierta lógica de los universales o a aplicar patrones de lenguas que conocen, intentado establecer el valor sintáctico de un elemento según su posición en el orden de la frase.

Este fenómeno está claramente conectado con la tendencia a procesar las palabras de más contenido léxico de modo preferente, desestimando marcas formales que determinan una función que se termina de conocer con la ayuda del orden de ocurrencia de los elementos. Debemos mostrar a los alumnos de qué modo esta manera de operar puede conducir al accidente interpretativo. Para ello se ofrece la segunda parte de la actividad.

El profesor lee las frases exactamente como están escritas, sin mostrarlas, y pregunta, en primer lugar, si pueden entenderlas y, a continuación, tras cada frase, quién tiene la pelota. A pesar de la falta de información de que adolecen

---

referimos, por ejemplo, a las interpretaciones específicas o inespecíficas (*Buscaba a un amigo perdido* frente a *Buscaba un amigo*), a condicionantes y vacilaciones de los hablantes como la ausencia de determinantes o de modificadores (*La Universidad debe formar investigadores* frente a *La Universidad debe formar a investigadores cualificados*) o a las construcciones dislocadas (*A los descubrimientos los preceden siempre las intuiciones* frente a *Las intuiciones preceden siempre los descubrimientos*). Estos ejemplos y un exhaustivo repaso a la casuística se encuentran en R.A.E., 2009: §§ 34.8-34.10. La expansión de ese valor prototípico a esta casuística se podrá cubrir precisando qué puede abarcar la etiqueta "persona", la idea de especificidad, los grados de determinación y el uso de *a* como recurso para desambiguar sujetos de no persona en ciertas alteraciones del orden de palabras.

las frases 1 y 2 (no sabemos quién es sujeto), los alumnos suelen insistir en que sí son interpretables. Incluso cuando algún alumno apunta que no se puede saber quién tiene la pelota, un nutrido grupo suele insistir en que es el señor el que la tiene. Su insistencia aumenta a medida que aumenta la cantidad de información léxica aportada en las frases 3 y 4, que hacen más opaca la ausencia de *a*. Tras todo esto, llega el momento de mostrar los dibujos asociados a la frase 4, que, al no contener una *a* desambiguadora, muestra, como se ve, dos sintagmas nominales candidatos a funcionar como sujeto o como complemento indirecto.

¿Puedes entender estas frases? ¿Quién tiene la pelota?

1. El señor no le da la pelota el niño.
2. **æ**l señor no le da la pelota **æ**l niño. (Debe neutralizarse fonéticamente la a para producir un sonido no identificable ni como [a] ni como [e]).
3. El señor no le da la pelota el niño porque ha roto un cristal de la ventana de su casa jugando al béisbol.
4. El señor no le da la pelota el niño porque ha roto un cristal de la ventana de su casa jugando al béisbol. Dice que no se la dará hasta que venga su padre.

¿A qué dibujo corresponde la frase 4?

La solución es, naturalmente, que a ninguna de las dos. La frase es ambigua y es importante explicitárselo así a los alumnos. Solo lo puede tener si decimos *El señor no le da la pelota* ***al*** *niño...* para el dibujo de la izquierda o ***Al*** *señor no le da la pelota el niño...* para el de la derecha.

Cuando en la primera parte de este capítulo hablamos de asignar significado a las formas más opacas, nos referíamos precisamente a este tipo de operación, en la que es más importante asignar a uno de los dos sintagmas esa marca de *No soy sujeto*, que recurrir al orden de palabras o a la evocación de todo el conocimiento del mundo a que nos invita el léxico de la frase. Todo lo que nos hace pensar que los niños suelen jugar al béisbol y romper cristales tiene que ser cancelado al escuchar o ver la preposición *a*, la cual contradice nuestras expectativas y nos dice que no siempre la vida es así. Es en este sentido que la gramática puede desempeñar un papel fundamental en la mejora de la comprensión auditiva. Si dicha frase formara parte de un fragmento auditivo más extenso, en la que el señor hubiera roto el cristal, la cantidad de esfuerzo reparador de un alumno que no hubiese oído esa *a* lo llevaría al agotamiento intentando rehacer desesperadamente hipótesis e inferencias para dar sentido a lo que siguiera.

Usando contextos que puedan llevar a inferencias erróneas, se ayuda mucho a los alumnos a procesar esta *a*. En una frase como *A Norman lo mató la abuela* o *A Norman le clavó el cuchillo la abuela*, la necesidad de asignar significado a la preposición es grande: son varios años de cárcel y comprender que no estamos hablando en esta ocasión de *Psicosis* (ver figura 3)[22].

Figura 3

Es este un buen lugar para mostrar también cómo opera el principio P2[23] de VanPatten que se ha mencionado en la primera parte de este capítulo. Ima-

[22] La presencia del pronombre con un complemento directo anticipado no parece ayudar a evitar la omisión sistemática de *a* en los alumnos que padecen tal disfunción. Un ejemplo de una producción real de un alumno: *No, Silvia Pérez Cruz no la conocía, pero me gusta esa canción que me has mandado* (en vez de *No, a Silvia ...*). Es sintomático que este tipo de frases suele ser de alumnos que no tienden al leísmo y son sistemáticos en su uso correcto de *lo, los, la, las*. Los que suelen preferir *A Juan le llamé* acostumbran a omitir en menor grado *a*, en clara coherencia con el fenómeno del leísmo, que simplifica el sistema de casos, reduciéndolo parcialmente (en el término menos marcado, *le*) a sujeto-no sujeto, sin preocupación por el tipo de complemento, directo o indirecto.

[23] "Para que los estudiantes procesen formas sin significado, deben poder procesar información o contenido comunicativo con coste nulo (o bajo) para la atención" (VanPatten, 1996: 14). Traducción nuestra.

ginemos que la frase 4 de la actividad anterior se hubiera leído a los estudiantes de este modo:

> 5 *El señor no le da el bate al niño porque ha roto un cristal de la ventana de su casa jugando al béisbol. Dice que no se la dará hasta que venga su padre.*

A no ser que los estudiantes estén familiarizados con la palabra *bate*, toda la atención del procesamiento se concentraría en esa palabra, que parecería tener la clave del misterio de la comprensión. En realidad, hemos resaltado el *input* por el lugar menos apropiado. Para los alumnos, lo que se les estaría pidiendo que procesaran sería percibido así:

> 5 *El señor no le* **BATE** *al niño porque ha roto un cristal de la ventana de su casa* ***jugando al béisbol****. Dice que no se la dará hasta que venga su padre.*

Necesitarían un tiempo precioso o una segunda audición tan solo para lidiar con ese léxico que desconocen y acabarían teniendo que procesar una frase con buenas dosis de ruido extra si consiguen aplicar estrategias para ello: "El señor no le da la cosa esa que no sé qué es aunque quizá debería saberlo al niño porque ha roto..."

Para terminar la secuencia, nos centraremos en el comportamiento de *le* y *les* con verbos valorativos. Quedarían por tratar algunos aspectos del sistema pronominal, como por ejemplo la reduplicación de pronombres (*me.. a mí; te... a ti...*), que sigue el mismo principio de la presencia y ausencia de sujeto. No podemos extendernos mucho más aquí ni tampoco es conveniente en clase perder el objetivo principal de la secuencia. Sobre el fenómeno de la anticipación de los pronombres de objeto indirecto cuando aún no se conoce el referente, les haremos observar a los alumnos que el comportamiento mostrado en este caso por tales pronombres difiere en algunos aspectos del que generalmente asumen, y les ofreceremos la regla de anticipar con pronombre la presencia de un complemento indirecto que aparecerá más tarde o como referente de uno que ya ha aparecido, sin distinción formal en ambos casos. Este pronombre *le/les* avisa de la necesidad de prestar atención para encontrar un complemento precedido de *a* que no será ni sujeto ni tampoco complemento directo. La necesidad de esta duplicación se les puede ilustrar con la posibilidad de producir frases con un sentido contrario si se omite el pronombre de complemento indirecto: *Llegué temprano y pude cocinar al hijo de mi vecino, que estaba solo en casa.* ¿Cocinarlo? ¿Cocinarle?

Favorece la adquisición de este valor el que sea presentado y practicado en el seno de las construcciones valorativas, en las que, además, entran en juego las concordancias de número para diferenciar complementos indirectos de sujetos.

Se ofrecen a los alumnos frases incompletas para que comprueben que sin la preposición *a* son solo reparables las que tienen diferentes concordancias de número.

ACTIVIDAD 10: "LAS MARIPOSAS A JESÚS"

A. Los verbos como *gustar, molestar, poner nervioso, fastidiar,* etc. tienen un sujeto y un CI. Marca el que crees que no es sujeto añadiendo "a".

1. Las mariposas de colores le gustan mucho Jesús.
2. Mis vecinos les caigo bien.
3. Mis padres no les cae bien mi novia.
4. Todos los vecinos que vivan en un edificio en el que haya un perro que ladre todo el día les costará dormir.

¿Cómo has sabido qué era sujeto y qué CI?

B. ¿Es posible saber qué queremos decir en estas frases con la información que hay?

1. Los perros les gustan los niños.
2. Las chicas altas les gustan los hombres altos.
3. José María le gusta Laura.
4. ¿Ustedes no les caen bien los españoles?

C. En estas otras, en algún caso sí puedes deducir el sujeto, en otros no. ¿Cuáles pueden tener dos interpretaciones?

1. No sé por qué, pero las chicas que tienen los ojos verdes no les gusto.
2. Yo sé que les gustas las chicas, lo que pasa es que eres muy tímido.
3. El padre y la madre les preocupan mucho los dos hijos mayores porque últimamente discuten constantemente.
4. Los chicos comer bien les encanta.

La actividad final de la secuencia es un ejercicio de comprensión auditiva en el que es necesario procesar correctamente todo lo tratado hasta ahora. Los alumnos leen las preguntas y escuchan el texto, leído por el profesor, una o dos veces. Tras discutir las posibles respuestas, pueden confirmarlas proporcionándoseles la transcripción y observando qué cambios de sentido se producirían si la presencia o ausencia de pronombres se presentara de otro modo.

ACTIVIDAD 11: "LOS PELOS DE MARTA"

Lee las afirmaciones siguientes, escucha el texto y marca las que son verdad..

1. A Marta, la mujer de José Manuel, le molestan algunas de las cosas que hace él.
2. Marta escribe poemas de amor.
3. La persona que escribe los poemas los coloca en una cajita.
4. a. José Manuel ha dicho que va a tirarles algo a la cabeza a los vecinos.
   b. José Manuel ha dicho que va a tirarle algo a la cabeza al perro.
   c. Los vecinos le han dicho a José Manuel que van a tirarle algo a la cabeza.
5. José Manuel encuentra pelos de Marta
   a. en la ducha.
   b. en la ducha y en el suelo.
   c. en la ducha, en el suelo y en el sofá.

TRANSCRIPCIÓN

José Manuel es un chico muy normal. **Como a todo el mundo**, algunas cosas le ponen nervioso y otras le alegran el día. Por ejemplo, **su mujer, Marta**. A veces **le molestan** las cosas que hace o dice y a veces le encantan y se enamora todavía más.

Marta es muy cariñosa con sus hijos y con él pero, aunque lo quiere mucho, **a José Manuel** nunca le dice cosas bonitas porque le da vergüenza. En cambio, se las escribe. Le escribe **poemas** de amor casi cada semana y **se los coloca** en una cajita encima de la mesilla de noche. Le gusta ver cómo casi cada día, cuando se acuesta, la mira, sonríe y la abre.

A los dos les molesta mucho el perro de **los vecinos** porque ladra mucho. Ya les han dicho muchas veces que hagan algo para que se calle, pero no hacen nada. "Un día de estos, **les** voy a tirar algo a la cabeza", ha dicho José Manuel muchas veces.

Lo que José Manuel no puede soportar es que Marta no recoja nunca los pelos del cuarto de baño cuando se ducha o se peina. Los tiene que recoger de la ducha, del suelo... Y lo que ya le parece totalmente absurdo es que **deje en el sofá**... Bueno, mejor no dar más detalles.

Observando la transcripción, los alumnos verán que si apareciese una *a* se podría entender fácilmente *A su mujer, Marta, a veces le molestan las cosas que hace o dice*. Suprimir *a* en *José Manuel nunca le dice cosas...* entraría en conflicto con el *lo* anterior, que quedaría como única marca muy débil de concordancia. Si apareciera un pronombre sujeto como *ella* para decir *Ella, en cambio, se las escribe*, convertiríamos ese marcador de contraste, *en cam-*

bio, en una contraposición de sujetos, *ella, no él,* lo cual nos podría llevar a interpretar en la frase anterior que efectivamente él no dice cosas bonitas pero ella sí. En *Les voy a tirar algo a la cabeza*, el *les* desambigua el destinatario del elemento arrojadizo; si en vez de *les* hubiera aparecido *le*, sería el perro el que recibiría el elemento en cuestión. Finalmente, si se introdujera un pronombre *los* dando como resultado *los deje en el sofá...*, serían los pelos el elemento referido, cuando, en realidad, es otra cosa, que el narrador evita comunicarnos.

Hemos apuntado ya algunas posibilidades de corrección de las producciones al hilo de la exposición de esta secuencia de actividades. Para el caso de la ausencia de *a*, la estrategia puede consistir, como hemos visto hasta ahora, en entender la posibilidad que menos tiene en mente el alumno, quien normalmente confiará en el orden de palabras. Incluso, se podrá reaccionar habiendo reparado lo que sospechamos que estaba bien formulado para provocar el fracaso comunicativo:

1. • *Juan estaba aburrido en un bar. Sonrió una chica muy guapa mucho rato, pero sin ningún éxito.*
   ❍ *Juan estaba despistado, además de aburrido, ¿no? ¿No se dio cuenta de que una chica sonreía?*
2. • *Ese día Svetlana había perdido el móvil. Encontró Peter en el bar de la escuela y se lo explicó.*
   ❍ *¿Qué encontró Peter en el bar? ¿El móvil de Svetlana, lo encontró?*
3. • *Silvia conocí hace tiempo.*
   ❍ *¿Conocí? ¿Conoció? ¿A quién conoció Silvia?*

7.3 Lo que más ruido hace no es lo que más dice

La actividad de entrenamiento a la audición que se presenta a continuación persigue consolidar la distinción entre los actos de afirmación y suposición en el espacio "allí". La suposición puede venir señalada por alguna matriz del tipo *creo que...*, por un marcador como *a lo mejor, igual, seguramente...* seguido de indefinido, imperfecto o pluscuamperfecto, o bien por el uso de la forma verbal del condicional, que se basta en solitario para realizar suposiciones. Trabajar con estas tres posibilidades y con los verbos en el espacio "allí" presupone que los alumnos conocen cómo hacer afirmaciones y suposiciones en el espacio "aquí" usando el presente, el pretérito perfecto compuesto, con matrices o marcadores, y los futuros simple y compuesto.

El mapa mental que deben manejar es, pues, el que permite que, ante una frase como *Juan no ha venido a clase hoy*, se puedan producir las afirmaciones y suposiciones incluidas en el cuadro siguiente, ya sea "desplazando" las formas verbales destinadas a "afirmar" hacia la suposición por medio de marcadores o matrices, ya sea usando la forma verbal destinada a ello.

AQUÍ

AFIRMAR	SUPONER
– *Ha tenido problemas.* – *Tiene problemas.*	– *Habrá tenido problemas.* – *Tendrá problemas.* – *A lo mejor ha tenido problemas.* – *Igual tiene problemas.*

Ante una frase como *Juan no vino (venía/había venido) a clase*, se pueden producir igualmente suposiciones con ambos mecanismos. Resulta útil mostrar a los alumnos cómo la raíz de las formas verbales del futuro se traslada al espacio "allí" para formar el condicional, cuyas terminaciones son las mismas que las del imperfecto de los verbos en *–er* e *-ir* (*-ía, -ías...*). Es, por lo tanto, esta combinación de marcas formales la que establecerá sistemáticamente el significado de suposición y determinará en qué columna estamos para que el contenido del mensaje se decodifique adecuadamente como suposición o afirmación, a no ser que esté presente también un marcador de suposición como los mencionados. Es decir, que se entrena a los alumnos a fijarse exactamente en la parte morfológica con más contenido de significado y menos prominencia fonética (*com-* versus *comer-* o *ten-* versus *tendr-*).[24]

ALLÍ

AFIRMAR	SUPONER
– *Había tenido problemas.* – *Tuvo problemas.* – *Tenía problemas.*	– *Habría tenido problemas.* – *Tendría problemas.* – *A lo mejor tuvo problemas.* – *Seguramente tenía problemas.* – *Igual había tenido problemas.*

El ejercicio de práctica para consolidar estos significados consiste en una grabación de la conversación telefónica entre un policía y una testigo. A la actriz que lo interpreta se le pidió que encarnara verosímilmente un personaje y usara un repertorio variado de entonaciones dubitativas y aseverativas, que no necesariamente debían corresponderse con las frases de suposición o afirmación respectivamente. Así puede ocurrir en el uso real: en ocasiones afirmamos algo con poca convicción en la entonación o podemos ser muy factuales en nuestras suposiciones. Escuchamos en la grabación una entonación cercana a la duda con imperfecto *(Tenía relación con la construcción...)* y también frases con contenido de suposición expresados con rotundidad (*Sí. Saldría entre...; Serían las ocho...*). Todo ello resulta natural y práctica-

[24] Véase la presentación animada que, para presentar esta parte del sistema verbal antes de la actividad propuesta, se ofrece en el CD que acompaña a este volumen.

mente imperceptible para un oyente nativo, pero dificulta el procesamiento que debe llevar a cabo un estudiante para no malinterpretar el mensaje. El texto de la audición se preparó de modo que contuviera algunos contextos que, de serles aplicadas ciertas estrategias deductivas, llevaran a respuestas interpretativas erróneas que solo admitiesen corrección gracias a la escucha precisa de las formas gramaticales. Se intentaba con ello relegar el papel de las hipótesis, las inferencias, la escucha aproximativa o anticipativa a meros mecanismos estratégicos que, por sus limitaciones, requieren, en los procesos interpretativos, tener muy en cuenta un valor gramatical. Asimismo, se concentró en un solo personaje, la testigo, toda la información que debía comprender el oyente y se minimizaron las pistas entonativas o contextuales que este pudiera obtener a partir de las intervenciones del policía, cuyo tono elocutivo sumamente plano no permite extraer información relevante para responder a las preguntas planteadas a los alumnos.

Los recursos suprasegmentales ofrecidos por la entonación los usan, como es sabido, tanto los nativos como los no nativos para transmitir significados e intencionalidades diversos. A diferencia de lo que ocurre en los hablantes nativos, los patrones entonativos pueden llevar a los estudiantes a interpretaciones erróneas del significado, ya que estos suelen usarlos sobre todo para establecer relaciones entre las piezas léxicas de mayor relieve sin procesar las marcas gramaticales que dan su verdadero significado a tales piezas. Las entonaciones pueden llamar la atención poderosamente y colocarse fácilmente en primer plano, por encima de cualquier otro elemento, durante el proceso de comunicación. De hecho, pueden vehicular agresividad, enfado, calma y un largo etcétera de sentimientos complejos, a menudo deducibles sin la necesidad de entender muy bien el contenido lingüístico de una expresión. La gramática sigue siendo más definitiva que la entonación, hecho este que, resultando automático para un nativo, exige un gran esfuerzo de control del procesamiento a las personas que aprenden una lengua extranjera.

A los estudiantes se les ofrece, pues, una grabación de estudio, planteada como material autentificable, en el sentido comentado en la primera parte de este capítulo. Los estudiantes pueden seguir desde la primera audición el mismo cuestionario que supuestamente el policía está rellenando y que se reproduce a continuación.

ACTIVIDAD 12: "EL POLICÍA Y LA TESTIGO"

1. Un policía, mientras hace preguntas a una testigo por teléfono, toma notas sobre una mujer que iba en un tren con ella. Marca en qué columna anota los datos el policía, según si la mujer lo afirma o lo supone.

	Lo afirma	**Lo supone**
1. Hora de salida prevista del tren	☐	☐
2. Hora real de salida del tren	☐	☐
3. Hora prevista de llegada	☐	☐
4. Hora real de llegada	☐	☐
5. Un motivo por el que solo había dos personas en el compartimento	☐	☐
6. Edad de la mujer	☐	☐
7. Edad de su hijo	☐	☐
8. Tenía más hijos	☐	☐
9. Lugar de origen	☐	☐
10. Marido	☐	☐
11. Color de los ojos	☐	☐
12. Altura	☐	☐
13. Peso	☐	☐
14. Pelo	☐	☐
15. Ciudad de residencia habitual	☐	☐
16. Alojamiento en París	☐	☐
17. Tipo de trabajo	☐	☐
18. Motivo para viajar en tren	☐	☐
19. ¿Dónde estaba la mujer cuando llegó el tren a París?	☐	☐

TRANSCRIPCIÓN

TESTIGO: ¿Sí? Dígame.
POLICÍA: Buenos días, soy el agente Felipe, de la INTERPOL. ¿Es usted la señorita Sara Verdaz?
TESTIGO: Sí, soy yo.
POLICÍA: Mire, estamos investigando un caso y queríamos hacerle unas preguntas para ver si nos puede ayudar.
TESTIGO: Ah... Bueno... Pero yo no he hecho nada, ¿eh?
POLICÍA: No, no. Usted, no. No se preocupe. Es sobre una mujer con la que usted cenó en París hace unos días.
TESTIGO: Ah, vale, pero yo casi no la conocía.
POLICÍA: Lo sabemos, lo sabemos. Mire, le voy a hacer unas preguntas sobre esa mujer. Cualquier información que nos pueda dar nos ayudará a resolver un importante caso. ¿De acuerdo?
TESTIGO: Sí, bien. No sé mucho de esa mujer, pero...
POLICÍA: No se preocupe. Conteste tranquilamente. ¿Cuándo conoció a esa mujer?
TESTIGO: Iba en el tren conmigo.
POLICÍA: ¿Adónde iba ese tren?
TESTIGO: A París. Era el tren nocturno de Barcelona a París.
POLICÍA: ¿A qué hora salía el tren de Barcelona?
TESTIGO: Salía a las nueve.
POLICÍA: ¿Salió puntual?
TESTIGO: Sí. Saldría entre las nueve y cinco y las nueve y diez.
POLICÍA: ¿A qué hora llegó a París?
TESTIGO: Pues... Tenía que llegar a las ocho y media pero llegó antes. Cuando paró el tren en la estación, miré el reloj y recuerdo que me puse muy contenta porque así tenía un poco más de tiempo antes de mi cita en París.
POLICÍA: ¿Qué hora era exactamente?
TESTIGO: Serían las ocho y cuarto.
POLICÍA: ¿Había alguien más en su compartimento?
TESTIGO: No, era un compartimento con cuatro literas, pero las otras dos camas no las ocupó nadie.
POLICÍA: ¿Sabe usted por qué?
TESTIGO: ¿Me pregunta por qué no había nadie más? No lo sé. A mí también me extrañó que estuviéramos las dos solas, pero no sé.... Había poca gente en ese tren... Me alegré mucho, claro, de poder viajar más cómodamente.
POLICÍA: ¿Sabe la edad de la mujer?
TESTIGO: Tendría más de 40. Tenía un hijo de 18.
POLICÍA: Ajá. ¿Hablaron de cuántos hijos tenía?
TESTIGO: Solo de uno. Tendría solo uno. Me habló mucho de él, pero no de otros.
POLICÍA: ¿Le dijo cómo se llamaba?

TESTIGO: Me dijo que la llamara Tina, por Cristina, y un apellido ruso que no recuerdo.
POLICÍA: Entonces, ¿no era española?
TESTIGO: Sí, sí... Porque me contó cosas de su infancia en España y su español era de un nativo que ha crecido en España. Sería asturiana o algo así.
POLICÍA: Entonces, ¿era hija de padre ruso?
TESTIGO: Bueno... O se habría casado con un ruso y habría cogido el apellido de su marido.
POLICÍA: ¿De qué color tenía los ojos?
TESTIGO: Pues, mire usted..., es que soy un poco daltónica, pero los tendría verdes.
POLICÍA: ¿Era muy alta?
TESTIGO: Pues mediría 1,70. No era ni más bajita ni más alta que yo.
POLICÍA: ¿Peso?
TESTIGO: Pues pesaría 60 kilos. Estuvimos hablando de dietas, de adelgazar, de cuánto pesaba antes, de cuánto pesaba ahora.
POLICÍA: ¿Llevaba el pelo largo?
TESTIGO: Lo llevaba corto. No sé por qué, pero pensé que se lo habría cortado ese mismo día.
POLICÍA: ¿Le contó a qué se dedicaba?
TESTIGO: Viajaba mucho por trabajo.
POLICÍA: ¿Dónde vivía?
TESTIGO: Bueno, vivía unas semanas en París y unas semanas en Barcelona.
POLICÍA: ¿Sabe a qué hotel iba?
TESTIGO: No creo que se hospedara en un hotel. Tendría un piso en París porque conocía muy bien el barrio de Saint-Germain, donde quedamos al día siguiente para cenar; los restaurantes, las panaderías, esas cosas...
POLICÍA: ¿Le explicó algo más? ¿En qué consistía su trabajo...?
TESTIGO: Se reunía con gente importante.
POLICÍA: ¿De qué tipo?
TESTIGO: No sé..., políticos, empresarios. Tenía relación con la construcción o algo así: construir carreteras, aeropuertos...
POLICÍA: Parece que era una persona que ganaba dinero. ¿Por qué viajaba en tren y no en avión?
TESTIGO: Y ¿por qué no? Yo también tengo dinero y prefiero despertarme a las 8 en la estación de Austerlitz en París que levantarme a las 5 para coger un avión.
POLICÍA: Disculpe, no quería ofenderla.
TESTIGO: No se preocupe, no pasa nada. Ella no había encontrado billete de avión. Ese es otro motivo para coger el tren, ¿verdad?
POLICÍA: Claro. ¿Algo más sobre la mujer?
TESTIGO: No sé... Tampoco sé qué están buscando. ¿Por qué les interesa esa mujer?
POLICÍA: No se lo puedo contar. Es un caso secreto.
TESTIGO: ¡Ah...! Pues, no sé... A mí me pareció normal. Solo que...
POLICÍA: Diga, diga.

TESTIGO: No, solo que... Cuando me levanté, me extrañó que ya no estuviera allí. No me pude despedir de ella, pero pensé que habría ido a desayunar al bar.
POLICÍA: Pero, luego, ¿cenó con ella?
TESTIGO: Sí, antes de acostarnos le había dado mi número de teléfono.
POLICÍA: ¿Algo más?
TESTIGO: No... No sé...
POLICÍA: Si recuerda algo más, por favor, llámeme.
TESTIGO: De acuerdo.
POLICÍA: Le agradezco mucho su colaboración. Que tenga un buen día.
TESTIGO: Gracias. Igualmente. Buenos días.
POLICÍA: Buenos días.

FIN DE LA TRANSCRIPCIÓN DE LA LLAMADA

2. **Tras comparar los datos con tu compañero y con la ayuda de la transcripción, lee este texto. ¿Sería la mujer del tren la persona que buscaba la policía?**

La policía estaba buscando a una empresaria española arruinada que había conseguido información muy delicada sobre varios políticos y la quería vender a la prensa internacional. La policía buscaba a una mujer nacida en Rusia hacía 37 años, de padres rusos, pero que a los dos años había venido a vivir a España. Había estado casada con Mariano Ramañana y tenía dos hijos; uno vivía con ella y otro con su exmarido. La policía sabía que viajaba a París por negocios a menudo y que, siempre que estaba en París, se alojaba en el mismo hotel que tenían bajo vigilancia.

La segunda parte del ejercicio permite al estudiante darse cuenta del valor de distinguir entre afirmación o suposición.

A las secuencias de actividades propuestas en este capítulo se les supone otras, de corte comunicativo, que faciliten la práctica productiva de la expresión oral y escrita. Queda ello fuera del alcance de este capítulo y ofrecemos solamente aquí un ejemplo de lo que podría ser una continuación de esta actividad proponiendo a los estudiantes lo siguiente: "El agente Felipe, al revisar la declaración de la testigo, dudó de una de sus respuestas. ¿Qué crees que le hizo pensar que mentía? Haz hipótesis sobre qué le hizo sospechar y cuál era la verdad de la relación entre ambas mujeres". La solución que se podría ofrecer, tras agotar ellos las hipótesis, es la siguiente: "El daltonismo es muy poco frecuente en mujeres y eso hizo sospechar al agente, que descubrió que en realidad la testigo era cómplice de la mujer del tren que, efectivamente, era la que buscaban".

El modo de interactuar con los alumnos para cerciorarse de que están produciendo los significados que desean consistirá, lógicamente, en comprobar que están afirmando algo porque tienen la información para hacerlo. Así, ante la situación mencionada, si un estudiante dice: *El policía sospechó porque la testigo no recordaba la hora de llegada exactamente*, habría que reaccionar diciendo: *Ah, entonces sabes que fue por eso* y provocar una reformulación por parte del alumno del tipo: *Bueno, lo sospecharía por eso.* Otro ejemplo sería: *Las dos mujeres eran espías rusas*, ante lo cual se respondería: *¿Y cómo lo sabes?*, para provocar algo similar a: *Bueno, no lo sé, lo imagino: serían espías.*

7.4 La espada de fuego de la *cancelabilidad*

El valor clave que diferencia el modo subjuntivo del indicativo es la *cancelabilidad* del primero, que se desprende al trabajar con la noción de declarar y evitar declarar, entendiendo declarar como afirmar o suponer algo en oposición a mencionarlo[25]. Resulta especialmente necesario ejercitar este aspecto, que afecta en gran manera a la comprensión auditiva, puesto que, de nuevo, el contenido léxico sin el procesamiento adecuado de las formas que marcan el cambio de modo lleva a asumir certezas o suposiciones sobre lo que se dice que se pueden ver puestas en evidencia en cualquier momento. La vehemencia usada por Ruiz Campillo al hablar de "separar con una espada de fuego"[26] la inferencia y lo que realmente se dice parece muy pertinente.

Efectivamente, decir *Me gusta viajar* o *Me gusta que mi novia viaje* no implica necesariamente que yo viaje o que mi novia viaje. Sí lo implica si decimos *Está claro que viaja*, pero al decir *Me parece muy bien que viaje*, podemos estar discutiendo perfectamente el hecho de que alguien no viaja. Igualmente, *Es mejor que viaje* o *Quiero que viaje* no declaran irrefutablemente el hecho, solo lo mencionan. Que el subjuntivo aproveche el mecanismo discursivo de retomar algo mencionado con anterioridad, o bien tratarlo como ya compartido tácitamente por los interlocutores, puede llevar a asumir por parte de uno de ellos que el otro acepta como declaración algo que simplemente está comentando.

Cuando alguien dice algo como *No me parece normal que nuestro hijo lea a James Joyce*, uno puede objetar, si su conocimiento del mundo así se lo indica, *Pero… ¡Si no lo lee!* A ello, el interlocutor puede aún replicar: *Es verdad*

[25] Sobre el concepto de no-declaración como valor del subjuntivo y sobre su cancelabilidad, veáse Ruiz Campillo, 1998 y 2007b; Castañeda Castro, 2004b y el capítulo VI de este volumen; sobre implicaturas, Llopis-García et ál., 2012.

[26] "Podemos sostener que el contraste modal en español se explica y predice adecuadamente mediante el concepto de 'declaración'. Convertir este concepto en la guía permanente para una decisión adecuada entre indicativo y subjuntivo, sin embargo, requiere una muy precisa interpretación, y un muy riguroso protocolo (destinado fundamentalmente, dicho sea de paso, a separar con una espada de fuego el qué se dice del qué se puede inferir de lo que se dice)" (Ruiz Campillo, 2008).

que no lo hace; yo no he dicho que lo lea, solo pretendía dejar claro que no me parece normal que un chico de su edad haga ese tipo de cosas. El primer hablante puede defender su postura precisamente porque ha usado una construcción con modo subjuntivo que le eximía de declararlo. Al hacerlo, sin embargo, su interlocutor ha querido comprobar que esa mención no partía de una afirmación o asunción previa que se diera por aceptada por ambas partes[27].

La actividad que se propone a continuación intenta explorar este efecto de los enunciados expresados en subjuntivo, que el estudiante puede estar tentado de aceptar como declaración cuando no ha entrenado suficientemente el control sobre la capacidad de declarar o de evitar declarar de los modos.

En la actividad se muestra una serie de frases, algunas que declaran afirmando, otras que declaran suponiendo y otras que evitan declarar. Es obvio que respetar el nivel de inferencia que permite cada modo es esencial para no cometer errores de comprensión, siendo la clave ver los enunciados mencionados en subjuntivo como cancelables en cualquiera de las hipótesis o inferencias a que den lugar en los diferentes contextos. Así, por ejemplo, cuando un profesor dice a sus alumnos *A mí me gusta que los alumnos hagan muchas preguntas en clase*, debemos mantener abierta y pendiente de otras informaciones la respuesta a la pregunta *¿Lo dice porque sus alumnos hacen muchas preguntas?*

En realidad la frase puede continuar, al menos, de dos maneras: *Pero los alumnos de esta escuela no suelen hacer muchas preguntas*, o bien: *Por eso me lo paso muy bien en clase, porque hacéis muchas preguntas.*

¿Cuándo estamos afirmando o suponiendo algo? ¿Cuándo estamos solo mencionando ideas con matrices que evitan declarar la idea que mencionan? Esa es la tarea que se plantea en la actividad que proponemos. La primera parte de la actividad ofrece preguntas sobre los contextos y su cancelabilidad con una progresión en cuanto a la proximidad o no a la literalidad de la pregunta. La decodificación de la matriz basta para tener un criterio de decisión no especulativo. Así, las frases (2) y (8) afirman; la (1), (4) y (6) suponen. Ambos grupos dan como verdadera la pregunta sobre las frases y el modo es declarativo, indicativo. (3), (5), (7) evitan dar como afirmado o supuesto el contenido de la frase objeto de la pregunta, a la que hay que responder negativamente; no puedo inferir en (3) que los profesores saben muchos idiomas ni lo contrario; no puedo inferir que leen o no leen mucho los alumnos en (5); en (7) sería arriesgado estar seguro o suponer que el profesor no se ha acordado de poner un dibujo. Tal vez los alumnos estén sopesando esa posibilidad pero también la de que no quiso ponerlo. El modo subjuntivo hace imposible tomar una posibi-

[27] Ruiz Campillo (2007b) ofrece el siguiente ejemplo: "No me gusta que me grites", "¡Pero si yo no te grito!", "Yo no he dicho que grites, he dicho que no me gusta". Añade además que en muchas lenguas que carecen de mecanismos equivalentes al modo, la misma conversación solo es interpretable contextualmente sin que el hablante pueda atenerse a una marca formal de no-declaración.

lidad como una declaración y descartar otra, en ninguna de sus dos variantes, suposición o afirmación.

La segunda parte de la actividad es un texto que el profesor puede leer a sus alumnos, que tendrán las preguntas de comprensión de antemano.

ACTIVIDAD 13: "YO NO HE DICHO ESO"

A. Decide si puedes contestar afirmativamente a las preguntas que se encuentran debajo de cada frase.

1. Me parece que los profesores de español saben muchos idiomas.
   ¿Lo digo porque supongo que los profesores de español saben muchos idiomas?
2. Está claro que los profesores de español saben muchos idiomas.
   ¿Lo digo porque sé que los profesores de español saben muchos idiomas?
3. Me parece una buena idea que los profesores de español sepan muchos idiomas.
   ¿Lo digo porque los profesores de español saben muchos idiomas?
4. Me parece que los profesores de español saben muchos idiomas.
   ¿Lo digo porque creo que los profesores de español saben muchos idiomas?
5. Digo a todos los profesores que es importante que los alumnos lean mucho, en español y en su idioma también.
   ¿Se lo digo porque sé o supongo que no leen mucho?
6. Creo que a los alumnos les parece que este ejercicio es raro.
   ¿Lo digo porque pienso que a los alumnos este ejercicio les parece raro?
7. A los alumnos les parece extraño que el profesor haya olvidado poner un dibujo en este ejercicio.
   ¿Lo digo porque sé que el profesor no se ha acordado de poner un dibujo?
8. Me parece evidente que las imágenes ayudan a pensar.
   ¿Lo digo porque estoy convencido de que con imágenes se puede pensar mejor?

B. Escucha el texto y luego di si las frases son verdaderas o falsas.

Un profesor a sus alumnos

El profesor...

1. ...afirma que sus estudiantes hacen muchas preguntas.
2. ...dice que, cuando explica, sus alumnos están pensando si sus explicaciones tienen sentido o no.
3. ...no exige que sus estudiantes encuentren la solución correcta.
4. ...dice que los mejores estudiantes hacen muchos ejercicios cada día.
5. ...afirma que aprender significa entender la lógica del idioma.
6. ...afirma que sus estudiantes no trabajan mucho, pero es una broma.
7. ...afirma que trabajan bien.

TRANSCRIPCIÓN

Un profesor a sus alumnos

A mí me gusta que mis estudiantes me hagan muchas preguntas en clase. Cuando explico algo, es importante que estéis pensando si esa explicación tiene sentido, comparándola con los ejemplos que conocéis o con las otras cosas que sabéis. Por eso siempre intento que penséis antes de decidir la respuesta de un ejercicio. Lo más importante no es que encontréis la solución correcta. Es imprescindible que estéis seguros de que vuestra mente ha tomado la decisión siguiendo unos criterios que servirán para otros casos o que sepáis por qué una respuesta no puede ser correcta.

Es mejor que hagáis un par de ejercicios cada día, y que le dediquéis tiempo a cada frase, que no 15 en un solo día, rápidamente y de modo mecánico. Está claro que no se aprende bien un idioma sin entender su lógica. Por eso, a veces digo que no trabajéis mucho. Es una broma, claro. Solo es para decir que trabajéis bien.

La corrección de las dudas sobre los efectos de sentido que genere la alternancia de modos será llevada a cabo teniendo en cuenta lo que se ha pedido a los alumnos que usen como criterio en los ejercicios anteriores: ¿lo afirma o supone?, o bien, ¿lo menciona? Algunos ejemplos:

1. • *Me parece bien que viene Jorge.*
   ○ *Ah, pero, ¿viene seguro?*
   • *No, no lo sé seguro si viene.*
   ○ *Pero, ¿a ti qué te parece que venga?*
   • *¡Me parece bien, ya te lo he dicho!*
   ○ *¿Qué has dicho que te parece bien?*
   • *¡Que viene Jorge!*
   ○ *Ya lo sé que viene, ya me lo has dicho eso, pero ¿tienes ganas o no? ¿Te parece buena idea...?*
   • *Pero, es que... yo no sé si viene, ¿eh?*

2. • *A Sonia le parece raro que hablas ruso, ¿es verdad que lo hablas?*
   ○ *A ver... si tú dices que hablo ruso, ¿por qué me preguntas si hablo ruso? No te entiendo.*

Si es conveniente, se puede provocar aún más el fracaso comunicativo ante alumnos que no perciben en absoluto la variación en las formas, obviando haber oído la matriz, como si no tuviera casi contenido léxico cuando sea muy contradictorio, y provocar el siguiente diálogo:

3. • *No creo que le dan el trabajo a Pilar.*
   ○ *¡Vaya noticia! ¡Le dan el trabajo a Pilar!*
   • *¡No, no, no! No creo eso yo, no.*
   ○ *¿No crees qué?*
   • *Que le dan el trabajo...*
   ○ *Pero ¿se lo dan o no?*
   • *¡No lo sé! Creo que no.*
   ○ *No te entiendo. Pero ¿tú crees que es verdad que tiene posibilidades?*
   • *¿Posibilidades de que se lo darán?*
   ○ *¡Se lo darán!*
   • *No creo.*
   ○ *No te entiendo.*

4. • *Me extrañó que él llegó tarde y, por eso, pregunté en recepción. Estaba en otra sala, esperándome.*
   ○ *¿Por qué llegó tarde?*
   • *¡No, no llegó tarde! Estaba en otra sala.*
   ○ *Pero has dicho que él llegó tarde y que te pareció raro.*
   • *No, no. Me pareció raro que llegó... que no llegó, quiero decir.*
   ○ *¿Que llegara tarde, que no estuviera?*
   • *Eso es.*

El último ejercicio que se propone para terminar este capítulo sirve también para ejercitar la capacidad de escoger entre significados posibles a partir de las formas que los vehiculan o, visto de un modo operacional, escoger qué única forma puede tener sentido y significado en un determinado lugar del texto.

La actividad consiste básicamente en la labor de tomar decisiones gramaticales; labor que, para ser llevada a cabo, requiere la aplicación, en un relato, de ciertas habilidades de comprensión lectora. Obliga a escoger una forma concreta del sistema verbal de modo que, si se usa otra, se produzcan significados inviables que el mismo alumno debe ver ilógicos a poco que relea las frases anteriores o siguientes de la historia. Constantemente debe estar haciéndose preguntas sobre qué pasó, qué pasaría luego o en qué momento virtual o acontecido se sitúa cada frase. Este mismo ejercicio podría haberse planteado como un texto de comprensión auditiva sobre el que se podrían hacer preguntas. Es interesante mostrar, sin embargo, cómo en esta versión de procesamiento gramatical los mecanismos de interpretación de las marcas formales son requisito indispensable para entender la historia y poder proseguirla.

A los alumnos se les suministrará sucesivamente cada capítulo, que incluye la solución del anterior.

ACTIVIDAD 14: "EL CAFÉ DE LAS MATRICES"

Lee cada capítulo de la historia y coloca las frases en el texto, decidiendo la forma del verbo. Usa cualquiera de las siete formas "allí" (indefinido, imperfecto, pluscuamperfecto, condicional simple y compuesto; imperfecto o pluscuamperfecto de subjuntivo). En caso de duda, puede ayudarte traer la historia al espacio "aquí" para decidir qué forma necesitas.

El café de las Matrices

Un relato

CAPÍTULO I

Versión I

SAMUEL SUÁREZ FUE A LA TERRAZA del Café de las Matrices, donde solía sentarse a tomar algo algunas tardes. Se sentó, pidió un café y esperó. Una chica buscaba el encendedor en su bolso con un cigarrillo en la boca. La miró. (1) ______.

No sonrió. (2)______. Todavía sin sonreír, sacó su paquete de tabaco y encendió un cigarrillo, sin mirarla. (3)______.

Ella no se dio cuenta y él se tragó el humo despacio y lo dejó salir aún más despacio. Jugó con su paquete de cigarrillos y vio que le quedaban más o menos la mitad. Tenía que dejar de fumar pronto. (4)______.

a. Lo haría más tarde, cuando ella (**levantar**) ________________ la vista y (**buscar**) ________________ a su alrededor a alguien que (**fumar**) ________________ y al que le (**poder**) ________________ pedir fuego. Lo (**hacer**) ________________ cuando sus ojos se encontraran.
b. Deseó que ella también lo (**mirar**) ________________ .
c. Pero ese día se alegró de que nadie lo (**convencer**) ________________ aún de dejar de fumar.
d. Cuando ella se (**dar**) ________________ cuenta de que él era el fumador más cercano a ella, se (**dar**) ________________ la vuelta para mirarla a los ojos otra vez.

CAPÍTULO I

Versión II

SAMUEL SUÁREZ FUE A LA TERRAZA del Café de las Matrices, donde solía sentarse a tomar algo algunas tardes. Se sentó, pidió un café y esperó. Una chica buscaba el encendedor en su bolso con un cigarrillo en la boca. La miró. (1) (b) Deseó que ella también lo **mirara**.

No sonrió. (2) (a) Lo haría más tarde, cuando ella **levantara** la vista y **buscara** a su alrededor a alguien que **fumara** y al que le **pudiera** pedir fuego. Lo **haría** cuando sus ojos se encontraran. Todavía sin sonreír, sacó su paquete de tabaco y encendió un cigarrillo, sin mirarla. (3) (d) Cuando ella se **diera** cuenta de que era el fumador más cercano a ella, se **daría** la vuelta para mirarla a los ojos otra vez.

Ella no se dio cuenta y él se tragó el humo despacio y lo dejó salir aún más despacio. Jugó con su paquete de cigarrillos y vio que le quedaban más o menos la mitad. Tenía que dejar de fumar pronto. (4) (c) Pero ese día se alegró de que nadie lo **hubiera convencido** aún de dejar de fumar.

CAPÍTULO II

Versión I

SAMUEL SUÁREZ DISFRUTÓ DEL TABACO como si fuera el mejor placer del mundo. (1)_________. Tardaría aún dos meses en empezar a dejarlo. Finalmente, ella lo miró. (2)_________. Se lo pidió y hubo un momento de silencio. Él quería que ella le (**decir**) ________________ algo más, pero ella tragó el humo mientras le devolvía el encendedor. La siguió mirando. (3)_________. Lo miró. No dijo nada. Lo miró otra vez y fue entonces cuando la chica le dio las gracias, expulsó el humo y se sonrió. Él sabía que era un momento clave. No podían pasar más de cuatro o cinco segundos. Tenía que decir algo o ya no (**hablar**) ________________ nunca, nunca (**empezar**) ________________ una conversación. Tenía que hablar. Y rápido. Ella había abierto un libro y estaba a punto de empezar a leer. El libro era en inglés. (4)_________. No podía preguntarle de dónde era. Era como preguntar: "¿Estudias o trabajas?". Un tópico demasiado usado para hablar con una desconocida.

a. Primero pensó que (**ser**) ________________ extranjera, pero no tenía aspecto de turista. Su "gracias" había sonado, además, en un perfecto español y no le parecía posible que (**ser**) ________________ de otro país.
b. Tenía muy claro que (**dejar**) ________________ de fumar al cabo de poco tiempo, pero no ese día.
c. A ella le pareció tan normal que él la (**estar**) ________________ mirando de esa manera que no dudó en pedirle fuego.
d. A él le pareció una eternidad el tiempo que pasó antes de que ella (**volver**) ____________ a hablar y le (**dar**) ____________ las gracias.

CAPÍTULO II

Versión II

SAMUEL SUÁREZ DISFRUTÓ DEL TABACO como si fuera el mejor placer del mundo. (1) (b) Tenía muy claro que **dejaría** de fumar al cabo de poco tiempo, pero no ese día. Tardaría aún dos meses en empezar a dejarlo. Finalmente, ella lo miró. (2) (c) A ella le pareció tan normal que él la **estuviera** mirando de esa manera que no dudó en pedirle fuego. Se lo pidió y hubo un momento de silencio. Él quería que ella le **dijera** algo más, pero ella tragó el humo mientras le devolvía el encendedor. La siguió mirando. (3) (d) A él le pareció una eternidad el tiempo que pasó antes de que ella **volviera** a hablar y le **diera** las gracias. Lo miró. No dijo nada. Lo miró otra vez y fue entonces cuando la chica le dio las gracias, expulsó el humo y se sonrió. Él sabía que era un momento clave. No podían pasar más de cuatro o cinco segundos. Tenía que decir algo o ya no **hablarían** nunca, nunca **empezarían** una conversación. Tenía que hablar. Y rápido. Ella había abierto un libro y estaba a punto de empezar a leer. El libro era en inglés. (4) (a) Primero pensó que **era** extranjera, pero no tenía aspecto de turista. Su "gracias" había sonado, además, en un perfecto español y no le parecía posible que **fuera** de otro país. No podía preguntarle de dónde era. Era como preguntar: "¿Estudias o trabajas?". Un tópico demasiado usado para hablar con una desconocida.

CAPÍTULO III

Versión I

PASARON VEINTE SEGUNDOS MÁS. Ella ya no lo miraba. Tomó una decisión: (1)________. Tenía que encontrar la manera de hablar con ella, de romper ese silencio. Una vez, cuando era pequeño, una chica le dijo algo que recordó en ese instante. (2)________. Sin embargo, podía oír claramente esa frase como si no (**pasar**) ____________ el tiempo. (3)________. Se acordó de que hay chicas a las que les gustan los chicos tímidos y eso le dio ánimos. Él ya no esperaba que ella (**añadir**) ____________ algo más a su frase de agradecimiento por darle fuego. (4)________.

a. Su compañera de pupitre le dijo que le gustaba mucho que (**ser**) ____________ tan tímido.
b. Ya sabía que ella no (**empezar**) ____________ una conversación. Estaba claro que tenía que empezarla él.
c. Cuando ella (**volver**) ____________ a mirarlo, (**empezar**) ____________ a hablar.
d. (**Tener**) ____________ unos doce años. Samuel Suárez no puede precisar la edad.

CAPÍTULO III

Versión II

PASARON VEINTE SEGUNDOS MÁS. Ella ya no lo miraba. Tomó una decisión: (1) (c) Cuando ella **volviera** a mirarlo, **empezaría** a hablar. Tenía que encontrar la manera de hablar con ella, de romper ese silencio. Una vez, cuando era pequeño, una chica le dijo algo que recordó en ese instante. (2) (d) **Tendría** unos doce años. Samuel Suárez no puede precisar la edad. Sin embargo, podía oír claramente esa frase como si no **hubiera pasado** el tiempo. (3) (a) Su compañera de pupitre le dijo que le gustaba mucho que **fuera** tan tímido. Se acordó de que hay chicas a las que les gustan los chicos tímidos y eso le dio ánimos. Él ya no esperaba que ella **añadiera** algo más a su frase de agradecimiento por darle fuego. (4) (b) Ya sabía que ella no **empezaría** una conversación. Estaba claro que tenía que empezarla él.

CAPÍTULO IV

Versión I

ELLA LEVANTÓ UN MOMENTO LA VISTA del libro que estaba leyendo y entonces él le dijo que (**ser**) ________________ uno de sus libros favoritos. (1)_________. Lo había leído dos veces. Ella lo miró. Y sonrió, pero en ese momento sonó su móvil. (2)_________. Atendió la llamada y él encendió otro cigarrillo. (3)________________. Ella siguió hablando. Hablaba en una lengua que él no conocía. (4)_________. No podía ni adivinar de dónde era. *Doset daram* o algo parecido, repetía la chica muy a menudo.

La llamada duró una eternidad. Ella parecía cada vez más preocupada por la conversación. Al cabo de diez minutos, Samuel Suárez decidió ir al baño. (5) _________. Estar allí, sin hacer nada, esperando que (**llegar**) ________________ el momento del fin de la llamada, le pareció ridículo. Se dirigió al baño.

a. Quería que esa llamada (**terminar**) ________________ y que, en cuanto ella (**colgar**) ________________ el teléfono, (**volver**) ________________ a mirarlo y a sonreírle.
b. (**Ser**) ________________ hindi o urdu o algo así.
c. No era verdad que (**ser**) ________________ su libro favorito pero sí era cierto que (**pensar**) ________________ que (**ser**) un buen libro.
d. Ella le dijo que la (**perdonar**) ________________ un momento.
e. Pensó que cuando volviera, ya (**terminar**) ________________ de hablar por teléfono.

CAPÍTULO IV

Versión II

ELLA LEVANTÓ UN MOMENTO LA VISTA del libro que estaba leyendo y entonces él le dijo que **era** uno de sus libros favoritos. (1) (c) No era verdad que **fuera** su libro favorito pero sí era cierto que **pensaba** que **era** un buen libro. Lo había leído dos veces. Ella lo miró. Y sonrió, pero en ese momento sonó su móvil. (2) (d) Ella le dijo que la **perdonara** un momento. Atendió la llamada y él encendió otro cigarrillo. (3) (a) Quería que esa llamada **terminara** y que, en cuanto ella **colgara** el teléfono, volviera a mirarlo y a sonreírle. Ella siguió hablando. Hablaba en una lengua que él no conocía. (4) (b) **Sería** hindi o urdu o algo así. No podía ni adivinar de dónde era. *Doset daram* o algo parecido, repetía la chica muy a menudo.

La llamada duró una eternidad. Ella parecía cada vez más preocupada por la conversación. Al cabo de diez minutos, Samuel Suárez decidió ir al baño. (5) (e) Pensó que cuando volviera, ya **habría terminado** de hablar por teléfono. Estar allí, sin hacer nada, esperando que **llegara** el momento del fin de la llamada, le pareció ridículo. Se dirigió al baño.

CAPÍTULO V

Versión I

EN EL BAÑO IMAGINÓ SU FUTURO INMEDIATO. (1)________. "Siento que antes nos hayan interrumpido. ¿Querías decirme algo?" (2)________.

Pero nada de eso pasó. (3)________. No, no estaba. Sin embargo, el libro de ella estaba ahora en la mesa de él. Se sentó y miró a su alrededor. (4)________. Entonces, vio el papelito de la cuenta entre unas páginas, como si fuera un marcador de lectura. Abrió el libro por esa página y vio que en el papelito había algo escrito. Lo leyó y se quedó de piedra. (5)________.

a. Quería que ella (**volver**) ______________ a aparecer y miró a todas partes.
b. Cuando (**volver**) ______________ a la mesa, la miraría fijamente a los ojos y le diría:
c. Ella (**sonreír**) ______________, (**empezar**) ______________ a hablar, (**pedir**) ______________ otro café, (**ir**) ______________ a cenar…
d. Cuando (**volver**) ______________ a la mesa, la chica ya no estaba.
e. El papelito tenía dos frases con las que le pedía que la (**invitar**) ______________ a ese café y que la (**llamar**) ______________ para que ella (**poder**) ______________ invitarlo a él otro día.

CAPÍTULO V

Versión II

En el baño imaginó su futuro inmediato. (1) (b) Cuando **volviera** a la mesa, la miraría fijamente a los ojos y le diría: "Siento que antes nos hayan interrumpido. ¿Querías decirme algo?" (2) (c) Ella **sonreiría**, **empezarían** a hablar, **pedirían** otro café, **irían** a cenar...

Pero nada de eso pasó. (3) (d) Cuando **volvió** a la mesa, la chica ya no estaba. No, no estaba. Sin embargo, el libro de ella estaba ahora en la mesa de él. Se sentó y miró a su alrededor. (4) (a) Quería que ella **volviera** a aparecer y miró a todas partes. Entonces, vio el papelito de la cuenta entre unas páginas, como si fuera un marcador de lectura. Abrió el libro por esa página y vio que en el papelito había algo escrito. Lo leyó y se quedó de piedra. (5) (e) El papelito tenía dos frases con las que le pedía que la **invitara** a ese café y que la **llamara** para que ella **pudiera** invitarlo a él otro día.

CAPÍTULO VI

Ella ha dejado de fumar y él también. Samuel Suárez ha empezado a estudiar un nuevo idioma y ya sabe qué quiere decir *doset daram.*

FIN

En este capítulo hemos intentado reflexionar sobre algunos aspectos de la enseñanza del español cuyo tratamiento en el aula a menudo nos había dejado insatisfechos. Las aportaciones que hemos propuesto pretenden mostrar posibles vías de abordaje de algunos temas en ocasiones algo desatendidos, como son las concordancias o el componente gramatical en la comprensión auditiva; en otras ocasiones, se trata de cuestiones sobre las que la bibliografía es ingente, como el de los pronombres o el subjuntivo. Dadas las circunstancias contrapuestas de ambos casos, concebir nuevas actividades para los estudiantes no resulta fácil. Hemos buscado que fueran efectivas y que satisficieran alguna necesidad de los alumnos no resuelta convincentemente hasta ahora. Ellos fueron el punto de partida que nos llevó a todas las reflexiones y actividades ofrecidas en este capítulo, pues nacieron de la convicción de que a los estudiantes no les queda otro remedio que el de que los profesores corramos decididamente el riesgo de intentar mejorar la salud de su español[28].

Soluciones a las actividades

1. 1. En el balcón. 2. Las estrellas. 3. Siente frío. 4. Se frota las manos y se pone un abrigo. 5. Sus pensamientos son oscuros, negativos, depresivos, de soledad. 6. Está a punto de saltar al vacío, de suicidarse. 7. Se va a la cama. 8. Para tranquilizarse y olvidar los pensamientos negativos.

2. A mí me gustan las personas curvas, / ***las*** ideas ***curvas***, / ***los*** caminos ***curvos***, / porque ***el*** mundo es ***curvo*** / y ***la*** tierra es ***curva*** / y ***el*** movimiento es ***curvo***; / y me gustan ***las curvas*** / y ***los*** pechos ***curvos*** / y ***los*** culos ***curvos***, / ***los*** sentimientos ***curvos***; / ***la*** ebriedad: es ***curva***; / ***las*** palabras ***curvas***; / ***el*** amor es ***curvo***; / ¡***el*** vientre es ***curvo***!; / lo diverso es ***curvo***. / A mí me gustan ***los*** mundos ***curvos***; / ***el*** mar es ***curvo***, / ***la*** risa es ***curva***, / ***la*** alegría es ***curva***, / ***el*** dolor es ***curvo***; / ***las*** uvas: ***curvas***; / ***las*** naranjas: ***curvas***; / ***los*** labios: ***curvos***; / y ***los*** sueños, ***curvos***; / ***los*** paraísos, ***curvos*** / (no hay ***otros*** paraísos); / a mí me gusta ***la*** anarquía ***curva***; / ***el*** día es ***curvo*** / y ***la*** noche es ***curva***; / ¡***la*** aventura es ***curva***! / Y no me gustan ***las*** personas ***rectas***, / ***el*** mundo ***recto***, / ***las*** ideas ***rectas***; / a mí me gustan ***las*** manos ***curvas***, / ***los*** poemas ***curvos***, / ***las*** horas ***curvas***. / ¡Contemplar es ***curvo***! / ***Los*** instrumentos ***curvos***, / no ***los*** cuchillos,

[28] Debo expresar mi agradecimiento a los colegas de la Escuela Oficial de Idiomas Barcelona-Drassanes, y especialmente a Lourdes Miquel, por el codo con codo diario; a Cristina Lozar y a Blanca Hurtado, que leyeron versiones previas de este texto; a Miriam Monlleó y Vicky de Clascà, por su paciencia durante la grabación del audio; a Sandra Socías y Zeina Alhmoud, por las ilustraciones (las que finalmente aparecen y las que se descartaron); a la hospitalidad de la residencia para la creación Centre d'Art i Natura de Farrera, donde se escribió parte de este trabajo; y, por último, y sobre todo, a varias promociones de alumnos que demostraron entender mucho mejor que uno mismo qué ocurría en sus cabezas y lo comunicaron generosamente.

no ***las*** leyes: / no me gustan ***las*** leyes porque son ***rectas***, / no me gustan ***las*** cosas ***rectas***; / ***los*** suspiros: ***curvos***; / ***los*** besos: ***curvos***; / ***las*** caricias: ***curvas***. / Y ***la*** paciencia es ***curva***. / ***El*** pan es ***curvo*** / y ***la*** metralla ***recta***. / No me gustan ***las*** cosas ***rectas*** / ni ***la*** línea ***recta***: / se pierden / **todas** ***las*** líneas ***rectas***; / no me gusta ***la*** muerte porque es ***recta***, / es ***la*** cosa más ***recta***, lo escondido / dentro de ***las*** cosas ***rectas***; / ni ***los*** maestros ***rectos*** / ni ***las*** maestras ***rectas***: / a mí me gustan ***los*** maestros ***curvos***/ y ***las*** maestras ***curvas***. / ¡No a ***los*** dioses ***rectos***!/ ¡Libérennos ***los*** dioses ***curvos*** de ***los*** dioses ***rectos***! / ***El*** baño es ***curvo***, / ***la*** verdad es ***curva***, / yo no resisto ***las*** verdades ***rectas***. / Vivir es ***curvo***, / ***la*** poesía es ***curva***, / ***el*** corazón es ***curvo***. / A mí me gustan ***las*** personas ***curvas*** / y huyo, es la peste, de ***las*** personas ***rectas***.

3. 1. unas bolsas. 2. al suelo. 3. un barco. 4. atracado. 5. el puerto. 6. el Oseano. 7. la capital. 8. todo. 9. el capital. 10. un pendiente. 11. incrustado. 12. la suela. 13. Me lo recogió. 14. devolvérmelo. 15. un anillo. 16. la larga. 17. pendiente. 18. un inmenso. 19. ramo. 20. una rama. 21. la puerta. 22. todas. 23. las anillas. 24. una cura. 25. un profundo. 26. coma. 27. etílico. 28. un cura. 29. el policía. 30. Y digo "él". 31. la policía. 32. viejo. 33. antipático. 34. una vieja. 35. barca. 36. el parte. 37. médico. 38. la primera. 39. parte. 40. una coma.

4. Una noche, al llegar puntualmente a su casa, Ricardo Epiceno, un ciudadano modélico, ~~un~~/una persona ~~observador~~-observadora (1) por naturaleza, oye un extraño ruido en el jardín de su vecina. Se acerca y descubre un animal peludo, quizás un perro gigante o un lobo salvaje, ~~un~~/una ~~extraño~~-extraña criatura (2), que le muerde los pantalones y le impide moverse. Cuando trata de librarse de ~~él~~/ella, ~~el~~/la bestia (3) le agarra los tobillos con sus terribles dientes. Grita... Su mujer Belinda sale de casa despavorida pero tropieza con un bulto. En el suelo yace la vecina muerta. Probablemente asesinada. El/ ~~La~~ cadáver, atado-~~atada~~ a una silla, (4) presenta signos de violencia. Unos metros más allá, se encuentra malherida Cleopatra, la gata de su vecina, un/ ~~una~~ curioso-~~curiosa~~ ejemplar (5) procedente de Egipto, de extraña nariz. A Belinda, tras una cura de urgencia ~~al~~/ a la mascota (6), solo se le ocurre una solución: llamar a la detective Lola Lagunas, el/~~la~~ único-~~única~~ ser humano (7) capaz de resolver el enigma. La tensión que se establecerá entre Lola Lagunas, típico-~~típica~~ personaje (8) de las obras del director Pietro Modorra, y Ricardo Epiceno, el/~~la~~ verdadero/~~verdadera~~ protagonista (9) de esta historia y ~~el~~/la ~~auténtico~~-auténtica víctima (10) final de la película, dejará al espectador sin aliento. El actor Homero Raya, con esta película, ha dejado de ser ~~un~~/ una joven promesa (11) del cine español para convertirse en una realidad.

1. Verdadero. 2. Verdadero. 3. Falso. 4. Verdadero. 5. Verdadero. 6. Verdadero. 7. Verdadero. 8. Falso. 9. Falso. 10. Verdadero. 11. Falso.

5. Concordancias corregidas: teatro feminista; el festival celebrado; origen francés; dos actrices ... famosas; un personaje femenino; personalidad violenta; este fin de semana pasado; muchos países; una producción; el protagonista masculino; una gran crisis; un plan; su única intención; una profunda depresión; un lagrimón tras otro; el dolor; la pendiente ... del mar más negro; un papelón; el color más oscuro; una criatura; estas dos actrices; las oraciones; terminada la función; la niñez; todas sus virtudes; muchos días; a la poca coca-cola; sal marina; leche ... envenenada; la sed; la nariz; turistas aburridos; el mapa; verla.

6. 2 1.b, 2.a; 3.b, 4.a; 5.a, 6.b; 7.a, 8.b; 9.a, 10.b

7. Texto reparado: Juan es un chico simpático y trabajador. **Ha** alquilado un piso de 70 metros cuadrados y **lo** comparte con dos chicos que también se llaman Juan. Los amigos dicen, cuando **van** a visitar**los**, que **van** a ver a los Juanes. Y no solo **se llaman** igual, además **hacen** muchas cosas juntos. **Desayunan, almuerzan y cenan** juntos, por ejemplo. **También tienen** un perro y **lo sacan** a pasear los tres juntos, siempre que **pueden**. Cuando **van** de vacaciones (juntos, claro), **se lo dejan** a la vecina, a la que le encantan los animales.

8. (Se dan las claves en el texto.)

9. (Se dan las claves en el texto.)

10. A. 1. Las mariposas de colores le gustan mucho **a** Jesús; 2. **A** mis vecinos les caigo bien; 3. **A** mis padres no les cae bien mi novia; 4. **A** todos los vecinos que vivan en un edificio en el que haya un perro que ladre todo el día les costará dormir.
B. Las frases no pueden interpretarse adecuadamente porque no hay preposición *a* para identificar el complemento y, además, el verbo concuerda con los dos sintagmas y, por tanto, no permite reconocer el sujeto.
C. En las frases 1 y 2, el verbo solo puede concordar con "yo" y "tú" respectivamente y por eso podemos identificar el sujeto. En la frase 4, el verbo en singular solo puede concordar con "comer bien", que es el sujeto. En 3, sin embargo, el verbo plural concuerda con "los hijos mayores" y con "el padre y la madre", así que uno y otro pueden ser sujeto o complemento y no sabemos quiénes están preocupados y quiénes discuten.

11. 1. Falso. 2. Verdadero. 3. Verdadero. 4. a. 5. b.

12. 1. Lo afirma: 1 (9 horas); 3 (8:30 horas); 5 (Había poca gente en el tren); 7 (18 años); 14 (corto); 15 (París y Barcelona); 17 (Reuniones con gente importante, de la construcción); 18 (No había billete).

Lo supone: 2 (9:05-9:10 horas); 4 (8:15 horas); 6 (Más de 40 años); 8 (No, uno solo); 9 (Asturias); 10 (Marido ruso); 11 (Ojos verdes); 12 (1'70 de altura); 13 (60 kg.); 16 (Piso); 19 (En el bar).

12.2 La persona de la que habla la testigo puede ser la que busca la policía porque los datos que tiene la policía coinciden con los datos afirmados por la testigo. Solo algunas de las suposiciones que ha hecho la testigo no coinciden con los datos de la policía: la mujer buscada no vivía en un apartamento sino que se alojaba en un hotel; su marido no era ruso sino español; no tenía un hijo sino dos (pero solo vivía con uno porque estaban separados; el otro hijo vivía con el marido).

13.A. 1.Sí. 2. Sí. 3. No. 4. Sí. 5. No. 6. Sí. 7. No. 8. Sí.

13.B. 1. No. 2. No. 3. Sí. 4. No. 5. Sí. 6. No. 7. No.

14. (Se dan las claves en el texto.)

Referencias bibliográficas

Alonso Raya, R., A. Castañeda Castro, P. Martínez Gila, L. Miquel López, J. Ortega Olivares y J. P. Ruiz Campillo (2005). *Gramática Básica del Estudiante de Español.* Barcelona: Difusión (2ª edición revisada y aumentada: 2010).

Castañeda Castro, A. (2004a). "Una visión cognitiva del sistema temporal y modal del verbo en español", *ELUA (Estudios de Lingüística de la Universidad de Alicante).* Número monográfico: *El verbo*; 55-71. Disponible en línea en <hdl.handle.net/10045/9758>.

Castañeda Castro, A. (2004b). "Implicaturas generalizadas de cantidad en el rendimiento de algunas formas y oposiciones del sistema verbal español", *Language Design*, 5. [En línea] <elies.rediris.es/Language_Design/LD5/castaneda.pdf>

Castañeda Castro, A. (2006). "Perspectiva en las representaciones gramaticales. Aportaciones de la Gramática Cognitiva a la enseñanza de español/LE", *Boletín de ASELE*, 34, 11-32. [En línea] <http://formespa.rediris.es/pdfs/asele34.pdf>

Castañeda Castro, A. (2009). "El subjuntivo: su enseñanza en el aula de E/LE", *MarcoELE*, 8, (reedición de las actas de Expolingua, 1993). [En línea] <marcoele.com/descargas/expolingua1993_castaneda.pdf>

Castañeda Castro, A. (2012). "Perspective and Meaning in Pedagogical Descriptions of Spanish as a Foreign Language", en G. Ruiz Fajardo (ed.), *Methodological Developments in Teaching Spanish as a Second and Foreign Language.* Newcastle upon Tyne (UK): Cambridge Scholars Publishing: 221-272.

Castañeda Castro, A. y J. Ortega Olivares (2001). "Atención a la forma y gramática pedagógica: algunos aspectos del metalenguaje de presentación de la oposición *imperfecto/indefinido* en el aula de español/LE", en S. Pastor Cesteros y V. Salazar García (eds.), 213-248. [En línea] <publicaciones.ua.es/librosCap/84-699-530-x.asp>

Castañeda Castro, A., J. Ortega Olivares, L. Miquel López, R. Alonso Raya, J. P. Ruiz Campillo y P. Martínez Gila (2008). *Pronombres personales en la Gramática básica del estudiante de español.* Barcelona: Difusión. [En línea] <gramaticacognitivaele.es/paginas/1_guia_pronombres_personales_texto_pdf.htm>

Consejo de Europa. (2002). *Marco común europeo de referencia para las lenguas: aprendizaje, enseñanza, evaluación.* Madrid, 2002, Ministerio de Educación y Cultura; Instituto Cervantes y Editorial Anaya. [En línea] <cvc.cervantes.es/obref/marco/>

Lakoff, G. y M. Johnson (1980). *Metaphors we live by.* Chicago: Chicago University Press. (Trad. esp.: *Metáforas de la vida cotidiana.* Madrid: Cátedra, 2001).

Langacker, R. W. (2008). *Cognitive Grammar: A Basic Introduction.* Nueva York: Oxford University Press.

Lizano, J. (2009). *El ingenioso libertario Lizanote de La Acracia o la conquista de la inocencia.* Barcelona: Virus editorial.

Long, M. H. y P. Robinson (1998). "Focus on form: Theory, research and practice", en C. Doughty y J. Williams (eds.), *Focus on Form in Classroom Second Language Acquisition.* Cambridge: Cambridge University Press: 15-41.

Llopis-García, R., J. M. Real Espinosa y J. P. Ruiz Campillo (2012). *Qué gramática enseñar, qué gramática aprender.* Madrid: Edinumen.

Radden, G. y R. Dirven (2007). *Cognitive English Grammar.* Ámsterdam/Filadelfia: John Benjamins.

R.A.E. (2009). *Nueva Gramática de la lengua española.* Madrid: Espasa Libros.

Ruiz Campillo, J. P. (1998). *La enseñanza significativa del sistema verbal: un modelo operativo.* Granada: Universidad de Granada. [En línea] *RedELE*, 2004, nº 0. <http://www.mecd.gob.es/redele/Biblioteca-Virtual/2004/memoriaMaster/1-Semestre/RUIZ-C.html>

Ruiz Campillo, J. P. (2005). "Instrucción indefinida, aprendizaje imperfecto. Para una gestión operativa del contraste imperfecto/indefinido en clase", *Mosaico*, 15, 9-17. [En línea] <http://es.scribd.com/doc/19509052/mos15>

Ruiz Campillo, J. P. (2007a). "Gramática cognitiva y ELE", *MarcoELE*, 5. [En línea] <marcoele.com/numeros/numero-5/>

Ruiz Campillo, J. P. (2007b). "El concepto de no-declaración como valor del subjuntivo", en C. Pastor Villalba (ed.), *Actas del Programa de formación del profesorado de ELE 2005-2006.* Múnich: Instituto Cervantes; 284-326. [En línea] <cvc.cervantes.es/ensenanza/biblioteca_ele/publicaciones_centros/PDF/munich_2005-2006/04_ruiz.pdf>

Ruiz Campillo, J. P. (2008). "Enseñar a pensar la gramática a nuestros alumnos alemanes". [En línea] <cvc.cervantes.es/ensenanza/biblioteca_ele/publicaciones_centros/PDF/munich_2007-2008/04_entrevista.pdf>.

Vandergrift, L. y C. Goh (2009). "Teaching and Testing Listening Comprehension", en M. H. Long y C. J. Doughty (eds.) (2009), *The Handbook of Language Teaching.* Oxford: Blackwell; 395-411.

VanPatten, B. (1996). *Input Processing and Grammar Instruction*, Norwood (N. J.): Ablex Publishing Corporation.